CHIMIE ORGANIQUE
Notions fondamentales

2e édition
revue et corrigée

CHIMIE ORGANIQUE
Notions fondamentales

Richard Huot, chimiste
D.Sc.(chimie organique)
professeur de chimie
Collège de Sainte-Foy

Gérard-Yvon Roy, chimiste
B.A., B.Sc.
professeur de chimie
Collège de Sainte-Foy

2e édition
revue et corrigée

Les Éditions Carcajou

Remerciements

Nous tenons à remercier M. Claude Paquette et M. Réjean Bouthot du Collège de Sainte-Foy, Mme Louise Huot et Mme Claudette Bergeron pour l'aide inestimable apportée en lisant, relisant, commentant et vérifiant avec une infinie patience ce texte, les exercices et les exercices résolus.

Nous remercions également les étudiants qui nous ont fait part de leurs remarques pertinentes en utilisant la première version du document.

Les auteurs.

Conception graphique de la couverture:
Gauthier & Associés Designers, Inc.
Illustration: Daniel Rainville.

Copyright © 1994, 1996
Les Éditions Carcajou
C. P. 102
L'Ancienne-Lorette, Qc. G2E 3M2
Tél. (418) 872-2939
Télécopieur. (418) 872-2939

Dépôt légal
Bibliothèque nationale du Québec
Bibliothèque nationale du Canada
1er trimestre 1996
ISBN-2-9801804-9-1
Imprimé et relié au Québec.

TABLE DES MATIÈRES

xi

Structure du livre

(les numéros réfèrent aux chapitres)

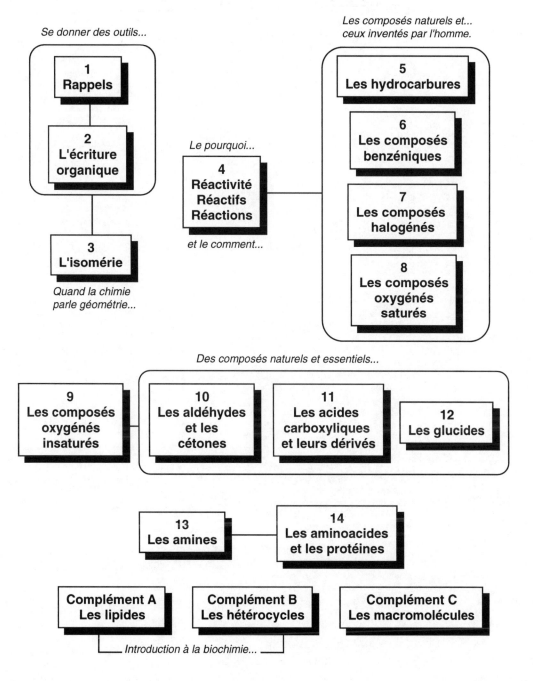

Se donner des outils...

**1
Rappels**

**2
L'écriture
organique**

**3
L'isomérie**

*Quand la chimie
parle géométrie...*

Le pourquoi...

**4
Réactivité
Réactifs
Réactions**

et le comment...

*Les composés naturels et...
ceux inventés par l'homme.*

**5
Les hydrocarbures**

**6
Les composés
benzéniques**

**7
Les composés
halogénés**

**8
Les composés
oxygénés
saturés**

Des composés naturels et essentiels...

**9
Les composés
oxygénés
insaturés**

**10
Les aldéhydes
et les
cétones**

**11
Les acides
carboxyliques
et leurs dérivés**

**12
Les glucides**

**13
Les amines**

**14
Les aminoacides
et les protéines**

**Complément A
Les lipides**

**Complément B
Les hétérocycles**

**Complément C
Les macromolécules**

Introduction à la biochimie...

Préface

La révolution tranquille au Québec a coïncidé avec une certaine révolution dans le monde de l'éducation. La scolarisation devenait une priorité et le dicton «qui s'instruit, s'enrichit» était sur toutes les lèvres.

À cette époque, les documents utilisés pour la formation étaient soit de source américaine ou française. Ces documents tout en étant de bonne qualité, n'étaient pas toujours adaptés à la langue ou encore à la culture.

La création des Cégeps a apporté un virage fort précieux au niveau des documents didactiques pour assurer la formation des cégépiens. Le Québec est un petit marché soit, mais il s'est développé chez beaucoup d'enseignants un engouement pour la production d'une variété de documents de grande qualité et ce, dans toutes les disciplines. Ce sont des outils de formation fort précieux car ces documents présentent souvent une approche didactique originale et méthodique afin de faciliter l'apprentissage.

Ce présent volume de chimie organique rejoint ces qualités et constitue un support didactique privilégié à tout étudiant qui amorce l'étude de la chimie organique. C'est un document très bien présenté qui aborde cette discipline selon un apprentissage progressif tout en précisant les préalables nécessaires à la compréhension de nouveaux concepts.

La présentation des connaissances à maîtriser, par des objectifs spécifiques, la mention des concepts clés et de la terminologie à apprendre à chaque chapitre permettent à l'étudiant d'être suffisamment autonome dans son apprentissage. De plus, le lien entre les composés organiques simples et leurs applications courantes rend plus concrète et plus intéressante cette chimie perçue souvent comme très théorique et abstraite.

Les auteurs ont eu le souci d'harmoniser la nomenclature selon les dernières modifications apportées par la Commission de nomenclature de l'Union Internationale de Chimie Pure et Appliquée (UICPA). Ce seul volet fait de ce document une référence fort précieuse car souvent la nomenclature manque de rigueur dans de nombreuses publications.

En résumé, ce volume de chimie organique est bien élaboré, respecte le niveau de formation collégiale et saura plaire à l'étudiant tant par sa présentation que son approche didactique. Avec le volet biochimie, l'ensemble du contenu convient intégralement aux deux principaux cours de chimie organique de la concentration sciences de la nature; il constitue également un outil de base pour plusieurs cours des programmes professionnels. L'ajout du cahier d'exercices résolus et commentés facilitera l'apprentissage et rendra l'étudiant plus autonome.

Toutes mes félicitations aux auteurs.

Antoine Fournier, chimiste
Président de l'Ordre des chimistes du Québec, de 1988 à 1993.

*Message aux étudiants**

Vous abordez un premier cours de chimie organique, peut-être avec une certaine appréhension.

Vos premiers contacts avec la chimie au secondaire vous ont sûrement émerveillés sinon étonnés. Puis cette chimie s'est révélée abstraite tout en étant très concrète au laboratoire. C'est d'ailleurs l'un des paradoxes de la chimie.

Ce niveau d'abstraction que l'on a exigé de vous, vous a hissés sur un autre palier de la connaissance. Ne vous en faites pas, vous vous y sentirez de plus en plus à l'aise avec le temps. Sur ce palier vous découvrirez la chimie organique avec son langage propre, les structures de ses molécules, les mécanismes de leurs réactions. Vous aurez l'impression d'ouvrir une porte sur un monde chimique nouveau et tout à fait étrange.

Un outil de travail

Ce livre va respecter votre rythme d'apprentissage. Il va vous accompagner et même vous attendre si vous lisez lentement.

À une époque où la télévision est omniprésente, où l'image est fragmentée et présentée en accéléré, que vient faire ce livre en caractères d'imprimerie statiques couchés sur des fibres organiques extraites d'épinettes qui ont mis soixante ou soixante-dix ans à se former? On est en droit de se le demander.

Comme les fibres de bois réunies pour faire ce papier, le contenu de ce livre a mis longtemps à mûrir. Il est le fruit de presque cinquante années de cohabitation des auteurs avec la chimie organique. Le fruit de cette longue gestation, on l'espère, va vous faciliter l'accès à ce monde fantastique qu'est la chimie organique.

Monde fantastique? Oui. Mais il faut inévitablement faire des efforts pour y pénétrer et découvrir toutes ses merveilles. Ce livre est conçu pour vous aider à y accéder le plus facilement possible tout en respectant votre rythme d'apprentissage. Votre effort sera de lire, d'analyser, de comprendre, d'interroger, d'évaluer et même de critiquer. Bien sûr qu'il faudra entrer dans les détails, bien sûr qu'il faudra parler de *quincaillerie:* nomenclature, classification, structure et comportement des composés organiques. Tout cela sera nécessaire pour une meilleure compréhension.

---

* Le générique masculin est utilisé sans aucune discrimination et uniquement pour alléger le texte.

La chimie organique va vous suivre toute votre vie...

Vous ne deviendrez probablement pas des professionnels de cette chimie. Mais si vous vous dirigez dans une carrière le moindrement reliée au domaine de la santé, soyez assurés que la chimie organique vous tiendra compagnie dans toute étude de biologie ou de biochimie. Vous constaterez que vous détenez la clé de la compréhension dans ces deux domaines de la science grâce à vos connaissances en chimie organique.

Et si vous ne faites pas carrière en sciences, vos connaissances de chimie organique vous serviront un jour. Nous sommes à l'ère de la haute technologie, rendue possible en partie par les trouvailles de la chimie organique. Un citoyen bien informé saura toujours mieux s'y retrouver.

Donc que vous deveniez chimiste, professionnel de la santé ou que vous exerciez toute autre profession, le niveau de votre culture sera toujours plus élevé si vous possédez des notions de chimie organique.

La chimie organique coupable? Non! Responsable!

Évidemment, notre monde fait aussi face aux problèmes d'énergie, de pollution de l'environnement et de l'épuisement de nos ressources. Il faut admettre, là aussi, que la chimie organique est de la partie, mais elle va sûrement jouer un rôle de plus en plus important dans le futur pour la résolution de ces problèmes.

Bon voyage dans le vaste monde de la chimie organique!

Avertissement

- L'une des caractéristiques de ce livre est l'utilisation de la **nomenclature internationnale** sans aucune référence à la nomenclature française utilisée jusqu'à maintenant. Nous croyons que ce choix va faciliter votre tâche lors de recherches dans le *Handbook of Chemistry and Physics* et, à un autre niveau, dans la littérature scientifique.

- Le contenu de ce livre vous paraîtra sans doute assez dense. Nous sommes cependant convaincus qu'il ne contient que l'essentiel pour un cours d'introduction à la chimie organique.

- Dans le but d'alléger le texte et lui conserver son impact pédagogique tout en l'enrichissant, les auteurs ont choisi de présenter, sous forme de textes complémentaires placés à la fin du livre, quelques notions de base sur les lipides, les hétérocycles et les macromolécules. L'étudiant pourra les consulter au besoin. Noter qu'aucun exercice n'accompagne ces textes.

- Vous trouverez, à plusieurs endroits dans le texte, le «*problème du prof.*»* , permettant un retour immédiat sur le contenu du cours. En voici un exemple:

 a) Donner la formule semi-développée et le nom de tous les isomères de constitution de C_4H_8.
b) Parmi ces isomères, lesquels sont des isomères de position?

- Plusieurs exercices sont présentés à la fin de chacun des chapitres. Ils sont répartis par section pour faciliter le repérage. Le solutionnaire (publié séparément) donne une réponse complète et souvent commentée pour chaque exercice.

- Vous rencontrerez occasionnellement des encadrés renfermant de l'information générale se rapportant à la chimie organique mais ne faisant pas partie du cours de chimie organique proprement dit. Ces encadrés sont facilement identifiables par:

┌ **Titre...** ─────────────────────────────────

* L'Éditeur fournit gratuitement aux professeurs les solutions à ce type de problèmes.

INTRODUCTION

La position centrale du carbone
L'atome de carbone occupe une position centrale dans toute la chimie des systèmes biologiques (plantes et animaux). On pourrait même dire qu'il l'est aussi par rapport à la lithosphère (minéraux), l'hydrosphère (eau) et l'atmosphère (oxygène, azote, dioxyde de carbone), si on considère les interactions du vivant avec son environnement. En effet, on ne peut dissocier l'existence de la vie sur Terre du sol qui supporte et nourrit la plante, de l'eau qui sert aux réactions biochimiques et de l'air aussi essentiel que les deux autres.

La «force vitale»
Historiquement, il est normal que la matière, sous ses formes les plus accessibles (roche, terre, eau, air), ait d'abord été étudiée. Elle était plus évidente et représentait moins de mystère qu'une simple grenouille douée de vie, capable d'autonomie dans ses déplacements, son alimentation, son art du camouflage, sa reproduction, etc. Même les sécrétions des animaux conféraient à ces derniers un pouvoir spécial, «force vitale», laquelle, croyait-on, ne pourrait jamais être imitée.

La «force vitale» et la révolution scientifique
Pourtant, grâce à la formidable évolution des esprits qui éclata au cours des 16e, 17e, 18e et 19e siècles, on en vint même à explorer l'intérieur des animaux et à vouloir comprendre leur fonctionnement, que l'on sait maintenant d'une complexité incroyable.

Découverte d'un monde nouveau: la chimie du carbone
On s'est rendu compte, graduellement, que toute la composition et le fonctionnement des organes vitaux d'un animal ou d'une plante reposaient sur une chimie tout à fait inconnue jusqu'alors et presque étrangère à la chimie dite *minérale* (ou inorganique). Ceci était d'autant plus évident que plusieurs composés ne se retrouvaient que dans le monde animal ou végétal et qu'ils contenaient toujours du carbone. Jöns Jacob Berzélius (1779-1848), un Suédois, appela *organiques* les substances isolées des organismes vivants.

On peut mentionner le travail d'Antoine Laurent Lavoisier (1743-1794) démontrant les similitudes entre la respiration animale et la combustion, toutes deux consommant de l'oxygène et produisant de l'eau et du dioxyde de carbone. Avec ces observations commençait l'élucidation chimique des processus biologiques au sens moderne du terme.

Abandon de la théorie de la «force vitale»

L'un des points tournants de l'histoire du développement de la chimie organique fut l'abandon de cette théorie de la *force vitale*, ce mystère qui entourait la formation et la transformation des substances naturelles issues des plantes et des animaux. On l'abandonna en 1828 lorsque Friedrich Wöhler(1800-1882) fabriqua, par accident, de l'urée (présent dans l'urine de tous les animaux) en chauffant une substance minérale, le cyanate d'ammonium:

$$NH_4^+ \ ^-OCN \longrightarrow \begin{array}{c} H_2N \\ H_2N \end{array} C=O$$

- cyanate d'ammonium
CH_4N_2O • substance minérale
- composé ionique

• urée
CH_4N_2O • substance organique
• composé covalent

Évidemment, il était mentalement préparé pour se rendre compte de la nature du produit qu'il avait fabriqué (la mesure du point de fusion le mettait déjà sur la piste, puisque que le composé ne pouvait pas contenir d'autres atomes que C, H, N et O).

Un peu plus tard, en 1845, Kolbe fabriqua de l'acide acétique (ingrédient du vinaigre actuel) que l'on retrouvait alors dans du vin vieilli. Puis ce fut Berthelot qui, entre 1856 et 1863, fabriqua du méthane (principal constituant du gaz naturel issu de la décomposition des matières animales et végétales en absence d'air).

Lente évolution des idées

À partir de ce moment, on sut que l'on pouvait recréer toutes les molécules utilisées et produites par les plantes et les animaux. La chimie organique était née.

Mais cette naissance ne fut pas instantanée. Elle se fit dans le temps, suscitant des polémiques (chacun défendait ses théories) et impliquant des vies entières: Wöhler, Wurtz, Van't Hoff, Le Bel, Saytsev, Markovnikov, Grignard, Kékulé, etc., des noms accrochés maintenant à une loi ou à un type de réaction.

La chimie organique contribua évidemment, par ailleurs, à l'essor de la biologie puis de la biochimie, cette chimie organique spécifique au vivant.

La chimie organique de synthèse

De son côté, la chimie organique, possédant des outils extraordinaires de transformation de la matière, s'est développée rapidement. Elle a permis de refaire de *mains d'homme* plusieurs substances d'origine biologique. Elle s'est mise également à fabriquer de toutes pièces des composés qui n'existent pas chez les vivants.

Berthelot, entre 1856 et 1863, fabriqua également de l'acétylène (utilisé dans la soudure oxyacétylénique). Le domaine de la chimie organique de synthèse était né.

Nous profitons aujourd'hui de ces *fabrications*: matières plastiques, caoutchoucs synthétiques, peintures, colles, médicaments, textiles, isolants mousses, additifs pour l'essence, agents de conservation pour les aliments, etc. Ces substances et ces matériaux sont très éloignés du vivant, certes, mais on persiste à les appeler *organiques* (de synthèse, évidemment) à cause de la présence du carbone.

Le carbone: le maillon principal

Le carbone demeure donc l'élément clé de ces composés, grâce à l'étonnante aptitude que possèdent ses atomes à se lier entre eux un grand nombre de fois, capacité inégalée par aucun autre élément du tableau périodique.

Créer de la nouvelle matière, il faut le faire!

Refaire ce que la nature faisait déjà très bien fut une grande réussite. Faire ce qu'elle n'avait jamais fait fut encore plus spectaculaire.

On peut même affirmer que la chimie organique est la seule science capable de créer de la nouvelle matière!

C'est une science bien vivante où se développent continuellement de nouvelles connaissances. Finalement, elle est au coeur de la chimie industrielle moderne et elle contribue ainsi à l'économie de plusieurs pays.

La chimie organique, c'est quoi?

Pour bien saisir toute l'ampleur de cette science qu'est la chimie organique, nous n'avons qu'à examiner la nature des matériaux qui nous entourent et qui font partie de notre quotidien; en commençant par nous-mêmes et tous les êtres vivants, matière végétale ou animale.

Voici un petit test pour nous aider à comprendre une partie de ce qu'est le monde organique:

Vous assistez à un cours de chimie; dressez la liste de tous les matériaux que vous voyez sur les lieux.

Imaginez ensuite qu'un incendie majeur rase complètement votre salle de cours.

   1. Quels matériaux sont encore là?

   2. Quels matériaux sont disparus?

Après un incendie, tout est **noir**.

Cette substance noire est le carbone qui a été obtenu par la dégradation des substances organiques.

Tous les composés organiques contiennent du carbone et presque toujours de l'hydrogène. Ces produits sont presque tous combustibles et produisent du CO_2 et de l'eau. Si l'oxygène de l'air n'est pas suffisant, la combustion demeure incomplète et le carbone ne s'oxyde pas totalement en CO_2 ; c'est ce qui explique la présence du carbone noir.

De leur côté, les substances minérales s'oxydent différemment et elles sont plus résistantes à la chaleur et au feu. Ainsi, de façon générale, ce sont les matériaux inorganiques qui restent intacts après un incendie: structures métalliques, béton, verre, plâtre, etc.

Les matériaux qui sont fondus, carbonisés ou disparus sont de nature organique et il y en a beaucoup. Qu'est-ce qui a brûlé? Les chaises de bois, les dessus de tables en polymères, les rideaux, le plafond suspendu, les portes de bois, vos notes de cours, etc.

La composition des substances organiques se limite en général à quelques éléments seulement. En voici les principaux:

C, H (toujours)	**halogènes** (X) (assez souvent)
O, N (très souvent)	**S** (occasionnellement)

En plus, quelques métaux se joignent occasionnellement à la partie purement organique: ils forment des sels ou des dérivés organométalliques.

Bien que le nombre d'éléments présents dans une substance organique soit assez limité, cela n'empêche pas ce domaine de la chimie de fournir au-delà de cinq millions de substances organiques différentes.

Une des explications de la possibilité de former autant de substances différentes, est le fait que chaque atome de carbone peut réagir avec d'autres atomes de carbone identiques et former des chaînes plus ou moins longues. Ce phénomène, appelé *caténation* , permet aussi toutes sortes de fantaisies quant à la géométrie des structures. L'amidon et la cellulose en sont un exemple intéressant, puisque ces deux polymères, qui ne contiennent que des unités de glucose, sont différents dans leur géométrie; cette seule différence rend la cellulose difficilement assimilable par l'homme. Parmi ces quelques millions de substances organiques, l'encadré ci-dessous n'en mentionne que quelques-unes bien connues de tous.

Quelques substances organiques...

- *La gazoline et tous les produits pétroliers:* gaz naturel, huile à chauffage, huile à moteur, cires à chandelles, solvants (varsol).

- *Les alcools:* éthanol dans les boissons, méthanol (liquide pour lave-glace), éthylèneglycol (antigel), glycérol, alcool à friction.

- *Les polymères:* caoutchouc, plastiques, téflon, matériaux d'emballage, isolants, protéines, glucides (cellulose, amidon), fibres textiles.

- *Les médicaments et les drogues:* aspirine, cortisone, pénicilline; cocaïne, héroïne, L.S.D., etc.

- *Une foule d'autres substances:* colorants, composants de la peinture, additifs alimentaires, etc.

Pour terminer cette brève introduction, il est instructif de brosser un tableau des différences de propriétés entre les composés organiques et les composés inorganiques. Pour bien montrer ces différences, utilisons le sel de table, NaCl, comme substance inorganique et le naphtalène, $C_{10}H_8$, (boules à mites) comme substance organique. Les tableaux **A** et **B** ci-après mettent en évidence les importantes différences qui existent entre ces deux catégories de composés.

Tableau A Comparaison des propriétés physiques des composés inorganiques et des composés organiques.

Paramètre	Composés organiques	Composés inorganiques
Type de liaisons	liaisons covalentes (quelques fois polaires) ex.: $C_{10}H_8$ naphtalène (boules à mites)	liaisons ioniques ex.: Na^+Cl^- chlorure de sodium (sel de table)
Propriétés électriques	• sont de mauvais électrolytes • rarement solubles dans l'eau	• sont souvent de bons électrolytes • solubles dans l'eau
Stabilité à la chaleur	• points de fusion et d'ébullition relativement bas (< 400°C) ex.: naphtalène, F 80,2 °C • peuvent se décomposer	• très stables à la chaleur, souvent solides à points de fusion élevés ex.: NaCl, F 801 °C
Masse volumique	• voisine de 1 g/mL	• souvent très élevée

Tableau B Comparaison des propriétés chimiques des composés inorganiques et des composés organiques.

Paramètre	Composés organiques	Composés inorganiques
Combustibilité	• presque tous combustibles	• rarement combustibles
Vitesse des réactions	• lente et souvent réversible (donc incomplète); • réactions compétitives (différentes réactions sont possibles en même temps)	• souvent rapide et complète
Effets thermiques	• effets thermiques souvent peu marqués	• dégagent ou absorbent souvent beaucoup de chaleur

RAPPELS   1

Sommaire

Mots / concepts clés

- noyau atomique: électron, proton, neutron (charge nucléaire)
- atome, molécule, ion
- énergie d'ionisation, électronégativité
- masse molaire
- orbitale atomique
- configuration électronique
- orbitale atomique hybride
- électron interne, périphérique, célibataire, apparié

- règle de l'octet, structure de Lewis
- hétéroatome
- ion carbonium (carbocation)
- liaison intramoléculaire, intermoléculaire (Van der Waals)
- liaison ionique, covalente (polaire, non polaire)
- forme tétraédrique, plane, linéaire
- liaisons σ et π
- isomères *cis/trans*
- polarité des liaisons, des molécules, dipôle

Objectifs spécifiques

Vous devez être capable de ...

- écrire la configuration électronique de base des atomes C, N, O, F, Cl, Br, Na, Mg;
- spécifier, pour un atome donné, le nombre de protons, de neutrons, d'électrons internes, d'électrons périphériques, d'électrons célibataires, de paires d'électrons libres;
- représenter la structure de Lewis de molécules simples (règle de l'octet);
- distinguer entre ion, atome, molécule;
- distinguer les substances ioniques des substances covalentes;
- localiser la polarité des liaisons sur une molécule, le type d'hybridation sur les carbones (incluant les caractéristiques angulaires), les liaisons σ et π;
- dessiner la forme géométrique des molécules à partir des types d'hybridation de chacun de ses atomes de carbone;
- localiser les ponts hydrogène, s'il y a lieu, entre deux molécules;
- déduire l'état physique, à la température ambiante, d'une substance à partir de sa formule moléculaire semi-développée;
- prédire la solubilité dans l'eau de certaines molécules organiques;
- définir et expliquer les mots/concepts clés.

L'atome

1.1 Composition

L'**essentiel de la masse totale** d'un atome est concentré dans le noyau où se trouvent les protons et les neutrons. Les électrons sont responsables du reste de la masse. Le noyau est chargé positivement parce que chaque proton porte une charge **positive unitaire**. Les électrons sont **chargés négativement** et sont les seules particules à être **mises en jeu** dans une réaction chimique.

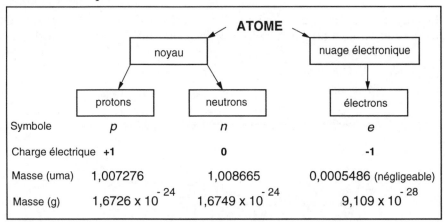

	ATOME		
	noyau		nuage électronique
	protons	neutrons	électrons
Symbole	p	n	e
Charge électrique	+1	0	-1
Masse (uma)	1,007276	1,008665	0,0005486 (négligeable)
Masse (g)	$1,6726 \times 10^{-24}$	$1,6749 \times 10^{-24}$	$9,109 \times 10^{-28}$

Puisque seuls les électrons sont impliqués dans toute réaction chimique, notre intérêt se limitera à l'étude du nuage électronique entourant le noyau de l'atome.

L'atome de carbone, en particulier, possède les caractéristiques suivantes:

$p = 6$ $n = 6$ $e = 6$ masse molaire = 12,011 g/mol

1.2 Représentation électronique

Les électrons circulent autour du noyau de l'atome, mais leur position ne peut être définie qu'en terme de région la plus probable dans laquelle il y a une bonne chance de les trouver. Cette zone de haute probabilité de trouver l'électron s'appelle *orbitale atomique* . Elle peut prendre diverses formes et se situer plus ou moins loin du noyau.

Il existe différentes orbitales appelées s, p, d, f, etc. situées à divers niveaux principaux d'énergie 1, 2, 3... Les électrons des éléments contenus dans les substances organiques peuvent être identifiés au moyen de la *configuration électronique* de ces éléments. En voici quelques exemples:

nombre d'électrons (maximum = 2; la plupart du temps, le chiffre 1 est sous-entendu, comme dans les exemples ci-dessous)

Atome H $(1\,s^1)$

niveau d'énergie principal

$C\,(1s^2, 2s^2, 2p_x, 2p_y)$ $F\,(1s^2, 2s^2, 2p_x^2, 2p_y^2, 2p_z)$

$N\,(1s^2, 2s^2, 2p_x, 2p_y, 2p_z)$ $Cl\,([Ne], 3s^2, 3p_x^2, 3p_y^2, 3p_z)$

$O\,(1s^2, 2s^2, 2p_x^2, 2p_y, 2p_z)$ $Br\,([Ar], 4s^2, 3d^{10}, 4p_x^2, 4p_y^2, 4p_z)$

Les régions de l'espace occupées par les électrons des orbitales *s* sont de forme sphérique tandis que celles occupées par les électrons des orbitales *p* se présentent sous forme de ballons allongés orientés perpendiculairement selon les axes x, y et z, tel qu'illustré à la figure 1.1 pour l'atome de carbone.

Figure 1.1   Les orbitales atomiques du carbone.

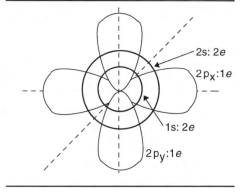

Les électrons du **dernier** niveau d'énergie sont appelés *périphériques*, (externes ou de valence), alors que les autres sont des électrons *internes*. Ces derniers ne participent jamais aux réactions chimiques et sont beaucoup plus difficiles à enlever, parce que mieux retenus par le noyau de l'atome.

Parmi les électrons périphériques, nous distinguons ceux qui sont célibataires (seuls dans une orbitale) des autres dits *appariés*. Selon la nature de l'atome considéré, les orbitales à demi-remplies ont tendance à perdre ou à gagner un électron jusqu'à ce que leur dernier niveau électronique soit complet, c'est-à-dire généralement porté à huit électrons (règle de l'octet).

C'est d'ailleurs dans cet ordre d'idée que nous représenterons, à l'occasion, les éléments en schématisant leurs électrons périphériques par des points (ou des x) autour de leur symbole chimique. Dans cette représentation, dite de **Lewis**, seuls les électrons périphériques sont notés:

$$\cdot \overset{\displaystyle \cdot}{\underset{\displaystyle \cdot}{C}} \cdot \qquad \cdot \overset{\displaystyle \cdot \cdot}{N} \cdot \qquad : \overset{\displaystyle \cdot \cdot}{O} \cdot \qquad : \overset{\displaystyle \cdot \cdot}{\underset{\displaystyle \cdot \cdot}{Cl}} \cdot$$

Grâce à cette convention, il devient facile de repérer le nombre de liaisons que forme normalement un élément dans une molécule. Ainsi, pour respecter la **règle de l'octet**, le carbone, l'azote, l'oxygène et le chlore partageront respectivement 4, 3, 2 et 1 électron(s) dans la plupart de leurs composés de type covalent.

1.3 *Propriétés*

Les électrons dits périphériques sont plus ou moins retenus par le noyau positif. L'énergie requise pour arracher un électron d'un atome est appelée **énergie d'ionisation** et varie selon:

> • la charge nucléaire,
> • le niveau d'énergie de l'orbitale considérée,
> • l'effet d'écran,
> • la répulsion électronique.

Le tableau 1.1 rassemble les valeurs d'énergies de première ionisation de quelques éléments du tableau périodique.

Tableau 1.1 Énergies de première ionisation de certains éléments (kJ/ mol).

H 1312							He 2373
Li 520	Be 900	B 801	C 1087	N 1403	O 1304	F 1681	Ne 2081
Na 496	Mg 738	Al 578	Si 787	P 1012	S 1000	Cl 1251	Ar 1521
K 419						Br 1140	Kr 1351
Rb 403						I 1009	Xe 1267

Cette plus ou moins grande facilité de perdre un ou plusieurs électrons pour un atome peut donc nous aider à mieux comprendre la formation des cations. En chimie organique, nous rencontrons très fréquemment l'ion du type H^+ (qui, en réalité, n'existe pas isolément) appelé proton et des carbones chargés positivement. Ces derniers se nomment ions *carboniums* ou *carbocations* .

Figure 1.2 Représentation d'un ion carbonium ou carbocation.

La **taille** des atomes varie pour chaque élément selon sa position dans le tableau périodique. Cette dimension est étroitement reliée au nombre d'électrons de l'atome et à sa charge nucléaire.

Tableau 1.2 Quelques rayons atomiques ($\times 10^{-10}$ m)

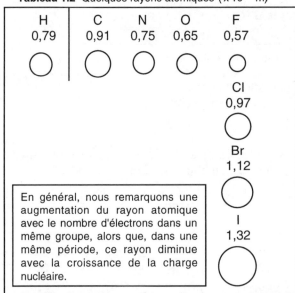

H	C	N	O	F
0,79	0,91	0,75	0,65	0,57
				Cl 0,97
				Br 1,12
				I 1,32

En général, nous remarquons une augmentation du rayon atomique avec le nombre d'électrons dans un même groupe, alors que, dans une même période, ce rayon diminue avec la croissance de la charge nucléaire.

Une autre propriété importante des atomes, très utile pour la chimie organique, est l'**électronégativité**. Elle est définie comme étant la tendance relative d'un élément à attirer vers lui le doublet d'électrons d'une liaison. Le chimiste américain Linus C. Pauling a proposé d'utiliser l'échelle d'électronégativité suivante:

Tableau 1.3 Électronégativité de quelques éléments.

H	Li	Be	B	C	N	O	F
2,20	0,98	1,57	2,04	2,55	3,04	3,44	4,00
						S	Cl
						2,58	3,16
							Br
							2,96
							I
							2,66

Ces valeurs, sans unité, augmentent généralement de gauche à droite dans une même période et de bas en haut pour un groupe donné (à cause de la charge nucléaire et l'effet d'écran). Cette propriété est d'une utilité capitale pour l'étude des réactions, les bris et la formation de liaisons chimiques; elle nous indique la répartition des électrons entre les atomes liés.

Plusieurs chimistes ont suggéré, dans le passé, différentes échelles d'électronégativité. Celle que Pauling a proposé en 1932 est la plus connue. Elle est basée sur l'écart entre l'énergie d'une liaison A-B et la moyenne géométrique des énergies de liaison A-A et B-B.

Carl Linus Pauling...

Ce chimiste américain est l'un de ceux qui a le plus marqué son époque. Né le 28 février 1901, il est décédé à l'automne 1995. Pauling s'est fait remarquer par ses théories avant-gardistes sur la liaison chimique et, dans le domaine médical, sur la nature moléculaire héréditaire de l'anémie pernicieuse et sur la consommation de fortes doses de vitamine C pour contrer le rhume.

C'est lui qui a d'abord suggéré que le fluor puisse réagir avec le xénon, un gaz rare soi-disant inerte. On lui a donné raison 30 ans plus tard. On a effectivement réussi à fabriquer des composés du xénon:

XeF_2　　　XeF_4　　　XeF_6　　　$XePtF_6$　　　$XeOF_4$　　　XeO_2F_2　　　XeO_3

Linus Pauling a été l'un des premiers à utiliser la notion de *liaison hydrogène* (pont hydrogène) proposée en 1912 par Tom Moore et Thomas Winmill.

C'est lui qui a démontré que l'hémoglobine de malades atteints d'anémie pernicieuse migre plus lentement que celle d'individus normaux dans le champ électrique de la technique de séparation et d'identification appelée électrophorèse.

Par analogie avec la biologie, Linus Pauling a inventé la notion et la théorie de l'hybridation ou processus par lequel les orbitales atomiques se modifient au moment de la formation d'une liaison. Il fut également le premier à proposer une forme en hélice pour la structure de base des protéines.

Conscient des dangers potentiels des retombées radioactives suite aux essais nucléaires, il prône l'abandon des essais et présente, en 1958, une pétition de 11 000 signatures de scientifiques à l'ONU. Il reçut le prix Nobel de chimie en 1954 et celui de la paix en 1962.

La molécule

1.4 Observations

Tout le monde sait que le sel de table (chlorure de sodium) et le sucre (saccharose) sont solubles dans l'eau. Nous avons aussi souvent remarqué que l'huile à moteur et l'essence flottent sur l'eau sans s'y dissoudre. L'explication fondamentale de cette différence se situe dans le type de liaisons intermoléculaires et intramoléculaires.

Le tableau 1.4, ci-dessous, met en évidence le fait que l'eau, liquide polaire, dissout facilement les substances ioniques et les substances constituées de molécules covalentes polaires. Dans le cas des substances ioniques, cette propriété de l'eau est due à sa grande efficacité à solvater autant les ions positifs que les ions négatifs. En ce qui concerne les molécules covalentes polaires, ce sont les interactions dipôle-dipôle qui prédominent et favorisent la solvatation.

Quant aux substances constituées de molécules covalentes non polaires, il est pratiquement impossible, pour l'eau, d'entrer en interaction avec elles, ne pouvant pas établir d'attractions suffisamment fortes pour les solvater efficacement. Elles y sont donc insolubles.

Donc, la nature des atomes constitutifs des molécules, les types de liaisons intramoléculaires, la polarité des liaisons, la polarité des molécules et les types de liaisons intermoléculaires sont les facteurs à considérer pour expliquer la solubilité de divers solutés dans l'eau.

Tableau 1.4   Propriétés de quelques substances usuelles.

Substance	F (°C)	Éb (°C)	État physique à 25°C	Solubilité dans l'eau à 25°C	Espèces chimiques en solution	Type de liaison intra-moléculaire
Chlorure de sodium $NaCl$	801	—	solide	très	ions	ionique
Oxygène O_2	- 218,4	- 182,96	gaz	légèrement	molécules	covalente non polaire
Méthanol CH_3OH	- 93,9	65,1	liquide	très	molécules	covalente polaire
Saccharose $C_{12}H_{22}O_{11}$	185,6	—	solide	très	molécules	covalente polaire
Méthane CH_4 (gaz naturel)	-182	-164	gaz	négligeable	molécules	covalente non polaire

1.5 *Liaisons intramoléculaires*

L'électronégativité d'un élément est le principal facteur qui régit le type de liaison qu'il établit avec un autre élément. D'une part, lorsque deux atomes de même électronégativité s'unissent, ils partagent un doublet électronique de manière **égale**. Cela constitue alors une **liaison covalente non polaire**. D'autre part, lorsqu'il y a une différence d'électronégativité entre deux atomes liés, cela entraîne un partage **inégal** d'électrons qui peut, à la limite, produire un **transfert** d'électrons d'un atome à un autre. Un tel transfert produit des ions qui peuvent alors s'unir par attractions électrostatiques (**liaison ionique**). Une liaison intermédiaire entre liaison covalente et liaison ionique est appelée **liaison covalente polaire**. Le tableau suivant illustre trois cas typiques de liaisons intramoléculaires.

Tableau 1.5 Formation de trois types de liaisons intramoléculaires.

NaCl		Cl_2		HCl	
Sodium	Chlore	Chlore	Chlore	Hydrogène	Chlore
Én.* 0,93	3,16	3,16	3,16	2,20	3,16
ΔÉn.** 2,23		0		0,96	
$Na^{\cdot}$ $_x^{xx}Cl_x^{x}$		$:\overset{..}{Cl}\cdot$ $_x^{x\ x}Cl_x^{x}$		$H\cdot$ $_x^{x\ x}Cl_x^{x}$	
transfert d'*e*		partage **égal** d'*e*		partage **inégal** d'*e*	
↓		↓		↓	
Na^+ $_x^{xx}Cl_x^{x}$ $^-$		$:\overset{..}{Cl}_x^{xx}Cl_x^{x}$		$H_x^{xx}Cl_x^{x}$	
liaison ionique		liaison covalente non polaire		liaison covalente polaire	
Na^+ Cl^-		Cl_2		HCl	
les ions font partie d'un réseau cristallin		liaison σ symétrique non polaire		liaison σ déformée polaire	
ΔH_{diss}^* : 408 kJ / mol		ΔH_{diss} : 243 kJ / mol		ΔH_{diss} : 431 kJ / mol	

---

* Én. = électronégativité. ΔÉn. = différence d'électronégativité. ΔH_{diss} = énergie de dissociation.

** Une différence d'électronégativité de 1,7 entre deux éléments confère 51% de caractère ionique à la liaison . Cette dernière est alors dite ionique.

La chimie organique comprend surtout des molécules dont les éléments de base, C et H, ont une électronégativité du même ordre de grandeur; donc les liaisons covalentes peu polaires y sont le plus fréquemment rencontrées. Mais cela n'empêche pas l'existence de liaisons plus polaires impliquant des atomes comme O, N, X (halogène).

1.6 Liaison covalente: cas du carbone

Le carbone, commun à toutes les substances organiques, est très polyvalent puisqu'il se lie de diverses façons avec lui-même et avec plusieurs autres éléments. Sa position dans le tableau périodique lui attribue une électronégativité de valeur moyenne et, de ce fait, il peut aussi bien gagner que perdre des électrons selon la nature des atomes voisins. En termes plus concrets, si nous comparons les électrons à de l'argent, le carbone est comparable à quelqu'un dont la richesse ou la pauvreté ne dérange guère.

Le carbone possède en plus une forte tendance à la caténation (formation de chaînes d'atomes de carbone) et la géométrie des substances formées présente une incroyable variété.

L'étude **expérimentale** très poussée de la structure de molécules simples a fourni les résultats suivants:

Tableau 1.6 Structure de quelques substances organiques.

	Formule	Structure	Géométrie	Angles de liaison
Méthane (gaz naturel)	CH_4	$H-\overset{\overset{\textstyle H}{\vert}}{\underset{\underset{\textstyle H}{}}{C}}\cdots H$	tétraédrique	109° 28'
Éthylène	C_2H_4	$\overset{H}{\underset{H}{}}C=C\overset{H}{\underset{H}{}}$	plane	120°
Acétylène	C_2H_2	$H-C\equiv C-H$	linéaire	180°

Les données du tableau 1.6 montrent, entre autres, la capacité du carbone de se lier à lui-même soit par liaison simple, soit par liaison multiple. On verra dans la suite du texte comment la formation de liaisons simples, doubles ou triples impose une forme géométrique particulière à la disposition spatiale des atomes liés.

***Comment une liaison entre deux atomes de carbone peut-elle conduire
à une molécule plane, linéaire ou tridimensionnelle?***

Une première théorie issue de la mécanique quantique propose que les
orbitales atomiques normales du carbone se réorganisent (s'hybrident) en
de nouvelles orbitales appelées **orbitales atomiques hybrides**. Voici le
cheminement théorique proposé pour la formation de ces orbitales:

> **1. Carbone fondamental:** $C(1s^2, 2s^2, 2p_x^1, 2p_y^1)$

Cette configuration pourrait nous laisser croire que le carbone ne
formera que deux liaisons puisqu'il n'a que deux orbitales à demi-garnies
(deux électrons célibataires); or, le carbone forme toujours quatre
liaisons. Il est donc logique de supposer qu'il doit se retrouver avec
quatre électrons célibataires. Pour cela, il doit passer par un état excité
(gain d'énergie) avant de former ses liaisons avec dégagement d'énergie.

> **2. Carbone excité:** $C^*(1s^2, 2s^1, 2p_x^1, 2p_y^1, 2p_z^1)$

Dans ce cas, un électron du sous-niveau énergétique 2s passe au
sous-niveau énergétique $2p_z$. Toutefois, cette nouvelle configuration ne
permet pas d'expliquer convenablement les observations expérimentales
de la structure des composés du carbone (par exemple, les quatre liaisons
identiques du méthane). Allons plus loin pour expliquer les faits
mentionnés dans le tableau 1.6.

> **3. Carbone hybridé:** C^{**} (trois possibilités): sp^3, sp^2, sp.

En se basant sur des équations mathématiques de la mécanique
quantique, on a proposé une réorganisation des orbitales atomiques
fondamentales s et p pour donner de nouvelles orbitales atomiques
appelées orbitales hybrides sp^3, sp^2, sp. (voir tableau 1.7).

Hybridation du carbone

Le carbone possède six électrons dont quatre sont périphériques:

$$C\,(1s^2, 2s^2, 2p_x^1, 2p_y^1)$$

Avant de former quatre liaisons, le carbone devient:

$$C^*\,(1s^2, 2s^1, 2p_x^1, 2p_y^1, 2p_z^1)\ \ \text{(état excité)}$$

Ces liaisons peuvent être simples, doubles ou triples et, selon le cas, le carbone s'hybride alors de trois façons différentes.

Note: | Les orbitales moléculaires σ se forment par un recouvrement axial d'orbitales atomiques.
Les orbitales moléculaires π se forment seulement par un recouvrement latéral d'orbitales atomiques p.

Tableau 1.7 Résumé (hybridation du carbone et géométrie des molécules).

Hybridation sp³		Géométrie, nombre de voisins, angles de liaison et types de liaisons.	Exemple
$C^{**}(1s^2, sp^3, sp^3, sp^3, sp^3)$			
		tétraédrique	CH_4 méthane
		4 voisins	
	4 orbitales	109° 28'	
2 s 2 p_x 2 p_y 2 p_z 2 sp^3		4 σ	rotation libre autour des liaisons simples
Hybridation sp²		plane	C_2H_4 éthylène
$C^{**}(1s^2, sp^2, sp^2, sp^2, 2p_z)$		3 voisins	
		120°	
	3 orbitales	3σ	
2 s 2 p_x 2 p_y 2 sp^2		1 π	molécule rigide et plane
Hybridation sp		linéaire	C_2H_2 acétylène
$C^{**}(1s^2, sp, sp, 2p_y, 2p_z)$		2 voisins	
		180°	H—C≡C—H
	2 orbitales	2 σ	molécule linéaire
2 s 2 p_x 2 sp		2 π	

Lors de la formation de composés, les nouvelles orbitales hybrides sont responsables de la création des liaisons σ. Les orbitales 2p non utilisées, lorsque c'est le cas, servent à former les liaisons π (par recouvrement latéral) dans les liaisons multiples. En examinant la structure des trois composés du tableau 1.7, il est possible de tirer des généralisations valables pour toute la chimie organique.

1. Méthane (implique une hybridation sp³ du carbone).

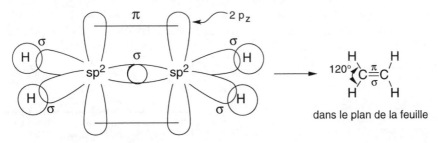

géométrie tétraédrique

Principales caractéristiques:

- recouvrement axial de chaque orbitale atomique sp³ du carbone avec l'orbitale 1s de chaque hydrogène, d'où la formation de quatre orbitales moléculaires σ ;

- forme tétraédrique.

2. Éthylène (implique une hybridation sp² du carbone).

dans le plan de la feuille

Principales caractéristiques:

- recouvrement axial carbone-carbone de deux orbitales atomiques sp² de chaque carbone, d'où la formation d'une orbitale moléculaire σ; même chose avec les orbitales 1s des quatre hydrogènes;

- recouvrement latéral des orbitales 2 p_z de chacun des carbones; d'où la formation d'une orbitale moléculaire π;

- forme plane (tous les noyaux atomiques occupent le même plan).

3. Acétylène (implique une hybridation sp du carbone).

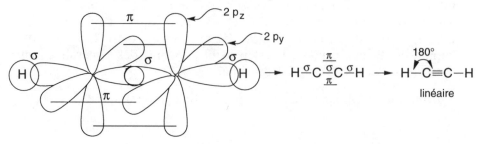

Principales caractéristiques:

- recouvrement axial carbone-carbone de deux orbitales atomiques sp de chaque carbone, d'où la formation d'une orbitale moléculaire σ; même chose avec les orbitales 1s des deux hydrogènes;

- recouvrement latéral des orbitales $2p_z$ et $2p_y$ de chacun des carbones; d'où la formation de deux orbitales moléculaires π;

- forme linéaire (une même droite relie les quatre noyaux atomiques).

L'hybridation sp³

Ce type d'hybridation ne permet que la formation de liaisons σ et la géométrie tétraédrique (angles de liaisons voisins de 109° 28") y sera toujours associée. Ces orbitales moléculaires σ, grâce à leur section cylindrique, confèrent une mobilité remarquable aux molécules. Il y a donc une **rotation** continuelle autour de l'axe de liaison. Cette rotation permet aux molécules de prendre plusieurs formes (qu'on appelle conformations*) dont la stabilité varie selon l'encombrement de l'espace entre voisins (atomes ou groupes d'atomes).

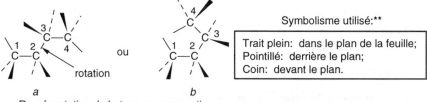

Symbolisme utilisé:**

Trait plein: dans le plan de la feuille;
Pointillé: derrière le plan;
Coin: devant le plan.

Représentation du butane en perspective

Une rotation autour de la liaison $\sigma(C_2, C_3)$ dans la forme *a* produit la forme *b*.

Cette propriété caractérise les liaisons simples exclusivement. Elle sera approfondie au chapitre 2.

---

 * Notion explicitée en 2.4.
** Ce symbolisme sera repris en 2.3.

L'hybridation sp^2

Ce genre d'hybridation a comme particularité de conduire à des molécules de forme géométrique plane où la liaison double formée ne permet plus la rotation libre comme dans le cas de liaisons σ. L'une des conséquences importantes de ce genre de structure est l'existence d'isomères, appelés *cis* et *trans*. Par exemple,

$$CH_3\diagdown \diagup CH_3$$
$$C=C$$
$$H \diagup _{cis} \diagdown H \qquad \text{est différent de} \qquad H \diagdown \diagup CH_3$$
$$C=C$$
$$CH_3 \diagup _{trans} \diagdown H$$

Les propriétés physiques et chimiques de ces deux substances sont différentes. Ces notions seront détaillées au chapitre 3.

L'hybridation sp

Les régions d'une molécule qui contiennent des carbones hybridés sp ont une géométrie linéaire. On y retrouve une importante densité électronique entre les atomes unis par le lien triple constitué de deux électrons σ et quatre électrons π.

Présence de plusieurs types d'hybridation

En général, on rencontre presque toujours plus d'un type d'hybridation du carbone dans une même molécule. Dans ce cas, chaque hybridation conserve ses propriétés et la géométrie d'une telle molécule en sera d'autant plus complexe. Voici un exemple:

$$\overset{1}{CH_3}-\overset{2}{CH}=\overset{3}{CH}-\overset{4}{C}\equiv\overset{5}{C}-\overset{6}{CH_2}-\overset{7}{CH_2}-\overset{8}{CH_3}$$

Cette molécule se détaille comme suit:

• les carbones C_1, C_6, C_7 et C_8 sont hybridés sp^3 parce qu'ils ne forment que des liaisons σ;
• les carbones C_2 et C_3 sont hybridés sp^2 parce qu'ils forment une seule liaison π;
• les carbones C_4 et C_5 sont hybridés sp parce qu'ils forment deux liaisons π.

D'où la géométrie globale suivante:

Nous remarquons une géométrie :

• tétraédrique autour de C_1, C_6, C_7 et C_8
• plane autour de C_2 et C_3
• linéaire autour de C_4 et C_5.

Il existe une autre approche pour expliquer la géométrie des molécules:

Théorie de la répulsion électronique

Cette théorie (appelée théorie de Gillespie) repose sur l'hypothèse suivante: autour d'un noyau central, les nuages électroniques qui l'entourent se disposent dans l'espace de façon symétrique la moins encombrante possible.

Les nuages électroniques pertinents à considérer sont ceux des liaisons σ directement reliées à l'atome étudié et ceux des doublets d'électrons libres de cet élément. Ces nuages électroniques sont appelés des *voisins*. En voici quelques illustrations:

1. $H\!-\!\overset{..}{O}\!:$ L'oxygène est entouré de quatre voisins:
$$\boxed{\begin{array}{l}\bullet \text{ deux liaisons } \sigma \text{ O—H}\\ \bullet \text{ deux doublets libres.}\end{array}}$$

2. $\underset{H}{\overset{H}{\diagdown}}C\!=\!C\underset{H}{\overset{H}{\diagup}}$ Chaque carbone a trois voisins:
$$\boxed{\begin{array}{l}\bullet \text{ deux liaisons } \sigma \text{ C—H}\\ \bullet \text{ une liaison } \sigma \text{ C—C.}\end{array}}$$

Note: Le carbone n'a jamais de doublet libre.

3. $H\!-\!\overset{\overset{H}{|}}{\underset{\underset{H}{|}}{C}}\!-\!\overset{2}{C}\!\equiv\!\overset{3}{C}\!-\!H$ C_1 a quatre voisins: 3 liaisons σ C—H et 1 liaison σ C—C;
C_2 a deux voisins: 2 liaisons σ C—C;
C_3 a deux voisins: 1 liaison σ C—C et 1 liaison σ C—H.

Le nombre de voisins détermine la géométrie autour d'un point central et, par conséquent, le type d'hybridation de cet élément:

- quatre voisins: géométrie tétraédrique et sp^3
- trois voisins: géométrie plane et sp^2
- deux voisins: molécule linéaire et sp.

1. Établir le nombre de voisins pour chacun des huit carbones de l'exemple de la page précédente.

2. Dessiner la molécule suivante le plus exactement possible et y indiquer: le type d'hybridation de chaque élément, la nature de chaque liaison (σ ou π) et tous les angles de liaison.

$$CH_2CHCH(OH)CCH$$

1.7 *Polarité des molécules*

Depuis le début de ce chapitre, nous nous sommes limités aux hydrocarbures (molécules qui ne contiennent que du carbone et de l'hydrogène). Il existe cependant une foule de substances organiques qui contiennent d'autres éléments dont les principaux sont: l'oxygène, l'azote et les halogènes.

Le carbone et l'hydrogène forment des liaisons covalentes avec ces nouveaux éléments, mais la symétrie du partage des électrons dans les orbitales σ et π est perdue, à cause du caractère fortement électronégatif de ces éléments; ce qui donne des **liaisons covalentes polaires.**

Le degré de polarité est proportionnel à **l'écart** entre les électronégativités des atomes liés. Il y a alors déformation du nuage électronique et création d'un dipôle que l'on représente comme suit:

$$\overset{\delta^+}{A} \longrightarrow \overset{\delta^-}{B}$$ où B est plus électronégatif que A.

---

2 ▷ Compléter le tableau suivant en utilisant les valeurs du tableau 1.3.
Calculer la différence d'électronégativité entre l'atome indiqué et le carbone ou l'hydrogène, selon le cas.

Élément	Électronégativité	Différence d'électronégativité par rapport à C	Différence d'électronégativité par rapport à H
carbone		0	
hydrogène			0
oxygène			
azote			
fluor			
chlore			
brome			
iode			

a) Quelle est la liaison la plus polaire?
b) Quelle différence importante y a-t-il entre la polarité d'une liaison C—H et celle d'une liaison C—Br?

À mesure que la différence d'électronégativité augmente, l'élément le plus électronégatif a de plus en plus tendance à former un anion, ce qui fait que la liaison devient de plus en plus polaire (ex. HCl).

S'il est facile de reconnaître une liaison polaire entre deux atomes, est-il aussi simple d'évaluer la polarité d'une molécule polyatomique constituée de plusieurs liaisons?

Le chlorométhane, CH_3Cl, est polaire et le dioxyde de carbone, CO_2, ne l'est pas; pourtant les deux molécules contiennent des éléments très électronégatifs. Pourquoi?

La polarité globale d'une molécule peut être analysée théoriquement par la combinaison de la polarité de chacune des liaisons dans la molécule. Pour ce faire, il faut tenir compte de l'**électronégativité** des différents atomes liés et de la **géométrie** de la molécule. Examinons le cas du chlorométhane:

$$CH_3Cl$$

Cette molécule contient 3 liaisons C–H et 1 liaison C–Cl.

Les électronégativités des éléments sont:
C: 2,55
H: 2,20
Cl: 3,16

Ces valeurs correspondent aux polarités suivantes:

$$\overset{\delta^-}{C}\underset{\longleftarrow}{}\overset{\delta^+}{H} \qquad \overset{\delta^+}{C}\underset{\longrightarrow}{}\overset{\delta^-}{Cl}$$

La prochaine étape consiste à construire la molécule en respectant sa géométrie le plus fidèlement possible et faire la somme vectorielle des polarités de toutes les liaisons.

De cette façon, nous concluons que la molécule CH_3Cl est polaire à cause d'une densité électronique intense au voisinage du chlore.

C'est aussi de cette façon que nous pouvons arriver à expliquer pourquoi la molécule de dioxyde de carbone est non polaire: sa géométrie linéaire conduit à la compensation de ses deux polarités opposées.

$$O=C=O \qquad O\overset{\mu_1}{\underset{\longleftarrow}{}}C\overset{\mu_2}{\underset{\longrightarrow}{}}O$$
$$\mu_t = \mu_1 + \mu_2 = 0$$

En résumé, les composés ne contenant que du carbone et de l'hydrogène peuvent être considérés d'une polarité négligeable, alors que ceux qui contiennent un ou plusieurs éléments très électronégatifs (comme O, N, X) sont le plus souvent polaires. Pour ces derniers, une analyse détaillée de la situation s'impose.

3 Les molécules suivantes sont-elles polaires?

a) CH_4

b) $CHCl_3$

f)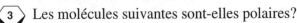

c) BF_3

g) CH_3-CH_3

d) CCl_4

e) CH_3OH

h) NH_3

La polarité des liaisons et des molécules a une énorme influence sur les propriétés physiques et chimiques des substances; la section 1.8 traite de cette question.

Terminons maintenant cette étude des liaisons covalentes par la présentation de quelques données sur leur **longueur** et l'**énergie** requise pour les briser.

Tableau 1.8 Longueur et énergie de liaison. Quelques exemples.

Liaison	Longueur (nm)	Énergie (kJ / mol)	Exemples
C—C	0,153	335	CH_3-CH_3
C=C	0,134	611	$CH_2=CH_2$
C≡C	0,120	833	$CH≡CH$
C—H	0,109	414	CH_4
C—Cl	0,178	327	CH_3-Cl
C—O	0,142	337	CH_3-O-H
C=O	0,123	741	$(CH_3)_2C=O$
C—N	0,147	260	CH_3-NH_2
C≡N	0,116	892	$CH_3-C≡N$

Noter la variation de la **longueur** d'une liaison simple, double ou triple dans le tableau 1.8. **L'énergie** de liaison varie en sens inverse.

1.8 *Attractions intermoléculaires*

Pourquoi, aux conditions normales de température et de pression, l'eau est-elle **liquide**, le méthane (gaz naturel) **gazeux**, le sucre de table (saccharose) **solide**?

Les attractions intermoléculaires (London, Keesom, Debye) peuvent expliquer en partie cette situation, du moins en ce qui concerne les solides et les liquides. Bien que ces attractions soient faibles, une certaine quantité d'énergie est quand même nécessaire pour les briser lors d'une fusion ou d'une vaporisation. Le tableau 1.9 permet de comparer les propriétés physiques de quelques substances organiques simples.

Tableau 1.9 Propriétés physiques de quelques composés organiques.

Composé	F (°C)	Éb (°C)	Solubilité dans l'eau (25°C)
CH_4 gaz naturel	- 182	- 164	insoluble
C_3H_8 propane	- 189,7	- 42,1	insoluble
CH_3OH alcool de bois	- 93,9	65,1	soluble en toutes proportions
C_3H_7OH alcool à friction	- 89,5	82,4	soluble en toutes proportions
CH_3COOH acide acétique	16,6	117,9	soluble en toutes proportions
C_6H_5COOH acide benzoïque	122,13	249,13	peu soluble

Les attractions intermoléculaires, appelées aussi forces de Van der Waals, s'établissent entre les dipôles instantanés ou permanents qui peuvent exister dans une molécule. Ces attractions sont de plus en plus importantes lorsque les atomes liés présentent de grandes différences d'électronégativité. Le méthane et le méthanol illustrent bien ce fait:

méthane $\boxed{CH_4}$

méthanol $\boxed{CH_3OH}$

Différence d'électronégativité **faible** entre les éléments liés	Différence d'électronégativité **élevée** entre les éléments liés (à cause de l'oxygène)
dipôle global nul (symétrie)	dipôle important
attractions faibles	attractions fortes (ponts hydrogène)
molécules libres	molécules étroitement liées
point d'ébullition bas (- 164°C)	point d'ébullition élevé (65,1°C)

En général, les petites molécules non polaires sont souvent des gaz (ex.: CO_2 et CH_4), alors que des molécules polaires, ou très grosses, prennent souvent l'aspect solide (les composés ioniques sont toujours solides). La solubilité d'une substance dans un solvant est aussi très influencée par l'affinité de l'un pour l'autre. Ainsi l'eau, solvant polaire, dissout facilement les produits ioniques ou polaires, alors qu'elle est non miscible avec les substances non polaires (voir quelques exemples au tableau 1.9).

La présence d'électrons π au voisinage d'atomes fortement électronégatifs comme O et N augmente la polarisabilité d'une molécule et souvent lui permet une meilleure solubilité dans l'eau. L'acétone est un bel exemple de substance complètement miscible avec l'eau à cause de la grande polarité autour de $C{=}O$.

$$\text{acétone} \quad \begin{array}{c} H_3C \\ \diagdown \\ C{=}O \\ \diagup \\ H_3C \end{array} \qquad \overset{\delta^+}{C}{=}\overset{\delta^-}{O} \quad \text{liaison très polaire}$$

Il faut toutefois ajouter que même si les attractions intermoléculaires sont importantes et influencent grandement l'état physique des substances, elles demeurent faibles comparativement aux liaisons covalentes ou ioniques. L'énergie qu'elles représentent se situe autour de 20 kJ/mol ou moins en général, alors qu'il faut quelques centaines de kJ/mol pour briser la plupart des liaisons covalentes (voir tableaux 1.8 et 1.10). Il est donc beaucoup plus facile de briser les liaisons intermoléculaires parce que l'énergie libérée au moment de leur formation est très faible si on la compare aux énergies libérées lors de la formation des réseaux ioniques et des liaisons covalentes. Le tableau 1.10 est très éloquent à cet égard.

Tableau 1.10 Comparaison des énergies de liaisons inter-et intramoléculaires.

Espèce chimique	London	Keesom	Debye	Ionique	Covalente
HCl	9,39*	2,39	0,46	—	—
HBr	12,60	0,53	0,27	—	—
HI	17,88	0,02	0,07	—	—
HF	2,65	48,1	—	—	—
H_2O	9,22	28,9	—	—	—
NH_3	14,5	15,0	—	—	—
NaCl	—	—	—	**408**	—
H_2	—	—	—	—	**436**

* Énergies en kJ/mol.

Une conclusion importante se dégage: l'énergie des liaisons intramoléculaires est élevée alors que celle impliquée entre les molécules (London, Keesom, Debye) est plutôt faible (≈ 20 kJ / mol), sauf s'il y a présence de ponts hydrogène (cas de HF, H_2O et NH_3).

4. Le méthanol et le saccharose du tableau 1.4 sont très solubles dans l'eau. Ils semblent faire exception à la règle selon laquelle les composés organiques sont rarement solubles dans l'eau, comme cela a été mentionné au tableau **A** (Propriétés physiques) de l'introduction. Expliquer cette contradiction apparente en termes de liaisons intermoléculaires. (Indice: le saccharose contient plusieurs liaisons O—H.)

———— ✳ ————

___ *Le carbone 60...* _____

Depuis mai 1990, le diamant et le graphite ont un nouveau «petit frère»: le carbone 60. Mais quel frère! Le carbone, ou C60, est en réalité le troisième état physique connu du carbone. Ses propriétés sont extraordinaires. Le C60 prend la forme d'un ballon de soccer, il est supraconducteur, on peut en faire des fibres de moins de 5 nm de diamètre, il est indifférent aux chocs les plus violents, c'est le lubrifiant le plus performant que l'on puisse imaginer. Mais le C60 n'est pas tout à fait seul. On a en effet découvert que d'autres membres de la même famille existent: C32, C44, C50, C58, C70, C240, C540 et même C960. Ce sont des assemblages d'atomes de C selon une architecture où la très grande symétrie est la caractéristique la plus frappante...sans parler de toutes les autres propriétés étonnantes. Il a fallu créer une nouvelle catégorie de composés qu'on a appelé «buckminsterfullerene», du nom de l'architecte américain Buckminster Fuller, théoricien et praticien des dômes géodésiques. (Qu'il suffise de se rappeler la structure du pavillon américain d'Expo 67 encore sur le site de l'Île Ste-Hélène à Montréal.)

La superballe est formée, comme les dômes géodésiques, d'un assemblage de pentagones et d'hexagones dont chaque sommet est un atome de carbone. Les Américains l'ont surnommée «buckyball».

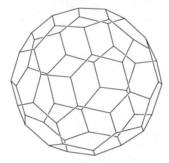

Curieusement, c'est en étudiant les poussières interstellaires qu'on a découvert le C60 et les autres. D'après deux astrophysiciens (Huffman et Krätschmer), certains nuages de cette poussière devaient être composés surtout de carbone pur, à cause de la manière dont ils absorbent la lumière stellaire. «Ils travaillaient à préciser la nature de ces amas de carbone et, pour y arriver, produisaient en laboratoire des amas de carbone de toutes dimensions, de 5 à 500 atomes, et les soumettaient à un rayon lumineux pour voir comment les molécules absorbaient la lumière.»*

«En brûlant du graphite à très haute température dans une atmosphère d'hélium, les deux savants produisaient une suie (...) de carbone pur, qui se condensait sur les parois de leur appareil. En 1983, ils découvrirent une courbe d'absorption ultraviolette extrêmement bizarre et curieusement persistante. Ou bien la suie contenait une importante quantité d'une molécule inédite, le carbone 60, ou bien une cochonnerie («some sort of junk», comme l'écrivait Huffman dans le numéro de novembre 1991 de Physics Today) s'était glissée dans l'expérience.(...) (...) En 1990, il (Krätschmer) tenait le loup par les oreilles: en choisissant la bonne pression d'hélium, il maintenait les atomes de carbone, arrachés au graphite par l'arc électrique, près de ce dernier, et une importante quantité de petits fragments de carbone se mettaient à croître en absorbant de nouveaux atomes. Quand exactement 60 de ces atomes s'étaient ainsi assemblés, ils se refermaient sur eux-mêmes en une superballe. Plus de 20 % de la suie de Krätschmer était formée de *buckyballs*. *

(suite, page suivante)

* Texte tiré de «Carbone 60. La nouvelle vedette de la chimie.», Guy Paquin, Québec Science, avril 1992, p. 20.

— *Le carbone 60...(suite)* —

«Comment séparer la précieuse superballe du reste de la suie? Le chercheur remarqua que la superballe avait l'aspect d'un groupe d'anneaux de benzène assemblés en sphère. Il se dit que, puisque les semblables se dissolvent, le benzène dissoudrait les *buckyballs* , tandis que le reste de la suie ne ferait qu'un dépôt noir au fond de l'éprouvette. Il avait raison. Il ne restait qu'à évaporer le benzène pour retrouver les superballes à l'état pur. Le chercheur tenait sa méthode. Il arriva, dès le premier jour, à produire une centaine de milligrammes de C60.»*

• «Assemblées en cristal, les *buckyballs* tournent sur elles-mêmes plus de 100 millions de fois à la seconde.»*

• «...l'extrême agitation des molécules de fullerène dans un cristal passe pour être responsable de sa plus stupéfiante propriété, la supraconductivité. À 40°Kelvin, les cristaux de superballes n'offrent plus de résistance au courant.» *

• «Moins mystérieuse est la remarquable résistance mécanique de la superballe. Projetée sur une plaque d'acier à 28 000 km/h, elle rebondit, intacte, ce qui s'explique par sa forme et sa parfaite symétrie. On pense à faire de ce roulement à billes microscopiques inusable des lubrifiants...en attendant d'autres découvertes, c'est-à-dire d'autres rebondissements, dans l'affaire de la superballe.» *

---

* Texte tiré de «Carbone 60. La nouvelle vedette de la chimie.», Guy Paquin, Québec Science, avril 1992, p. 20.

EXERCICES 1

L'atome

1.1 et 1.2 Composition de l'atome et représentation électronique

1. Compléter le tableau suivant:

Nombre... / Atome:	H	C	N	O	Cl	Br	Mg	S
de protons								
d'électrons internes								
d'électrons périphériques								
d'électrons périphériques célibataires								

2. Combien faudrait-il réunir d'électrons pour que leur masse totale égale celle d'un seul proton?

3. Écrire la configuration électronique des atomes suivants, identifier leurs électrons périphériques et faire suivre chaque configuration par la structure de Lewis correspondante.

Atome	Configuration électronique	Structure de Lewis
Na		
Mg		
C		
N		
O		
Cl		

4. Le lithium, le béryllium et le bore mis à part, les autres atomes de la deuxième période du tableau périodique qui participent à des liaisons covalentes le font en suivant la règle de l'octet. Illustrer, à l'aide de structures de Lewis, la formation de: CH_4, HCl, NH_3 et HF.

CH_4	HCl	NH_3	H_2O	HF

1.3 Propriétés

1. D'après le tableau 1.1, classer les atomes suivants selon la valeur de leur énergie de première ionisation: N, H, B, O, F, Na.

2. Pour laquelle des ionisations suivantes pourrait-on utiliser le tableau des énergies de première ionisation?

   a) $H_2 \longrightarrow H_2^+ + 1e$

   b) $H_2O + H_2O \longrightarrow H_3O^+ + HO^-$

   c) $Na \longrightarrow Na^+ + 1e$

   d) $H_3C-CCl(CH_3)_2 \longrightarrow H_3C-\overset{+}{C}(CH_3)_2 + Cl^-$

3. D'après le tableau 1.2, classer les atomes suivants en ordre croissant de taille: I, H, Br, O, N, C, F.

4. Dans les paires de particules suivantes, choisir l'espèce (ion, atome ou molécule) la plus volumineuse:

   a) Cl et Cl^- b) Cl et Cl^+ c) H_3C^+ et H_3C^- d) C et O   e) N^{3-} et N

5. D'après le tableau 1.3, classer les atomes suivants en ordre croissant d'électronégativité: Br, S, C, H, Li, Be, O, F, N, B, Cl.

6. Voici six liaisons interatomiques sorties de leur contexte moléculaire:
   $$C-C, \quad C-F, \quad C-O, \quad C-N, \quad C-Cl, \quad C-Br.$$
   Le tiret indique la mise en commun d'un électron provenant de chaque atome.

   a) Pour laquelle de ces liaisons peut-on dire que le doublet d'électrons passe la majeure partie de son temps à mi-chemin entre les deux atomes?
   b) Pour laquelle de ces liaisons le doublet d'électrons est-il le plus déplacé vers la droite?

La molécule

1.4 Observations

1. Sur la base de la différence d'électronégativité, laquelle des liaisons $C-C$, $C-F$, $C-O$, $C-N$, $C-Cl$, $C-Br$, est a) la plus polaire? b) la moins polaire?

2. Lorsqu'une substance est soluble dans l'eau, cette substance s'y retrouve sous forme d'ions ou sous forme de molécules, selon qu'il s'agit d'un composé ionique (toujours solide) ou d'une substance covalente (solide, liquide ou gazeuse). Indiquer, pour chacune des substances suivantes, l'espèce chimique la plus probable en solution et le type de liaison dans la substance. (Utiliser le tableau 1.4).

	Espèce(s) chimique en solution	Type de liaison dans la substance
KCl (s)		
H_2 (g)		
CH_3OH (l)		
$C_6H_{12}O_6$ (s)		
N_2 (g)		
HCl (g)		

3. Voici quelques substances chimiques (leur état physique est inscrit entre parenthèses): $H_2O(l)$, $NaCl(s)$, $O_2(g)$, $CH_3OH(l)$, $N_2(g)$.

   a) Dans quelles substances existe-t-il des liaisons hydrogène?
   b) Dans laquelle de ces substances y a-t-il une liaison ionique?

4. Parmi les substances du numéro 3, dans quelles molécules retrouve-t-on les liaisons covalentes les moins polaires?

5. L'air contient-il

   a) des molécules non polaires?

   b) des molécules polaires?

6. Identifier sur la molécule suivante:

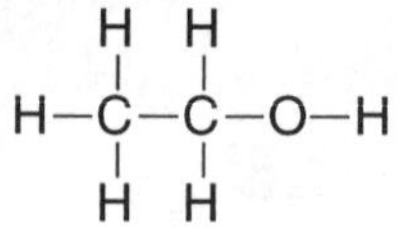

$$H-\overset{\overset{\displaystyle H}{|}}{\underset{\underset{\displaystyle H}{|}}{C}}-\overset{\overset{\displaystyle H}{|}}{\underset{\underset{\displaystyle H}{|}}{C}}-O-H$$

   a) la liaison la moins polaire;
   b) la liaison la plus polaire;
   c) laquelle, de C—O ou de C—H, est la plus polaire?

1.5 Liaisons intramoléculaires

1. Identifier la nature de la liaison (covalente, covalente polaire ou ionique) qui peut relier:
  a) C et H   c) C et O   e) H et O   g) S et C
  b) C et Li   d) Cl et Li   f) C et C   h) N et C

2. Comparer les énergies de dissociation de: Br_2, CO et KBr.

1.6 Liaison covalente: cas du carbone

1. En plus de sa capacité à se combiner à plusieurs autres éléments, quelle autre propriété spéciale du carbone est responsable de l'infinie variété des composés du carbone?

2. Compléter le tableau suivant qui traite des orbitales atomiques hybrides du carbone.

OA pures impliquées	OA hybrides	Géométrie	Angles	Type et nombre de liaisons σ ou π	Nombre de voisins
				4 σ	
			120°		
		linéaire			
					3

3. Un clown tient 3 ballons gonflés à l'hélium. Qu'arriverait-il aux trois ballons s'ils devenaient subitement chargés d'électricité négative?
Quel rapport existe entre cet exemple et les orbitales sp^2 du carbone hybridé?

4. Supposons 3 balles de ping-pong toutes reliées par un fil à un clou piqué dans une surface plane.

a) Que se passerait-il si on les chargeait d'électricité négative?

b) Quelle serait la valeur de l'angle formé par deux des balles et le point d'attache à l'équilibre?

c) Sur la surface plane, les 3 balles et leur point d'attache sont forcés d'occuper un même plan. En serait-il autrement si on imaginait les trois balles chargées négativement, reliées entre elles de la même manière mais flottant dans l'air?

5. Imaginer, comme dans la question précédente, un système de deux balles de ping-pong. Quelle serait la valeur d'équilibre de l'angle formé?

6. Essayer d'imaginer 4 balles de ping-pong toutes reliées en un même point et flottant dans l'air. Le sens commun nous fait croire qu'elles se placeront (à l'équilibre) aux extrémités de deux diamètres (à 90°) d'une sphère imaginaire dont le centre coïncide avec le point d'attache des balles chargées négativement. Qu'en est-il exactement?

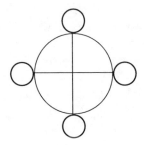 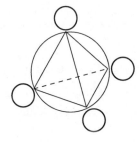

(Sphère vue par-dessus) (Indice: envisager une possibilité comme celle-ci.)

7. Retracer, dans la section 1.6, les structures des molécules indiquées ci-dessous et compléter le tableau suivant.

Molécule	Type d'hybridation sur les atomes C	Nombre de liaisons		Angles de liaison	Forme: • tétraédrique • plane • linéaire
		σ	π		
Méthane					
Éthylène					
Acétylène					
	C^1			H–C^1– (H, H)	
^{1}CH$_3$–^{2}CH=^{3}CH–^{4}CH$_3$ but-2-ène	C^2			^{2}C=^{3}C (H)	
	C^3			^{2}C=^{3}C–C^4	
	C^4			^{3}C–C^4 (H)	

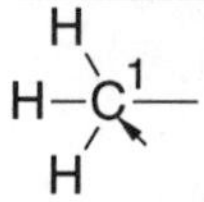

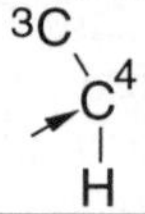

8. Expliquer pourquoi la molécule hexane (symbolisée par ⌄⌄⌄) peut prendre aisément toutes sortes de positions (sans pour autant briser ses liaisons) comme l'indiquent les dessins suivants:

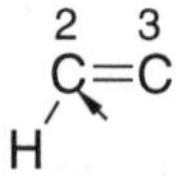

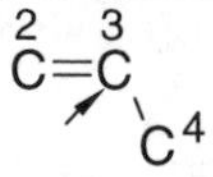

CH$_3$–CH$_2$–CH$_2$–CH$_2$–CH$_2$–CH$_3$

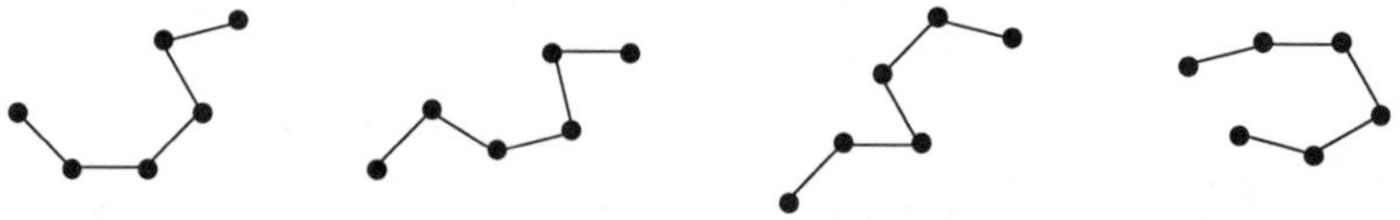

9. Localiser sur la molécule ci-contre les liaisons σ et π et indiquer le type d'hybridation de chaque atome de carbone.

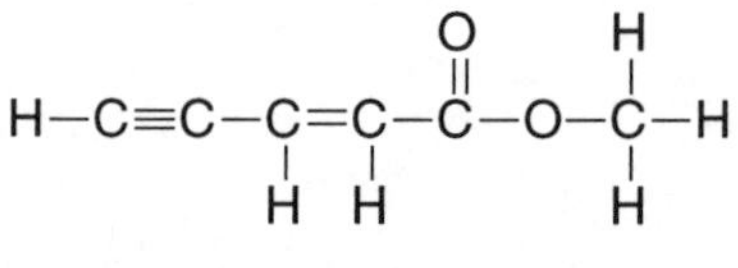

H–C≡C–C=C–C–O–C–H

10. Combien d'arrangements différents des halogènes F, Cl, Br et I, autres que celui présenté, sont possibles?

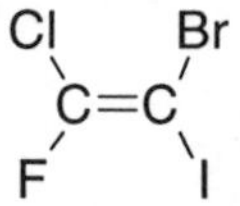

Cl   Br
  C=C
F   I

11. Quelle est la forme géométrique des molécules suivantes? Identifier le type d'hybridation de chacun des atomes de carbone?

$$\begin{array}{c} F \\ | \\ H-C-Cl \\ | \\ I \end{array}$$

(a) (b) C_2Cl_4 (c) CH_3Cl

12. Pour chacune des molécules suivantes, indiquer la géométrie à partir du type d'hybridation de chaque atome de carbone.

a) $H_3C-\overset{\overset{\displaystyle ||}{O}}{C}-CH_3$ ACÉTONE: excellent solvant utilisé souvent au laboratoire pour assécher la verrerie, car l'eau y est très soluble; ce liquide possède une pression de vapeur très élevée à la température ambiante.

b) CH_3-CH_2-OH ÉTHANOL: souvent appelé simplement alcool; c'est l'alcool contenu dans le vin et la bière.

c) $H_2C=CH-Cl$ CHLORURE DE VINYLE: molécule de base servant à fabriquer le chlorure de polyvinyle (PVC ou Vinyle).

d) $CH_2=CH-CH=CH_2$ BUTA-1,3-DIÈNE: substance de départ pour la fabrication du caoutchouc synthétique BUNA que l'on retrouve dans les pneus et les tuyaux.

e) STYRÈNE: substance de départ pour la fabrication du polystyrène (Styrofoam, Styrojet).

13. Localiser, sur la molécule suivante, les liaisons σ et π. Indiquer le type d'hybridation des hétéroatomes (i.e. les atomes autres que le carbone):

$$H-O-\overset{\overset{\displaystyle O}{||}}{C}-\overset{\overset{\displaystyle H}{|}}{\underset{\underset{\displaystyle H}{|}}{C}}-\overset{\overset{\displaystyle H}{|}}{N}-\overset{\overset{\displaystyle H}{|}}{\underset{\underset{\displaystyle H}{|}}{C}}-O-\overset{\overset{\displaystyle H}{|}}{C}=\overset{\overset{\displaystyle H}{|}}{C}-\overset{\overset{\displaystyle H}{|}}{C}=N-\overset{\overset{\displaystyle H}{|}}{\underset{\underset{\displaystyle H}{|}}{C}}-C\equiv N$$

14. Redessiner la molécule de la question 13 en tenant compte des angles de liaison approximatifs.

15. Dessiner la structure de Lewis des molécules suivantes:

$CH_2=C=O$ CH_3OH $HCOOH$ CH_3NH_2 $CH_3-NH-CO-CH_3$

16. Pour chacune des molécules suivantes, indiquer l'hybridation de chaque carbone, les angles de liaisons et la géométrie. Dessiner la molécule le plus précisément possible:

a) $HC\equiv C-CH=CH-CH_3$ b) $CH_2=C=O$ c) $CH_3-CH=CH-\underset{\underset{\displaystyle CH_3}{|}}{C}=CH_2$

1.7 et 1.8 Polarité des molécules et attractions intermoléculaires

1. Classer les liaisons suivantes en ordre croissant de polarité.

C—C	C—Br	C=C	C≡C
N—O	C—N	C—H	N≡N
H—Cl	C—O	O—H	C=O

2. Expliquer pourquoi l'acétone, CH_3—CO—CH_3 , et l'eau, H_2O , sont miscibles en toutes proportions.

3. Expliquer pourquoi le méthanol, CH_3OH , et l'eau sont complètement miscibles, alors que l'éther (éthoxyéthane), CH_3CH_2—O—CH_2CH_3, et l'eau sont très peu solubles l'un dans l'autre? (i.e. que l'on atteint rapidement le point de saturation).

4. Expliquer pourquoi le chlorure d'ammonium, $NH_4Cl_{(s)}$, est insoluble dans le benzène, $C_6H_{6(l)}$, mais soluble dans l'eau.

5. Quelles sont les principales espèces chimiques organiques présentes dans les produits suivants: a) gaz naturel, b) vinaigre, c) London dry gin, d) gaz propane, e) briquet au butane, f) antigel pour lave-glace, g) combustible de rechaud à fondue, h) essence automobile.

Exercices complémentaires

Répondre vrai ou faux aux questions suivantes:

1. Dans une réaction de réduction, au moins un atome gagne un (ou des) électron(s). V__ F__

2. Les orbitales s, p, d sont des orbitales moléculaires. V__ F__

3. Lors de l'ébullition d'un liquide, ce sont des attractions intermoléculaires qui sont brisées (rompues). V__ F__

4. Lors de la fusion d'un solide covalent, l'énergie fournie au solide brise des liaisons intramoléculaires. V__ F__

5. Les coefficients stœchiométriques indiquent les nombres relatifs d'atomes à l'intérieur d'une molécule. V__ F__

6. La liaison hydrogène est un type de liaison intramoléculaire. V__ F__

7. Un atome qui est oxydé perd un ou des électrons. V__ F__

8. L'affinité électronique est une propriété atomique plutôt que moléculaire. V__ F__

9. Les électrons internes participent aux réactions chimiques. V__ F__

10. Une réaction endothermique absorbe de l'énergie. V__ F__

11. Les protons et les neutrons constituent le noyau d'un atome. V__ F__

12. Lorsqu'une réaction a atteint l'équilibre, les concentrations des réactifs et des produits demeurent constantes. V__ F__

13. Les électrons périphériques seuls participent à la formation des liaisons intramoléculaires. V__ F__

14. L'énergie d'ionisation est l'énergie libérée quand un atome accepte un électron supplémentaire. V__ F__

15. L'acidité d'une substance chimique correspond à la capacité de céder un ou des ions hydrogène, H^+. V__ F__

16. La mise en commun de deux électrons permet à deux atomes de former une liaison ionique. V__ F__

17. Les orbitales σ et π sont des orbitales atomiques. V__ F__

18. Les orbitales σ et π sont des liaisons chimiques intramoléculaires. V__ F__

19. On nomme électronégativité la tendance d'un atome à attirer vers lui le doublet d'électrons qui le lie à un autre atome. V__ F__

20. Une mole contient $6,023 \times 10^{23}$ entités (électrons, atomes, molécules ou autres). V__ F__

21. Les orbitales sp, sp^2, sp^3, sont des orbitales hybrides atomiques. V__ F__

22. Une orbitale à demi-remplie contient un électron célibataire. V__ F__

23. La configuration électronique d'un atome nous renseigne sur la répartition des électrons dans les orbitales atomiques situées à différents niveaux énergétiques. V__ F__

24. Les molécules peuvent être, entre autres, de forme tétraédrique ou plane. V__ F__

25. Les liaisons intermoléculaires (London, Keesom et Debye) sont beaucoup plus faibles que les liaisons σ et π. V__ F__

26. Une substance basique libère des ions hydroxydes, OH^-. V__ F__

27. Dans une liaison covalente polaire, le doublet d'électrons passe plus de temps du côté de l'atome le plus électronégatif. V__ F__

28. La structure de Lewis d'une molécule montre tous les électrons périphériques des atomes formant cette molécule. V__ F__

—————— ✳ ——————

L'ÉCRITURE 2
ORGANIQUE

Sommaire

Mots / concepts clés

- formule empirique, moléculaire, développée, semi-développée, stylisée
- projection de Newman
- conformation: décalée, éclipsée, chaise, bateau
- équatorial, axial
- groupe, fonction
- alcane, alcène, alcyne, hydrocarbure benzénique, composé halogéné, alcool
- UICPA
- homologue, aromatique, acyclique, ramification

Objectifs spécifiques

Vous devez être capable de ...

- écrire, distinguer et déduire des formules moléculaires et empiriques;
- reconnaître si une formule est possible ou non;
- représenter les molécules organiques par des formules développées, semi-développées et stylisées;
- représenter, en trois dimensions, les composés organiques avec des carbones hybridés sp^3;
- appliquer la convention des projections de Newman pour représenter les composés saturés;
- définir, reconnaître et dessiner différentes conformations;
- décrire, dessiner et commenter la géométrie et la stabilité des petits cycles à 3,4,5 et 6 atomes de carbone;
- décrire précisément les conformations du cyclohexane;
- connaître le nom et la formule des principaux groupes et des fonctions;
- reconnaître les carbones 1°, 2°, 3°, 4°;
- reconnaître les composés homologues;
- identifier la classe d'un composé organique;
- nommer selon l'UICPA: alcanes, alcènes, alcynes, alcools, composés halogénés, éthers et composés benzéniques;
- retracer la formule des fonctions précédentes à partir de leur nom selon l'UICPA;
- définir et expliquer les mots / concepts clés.

Représentation des molécules organiques

• *Formules chimiques planes*

2.1 *Formules empiriques et formules moléculaires*

L'analyse qualitative et quantative élémentaire sur un échantillon d'une substance organique permet d'établir quels atomes sont présents et dans quelle proportion. Par exemple, s'il est déterminé expérimentalement qu'une substance contient: 54,5% de C, 9,2% de H et 36,3% de O, il est aisé d'en déduire la **formule empirique**: C_2H_4O . Cette formule nous indique quels sont les atomes constitutifs et leur nombres relatifs (2:4:1). Mais une telle formule peut tout aussi bien convenir à $C_4H_8O_2$ ou à $C_{10}H_{20}O_5$. Ces dernières formules sont alors appelées **formules molécu-laires** parce qu'elles nous renseignent sur le nombre réel d'atomes de chaque sorte et non seulement sur leur nombres relatifs. Donc,

$$\text{(formule empirique)}_n = \text{formule moléculaire}$$

Mais comment s'y prend-on alors pour déterminer la valeur de n? C'est la recherche de la **masse molaire** de la substance qui le permet et nous donne la formule moléculaire. La masse molaire peut être trouvée par spectroscopie de masse, cryoscopie ou autre. Une masse trouvée de 44 g pour une mole conduit à n = 1, d'où la formule moléculaire C_2H_4O . Une masse de 88 g pour une mole conduit à n = 2 et $C_4H_8O_2$, etc.

Est-ce que n'importe quelle combinaison de nombres d'atomes est automatiquement permise? Les quelques **règles** qui suivent peuvent servir à déterminer si une **formule** est **possible** ou **non**.

Règle A: pour C, H

> *Pour les composés ne contenant que du carbone et de l'hydrogène, ce dernier doit toujours être en nombre **pair** et **limité** par la relation:* $C_n H_{(2n+2)}$ n = nombre de carbone

Exemples: C_3H_8 :   possible C_3H_3 :   impossible (H est impair)

C_3H_4 :   possible C_3H_{10}:   impossible (trop de H)

Règle B: pour C, H, X

> *La présence d'un halogène permet d'appliquer la règle (A) en considérant celui-ci au même titre qu'un hydrogène.*

Exemples: C_3H_3Cl :   possible

C_3H_2Cl :   impossible (la somme de H et Cl est impaire)

$C_3H_8Cl_2$:   impossible (la somme de H et Cl est trop grande)

Règle C: pour C, H, O

> *Dans les molécules contenant des atomes d'oxygène et/ou de soufre, ces éléments sont ignorés et la règle A s'applique.*

Exemples: C_3H_3O :   impossible (H est impair)

C_3H_8O :   possible

$C_3H_{10}O$:   impossible (trop de H)

Règle D: pour C, H, N

> *Pour les substances azotées, les règles sont plus complexes et nous nous limitons ici aux substances qui ne contiennent qu'un atome d'azote. Dans ce cas, le nombre d'atomes d'hydrogène sera toujours **impair** et **limité** par la relation* $C_n H_{(2n+3)}$.

Exemples: C_3H_3N :   possible

C_3H_8N :   impossible (H est pair)

C_3H_9N :   possible

───────────────

⟨1⟩   Les formules suivantes sont-elles possibles? Pourquoi?

a) $C_{12}H_{22}O_{11}$ b) $C_7H_8OBr_2$ c) C_9H_9N d) $C_{75}H_{152}O_6Cl$

───────────────

Bien que cette forme d'écriture (i.e. la formule moléculaire) nous fournisse certaines informations, elle ne nous renseigne guère sur la structure (liaisons, géométrie) de la molécule.

2.2 *Formules structurales*

Plusieurs méthodes d'analyse comme la spectroscopie infrarouge (IR) et la résonance magnétique nucléaire (RMN) peuvent faire découvrir au chimiste l'organisation des atomes d'une molécule. De ces résultats d'analyse de structure, il est possible de déterminer quels atomes sont liés et combien de liaisons ils forment.

La spectroscopie IR met en évidence les vibrations des atomes d'une molécule et nous renseigne sur la présence des diverses fonctions. La RMN influence surtout les atomes d'hydrogène des composés organiques et permet de préciser la position de ces atomes dans la molécule. D'autre part, la spectroscopie ultraviolette (UV) et la spectroscopie de masse sont aussi très utiles pour compléter la spectroscopie IR et la RMN. Par exemple, la spectroscopie permet de distinguer les deux structures possibles suivantes:

C_2H_6O peut s'écrire:

$$\begin{array}{ccc}
\overset{\displaystyle H \quad H}{H-\underset{\displaystyle H \quad H}{C}-\underset{}{C}-O-H} & \text{ou} & \overset{\displaystyle H \quad\quad H}{H-\underset{\displaystyle H \quad\quad H}{C}-O-\underset{}{C}-H} \\
(I) & & (II)
\end{array}$$

Elles sont représentées ici dans une forme d'écriture appelée **formule développée.**

> • Tous les atomes sont représentés.
> • Toutes les liaisons sont indiquées.
> • La géométrie n'est pas montrée.

Ce mode d'écriture facile, mais incomplet, peut devenir ennuyeux à écrire pour les molécules plus complexes. Exemple: $C_{40}H_{82}$.

Le chimiste organicien a donc pensé à condenser légèrement la formule développée en groupant les atomes d'hydrogène autour de chaque carbone:

(I) devient CH_3-CH_2-OH

(II) devient CH_3-O-CH_3

(formules **semi-développées**)

Si plusieurs $-CH_2-$ se répètent, une formule semi-développée condensée peut être utilisée. Dans une telle formule, les $-CH_2-$ sont placés entre crochets:

$$CH_3-CH_2-CH_2-CH_2-CH_3 \text{ devient } CH_3-[CH_2]_3-CH_3$$

formule semi-développée   formule semi-développée **condensée**

La formule semi-développée peut préciser davantage la structure de la molécule si l'on possède d'autres données sur la géométrie de cette molécule (grâce à la spectroscopie et à partir des types d'hybridation connus).

Dans I par exemple, les carbones sont hybridés sp^3 parce qu'ils ne forment que des liaisons simples. Tous les angles de liaisons autour des carbones sont de 109° 28'. En ajoutant cette donnée, I devient:

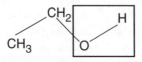

Remarquer la ressemblance avec la structure de l'eau.

Seules les liaisons C–H ne sont pas détaillées.

Cette représentation de la structure moléculaire peut être condensée en une **formule stylisée** dans laquelle on ne représente que:

> • les types de liaisons carbone—carbone
>
> • la géométrie de la molécule autour des carbones
>
> • les hétéroatomes (autres que C et H)*.

Dans ces conditions,(I) s'écrit ⌇O–H et (II) devient ⌇O⌇

$$CH_3—CH=CH—\overset{\underset{\displaystyle CH_3}{|}}{CH}—CH_2—CH_3 \quad \text{s'écrit:}$$

$$CH_3—\overset{\underset{\displaystyle CH_3}{|}}{CH}—C≡C—CH_2—CH_2—CH_3 \quad \text{s'écrit:}$$

Attention, avec les liaisons triples, une partie de la structure est linéaire.

signifie

$$\begin{array}{ccc} & CH_3 & \\ & | & \\ & CH & \\ H_2C & & CH_2 \\ | & & | \\ H_2C & & CH_2 \\ & CH_2 & \end{array}$$

---

* Les H sont représentés seulement s'ils sont liés à un hétéroatome.

Ce mode d'écriture est fréquemment utilisé pour les composés cycliques. En voici trois exemples bien connus:

benzène   menthol   cholestérol

Pour résumer tous les modes d'écriture, **l'hexane**, par exemple, peut prendre les formes suivantes:

C_6H_{14}	formule moléculaire
	formule développée
CH_3—CH_2—CH_2—CH_2—CH_2—CH_3	formule semi-développée
CH_3—$[CH_2]_4$—CH_3	formule semi-développée condensée
	formule stylisée

2 Écrire en forme stylisée:

a) CH_3–$[CH_2]_4$–$\underset{\underset{CH_3}{|}}{CH}$–$CH_2$–$OH$

b) $CH_2{=}CH$–$[CH_2]_3$–$\underset{\underset{CH_3}{|}}{CH}$–$C{\equiv}C$–$CH_3$

• *Stéréochimie*

2.3 Représentation précise des molécules

La recherche du type d'hybridation de chaque carbone (voir section 1.6) est la clé de la géométrie des molécules organiques, (stéréochimie). Il faut se rappeler les notions suivantes:

Hybridation	Liaisons impliquées	Angles	Géométrie
sp^3	4 σ	109° 28'	tétraédrique
sp^2	3 σ et 1 π	120°	plane
sp	2 σ et 2 π	180°	linéaire

La représentation sur papier de molécules tridimensionnelles requiert un peu d'imagination, mais la convention suivante permet de simplifier le travail.

Convention:
Liaison dans le plan	————
Liaison devant le plan	◄■■■
Liaison derrière le plan	----------

Note: L'utilisation des modèles moléculaires contribue à mieux visualiser les molécules.

• *Les composés à liaisons simples*

Comment représenter le méthane, CH_4, par exemple?

CH_4 implique quatre liaisons σ, donc le carbone s'hybride sp^3 et la géométrie est tétraédrique. En se rappelant le principe de géométrie selon lequel *il est toujours possible de faire passer un plan par trois points*, nous pouvons considérer que le carbone et deux des atomes d'hydrogène de CH_4 peuvent être dans le plan de la feuille:

liaisons dans le plan

Les deux autres hydrogènes doivent alors se situer respectivement devant ——— et derrière -------- le plan de la feuille. Ce qui donne:

H ← derrière
H ← devant

Ces quelques notions de base peuvent s'appliquer à des molécules plus complexes comme celles-ci:

a) Éthane: $CH_3—CH_3$

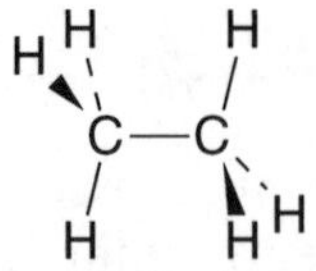

b) Butane: $CH_3—CH_2—CH_2—CH_3$

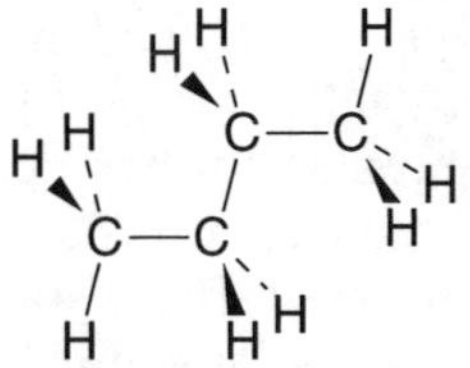

• *Les composés à liaisons multiples*

Avec les carbones hybridés sp^2 et sp, la représentation devient beaucoup plus simple puisqu'ils engendrent respectivement une géométrie plane ou linéaire comme dans les deux cas suivants:

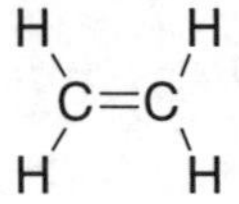

$H—C\equiv C—H$

acétylène (linéaire)

éthylène (plane)

Finalement, une molécule portant les trois types d'hybridation peut avoir l'aspect suivant:

$CH_3—CH=CH—CH_2—C\equiv C—H$
$\uparrow \quad \uparrow \quad \uparrow \quad \uparrow \quad \uparrow \; \uparrow$
$sp^3 \quad sp^2 \quad sp^2 \quad sp^3 \quad sp \; sp$

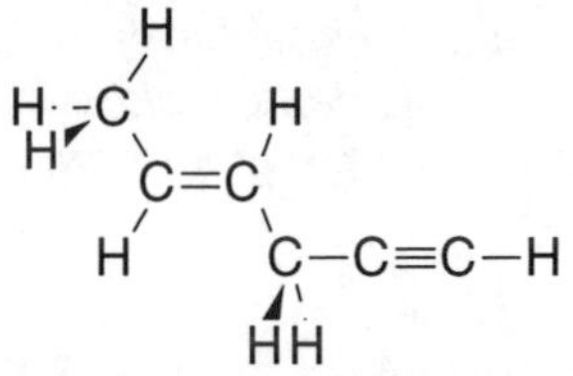

Conseil pour faciliter la représentation de ces molécules complexes:
1. *Écrire en premier lieu les éléments autour des atomes de carbone sp ^{2} (ils sont dans le plan de la feuille).*
2. *Continuer avec les autres éléments en plaçant le maximum d'éléments dans le plan de la feuille (surtout les atomes de carbone).*

---

3 1. Dessiner la molécule suivante le plus précisément possible:

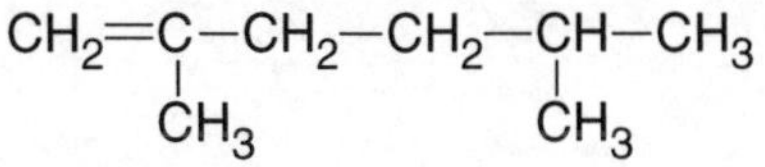

$$CH_2=C—CH_2—CH_2—CH—CH_3$$
$$\quad\;\; | \qquad\qquad\qquad | $$
$$\quad\;\; CH_3 \qquad\qquad\;\; CH_3$$

2. Est-il exact de dire que tous les carbones de cette molécule peuvent être dans un même plan? Pourquoi?

2.4 *Représentation des molécules avec carbones sp^3*

Comme vous l'avez probablement remarqué pour le butane (page précédente, ex. b), la représentation des molécules organiques se complique rapidement avec l'augmentation du nombre de carbones. De plus, la notation utilisée jusqu'ici ne permet pas de visualiser facilement les différentes formes des molécules obtenues par rotation autour des liaisons simples. Ces formes sont appelées **conformations** ou **conformères**. Elles sont illustrées grâce à une convention appelée **projection de Newman** (ce mode d'écriture se limite à deux atomes de carbone tétraédriques voisins).

Voici un exemple avec la molécule **d'éthane**: $\overset{1}{C}H_3 - \overset{2}{C}H_3$

Procédure pour obtenir une projection de Newman de cette molécule:

1. *Écrire la structure en trois dimensions (l'usage de modèles moléculaires est fortement recommandé). Voir structure I ci-dessous.*

2. *Considérer la liaison C—C et identifier les carbones 1 et 2. (On ne considère toujours **qu'une** liaison C—C à la fois).*

3. *Regarder la structure I selon l'axe C—C du côté de C1 pour obtenir une structure II appelée forme **chevalet**.*

4. *Écraser cette structure en amenant C1 sur C2 et considérer toutes les liaisons C–H dans le plan de la feuille. Représenter C1 par un point et C2 par un cercle pour obtenir la structure III.*

(I)	(II)	(III)
représentation en perspective	conformation **décalée** de l'éthane (forme chevalet)	projection de **NEWMAN** conformation **décalée**

Une rotation autour de l'axe C1—C2 peut conduire à la structure I', laquelle est ensuite représentée en projection de Newman.

(I')	(IV)	(V)
représentation en perspective	conformation **éclipsée** de l'éthane (forme chevalet)	projection de **NEWMAN** conformation **éclipsée**

La comparaison des structures III et V montre clairement que la distance entre les hydrogènes de C1 et ceux de C2 est plus importante dans la structure III (conformation décalée).

La structure III est moins encombrée que V, c'est-à-dire que les hydrogènes dans III sont plus «à l'aise» que dans la forme éclipsée. (On dit alors qu'il y a moins d'encombrement stérique en faisant allusion à la stéréochimie ou disposition des atomes dans l'espace autour des carbones). Effectivement, la conformation décalée est plus stable que la conformation éclipsée, puisqu'il faut environ 12,5 kJ/mole pour passer à cette dernière forme.

En réalité, une infinité de conformations se succèdent à cause de la rotation libre autour des liaisons σ, mais l'encombrement stérique de plusieurs formes a pour conséquence de privilégier les conformations décalées analogues à III.

Cette notion de conformations peut paraître inutile si l'on considère que, par exemple dans l'éthane, tous les hydrogènes ou substituants des carbones sont équivalents. Toutefois, si un hydrogène de C1 et un autre de C2 sont remplacés par deux groupes CH_3 pour obtenir le butane, toutes les formes décalées ou éclipsées cessent d'être équivalentes et il y a encombrement maximum lorsque les CH_3 sont totalement éclipsés (structure *b*).

(a) décalée	$CH_3{-}CH_2{-}CH_2{-}CH_3$ butane	**(b)** éclipsée (très encombrée)

Projections de Newman du butane autour des carbones 2 et 3.

Le passage graduel de la forme *a* à la forme *b* exige de faibles quantités d'énergie généralement fournies par la chaleur ambiante. Le diagramme suivant montre la **variation d'énergie** des principales conformations du butane.

Figure 2.1 Diagramme de l'énergie potentielle des principales conformations du butane.

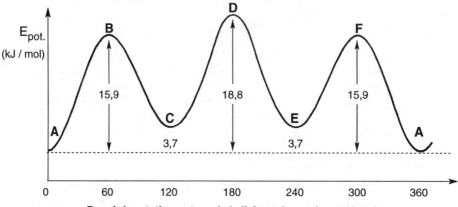

Degré de rotation autour de la liaison des carbones 2 et 3

Les énergies B, D et F sont celles des conformations éclipsées, alors que A, C et E représentent les conformations décalées plus stables. L'énergie D correspond à la conformation éclipsée *b* et l'énergie A à l'état le plus stable du butane, c'est-à-dire la conformation décalée *a*. Dans la conformation *b*, instable, les CH_3 se nuisent et provoquent la rotation autour de la liaison C2—C3 pour que ces groupes volumineux se retrouvent le plus loin possible (conformation *a*). En regardant *a* de côté, nous pouvons noter la forme en zigzag de la chaîne carbonée:

$$CH_3 \diagup CH_2 \diagdown CH_2 \diagup CH_3$$

C'est ce genre d'observation qui nous amène à écrire les chaînes d'hydrocarbures en zigzag. Il s'agit tout simplement de leurs conformations les plus stables.

$$CH_3{-}CH_2{-}CH_2{-}CH_2{-}CH_2{-}CH_2{-}CH_2{-}CH_3$$

octane   octane

À l'aide de modèles moléculaires, il est facile de constater que dans cette forme, il n'existe que des conformations décalées autour des liaisons C–C dans l'octane.

---

4 En vous référant à la figure 2.1, dessiner en projection de Newman les conformations du butane correspondant aux niveaux d'énergie B et C.

2.5　*Les cycles* avec carbones sp³*

Seuls les cycles contenant 3, 4, 5 et 6 atomes de carbone sont analysés dans le cadre de ce cours.

En se basant sur la seule **géométrie** de polygones à 3, 4, 5 et 6 côtés, nous pouvons penser que de telles molécules organiques doivent avoir les structures suivantes:

60°　　　　　90°　　　　108°　　　　120°

angles internes (si chaque polygone est plan)

Toutefois, l'examen des molécules réelles n'arrive pas tout à fait à ces angles internes, surtout pour les cycles à 5 et 6 atomes de carbone.

Le cyclopropane, C_3H_6, est réellement plan (par rapport aux carbones) et ses angles internes sont de **60°**.

cyclopropane
Éb - 32,7 °C

Tous les carbones du cycle sont hybridés sp³. Or, ce type d'hybridation engendre normalement des angles de liaison dont la valeur se situe aux alentours de 109° 28'. Il n'est donc pas étonnant de constater que le cyclopropane soit une molécule instable. En effet, les liaisons C–C du cycle sont soumises à de fortes tensions pour réduire l'angle de liaison de 109° 28' à 60°. Cette molécule a donc tendance à réagir facilement de manière à se transformer en un composé plus stable.

Il en est presque de même pour le **cyclobutane**, C_4H_8, dont les angles internes sont de **88°**. La stabilité de ce cycle est diminuée également à cause de la tension des liaisons C–C, mais moins que pour le cycle de 3 carbones.

cyclobutane
Éb 12 °C

*Théorie développée par Bayer vers 1885, en Allemagne.

Le **cyclopentane**, C_5H_{10}, qui forme un pentagone dont les angles internes devraient être de 108°, ne possède que quatre atomes de carbone simultanément dans le même plan. Le cinquième atome oscille de part et d'autre de ce plan et ceci pour chaque carbone à tour de rôle. Bref, le cyclopentane n'est pas plan, ce qui permet à ses angles internes d'être très près de **109° 28'** (angle normal d'une hybridation sp^3). Ceci confère au cycle à 5 carbones une plus grande stabilité.

Carbone qui oscille au-dessus et au-dessous de plan des 4 autres carbones*.

cyclopentane
Éb 49,2 °C

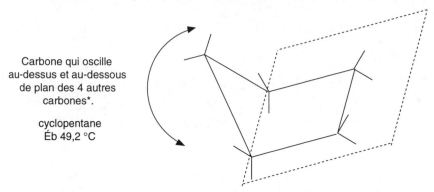

Quant au **cyclohexane**, C_6H_{12}, c'est le moins tendu de ces cycles et par conséquent, le plus stable. L'hexagone a normalement des angles internes de 120°, toutefois il est bien connu expérimentalement que tous les angles internes du cyclohexane sont de 109° 28' (hybridation sp^3). Ce cycle n'est donc pas plan et doit prendre une forme spéciale.

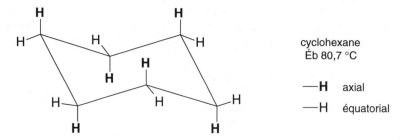

cyclohexane
Éb 80,7 °C

—**H**   axial

—**H**   équatorial

Les liaisons C–H verticales et perpendiculaires au plan du cycle, sont dites **axiales**; celles qui ceinturent le cycle sont qualifiées **d'équatoriales**. Ce cycle de six atomes de carbone a une forme zigzag comme dans les hydrocarbures à chaîne ouverte. Toutefois, la grande flexibilité des liaisons σ qui relient ces atomes permet au cycle d'osciller entre trois conformations: deux conformations **chaise** et une conformation **bateau**.

---

*La représentation en perspective (- - - , —— , ◄■) est délaissée chez les cycles à 5 et 6 carbones pour simplifier la figure.

Les rotations autour des liaisons C—C se font par des déplacements des carbones 1 et 4 dans la direction des flèches courbes (figure 2.2).

Figure 2.2   Représentation du cyclohexane selon ses principales conformations à l'équilibre.

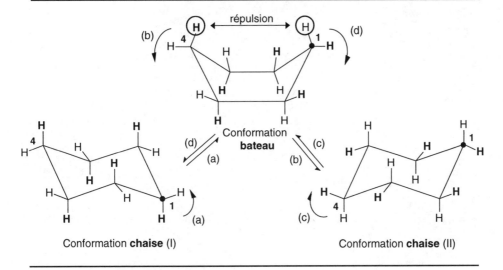

Premièrement, la conformation chaise I devient une conformation bateau en poussant le carbone 1 vers le haut et ensuite la conformation bateau se transforme en conformation chaise II en déplaçant le carbone 4 vers le bas. Il s'établit un **équilibre** entre les trois conformations, mais ce sont les conformations chaises I et II qui sont les plus favorisées. La conformation bateau est à un niveau d'énergie de 27,2 kJ/mol de plus que celui des conformations chaises.

Dans la conformation bateau, l'encombrement entre les deux substituants axiaux des carbones 1 et 4 nuisent à la stabilité de cette forme. Il existe également deux conformations éclipsées dans le bateau (C2—C3 et C5—C6), alors que dans les conformations chaises, il n'y a que des conformations décalées. Il est aussi intéressant de remarquer que, par ce processus d'équilibre, les hydrogènes axiaux de la conformation chaise I deviennent équatoriaux dans la conformation chaise II. (L'utilisation de modèles moléculaires est grandement suggérée).

La conformation chaise I est-elle équivalente à la conformation chaise II? Dans le cas du cyclohexane, oui, parce que tous les substituants sont identiques. Cependant, ce changement peut avoir des conséquences importantes si les substituants sont volumineux: en effet, puisque lors de la transformation d'une conformation chaise à l'autre conformation chaise, les substituants axiaux deviennent équatoriaux et vice-versa.

C'est le cas du méthylcyclohexane, par exemple, dans lequel le groupe méthyle est plus volumineux qu'un atome d'hydrogène; la figure 2.3 décrit ce qui se passe.

Figure 2.3 Représentation du méthylcyclohexane selon ses principales conformations à l'équilibre.

méthylcyclohexane
Éb 100,9 °C

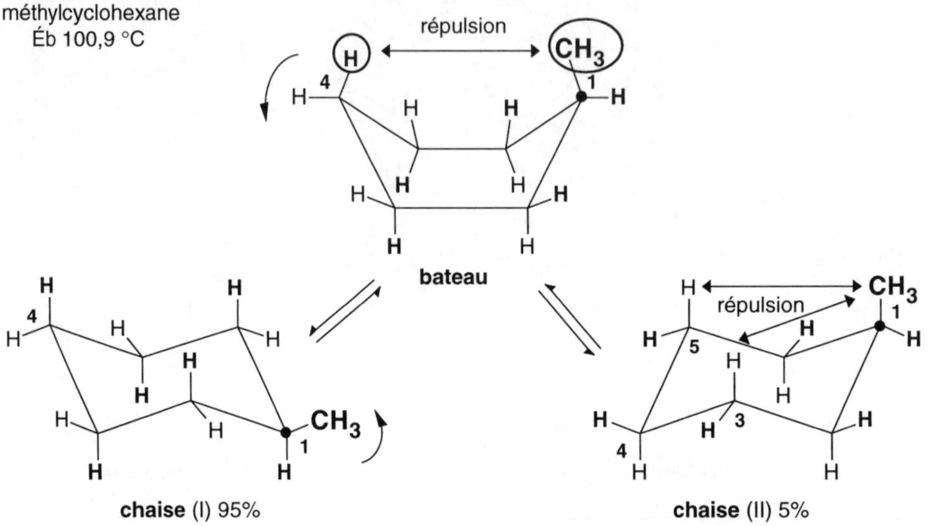

répulsion

bateau

chaise (I) 95%

répulsion

chaise (II) 5%

(répulsion entre le méthyle sur C1 et les hydrogènes axiaux sur C3 et C5)

En conclusion, on remarque que les substituants **volumineux** préfèrent la conformation qui leur permet d'occuper une position généralement **équatoriale**.

___ *Un caprice de la nature...* ___

La nature est capricieuse envers les substances chimiques, à un point tel qu'elle va jusqu'à faire la distinction entre une liaison axiale ou équatoriale. Les polymères du glucose en sont un bel exemple. En effet, la différence fondamentale entre la cellulose et l'amylose (un constituant de l'amidon) se résume dans la jonction des molécules de glucose: axiale dans l'amylose et équatoriale pour la cellulose.

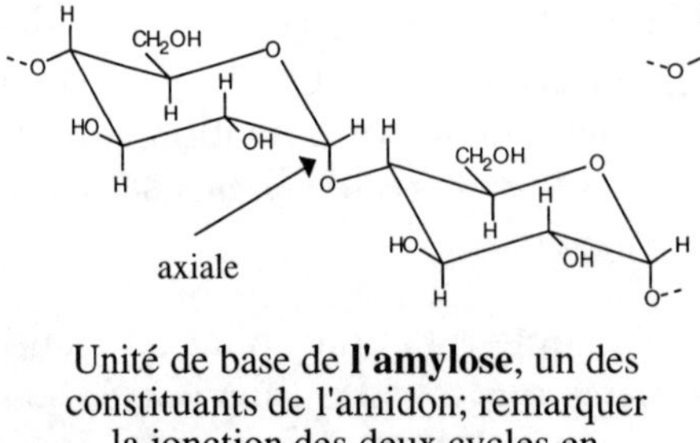

axiale

équatoriale

Unité de base de l'**amylose**, un des constituants de l'amidon; remarquer la jonction des deux cycles en position **axiale**.

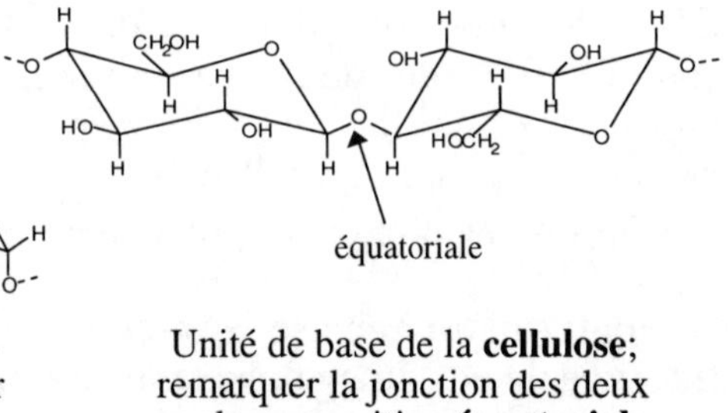

Unité de base de la **cellulose**; remarquer la jonction des deux cycles en position **équatoriale**.

Cette minime différence devient capitale pour l'être humain au niveau de la digestion: nous digérons facilement l'amylose avec ses liaisons axiales, alors que nous rejetons la cellulose avec ses liaisons équatoriales.

Regroupements d'atomes

2.6 Groupes et fonctions

Les liaisons sont plus ou moins polaires selon les atomes impliqués et, puisque la réactivité dépend, entre autres, de cette polarité, tous les regroupements n'auront pas la même réactivité. Par exemple, CH_3 et CO_2H n'ont pas le même comportement chimique (i.e. réactivité).

De façon générale, les regroupements d'atomes **C** et **H** sont peu réactifs et sont appelés: **GROUPES***, groupe méthyle, CH_3, groupe éthyle, CH_3CH_2, etc.

Les regroupements d'atomes contenant des éléments très électronégatifs comme **O, N, S** ou **X** (pour représenter les halogènes, F, Cl, Br, I) liés au carbone ou à l'hydrogène, sont appelés: **FONCTIONS.** En général, la fonction représente la partie réactive de la molécule: la fonction alcool, —OH, la fonction acide carboxylique, —CO_2H .

Il ne faut toutefois pas perdre de vue que ces deux types de regroupements d'atomes ne sont identifiés ici **qu'au sens de la nomenclature**. Ils n'ont pas d'existence réelle et doivent être reliés entre eux pour former une molécule entière et réelle. Ainsi, l'alcool, CH_3CH_2OH, (l'éthanol) est représenté comme suit:

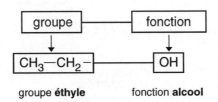

groupe **éthyle**   fonction **alcool**

Ces regroupements sont comparables au prénom (groupe) et au nom de famille (fonction) d'une personne.

Les tableaux 2.1 et 2.2 présentent un liste des principaux groupes et des principales fonctions.

---

*En série acyclique (chaîne de carbones), le groupe est appelé «**alkyle**» et est représenté par **R**, alors qu'en série benzénique (aromatique), ce groupe se nomme «**aryle**» et est identifié par **Ar**.

Tableau 2.1 Les principaux groupes*.

Groupe (R)	Nom	Symbole
CH_3-	méthyle	Me
CH_3CH_2-	éthyle	Et
$CH_3CH_2CH_2-$	propyle	Pr
$CH_3CH_2CH_2CH_2-$	butyle	Bu
$CH_3CH_2CH_2CH_2CH_2-$	pentyle	—
$CH_3CH_2CH_2CH_2CH_2CH_2-$	hexyle	—
$CH_3\overset{\|}{C}HCH_3$	isopropyle	iPr
$CH_3\overset{\|}{C}HCH_2CH_3$	butyle secondaire (*sec* -butyle)**	*s* -Bu
$CH_3-\overset{\overset{\displaystyle CH_3}{\|}}{\underset{\|}{C}}-CH_3$	butyle tertiaire (*tert* -butyle)	*t* -Bu
$CH_3-\overset{\overset{\displaystyle CH_3}{\|}}{\underset{\underset{\displaystyle CH_3}{\|}}{C}}-CH_2-$	néopentyle	—
▷—	cyclopropyle	—
cyclohexyle	cyclohexyle	—
phényle	phényle	—
benzyle $-CH_2-$	benzyle	—
$CH_2=CH-$	vinyle	—
$CH_2=CH-CH_2-$	allyle	—

* Tous ces groupes ont la terminaison **yle**.

** Les mots ou préfixes suivants apparaissent en italique dans les textes imprimés: *sec, tert, ortho, méta* et *para*.

De leur côté, les fonctions peuvent être retracées **d'après les éléments** qu'elles contiennent (voir le tableau 2.2).

Tableau 2.2 Les principales fonctions et insaturations

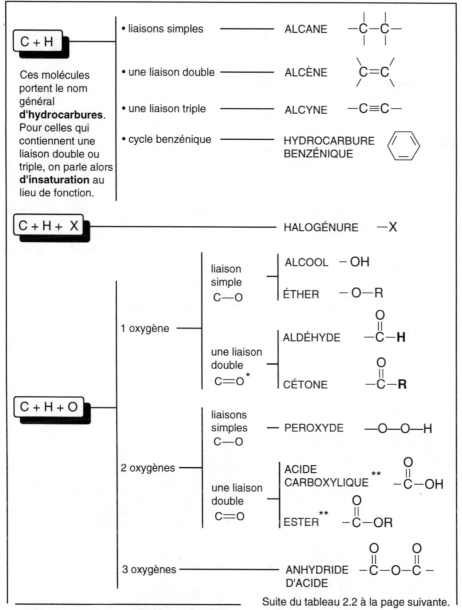

_____
Suite du tableau 2.2 à la page suivante.

* Cet arrangement est appelé **carbonyle**; il est souvent présent dans les fonctions oxygénées.

** L'acide carboxylique peut être représenté par RCO_2H ou RCOOH. L'ester peut prendre les formes RCO_2R ou RCOOR.

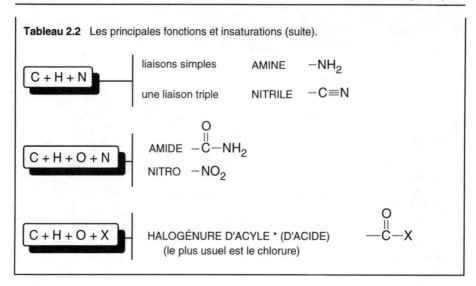

Tableau 2.2 Les principales fonctions et insaturations (suite).

Sauf pour les hydrocarbures, la formule complète d'un composé organique comprend toujours un groupe et une fonction. En voici quelques exemples:

CH_3—**Br**   bromométhane (gaz pour la fumigation)

CH_3—CH_2—**OH**   éthanol (alcool contenu dans les boissons)

CH_3—CH_2—**O**—CH_2—CH_3 éthoxyéthane, l'éther (solvant)

benzaldéhyde (composé à odeur de noyaux de cerises broyés)

CH_3—$\overset{\overset{\textstyle O}{\|}}{C}$—$CH_3$ acétone (solvant)

CH_3—$\overset{\overset{\textstyle O}{\|}}{C}$—**OH**   acide acétique (constituant acide du vinaigre)

La nomenclature de ces composés est présentée à la section 2.9.

---

* Un **acyle** est un fragment de molécule qui contient un carbonyle.

Pour compléter cette présentation de nouveaux termes, ajoutons une notation particulière concernant la position relative d'un carbone dans une molécule.

Les carbones directement reliés à 1, 2, 3 ou 4 autres carbones sont respectivement appelés primaires, **1°**, secondaires, **2°**, tertiaires, **3°** et quaternaires, **4°**, ce qui donne:

$$C\!-\!\overset{\displaystyle \overset{C^{1°}}{|}}{C^{3°}}\!-\!\overset{\displaystyle \overset{C}{|}}{C^{4°}}\!-\!\overset{2°}{C}\!-\!C$$
$$C\!-\!\overset{3°}{C}\!-\!C$$

---

5 | Dans les formules suivantes, identifier les groupes et les fonctions.

a)　$CH_3\!-\!CH_2\!-\!CH_2\!-\!Br$

e)　$CH_3\!-\!\overset{\displaystyle O}{\overset{||}{C}}\!-\!CH_2\!-\!CH_2\!-\!CH_2\!-\!CH_3$

b)　$CH_3\!-\!\underset{\displaystyle CH_3}{\overset{|}{CH}}\!-\!CO_2H$

f)　$CH_3\!-\!\underset{\displaystyle CN}{\overset{|}{CH}}\!-\!CH_2\!-\!CH_3$

c)　$CH_3\!-\!\underset{\displaystyle OH}{\overset{|}{CH}}\!-\!CH_3$

g)　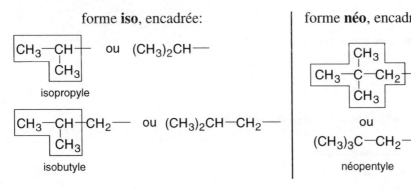 $-CH_2\!-\!\overset{\displaystyle O}{\overset{||}{C}}\!-\!H$

d)　(benzène) $-\overset{\displaystyle O}{\overset{||}{C}}\!-\!Cl$

h)　$CH_3\!-\!\underset{\displaystyle CH_3}{\overset{\displaystyle CH_3}{\overset{|}{C}}}\!-\!\overset{\displaystyle O}{\overset{||}{C}}\!-\!O\!-\!CH_2\!-\!\underset{\displaystyle CH_3}{\overset{|}{CH}}\!-\!CH_3$

Une précision sur les groupes **iso** et **néo**:

forme **iso**, encadrée:

$CH_3\!-\!\underset{\displaystyle CH_3}{\overset{|}{CH}}\!-\!$　　ou　$(CH_3)_2CH\!-\!$

isopropyle

$CH_3\!-\!\underset{\displaystyle CH_3}{\overset{|}{CH}}\!-\!CH_2\!-\!$　　ou　$(CH_3)_2CH\!-\!CH_2\!-\!$

isobutyle

forme **néo**, encadrée:

$CH_3\!-\!\underset{\displaystyle CH_3}{\overset{\displaystyle CH_3}{\overset{|}{C}}}\!-\!CH_2\!-\!$

ou

$(CH_3)_3C\!-\!CH_2\!-\!$

néopentyle

2.7 *Séries homologues*

Deux ou plusieurs substances sont dites homologues si elles ne diffèrent que par un ou plusieurs groupe(s) —CH_2— tout en conservant le **même squelette** carboné de base et la **même fonction**. Ainsi, la substance ayant la chaîne carbonée la plus longue, est qualifiée d'homologue supérieur et l'autre d'homologue inférieur. En voici trois exemples avec des alcools, des aldéhydes et des acides:

1. Deux alcools:

$$CH_3-CH-CH_2-CH_2-OH$$
$$\overset{|}{CH_3}_{1}$$

est un homologue inférieur de:

$$CH_3-CH-CH_2-CH_2-CH_2-OH$$
$$\overset{|}{CH_3}_{2}$$

Les deux alcools ont un squelette carboné qui se termine par un regroupement *iso.*

iso

2. Deux aldéhydes:

$$\text{—CH}_2\text{—CH}_2\text{—C}\overset{O}{\underset{H}{}}$$
3

est un homologue supérieur de:

$$\text{—CH}_2\text{—C}\overset{O}{\underset{H}{}}$$
4

3. Deux acides carboxyliques:

$$CH_3-CH_2-COOH$$
5

$$CH_3-CH-CH_2-CH_2-COOH$$
$$\overset{|}{CH_3}\quad 6$$

5 et *6* **ne sont pas** des homologues parce que leur squelette carboné n'a pas la même allure générale.

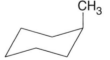

6 1. Écrire un homologue supérieur de:

2. Écrire un homologue inférieur de: HO—〈 〉—CH_2-CH_3
Cl

2.8 Classification générale des substances organiques

Les composés organiques sont généralement classifiés selon le type d'enchaînement et la nature des atomes impliqués.

Tableau 2.3   Classification générale des substances organiques.

Classe	Caractéristiques	Exemples
Acyclique (chaîne)	– linéaire	$CH_3-CH_2-CH_2-CH_3$
	– ramifiée	$CH_3-\underset{\underset{CH_3}{\mid}}{CH}-CH_2-CH_3$
Cyclique (cycle)	– homocyclique (carbocyclique)	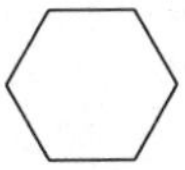 Le cycle ne contient que du carbone.
	– hétérocyclique	 L'hétéroatome «Z» est surtout O, N, S.

D'un autre côté, les composés qui ne contiennent que des liaisons σ sont dits **saturés**, alors que ceux qui contiennent au moins une liaison multiple sont **insaturés**. Les cycles ramifiés sont appelés cycles substitués. Voici trois cas typiques:

a) $CH_3-\underset{\underset{CH_3}{\mid}}{CH}-CH=CH_2$ b) $CH_2 \!-\! CH_2$ / $CH_2 \!-\! CH_2$ c) (cyclohexane)$-CH_3$

acyclique ramifié insaturé   cyclique saturé   cyclique saturé substitué

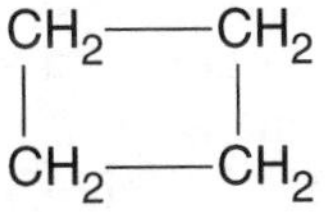

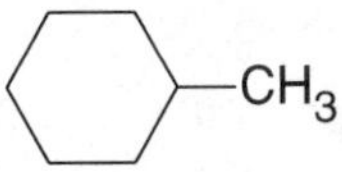

Pour compléter cette classification générale, il existe également des composés dits benzéniques (dont la structure ressemble à celle du benzène) souvent appelés composés **aromatiques**. Leur arôme particulier est à l'origine de cette expression, mais l'aromaticité au sens chimique s'applique à de nombreux autres composés non benzéniques; cette notion sera précisée à la section 6.1. Voici quelques exemples de substances aromatiques:

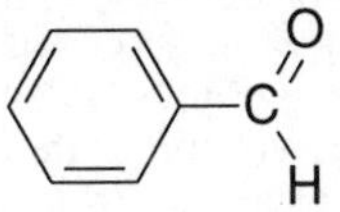

benzaldéhyde (odeur de noyaux de cerises broyés)   phénol (agent désinfectant)   toluène (solvant)

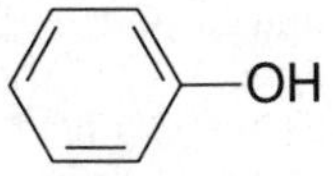

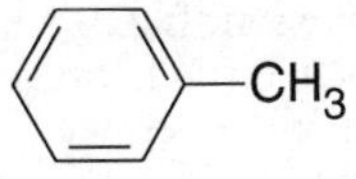

Nomenclature

2.9 Principes généraux

Les règles à suivre pour nommer correctement les substances organiques sont établies par l'**UICPA** *(Union Internationale de Chimie Pure et Appliquée)*. Ces règles ont été modifiées et adoptées en 1989 par la Commission de nomenclature de l'UICPA. Un résumé* de ces règles a été publié dans *Canadian Journal of Chemistry*, juin (vol. 67), 1989, iii-viii. Cette nomenclature sera utilisée ici, mais il sera aussi question, dans certains cas, de noms particuliers d'origine ancienne, encore fréquemment utilisés. Ce sera le cas de l'acide acétique qui pourrait s'appeler acide éthanoïque dans le cadre des règles de l'UICPA.

> Pour nommer les substances organiques,
> il faut préciser les items suivants:

– la **classe** de composé, donnée par la fonction (alcool, acide, etc., voir tableau 2.2);

– la **chaîne carbonée la plus longue** pour en tirer un **nom de base** déterminé par le nombre de carbones correspondant aux alcanes listés au tableau 2.4. À cette fin, on utilise la syllabe en caractère gras avec la terminaison** appropriée relative à la fonction (voir tableau 2.5);

– les **ramifications***** ou les **substituants** sur la chaîne carbonée la plus longue; ces items sont présentés comme préfixes devant le nom de base; ils sont aussi jumelés à un indice de position numérique qui identifie leur point d'attache à la chaîne fondamentale.

---

* Pour en savoir plus, voir *La Nomenclature pour la Chimie Organique*. Les noms substitutifs et les noms de classes fonctionnelles, État de la Question 1992. Henri Favre, chimiste. Publié par l'Ordre des Chimistes du Québec. Aussi, *Nomenclature UICPA des Composés Organiques*, R. Panico et J.-C. Richer, Masson 1994.

** Un indice de position **précède** la terminaison relative à la fonction.

*** Une ramification est une chaîne carbonée relativement courte, fixée sur une chaîne fondamentale plus longue. La ramification porte le nom d'un groupe (méthyle, éthyle...). Le terme substituant est plus général et représente aussi bien une ramification qu'une fonction secondaire (i.e. qui n'a pas la priorité).

Voici la liste des dix premiers **alcanes** dont les noms servent de base aux fonctions.

Tableau 2.4 Le nom des dix premiers alcanes linéaires.

1 carbone: **méth**ane	6 carbones: **hex**ane
2 carbones: **éth**ane	7 carbones: **hept**ane
3 carbones: **prop**ane	8 carbones: **oct**ane
4 carbones: **but**ane	9 carbones: **non**ane
5 carbones: **pent**ane	10 carbones: **déc**ane

Des noms à y perdre son latin...

Plusieurs substances chimiques ont des noms d'origines latine, grecque ou autre. Ces termes sont aussi parfois reliés aux plantes, aux animaux dont les composés sont tirés. En voici quelques exemples:

• l'acide acétique vient du latin *acetum*, vinaigre;

• l'acide butyrique vient du latin *butyrum*, beurre (cet acide est produit par la dégradation du beurre);

• l'acide formique vient du latin *formica*, fourmis (cet acide est secrété par des fourmis);

• le méthanol ou l'alcool méthylique vient du grec *méthy*, vin et *yle*, bois (on l'appelle aussi alcool de bois à cause du procédé d'obtention, la «distillation» sèche du bois).

Un alphabet bien bizarre...

Certaines substances dont le nom est long ou complexe sont souvent représentées par quelques lettres seulement, en voici quelques cas:

• BPC   **b**i**p**hényles poly**c**hlorés

• CFC   **c**hloro**f**luoro**c**arbones

• TNT   2,4,6-**t**ri**n**itro**t**oluène

• DDT   **d**ichloro**d**iphényl**t**richloroéthane

• THF   **t**étra**h**ydro**f**uranne

• 2,4-D acide **2,4-d**ichlorophénoxyacétique

• PVC   de l'anglais **p**oly**v**inyl**c**hloride

• ADN   **a**cide **d**ésoxyribo**n**ucléique

• LSD   de l'allemand **l**yserg **s**äure **d**iethylamid.

2.10 *Composés acycliques*

Le nom d'un composé organique implique toujours une terminaison selon sa classe fonctionnelle, le tableau 2.5 présente les plus usuelles.

Tableau 2.5   Les terminaisons associées aux principales fonctions*.

Classe fonctionnelle	Terminaison (suffixe)	Exemple
Hydrocarbures:		
saturés: alcanes	ane	$CH_3-CH_2-CH_2-CH_3$ butane
insaturés: alcènes	ène	$CH_2=CH-CH_3$ propène
alcynes	yne	$HC\equiv C-CH_2-CH_3$ but-1-yne
Les suffixes suivants remplacent le «e» terminal des hydrocarbures correspondants:		
Alcools	ol	CH_3-CH_2-OH éthanol
Amines	amine	$CH_3-CH_2-NH_2$ éthanamine
Aldéhydes	al	$CH_3-CH_2-CH_2-C{\nwarrow}^{O}_{H}$ butanal
Cétones	one	$CH_3-\overset{\overset{O}{\|\|}}{C}-CH_3$ propanone (acétone)
Acides carboxyliques	oïque	$CH_3-[CH_2]_4-COOH$ acide hexanoïque
Esters	oate	$CH_3-CH_2-\overset{\overset{O}{\|\|}}{C}-O-CH_3$ propanoate de méthyle
Halogénures d'acyles	oyle	$CH_3-\overset{\overset{O}{\|\|}}{C}-Cl$ chlorure d'éthanoyle
Amides	amide	$CH_3-CH_2-CH_2-C{\nwarrow}^{O}_{NH_2}$ butanamide
Nitriles	nitrile (S'ajoute sans élider le «e» de l'alcane.)	$CH_3-CH_2-CH_2-CH_2-C\equiv N$ pentanenitrile

* Les noms acétylène, éthylène, acétone et acide acétique sont conservés tels quels par l'UICPA, pour des raisons historiques.

Les fonctions du tableau suivant se nomment comme **préfixes**.

Tableau 2.6　Nomenclature des préfixes reliés aux fonctions.

Classe fonctionnelle	Préfixe	Formule	Exemple
Halogénures*	halogéno	$-X$	2-bromopropane
Éthers	oxy	$-O-R$	3-méthoxypentane
Dérivés nitrés (nitros)	nitro	$-NO_2$	nitrobenzène
Alcools (occasionnellement)	hydroxy	$-OH$	2-hydroxybutanal
Amines (occasionnellement)	amino	$-NH_2$	2-aminobenzaldéhyde
Cétones (occasionnellement)	oxo	$-CO-$	3-oxopentanal
Nitriles (occasionnellement)	cyano	$-CN$	acide 2-cyanopenta-noïque

Donc, à l'aide des tableaux 2.4, 2.5 et 2.6, il devient assez aisé de nommer des substances simples comme:

$CH_3-CH_2-CH_3$　　3C «prop», alcane «ane»: **propane**

$CH_2=CH-CH_3$　　3C «prop», alcène «ène»: **propène**

CH_3-CH_2-OH　　2C «éth», alcool «ol»: **éthanol**

$CH\equiv CH$　　　　2C «éth», alcyne «yne»: **éthyne** (acétylène)

CH_3-Cl　　　　　1C «méth», chlore «chloro»: **chlorométhane**

La situation se complique lorsque la chaîne carbonée s'allonge et se ramifie ou que les fonctions changent de place sur la chaîne. Il faut établir des règles de nomenclature plus précises. Comment arrive-t-on, par exemple, à obtenir les noms suivants?

$$CH_3-\underset{\underset{OH}{|}}{C}H-CH_2-CH_3$$

butan-2-ol

$$CH_3-\underset{\underset{CH_3}{|}}{C}=CH-CH_3$$

2-méthylbut-2-ène

$$CH_3-CH_2-\underset{\underset{CH_2-CH_3}{|}}{C}H-CH_2-CH_2-CH_3$$

3-éthylhexane

Les règles de nomenclature présentées dans les pages suivantes vous permettront de nommer ces composés et plusieurs autres.

---

*En **industrie**, les halogénures simples se nomment aussi en utilisant le nom du groupe présent comme, par exemple, **chlorure de méthyle** au lieu de chlorométhane.

Procédure pour nommer une substance organique selon l'UICPA:

A. *Rechercher la ou les fonction(s) et insaturation(s).*

B. *Identifier la fonction prioritaire selon la liste au tableau 2.7, s'il y a lieu.*

Tableau 2.7 Terminaisons et priorités* (décroissantes) des fonctions.

Nom de la fonction	Terminaison
acide carboxylique	oïque
halogénure d'acide (d'acyle)	oyle
ester	oate
amide	amide
nitrile	nitrile
aldéhyde	al
cétone	one
alcool	ol
amine	amine
alcène**	ène
alcyne**	yne

* Les alcanes, les halogénures, les éthers et les nitros sont de priorité égale et au plus bas niveau.

** Insaturation plutôt que fonction.

C. *Rechercher la chaîne carbonée la plus longue (contenant la fonction identifiée en B s'il y a une priorité).*

D. *Établir le nom de base avec la terminaison appropriée (celle de la fonction prioritaire).*

E. *Numéroter la chaîne carbonée de façon à attribuer le plus petit indice à la fonction prioritaire.*

F. *Localiser les substituants et les autres fonctions non prioritaires.*

G. *S'il n'y a pas de priorité de fonction, numéroter chaque carbone de la chaîne fondamentale: a. de gauche à droite; b. de droite à gauche.*

H. *Faire la liste des ensembles d'indices de position des substituants selon a. et selon b. Choisir le plus petit ensemble entre a. et b. Le plus petit ensemble est obtenu par le plus petit indice à la première différence, exemples: 1,3,5 < 2,4,5 et 1,2,4,5 < 1,3,4,5 (ici les deux premiers indices s'annulent).*

Suite page suivante...

H. (suite) *Si les ensembles sont identiques, numéroter de façon à attribuer le plus petit indice au premier préfixe en respectant l'ordre alphabétique.*

I. *Identifier les substituants et les fonctions de priorité inférieure; les placer en* **ordre alphabétique.**

J. *Réunir toutes ces informations pour nommer la substance dans l'ordre suivant:*

> **X - substituant - Y - substituant nom de base - Z - terminaison**

(avec terminaison relative à la fonction)

- X et Y représentent les indices de position des substituants et des fonctions non prioritaires comme préfixes et Z est l'indice de position qui qualifie la terminaison de la fonction, en voici un exemple:

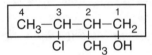

3-chloro-2-méthylbutan-1-ol

- *butan*, représente la chaîne de quatre carbones;
- *ol*, indique la fonction alcool et le *1* précise sa position sur la chaîne;
- le *2* qualifie le point d'attache du substituant méthyle sur la chaîne carbonée.
- le *3* qualifie le point d'attache du substituant chlore sur la chaîne carbonée.

À propos de l'orthographe:

- Lorsqu'un substituant, à terminaison *yle*, est suivi du nom de base, il perd le «e» terminal et est relié à ce nom; il en est de même s'il est suivi d'un indice de position. Ce qui donne par exemple le 2-méthylbutane et **non** le 2-méthylebutane. Il faut aussi écrire 3-méthyl-2-phénylhexane.

- De la même façon, les terminaisons *ane*, *ène* et *yne* perdent le «e» terminal **devant une voyelle**. Ainsi, on écrit propan-2-ol, **sans** «e», pour éviter d'avoir deux voyelles consécutives comme propaneol; mais on garde le «e» dans éthane-1,2-diol qui est issu d'éthanediol.

Voici maintenant une série d'exemples qui illustrent la procédure pour nommer une substance organique selon l'UICPA.

Exemple 1

$$\underset{\substack{1\quad\quad 2\quad\quad 3}}{\overset{\substack{6\quad\quad 5\quad\quad 4\quad\quad 3}}{CH_3-CH_2-CH_2-\underset{4}{CH}-CH_3}}$$
$$\underset{\substack{2\quad\quad\quad 1}}{\overset{5}{CH_2}-\overset{6}{CH_3}}$$

• **Procédure:**

      A. fonction: *aucune*
      B. priorité: *ne s'applique pas*
      C. chaîne carbonée la plus longue: *6 carbones (encadrés)*
      D. nom de base: *hexane*
      E. ne s'applique pas
      F. substituant: *un seul*, CH_3
      G. numéroter la chaîne: *a. de gauche à droite*
                                 b. de droite à gauche
      H. indices de position du substituant: *4 selon a.*
                                         3 selon b. **(bon choix)**
      I. identification du substituant: *méthyle*
      J. nom global: **3-méthylhexane**

Règle complémentaire A

> • *Des préfixes multiplicatifs (di, tri, tétra, penta...) sont utilisés pour les substituants qui se répètent, diméthyl..., trichloro... comme dans le 2,3-diméthylhexane et le 1,2,3-trichloropropane.*
>
> • *Ces préfixes sont ignorés dans le classement alphabétique des substituants.*
>
> • *Dans le cas d'une répétition de substituants, **tous** les indices de position sont indiqués quand même et ils sont séparés par une virgule, par exemple le 2,2,4-triméthyl...*
>
> • *Pour les substituants contenant iso ou néo (ex. isopropyle, néopentyle), le «i» ou le «n» est considéré dans l'ordre alphabétique. Par contre, les notations sec et tert sont ignorées dans l'ordre alphabétique.*

Exemple 2

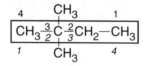

Procédure:

      A. fonction: *aucune*
      B. priorité: *ne s'applique pas*
      C. chaîne carbonée la plus longue: *4 carbones (encadrés)*
      D. nom de base: *butane*
      E. ne s'applique pas
      F. substituants: *deux* CH_3
      G. numéroter la chaîne: *a. de gauche à droite*
                                   b. de droite à gauche
      H. ensembles des indices de position: *2,2 selon a.* **(bon choix)**
                                            3,3 selon b.
      I. identification des substituants: *deux méthyles*
      J. nom global: **2,2-diméthylbutane**

Exemple 3

$$\begin{array}{ccccccc}
7 & 6 & 5 & 4 \\
CH_3-CH_2-CH_2-\overset{4}{C}H-CH_2-CH_3 \\
\end{array}$$

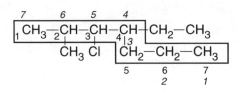

Procédure:

    A. fonction: *aucune*

    B. priorité: *ne s'applique pas*

    C. chaîne carbonée la plus longue: *7 carbones (encadrés)*

    D. nom de base: *heptane*

    E. ne s'applique pas

    F. substituants: CH_2-CH_3 *et* CH_3

    G. numéroter la chaîne: *a. de gauche à droite*

                            b. de droite à gauche

    H. ensembles des indices de position: *4,6 selon a.*

                                         *2,4 selon b. (**bon choix**)*

    I. identification des substituants: *éthyle et méthyle*

    J. nom global: **4-éthyl-2-méthylheptane**

Exemple 4

$$\begin{array}{ccccc}
7 & 6 & 5 & 4 \\
CH_3-CH-CH-CH-CH_2-CH_3 \\
\end{array}$$

Procédure:

    A. fonction: *halogénure*

    B. priorité: *aucune*

    C. chaîne carbonée la plus longue: *7 carbones (encadrés)*

    D. nom de base: *heptane (l'halogène est exclus du nom de base, il doit être identifié comme préfixe)*

    E. ne s'applique pas

    F. substituants: CH_2-CH_3 , CH_3 *et* Cl

    G. numéroter la chaîne: *a. de gauche à droite*

                            b. de droite à gauche

    H. ensembles des indices de position: *2, 3, 4 selon a. (**bon choix**)*

                                       4, 5, 6 selon b.

    I. identification des substituants: *chloro, éthyle et méthyle*

    J. nom global: **3-chloro-4-éthyl-2-méthylheptane**

Exemple 5

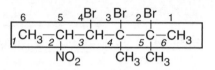

Procédure:

A. fonctions: *halogénure et nitro*
B. priorité: *aucune*
C. chaîne carbonée la plus longue: *6 carbones (encadrés)*
D. nom de base: *hexane*
E. ne s'applique pas
F. substituants: NO_2, CH_3 et Br
G. numéroter la chaîne: a. *de gauche à droite*
                                b. *de droite à gauche*
H. ensembles des indices de position: *2, 3, 4, 4, 5, 5 selon a.*
                                                      2, 2, 3, 3, 4, 5 selon b.
    choix de l'ensemble: *b.* **(bon choix)**
I. identification des substituants: *bromo, méthyle et nitro*
J. nom global: **2,3,4-tribromo-2,3-diméthyl-5-nitrohexane**

Exemple 6

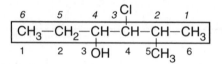

Procédure:

A. fonctions: *halogénure et alcool*
B. priorité: *alcool*
C. chaîne carbonée la plus longue portant l'alcool: *6 carbones*
                                                       (encadrés)
D. nom de base: *hexanol (avec la terminaison **ol** de la fonction*
                       prioritaire)
E. le plus petit indice à la fonction prioritaire: *le **OH** est en*
                       *position **3***
F. substituants: CH_3 et Cl
G. et H. ne s'appliquent pas
I. identification des substituants: *chloro et méthyle*
J. nom global: **4-chloro-5-méthylhexan-3-ol**

---

7 Nommer les composés suivants:

a) $CH_3-CH-CH-CH-CH_2-CH-CH_3$
            CH_3 Cl CH_2-CH_3 CH_3

c) $CH_3-CH-CH_2-CH_3$
                  $CH-CH_2-CH_3$
                  $CH_2-CH_2-CH_3$

b) $CH_2-[CH_2]_3-CH_2-OH$
   Cl

Règle complémentaire B

Si la fonction prioritaire se répète, les préfixes multiplicatifs sont utilisés devant la terminaison propre à la fonction et les indices de position suivent la procédure habituelle. Par exemple,

$$\overset{3}{CH_3}-\overset{2}{CH}-\overset{1}{CH_2} \quad \text{**propane-1,2-diol**}$$
$$\underset{OH}{|}\,\underset{OH}{|}$$

Règle complémentaire C

*Pour les **alcènes*** et les **alcynes****, la procédure habituelle est utilisée avec les terminaisons **ène** et **yne**, mais il faut attribuer un seul indice de position à la liaison multiple. C'est le carbone ayant le plus petit indice qui identifie cette liaison.*

Exemple 7

a) $\overset{1}{CH_2}\!\!=\!\!\overset{2}{CH}-\overset{3}{CH_2}-\overset{4}{CH_3}$
$\,_4_3_2_1$

but-1-ène et **non** but-2-ène ou but-3-ène

b) $\overset{4}{CH_3}-\overset{3}{\underset{|}{CH}}-\overset{2}{C}\!\!\equiv\!\!\overset{1}{CH}$
$\,_1_2_3_4$
$\overset{CH_3}{}$

3-méthylbut-1-yne

Règle complémentaire D

La présence de plusieurs liaisons multiples entraîne l'utilisation d'un préfixe multiplicatif en ajoutant la lettre «a» au nom de base pour faciliter la prononciation. Il faut aussi choisir la chaîne carbonée la plus longue pour l'ensemble des liaisons multiples.

Exemple 8

a) $\overset{1}{CH_2}\!\!=\!\!\overset{2}{CH}-\overset{3}{CH}\!\!=\!\!\overset{4}{CH_2}$

- 4 carbones : *but*
- ajouter un *a*
- 2 liaisons doubles : *diène*
- Nom global: **buta-1,3-diène**

b) $\overset{6}{CH_3}-\overset{5}{C}\!\!\equiv\!\!\overset{4}{C}-\overset{3}{CH_2}-\overset{2}{C}\!\!\equiv\!\!\overset{1}{CH}$

- 6 carbones: *hex*
- ajouter un *a*
- 2 liaisons triples: *diyne*
- Nom global: **hexa-1,4-diyne**

---

8 Nommer les composés suivants:

a) $CH_2\!\!=\!\!CH-CH_2-\underset{\underset{|}{\overset{\|}{CH}}}{C}-CH_2-CH_2-CH_3$
$\overset{|}{CH_3}$

b) $CH_3-\underset{\underset{|}{CH_2-C\equiv CH}}{CH}-CH_2-CH_2-CH_3$

---

*L'alcène à deux carbones qui se nomme éthène selon l'UICPA, est plus souvent appelé **éthylène**. Propène est aussi quelques fois remplacé par propylène.

Attention, le composé de formule $H\!\!-\!\!C\!\!\equiv\!\!C\!\!-\!\!H$ se nomme éthyne selon l'UICPA, mais on l'appelle plus souvent **acétylène.

Règle complémentaire E

Lorsque des liaisons doubles et triples se retrouvent en même temps dans un composé (alcényne), appliquer les règles suivantes:

1. choisir la chaîne carbonée la plus longue contenant le maximum d'insaturations;

*2. attribuer les indices les plus bas possible aux liaisons doubles et triples **dans leur ensemble**, même si cela peut parfois conduire à affecter à «yne» un indice inférieur à «ène»;*

3. s'il subsiste une possibilité de choix, la préférence pour les indices les plus bas est donnée aux doubles liaisons;

4. changer la terminaison «ène» pour «én» lorsqu'elle est suivie d'une voyelle.

Exemple 9

a)
$$\overset{1}{C}H_2 = \overset{2}{C} - \overset{3}{C}H_2 - \overset{4}{C} \equiv \overset{5}{C} - \overset{6}{C}H_3$$
$$\underset{6}{\ } \quad \underset{5}{|}\quad \underset{4}{\ } \quad \underset{3}{\ } \quad \underset{2}{\ } \quad \underset{1}{\ }$$
$$\overset{5}{C}H_3$$

1. Choisir la chaîne la plus longue contenant les insaturations: 6 carbones
2. numéroter la chaîne en respectant les plus petits indices:
   a. *de gauche à droite: l'alcène est en 1 et l'alcyne est en 4 (bon choix)*
   b. *de droite à gauche: l'alcène est en 5 et l'alcyne est en 2*
 • nom global: **2-méthylhex-1-én-4-yne**

b)
$$\overset{1}{C}H_2 = \overset{2}{C}H - \overset{3}{C}H_2 - \overset{4}{C} \equiv \overset{5}{C}H$$
$$\underset{5}{\ } \quad \underset{4}{\ } \quad \underset{3}{\ } \quad \underset{2}{\ } \quad \underset{1}{\ }$$

1. Choisir la chaîne la plus longue contenant les insaturations: 5 carbones
2. numéroter la chaîne en respectant les plus petits indices:
   a. *de gauche à droite: l'alcène est en 1 et l'alcyne est en 4*
   b. *de droite à gauche: l'alcène est en 4 et l'alcyne est en 1*
3. *ici, il y a égalité des indices en a et b, il faut alors donner la préférence à l'alcène (choisir a)*
 • nom global: **pent-1-én-4-yne.**

⟨9⟩ Nommer les deux alcénynes suivants:

a) $CH_3 - CH = CH - C \equiv CH$

b) $CH_3 - \underset{\underset{CH_3}{|}}{C}H - \underset{\underset{CH_2}{\|}}{C} - C \equiv CH$

Règle complémentaire F

> *Si la fonction alcool se retrouve sur un alcène ou sur un alcyne, la priorité va à l'alcool au sens de la numérotation, mais le suffixe d'insaturation, ène ou yne, **précède** le suffixe de fonction dans le nom global.*

Exemple 10

a) CH_3—CH—CH_2—CH=CH_2
      |
      OH

     pent-4-én-2-ol

b) CH_3—C≡C—CH_2—CH_2—CH_2—OH

     hex-4-yn-1-ol

Règle complémentaire G

> *La présence d'un **éther** s'identifie comme préfixe au nom de base. Ce préfixe provient du groupe le plus petit et porte une terminaison «**oxy**» (méthyle devient méthoxy; éthyle devient éthoxy, etc.).*

Exemple 11

a) CH_3—CH_2—O—CH_2—CH_2—CH_3

     1-éthoxypropane
     et **non** 1-propoxyéthane

b) CH_3—CH—CH_2—CH—CH_3
        | |
       OCH_3 OCH_3

     2,4-diméthoxypentane

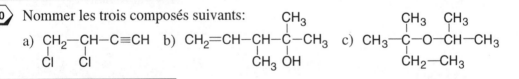

⟨10⟩ Nommer les trois composés suivants:

a) CH_2—CH—C≡CH   b) CH_2=CH—CH—C—CH_3 c) CH_3—C—O—CH—CH_3
   | |

Note: Dans le Handbook of Chemistry and Physics, en anglais, les indices de position qui qualifient la fonction sont placés devant le nom de base; exemples: **2**-butène, **3**-pentanol.

— *Il y a bien des hors-la-loi...* —

Même si la nomenclature est bien structurée et régie par une organisation sérieuse, compétente et universelle, il n'est pas toujours facile d'accorder tous les violons. Par exemple, CH_3OH est une molécule simple qui se nomme **méthanol** selon l'UICPA. Pourtant dans les faits, elle porte une grande variété de noms: alcool de bois, alcool méthylique, méthylhydrate, solvant pour pare-brise, nettoyeur à vitres, etc...

L'industrie chimique et surtout les fabricants de produits organiques prennent beaucoup de temps à s'ajuster aux règles internationales de nomenclature. Il est fréquent de rencontrer plusieurs synonymes sur la même étiquette d'une bouteille. En voici quelques exemples:

• acétone, propanone,

• éther, éther diéthylique, éthoxyéthane, oxyde de diéthyle,

• glycérine, glycérol, 1,2,3-propanetriol.

2.11 *Composés cycliques*

Dans le cas des cycles, la même procédure de nomenclature s'applique en ajoutant le préfixe «cyclo» devant le nom de base. La chaîne carbonée la plus longue est représentée par le cycle et la numérotation des carbones se fait dans le sens des aiguilles d'une montre ou le contraire selon les plus petits indices de position. Les quatre exemples suivants décrivent quelques applications de cette procédure.

Exemple 1

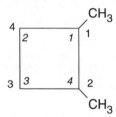

- cycle de 4 carbones: *cyclobutane*
- substituants: *méthyle* CH_3
- numéroter les carbones du cycle à partir d'un méthyle:
  - a. *vers la droite: 1, 2 (bon choix)*
  - b. *vers la gauche: 1, 4*
- nom global: **1,2-diméthylcyclobutane**

Exemple 2

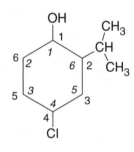

- cycle de 6 carbones: *cyclohexane*
- substituants: OH, Cl et $CH(CH_3)_2$
- fonction proritaire: *alcool, donc: cyclohexanol*
- le carbone porteur du OH est donc le numéro *1*
- numéroter les autres carbones du cycle:
  - a. *vers la droite: 2, 4 (bon choix)*
  - b. *vers la gauche: 4, 6*
- nom global: **4-chloro-2-isopropylcyclohexan-1-ol**

Exemple 3

Cycle **insaturé**

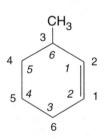

- cycle de 6 carbones avec liaison double: *cyclohexène*
- substituant: *méthyle* CH_3
- priorité: *l'alcène, donc indice **1***
- numéroter les carbones du cycle:
  - a. *vers le bas: méthyle en 6*
  - b. *vers le haut: méthyle en **3** (bon choix)*
- nom global: **3-méthylcyclohex-1-ène**

Si une chaîne carbonée contient un nombre plus important de carbones qu'un cycle relié à cette chaîne, le cycle est considéré comme substituant de la chaîne.

Exemple 4

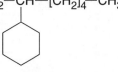

1-cyclopropylbutane et **non** butylcyclopropane

⟨11⟩ Nommer les trois composés suivants:

a) C₂H₅

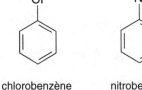

b) CH₃—CH₂—CH—[CH₂]₄—CH₃

c) Br

.12 *Composés benzéniques*

• *Présence d'un seul substituant*

Le benzène étant la substance de base de ce groupe, plusieurs composés seront tout simplement considérés et nommés comme du benzène substitué (un ou plusieurs hydrogènes ont été remplacés). C'est le cas des substituants d'aucune priorité: R, X, NO_2 et OR; exemples:

Cl	NO_2	CH_2CH_3	OCH_3
chlorobenzène	nitrobenzène	éthylbenzène	méthoxybenzène (anisole)

Dans d'autres cas, le cycle benzénique devient le substituant (il se nomme alors phényle). Pour cela, il doit être relié à une chaîne complexe contenant au moins six carbones comme dans l'hydrocarbure suivant:

$$CH_3$$
CH₃—CH—CH₂—CH—CH₂—CH₃

4-méthyl-2-**phényl**hexane

Dans bien des cas, la nomenclature des composés benzéniques prend un aspect assez différent de ce que nous avons vu jusqu'ici; c'est le cas lorsqu'un nom particulier a été consacré par l'usage. Voici la liste de ces principaux noms (en ordre de priorité croissante pour les six premiers).

Tableau 2.8 Noms de base de quelques composés benzéniques.

CH₃	NH₂	OH	H-C=O	SO₃H	CO₂H
toluène	aniline	phénol	benzaldéhyde	acide* benzènesulfonique	acide* benzoïque

acétophénone *p*-xylène alcool benzylique

styrène *p*-hydroquinone

• *Présence de deux substituants*

Avec **deux** substituants sur le cycle, la procédure est la suivante:

> • *Identifier les substituants.*
> • *Déterminer la fonction prioritaire.*
> • *Le point d'attache de cette fonction au cycle prend automatiquement le numéro 1.*
> • *Les autres carbones du cycle sont numérotés de façon à obtenir l'indice le plus bas pour l'autre substituant.*

Cette procédure est illustrée par les trois exemples suivants:

a)

• substituants: OH et Cl
• priorité: OH *donc: phénol (sur le carbone 1)*
• numéroter les carbones du cycle:

   a. vers la droite: le chlore est en 3 (bon choix)
   b. vers la gauche: le chlore est en 5

• nom global: **3-chlorophénol**

---

*Le nom global d'un acide carboxylique substitué **débute** par le mot «acide»; exemple: acide 4-chlorobenzoïque et non 4-chloro acide benzoïque.

b)

CH₃

- substituants: NO_2 et CH_3
- priorité: *aucune, mais le méthyle simplifie le nom (toluène)*
- numéroter les carbones du cycle: *le nitro ne peut être qu'en position 4*
- nom global: **4-nitrotoluène**

c)

- substituants:  et NH_2
- priorité: *aldéhyde, donc: benzaldéhyde*
- numéroter les carbones du cycle:
  - a. *vers la droite: la fonction amine est en **2** (bon choix)*
  - b. *vers la gauche: la fonction amine est en 6*
- nom global: **2-aminobenzaldéhyde**

Cette nomenclature pour **deux** substituants peut être modifiée en remplaçant les indices numériques par les notations ortho (*o*), méta (*m*) et para (*p*). Ces préfixes précisent la **position relative** des deux substituants.

ortho «o»   **méta «m»**   **para «p»**

Les trois exemples a), b) et c) précédents pourraient donc s'écrire
- a) ***m*** -chlorophénol
- b) ***p*** -nitrotoluène
- c) ***o*** -aminobenzaldéhyde

• *Présence de plus de deux substituants*

Les règles énoncées pour deux substituants s'appliquent, mais la notation *o*, *m*, *p* ne peut pas servir ici.

Il est toujours très important de numéroter les carbones du cycle pour obtenir la somme des indices de position la plus petite possible. Par exemple,

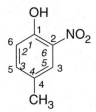

- substituants: OH, NO_2 et CH_3
- priorité: *l'alcool, donc: phénol*
- numéroter les carbones du cycle:
  - a. *vers la droite: 2, 4 (bon choix)*
  - b. *vers la gauche: 4, 6*
- nom global: **4-méthyl-2-nitrophénol**

• *Le cas du naphtalène*

Sur le naphtalène, l'identification des carbones se fait comme suit:

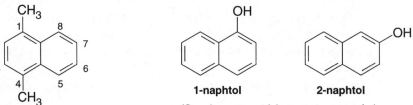

Exemple:

1,4,6-trichloronaphtalène

Note: • Il faut utiliser les indices de position les plus petits possible.
        • Les carbones à la jonction des cycles ne sont pas numérotés.

1,4-diméthylnaphtalène
et non 5,8-diméthylnaphtalène

1-naphtol   **2-naphtol**
(Ces deux noms triviaux sont conservés.)

⟨12⟩ Nommer les composés suivants:

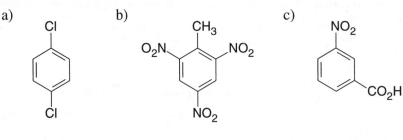

a)

b)

c)

d)

e)

f)

✳

EXERCICES 2

Représentation des molécules organiques

• *Formules chimiques planes*

2.1 Formules empiriques et formules moléculaires

---

1. Écrire trois formules moléculaires pouvant correspondre à: $(CH_2O)_n$.

2. Déduire la formule empirique d'un composé ne contenant que du carbone, de l'hydrogène et de l'oxygène, dont l'analyse élémentaire donne les résultats suivants: C: 40,0 %, H: 6,6 %.

3. La détermination de la masse molaire d'une substance inconnue (par la méthode d'abaissement de la température de congélation d'une solution de cette substance dans du camphre) conduit à une valeur **expérimentale** de 173,5 g / mol. Déduire la formule moléculaire si l'analyse élémentaire suggère comme formule empirique: $(C_2H_3O)_n$.

4. Les formules suivantes sont-elles possibles ou impossibles? Justifier.

   a) $C_{10}H_{12}O_3$ d) $C_{12}H_{12}Cl$

   b) $C_{12}H_{14}$ e) $C_8H_{11}Br$

   c) $C_{20}H_{41}$ f) $C_{11}H_{23}O_3Cl$

2.2 Formules structurales

---

1. Nommer deux méthodes d'analyse qui permettent d'établir quels atomes sont liés entre eux à l'intérieur d'une molécule.

2. Que nous indique la *formule développée* d'une molécule comme C_2H_6O?

3. Ecrire quatre formules développées correspondant à la formule moléculaire $C_4H_{10}O$.

4. Écrire une formule développée pour chacune des molécules suivantes, sachant qu'elles ne contiennent que des liaisons simples σ et où tous les atomes de carbone sont hybridés sp³:

   a) $CH_3—[CH_2]_8—CH_3$ b) $(CH_3)_2CH—[CH_2]_6—CH(CH_3)_2$

5. Représenter en écriture stylisée les molécules suivantes:

a) $CH_3-CH-CH_2-CH-CH_2-CH_2-CH_3$
         CH_3 CH_3

b) $CH_2=CH-[CH_2]_4-CH-CH=CH-CH_3$
                   CH_3

c) $CH_3-CH=CH-CH-C\equiv C-CH_3$
            CH_3

d) $CH_3-CH-CH_2-CH_2-C\equiv C-CH_2-CH_3$
     CH_3

e) $CH_3-\underset{\underset{CH_3}{|}}{\overset{\overset{CH_3}{|}}{C}}-\underset{\underset{CH_3}{|}}{\overset{\overset{CH_3}{|}}{C}}-CH_2-CH=CH-CH_3$

f) $C_4H_7-CH_2-CH_2-C_3H_5$

     ↖   ↗
      parties cycliques

g) $CH_3-CH=CH-[CH_2]_6-CH(CH_2OH)-CH_3$

6. Indiquer tous les atomes H sur les molécules suivantes:

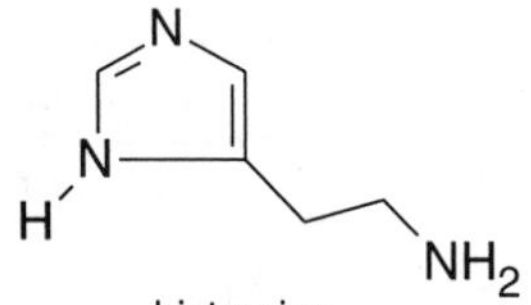

histamine
(substance responsable
de certaines réactions
allergiques)

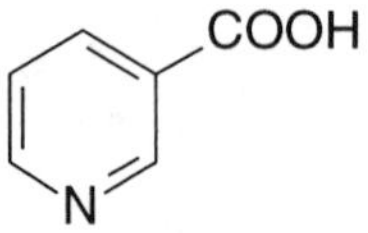

acide nicotinique
(dérivé de la nicotine)

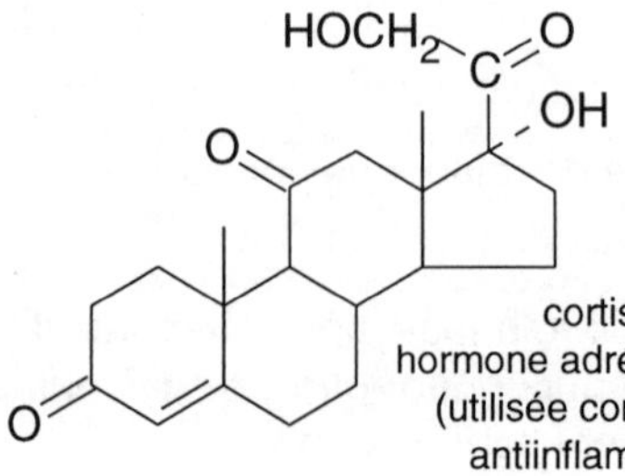

cortisone
hormone adrénocorticoïde
(utilisée comme agent
antiinflammatoire)

Stéréochimie

2.3 Représentation précise des molécules

1. À partir de la molécule suivante, compléter le tableau ci-dessous:

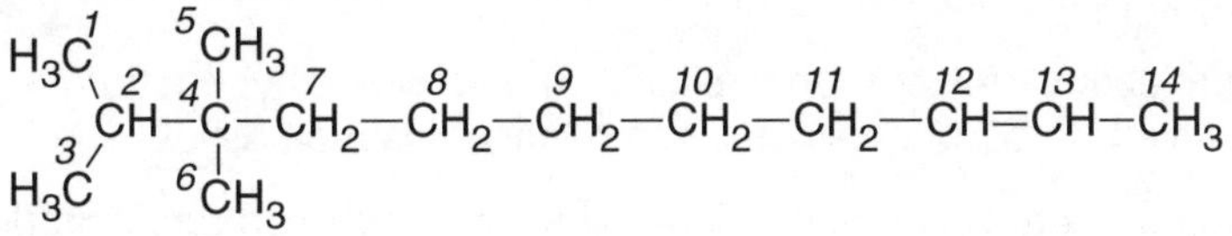

$$H_3C^1 \quad {}^5CH_3$$
$$\underset{H_3C^{3/}}{\overset{}{CH}} - \underset{{}^6CH_3}{\overset{}{C}} - CH_2 - CH_2 - CH_2 - CH_2 - CH_2 - CH = CH - CH_3$$

(2 4 7 8 9 10 11 12 13 14)

C	1	2	3	4	5	6	7	8	9	10	11	12	13	14
Nombre de liaisons σ														
Nombre de liaisons π														
Type d'hybridation de chaque C														
Géométrie autour de chaque C														
Angles de liaisons autour de chaque C														

2. Représenter en trois dimensions (dessins en perspective) les molécules suivantes:

a) $Br-CH_2-CHBrF$ b) $H_2C=CH_2$ c) $HC\equiv CH$

d) $CH_3-CH=CHBr$ e) $HOCH_2-CH_2OH$

f) $CH_3-CH_2-CH=CH-CH(Br)_2$

2.4 Représentations des molécules avec carbones sp³

1. Qu'entend-on par *conformation* ou *conformères*?

2. Quelle propriété des liaisons σ est responsable de l'existence des conformères?

3. Une projection de Newman implique: a) quel type d'hybridation?
   b) combien de C? c) quelle position relative des atomes C?

4. En pointant, par l'imagination, une lampe de poche en direction de C1-C2, essayer de représenter l'ombre projetée sur l'écran A. Y a-t-il une ressemblance avec le système de représentation de Newman?

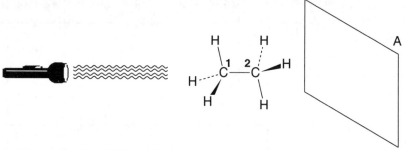

5. Soit la molécule $BrCH_2—CH_2Br$. Représenter le conformère où les deux atomes de brome sont le plus éloignés l'un de l'autre.

6. a) Les différents conformères obtenus par rotation libre autour des axes C—C existent-ils réellement, i.e. sont-ils isolables?

   b) Qu'arrive-t-il à ces rotations si on chauffe? (augmentation de l'énergie cinétique moyenne des molécules).

   c) Qu'arrive-t-il si on abaisse la température à - 92°C , par exemple?
   (diminution de l'énergie cinétique moyenne des molécules).

7. En examinant la figure 2.1, combien de kJ/mol sont nécessaires pour passer de la forme C à la forme D?

8. Est-ce que la quantité d'énergie nécessaire pour passer d'une forme décalée à une autre est élevée? Comparer cette énergie avec celle des liaisons de London; avec l'énergie de la liaison covalente C—C; avec celle des liaisons hydrogène de l'eau.

9. Qu'entend-on par *encombrement stérique*?

10. Pourquoi la forme décalée est-elle privilégiée à n'importe quelle température?

11. Pourquoi le butane, $CH_3—CH_2—CH_2—CH_3$, a-t-il tendance à prendre la position en zigzag ⌇⌇ plutôt que ⌇⌇ ?

12. À quoi correspond physiquement l'écriture en zigzag des molécules organiques constituées uniquement de liaisons C—C?

2.5 Les cycles avec carbones sp^3

1. Quelle valeur d'angle observe-t-on expérimentalement entre deux liaisons consécutives sur:
   a) le cycle à 3C? b) le cycle à 4C? c) le cycle à 5C? d) le cycle à 6C?

2. Pourquoi le cyclopropane et le cyclobutane réagissent-ils en présence d'hydrogène moléculaire? (hydrogénation catalytique)

$$cyclopropane \ + \ H_2 \ \longrightarrow \ CH_3{-}CH_2{-}CH_3$$

$$cyclobutane \ + \ H_2 \ \longrightarrow \ CH_3{-}CH_2{-}CH_2{-}CH_3$$

3. Pourquoi est-il beaucoup plus difficile de faire l'hydrogénation du cycle à cinq carbones?

4. Le cyclohexane n'est pas plan. S'il était plan, quelle serait la valeur de l'angle entre deux liaisons C—C consécutives?

5. Comment explique-t-on que les angles internes du cyclohexane sont, en réalité, de 109° 28'?

6. L'écriture stylisée en zigzag s'applique bien au cyclohexane pour représenter les formes chaise et bateau. Dessiner une forme chaise du cyclohexane et montrer tous les atomes d'hydrogène: a) en positions axiales (une couleur); b) en positions équatoriales (une autre couleur).

7. Illustrer la répulsion qui existe dans la forme bateau entre deux hydrogènes axiaux portés par C1 et C4.

8. Quelle propriété des liaisons σ, C—C , du cyclohexane explique le passage rapide entre les formes chaise et bateau?

9. a) Représenter les deux formes chaise et bateau, en équilibre entre elles, du bromocyclohexane.
   b) Quelle forme chaise sera la plus stable et expliquer pourquoi?

Regroupements d'atomes

2.6 Groupes et fonctions

1. Quelle propriété des atomes est responsable de la différence de réactivité entre les différents regroupements d'atomes appelés groupes et fonctions?

2. Pourquoi, de façon générale, les groupes méthyle, éthyle, isopropyle, etc., ne servent pas à représenter la partie réactive d'une molécule?

3. Compléter le tableau suivant: (écrire la structure, le nom ou le symbole, selon le cas).

Groupe	Nom	Symbole
	méthyle	
		Et
		———
		———
	butyle secondaire	
—CH$_2$—		———
	vinyle	———
	propyle	
	butyle tertiaire	
CH$_2$=CH—CH$_2$—		———
CH$_3$—[CH$_2$]$_4$—CH$_2$—		———

4. Représenter: un alkyle, un aryle, un carbonyle et un acyle.

5. Compléter le tableau ci-dessous (écrire la structure ou le nom des fonctions).

Fonction	Nom
—COOH	
	aldéhyde
—OH	
	amine
$\underset{R}{\diagdown}C=O$	
	ester
$\underset{Cl}{\diagdown}C=O$	
	nitrile
—OR	
	halogénure
	anhydride
$\underset{NH_2}{\diagdown}C=O$	
	alcène
—C≡C—	

6. Un composé peut-il porter plus d'une fonction? Si oui, donner un exemple.

7. Identifier les C 1°, 2°, 3° et 4° sur les molécules suivantes.

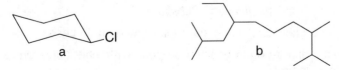

a   b

2.7 Séries homologues

1. Définir *série homologue*.

2. Donner un exemple de série homologue

a) impliquant un groupe cyclopentyle et une fonction acide carboxylique;

b) impliquant un groupe isopropyle et une fonction amine.

3. Trouver les homologues parmi les composés suivants?

a) $CH_3-CH-CH_2-CH_3$
           |
          CH_3

b) $CH_3-CH-CH_2-OH$
           |
          CH_3

c) $CH_3-CH-CH-CH_3$
          | |
        $CH_3\ CH_3$

d) $CH_3-CH-CH_2-Cl$
           |
          CH_3

e) $CH_3-CH-CH_2-CH_2-OH$
           |
          CH_3

f) $CH_3-CH-CH_3$
           |
          CH_3

g) $(CH_3)_2CH-CH-CH_2-CH_2-CH_3$
                 |
              CH_3

2.8 Classification générale des substances organiques

1. Donner deux exemples de molécules pouvant être classées dans chacune des séries: a) cyclique; b) aromatique; c) acyclique.

2. Donner un exemple d'un composé:

a) cyclique insaturé substitué   b) aromatique disubstitué.

Nomenclature

2.9 Principes généraux

1. Le nom *acide acétique* est-il systématique au sens des règles de l'UICPA? Sinon, quel devrait être son nom selon ces règles?

2. Énoncer de façon succincte les trois règles de base à considérer lorsque l'on doit donner un nom à une molécule organique.

3. Comment identifie-t-on la classe de composés à laquelle appartient la molécule dont on cherche le nom?

4. Qu'entend-on par *ramification*? *Substituant*?

5. Où place-t-on les substituants par rapport au nom de base?

6. Comment indique-t-on la position du point d'attache d'une fonction sur la chaîne principale?

2.10 Composés acycliques

1. Compléter le tableau suivant:

Classe fonctionnelle	Terminaison	Exemple
	ène	
	—————	$CH_3-CH_2-COOCH_3$
	—————	$C_2H_5-\overset{\overset{\displaystyle O}{\|\|}}{C}-O-\overset{\overset{\displaystyle O}{\|\|}}{C}-C_2H_5$
amide	—————	
	yne	
alcène		
	ane	
		$CH_3-CH=CH-CH_2-CH_3$
	ol	
		$CH_3-C\equiv C-CH_3$
acide carboxylique	—————	
		$CH_3-CH_2-O-CH_3$
	—————	$\overset{H_3C}{\underset{Cl}{\diagdown}}C=O$

2. Classer les fonctions suivantes en ordre de priorité (au sens de la nomenclature):

• éther • alcool • alcyne • alcane • halogénure • alcène • nitro.

3. Classer les fonctions et insaturations suivantes en ordre de priorité:

$$\text{C}=\text{C} \qquad \text{—OR} \qquad \text{—NO}_2 \qquad \text{—C}\equiv\text{C—} \qquad \text{—OH} \qquad \text{—X}$$

4. Certaines fonctions sont nommées surtout comme préfixes. Compléter ce tableau:

Nom	Structure	Préfixe
halogénure		
	—NO_2	
		hydroxy (occasionnellement)
	—OR	
amine		

5. Nommer les molécules suivantes selon les règles de l'UICPA:

a) CH_2Cl_2 d) $CHClBrF$ g) $Cl_3C\text{—}CCl_3$ i) $Cl_2C=CCl_2$

b) CH_3F e) $HOCH_2\text{—}CH_2NH_2$ h) $CH_3\text{—}\underset{\overset{|}{CH_3}}{CH}\text{—}\underset{\overset{|}{Cl}}{CH}\text{—}CH_3$

c) $CHBr_3$ f) $HOCH_2\text{—}CH_2OH$

6. Nommer les molécules ci-dessous selon les règles de l'UICPA.

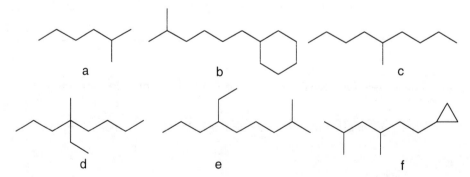

a   b   c

d   e   f

6. (suite)

Br

CH₃—CH₂—CH₂—O—CH₃

CH_3—CH_2—CH_2—O—CH_3

Cl

g   h   i

—C≡CH   —C≡C—   HOCH₂—CH₂—CH₂—CH—CH₃
                                                   NH₂

j   Cl   k   l

             CH₂   C₂H₅
             ‖ |
CH₃—CH₂—C—C=CH₂   CH₃—C—CH₂—CH₂—OH
                  | |
m   CH₃   Br   n

7. Déduire la structure correspondant à chacun des noms des molécules suivantes et les représenter de deux façons: formules semi-développées et formules stylisées.

a) Éthane
b) propane
c) butane
d) pentane
e) hexane
f) 2-méthylpentane
g) 3-chloro-4-méthylhexane

h) 5-éthyl-3,3-diméthylheptane
i) 2,2,3-triméthylbutane
j) 3-méthylhexane
k) 4-isopropyl-2,6-diméthyloctane
l) 4-éthyl-4-méthylheptane
m) 4-*tert*-butyl-4-méthylheptane
n) hexa-1,3-dién-5-yne.

2.11 Composés cycliques

1. Nommer les molécules suivantes:

a)   OH   b)

c)   d)   e)   f)

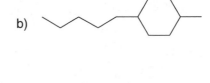

g)   HOCH₂—CH₂—CH₂—CH—CH₃   h) —CH₂—CH₃

2. Déduire la structure en écriture stylisée correspondant au nom de chacune des molécules suivantes:

a) 1,3-diméthylcyclohexane

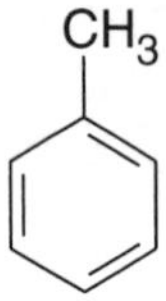

b) cyclobutène

c) 2,3-dibromocyclopenta-1,3-diène

d) 3-cyclohexylpentane

e) 1,2,3,4,5,6-hexachlorocyclohexane

f) 1-cyclohexyl-2-méthylbutane

g) 3-méthylcyclohex-1-ène

h) cyclohexanol

i) bromocyclopentane.

2.12 Composés benzéniques

---

1. Quelle molécule est considérée comme la molécule de base pour la classe des hydrocarbures aromatiques?

2. Représenter la structure des molécules suivantes en écriture stylisée:

a) phénol

b) toluène

c) styrène

d) alcool benzylique

e) benzaldéhyde

f) acide benzoïque

g) aniline

h) acétophénone

i) *p*-xylène.

3. a) Quel nom prend le cycle benzénique lorsqu'il devient substituant?

   b) Dans quelle situation cela se produit-il?

4. Nommer les trois préfixes servant à remplacer les indices numériques (dans le cas où deux substituants sont présents sur le cycle benzénique) pour indiquer la position relative des substituants. Illustrer par un exemple.

5. Nommer les molécules suivantes:

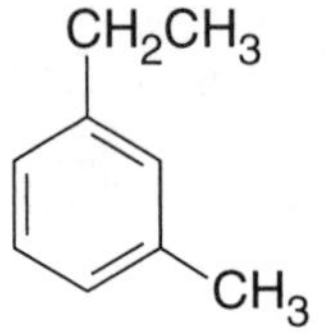

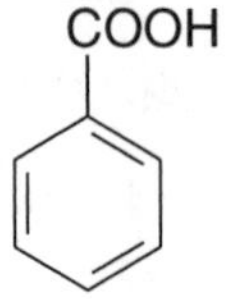

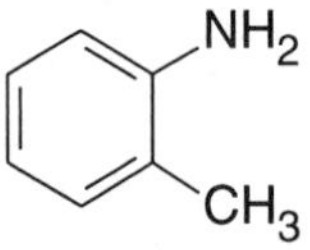

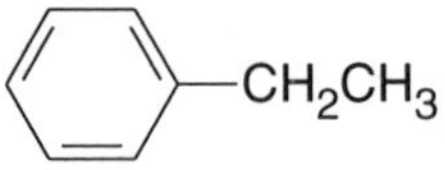

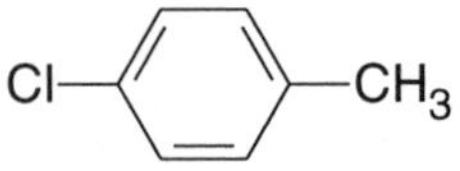

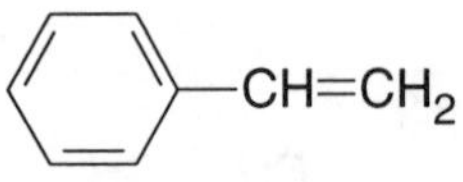

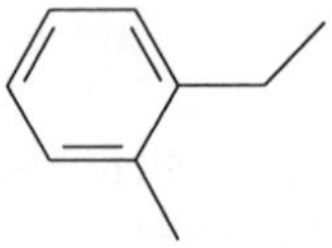

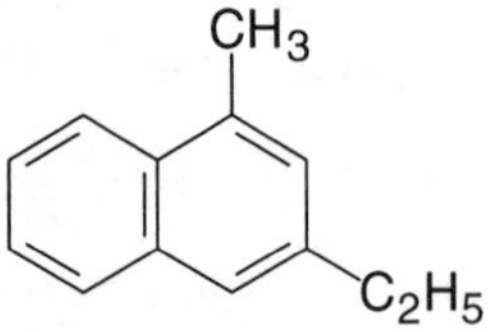

6. Déduire les structures correspondant aux noms suivants:
   a) *o* -dichlorobenzène
   b) 1,2,4-triméthylbenzène
   c) *p* -chlorostyrène
   d) *m*-chlorophénol
   e) biphényle
   f) isopropylbenzène
   g) acide benzoïque
   h) 2-chloro-4-éthyl-3,5-dinitrotoluène
   i) *o* -bromochlorobenzène
   j) *m* -nitrotoluène
   k) 2-phénylpentane
   l) acide benzènesulfonique
   m) *p* -xylène
   n) 1,2-diphénylbenzène
   o) acide *p* -bromobenzoïque
   p) 1,2,5-trinitronaphtalène.

Exercices complémentaires

1. Parmi les représentations suivantes, laquelle ne fait pas partie de chaque ensemble suivant?

a) $—CH_3$ (benzène) $—OH$ $CH_3—CH—$, CH_3

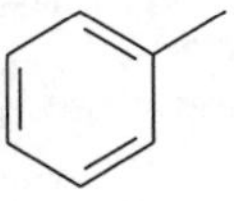

    1   *2*   *3*   *4*

b) $CH_3—CH_2—CH_2—CH_3$ *1*
      $CH_3—CH—CH_2—CH_3$, CH_3 *2*

   $CH_3—CH_2—CH_2—CH—CH_3$, CH_3 *3*
      $CH_3—CH—CH_3$, CH_3 *4*

c) $CH_3—\overset{O}{\overset{||}{C}}—CH_3$ *1*
      $CH_3—CH_2—\overset{O}{\overset{||}{C}}—CH_3$ *2*

   $CH_3—\overset{O}{\overset{||}{C}}—H$ *3*
      $CH_3—\overset{O}{\overset{||}{C}}—CH_2—CH_2—CH_3$ *4*

2. Dans b et c ci-dessus, trouver les homologues.

3. L'hexane a un point d'ébullition de 69°C. De quel ordre de grandeur est le point d'ébullition de l'octane? Justifier.

4. L'éthanol a un point d'ébullition de 78,5°C. Quelle valeur (plus petite ou plus élevée) doit avoir celui de: a) l'éthane? b) l'acide acétique?

5. Commenter la probabilité d'existence du cyclopropène.

6. Le 1,3-dichloropropane est un nom écrit selon les règles de l'UICPA. En est-il de même pour: 1,3-diméthylpropane?

7. Donner un exemple en *utilisant des formules semi-développées,*
   a) d'un hydrocarbure acyclique ramifié insaturé
   b) d'une substance contenant un carbone tertiaire
   c) d'un homologue supérieur de H_3C

$$H_3C \diagdown CH-CH_2-CH_2-OH$$
$$H_3C \diagup$$

   d) d'un cycloalcane dont tous les carbones sont dans le même plan
   e) d'un hydrocarbure dont la liaison C—C serait plus courte que dans $CH_2=CH_2$
   f) de deux composés dont la formule moléculaire serait:

   1) C_3H_6 *2)* $C_5H_{12}O$ *3)* C_4H_9N *4)* $C_4H_8Cl_2$

8. Donner la formule semi-développée des substances suivantes:

   a) 2-méthylpentane   e) 2,2-diméthylbutane
   b) 1,2-diméthylcyclohexane   f) 2,2,3- triméthylpentane
   c) cyclohexane   g) acétylène
   d) isohexane   h) 3,4-diéthyl-5-isopropyl-2,3,5,6-tétraméthyloctane

9. Nommer les composés suivants:

$$CH_3-CH_2-CH_2-\underset{\underset{CH_3}{|}}{CH}-CH_2-CH_3$$
a

$$CH_3-\underset{\underset{CH_3}{|}}{CH}-CH_2-CH_2-\underset{\overset{\overset{CH_3}{|}}{|}}{\underset{\underset{CH_3}{|}}{C}}-CH_3$$
e

$$CH_3-\underset{\underset{CH_3}{|}}{CH}-\underset{\underset{CH=CH_2}{|}}{CH}-CH_3$$
b

$$(CH_3)_2CH-[CH_2]_5-CH_3$$
f

$$CH_3-\underset{\underset{CH_3}{|}}{\overset{\overset{CH_3}{|}}{C}}-\underset{\underset{CH_3}{|}}{\overset{\overset{CH_3}{|}}{C}}-CH_3$$
c

$$CH_3-\underset{\overset{CH_2-CH_3}{|}}{\underset{|}{CH}}$$
$$CH_3-\overset{\overset{C_4H_9}{|}}{\underset{|}{C}}-CH_3$$
g

$$CH_3-\underset{\underset{C_4H_9}{|}}{\overset{\overset{C_2H_5}{|}}{C}}-CH_2-CH_2-CH_3$$
d

$$\text{(cyclohexane)}-CH_3$$
h

10. Indiquer à quelle classe fonctionnelle de composés appartiennent les substances suivantes:

    a) CH_3-CH_2-OH

    b) $CHCl_3$

    c) $CH_3-CH-COOH$
            $|$
           CH_3

    d) $CH_3-\overset{\overset{\textstyle O}{\|}}{C}-CH_2-CH_3$

    e) $CH_3-CH=CH-CH_3$

    f) $CH_3-CH_2-CH-CH_3$
                    $|$
                 NH_2

    g) $CH_3-\overset{\overset{\textstyle O}{\|}}{C}-H$

    h)

    i)

    j) $CH_3-\overset{\overset{\textstyle O}{\|}}{C}-NH_2$

11. Donner la formule semi-développée des fonctions suivantes:

    a) ester
    b) alcool
    c) amide
    d) bromure d'alkyle
    e) alcène
    f) hydrocarbure benzénique
    g) chlorure d'acide.

12. Indiquer le type de liaison et le genre d'hybridation employés pour chaque atome de carbone des molécules suivantes:

    a) $HC\equiv C-CH=CH-CH_3$

    b) $CH_2=C=O$

    c) $H_2C\!\!-\!\!\overset{\diagdown}{\underset{\overset{\displaystyle C'}{\underset{\|}{O}}}{C}}\!\!=C=CH_2$

    d) $CH_3-CH_2-\overset{\overset{\textstyle O}{\|}}{C}-O-CH_3$

    e) benzène

    f) cyclohexane

    g) cyclohexène

    h) styrène

13. Indiquer, par des dessins, les formes des molécules suivantes:

    a) méthanol
    b) propène
    c) $CH_3-C\equiv CH$
    d) acétone, $CH_3-\overset{\overset{\textstyle O}{\|}}{C}-CH_3$
    e) buta-1,3-diène
    f) $CH_3-CH=CH-CH_2-CH_3$

14. Parmi les composés suivants, indiquer:
    a) ceux qui ont toutes leurs liaisons dans un même plan;
    b) ceux qui **peuvent** avoir tous les carbones dans le même plan.

    a) penta-1,3-diène   b) cyclopropanol

14. (suite)

c)  H_3C—⬡—CH_3

g) $Cl-CH=CH-CH_3$

d) 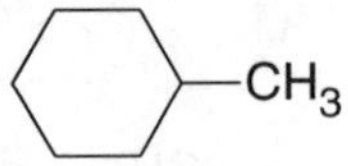 ⬡—CH_3

h) 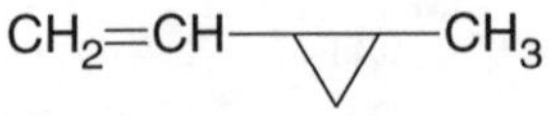 $CH_2=CH$—▽—CH_3

e) 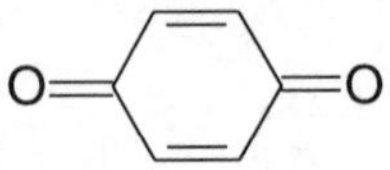 $O=$⬡$=O$

i) 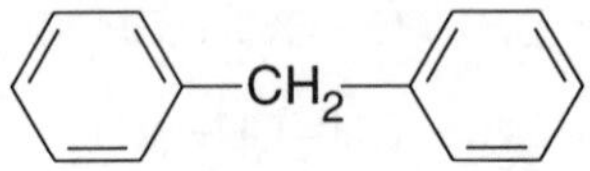 ⬡—CH_2—⬡

f) $CH_3-CH_2-CO_2H$

j) $HC\equiv C-CH=CH_2$

15. Compléter le tableau suivant:

Nom du groupe	Formule du groupe
	$-CH_3$
benzyle	
	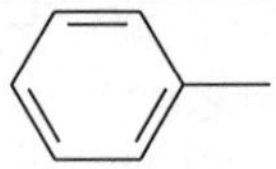 ⬡—
butyle secondaire	
	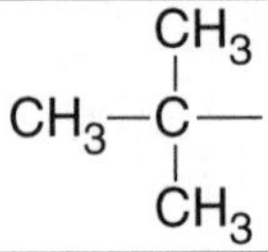 $CH_3-\overset{\displaystyle CH_3}{\underset{\displaystyle CH_3}{C}}-$
isopropyle	
	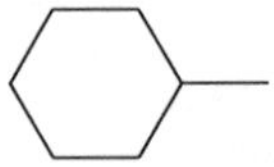 ⬡—
cyclopropyle	
	CH_3-CH_2-

16. Compléter le tableau suivant:

Nom de la fonction	Exemple de molécule portant la fonction
	$$CH_3-\overset{\overset{\displaystyle O}{\|}}{C}-Cl$$
cétone	
	CH_3OCH_3
halogénure (chlorure)	
	$CH_3-CH_2-NH_2$
alcool	
	$$CH_3-\overset{\overset{\displaystyle O}{\|}}{C}-NH_2$$
nitrile	
	$$CH_3-\overset{\overset{\displaystyle O}{\|}}{C}-O-\overset{\overset{\displaystyle O}{\|}}{C}-CH_3$$
acide carboxylique	
	$$CH_3-\overset{\overset{\displaystyle O}{\|}}{C}-H$$
alcyne	
	$CH_3-CH=CH-CH_3$
ester	

17. Nommer les composés suivants:

a) 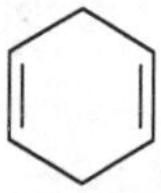 [structure: cyclohexadiène]

b) 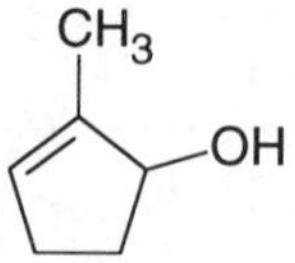 [structure: cyclopentène avec CH₃ et OH]

c) 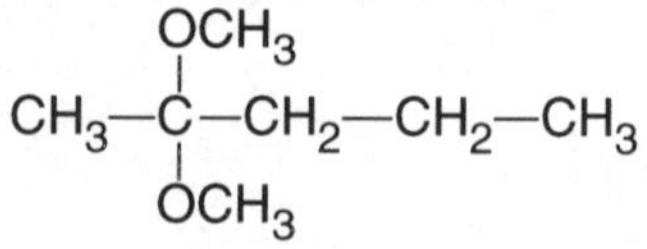 $CH_3\text{—}\overset{\displaystyle OCH_3}{\underset{\displaystyle OCH_3}{C}}\text{—}CH_2\text{—}CH_2\text{—}CH_3$

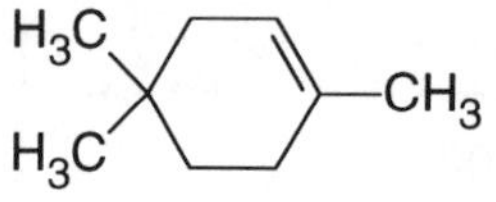

d) $CH_2\text{=}CH\text{—}CH\text{=}CH\text{—}CH\text{=}CH_2$

e) 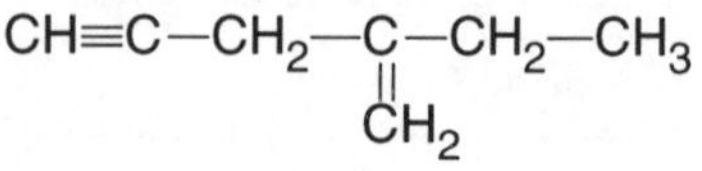 $CH\text{≡}C\text{—}CH_2\text{—}\overset{\displaystyle }{\underset{\displaystyle \|}{C}}\text{—}CH_2\text{—}CH_3$ avec CH_2

f) 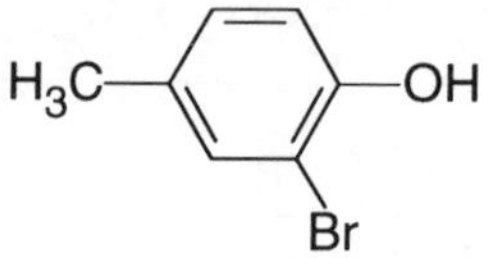 H_3C—[benzène]—OH avec Br

g) [structure: cyclohexène avec H₃C, H₃C et CH₃]

h) [structure: naphtalène avec OH, Cl, Cl]

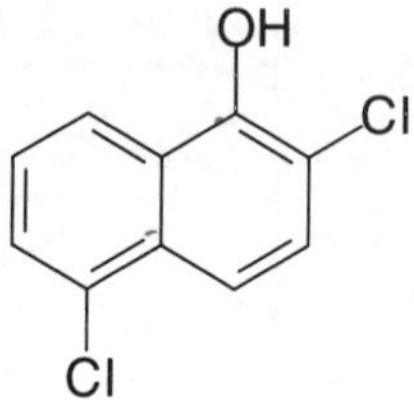

i) 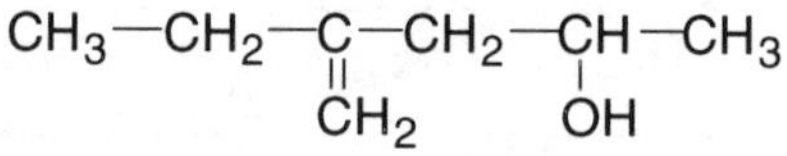 $CH_3\text{—}CH_2\text{—}\underset{\displaystyle CH_2}{\overset{\displaystyle \|}{C}}\text{—}CH_2\text{—}\underset{\displaystyle OH}{CH}\text{—}CH_3$

j) $HC\text{≡}C\text{—}CH\text{=}CH\text{—}CH_2\text{—}CH_3$

Des molécules qui font jaser...

Voici le citrate de
1-[[3-(6,7-dihydro-1-méthyl-7-oxo-3-propyl-1H-pyrazolo[4,3-d]pyrimidine-5-yl)-4-éthoxyphényl]sulfonyl]-4-méthylpipérazine. On le connaît mieux sous le nom de*Viagra* !

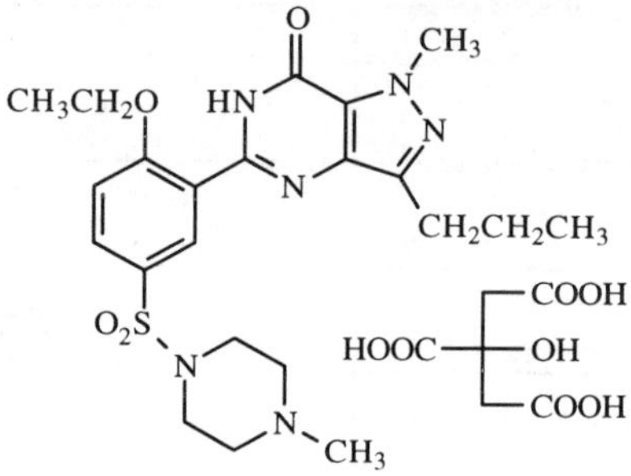

[structure chimique du Viagra avec CH_3CH_2O, HN, CH₃, N, N, $CH_2CH_2CH_3$, O_2S, N, N—CH₃, et HOOC—COOH, OH, COOH]

La nandrolone, ci-contre, est un stéroïde anabolisant apparu sur le marché en 1959 et qui est encore l'un des produits dopants les plus utilisés par les sportifs.

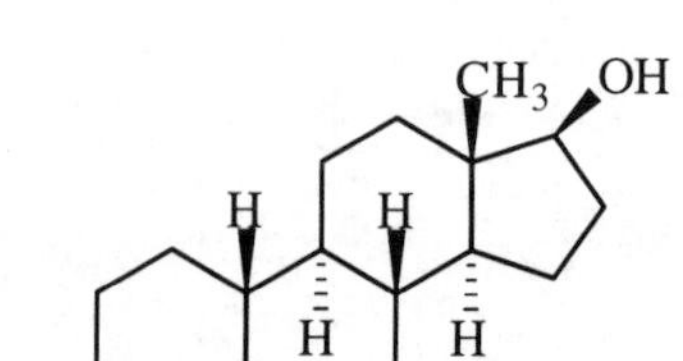

[structure stéroïde de la nandrolone avec CH₃, OH, H, H, H, H, O]

nandrolone

＊

L'ISOMÉRIE   3

Sommaire

Mots / concepts clés

- isomères
- isomérie de structure (isomérie plane)
- isomérie structurale de position
- isomérie structurale de constitution
- stéréoisomérie optique
- stéréoisomérie géométrique
- conformères
- stéréoisomères
- carbone asymétrique
- configuration
- chiralité (chiral)
- isomères optiques
- images de miroir (non superposables)
- énantiomères (énantiomorphes, antipodes optiques, isomères optiques)

- pouvoir rotatoire
- lévogyre (l ou -)
- dextrogyre (d ou +)
- lumière polarisée plane
- polarimètre
- mélange racémique
- optiquement inactif
- projections de Newman
- diastéréoisomères
- isomérie géométrique
- érythro, thréo, méso
- plan de symétrie
- projections de Fischer
- système rigide (liaison double, cycle)
- notation *cis/trans* et *E/Z*
- convention R/S

Objectifs spécifiques

Vous devez être capable de ...

• distinguer les différents types d'isomérie;
• localiser les carbones asymétriques sur n'importe quelle molécule organique;
• savoir reconnaître une molécule chirale;
• représenter en perspective deux énantiomères;
• utiliser correctement les notations pour lévogyre, dextrogyre, mélange racémique;
• employer correctement la convention R/S;
• représenter en projections de Newman les stéréoisomères à deux carbones asymétriques;
• déterminer le nombre de stéréoisomères à partir du nombre de carbones asymétriques;
• établir les relations d'énantiomérie et de diastéréoisomérie, dans le cas où on a quatre stéréoisomères;
• pouvoir repérer un plan de symétrie chez certaines molécules à deux carbones asymétriques;
• dessiner la projection de Newman de toute liaison carbone-carbone d'une molécule représentée en perspective;
• déduire, à partir d'une série de molécules à deux carbones asymétriques présentées en projections de Newman, si elles sont *méso, érythro, thréo,* énantiomères, diastéréoisomères, conformères (identiques);
• représenter en projections de Fischer des stéréoisomères à deux carbones asymétriques;
• représenter adéquatement tous les stéréoisomères porteurs d'une liaison double ou d'un cycle avec un ou deux carbones asymétriques;
• employer correctement la terminologie *cis/trans* et le symbolisme *E/Z* dans le cas des cycles et des alcènes substitués;
• définir et expliquer les mots / concepts clés.

3.1 Présentation

Définition

Des composés chimiques sont dits **isomères** s'ils ont la même composition chimique et même formule moléculaire. Ils se distinguent par leur structure respective, c'est-à-dire l'organisation de leurs atomes, et par leurs propriétés physiques et chimiques.

Exemple 1

Le butane et le 2-méthylpropane (deux alcanes):

$$CH_3-CH_2-CH_2-CH_3 \quad = \quad C_4H_{10} \quad = \quad CH_3-\underset{\underset{CH_3}{|}}{CH}-CH_3$$

butane

Éb -0,5 °C

2-méthylpropane

Éb -11,6 °C

Exemple 2

L'éthanol (un alcool) et le méthoxyméthane (un éther):

$$CH_3-CH_2-OH \quad = \quad C_2H_6O \quad = \quad CH_3-O-CH_3$$

éthanol

Éb 78,5 °C

méthoxyméthane

Éb -25 °C

Cette définition demeure toutefois très générale. Elle doit être précisée puisqu'il existe plusieurs types d'isomérie:

a) *Isomérie de structure (isomérie plane): elle ne concerne que l'enchaînement des atomes;*

b) *Stéréoisomérie: elle implique la géométrie et l'organisation spatiale des atomes; elle se subdivise en deux types:*

• stéréoisomérie | **• optique**
• géométrique

3.2 Isomérie de structure
(Isomérie plane)

Ce type d'isomérie est le plus général qui puisse exister. La seule condition pour que deux substances soient dites «isomères de structure» est d'avoir la même formule moléculaire. D'une part, il peut s'agir de substances qui n'ont pas le même groupement fonctionnel; dans ce cas, les propriétés physiques et chimiques pourront être très différentes. D'autre part, les composés peuvent appartenir à la même classe chimique. Dans ce cas, leurs propriétés chimiques seront semblables et ils différeront par leurs propriétés physiques.

Exemple 1 C_4H_8O

$CH_2{-}CH_2$ $CH_2\ \ CH_2$ $\diagdown O \diagup$	$CH_3CH_2CH_2\overset{O}{\overset{\|}{C}}{-}H$	$CH_3CH_2\overset{O}{\overset{\|}{C}}CH_3$	$CH_2{=}CHCH_2CH_2OH$
éther cyclique	aldéhyde	cétone	alcène-alcool
Éb 67,0 °C	Éb 75,7 °C	Éb 79,6 °C	Éb 113 °C

Ces substances n'ont pas la même fonction: ce sont des isomères de **constitution**.

Exemple 2 $C_5H_{12}O$

$CH_3[CH_2]_3CH_2{-}\mathbf{OH}$	$CH_3CH_2CH_2\underset{\mathbf{O\,H}}{CH}CH_3$	$CH_3CH_2\underset{\mathbf{O\,H}}{CH}CH_2CH_3$
pentan-1-ol	pentan-2-ol	pentan-3-ol
Éb 137,3 °C	Éb 118,9 °C	Éb 116,1 °C

Il s'agit de trois **alcools.**

Les alcools de l'exemple 2 sont des isomères dits de **position**. Il y a donc deux conditions pour avoir des isomères de position:

> 1. Même formule moléculaire
>
> 2. Même fonction

Les composés de l'exemple 1 de la section 3.1 sont aussi des isomères de position (ce sont deux alcanes).

Attention!

Les trois structures suivantes représentent toutes un seul et même composé, le butane; elles sont conformères* et non isomères.

$$CH_3-CH_2-CH_2 \qquad CH_3-CH_2-CH_2-CH_3 \qquad CH_2-CH_2$$
$$\qquad\qquad\quad | \qquad\qquad\qquad\qquad\qquad\qquad\qquad\qquad\quad | \qquad |$$
$$\qquad\qquad CH_3 \qquad\qquad\qquad\qquad\qquad\qquad\qquad\qquad\quad CH_3 \quad CH_3$$

Des isomères de position n'ont pas le même nom. Par exemple: le propan-1-ol et le propan-2-ol.

a) Donner la formule semi-développée et le nom de tous les isomères de constitution de C_4H_8.

b) Parmi ces isomères, lesquels sont des isomères de position?

3.3 Stéréoisomérie

Des substances dites **stéréoisomères** diffèrent par **l'orientation** dans l'espace des différentes parties qui les constituent.

Ce type d'isomérie est un peu moins évident que l'isomérie de structure, puisqu'il faut faire appel ici à la représentation la plus exacte possible des molécules en tenant compte de la **géométrie** et de la **position relative** de tous les substituants. Le 2-chlorobutane par exemple, possède deux stéréoisomères:

$$CH_3-CH-CH_2-CH_3 \longrightarrow$$
$$\qquad\qquad |$$
$$\qquad\qquad Cl$$

2-chlorobutane

(structures I et II représentées en perspective)

(I)　　et　　(II)

Stéréoisomères, ces deux structures sont des isomères optiques représentés en perspective.

Pour bien comprendre ce qui différencie les structures I et II, il faut introduire ici quelques notions supplémentaires:

> • *carbone asymétrique*
> • *configuration*
> • *isomérie optique*
> • *chiralité*

---

* Obtenus par rotation autour des axes des liaisons simples.

Un carbone est appelé **asymétrique** s'il est hybridé sp^3 et si ses **quatre** substituants sont différents. Voici quelques exemples avec ou sans carbones asymétriques:

a)
$$CH_3-\overset{\overset{OH}{|}}{\underset{\underset{CH_3}{\overset{|}{CH_2}}}{\overset{*}{C}}}-\text{C}_6\text{H}_5$$

1 carbone asymétrique

b)
$$CH_3-\overset{\overset{Cl}{|}}{\underset{\underset{Cl}{|}}{C}}-CH_2-CH_3$$

aucun carbone asymétrique

c)
$$\bigcirc-CH_2-\overset{*}{\underset{\underset{Br}{|}}{CH}}-CH_2-\overset{*}{\underset{\underset{Br}{|}}{CH}}-\bigcirc$$

2 carbones asymétriques

d)

2 carbones asymétriques

___ *L'origine de la notion de carbone tétraédrique....* ___

L'idée d'un carbone tétraédrique a été introduite par Van't Hoff en 1874. Il s'en est servi pour expliquer l'isomérie optique des acides tartriques, de l'acide malique, de certains sucres et du camphre. Il l'a utilisé également pour élucider le mystère entourant les acides fumarique et maléique.

$$HOOC-CH_2-\overset{\overset{OH}{|}}{\overset{*}{CH}}-COOH$$

acide malique
(Il existe deux isomères pour cet acide à cause de la présence du C porteur de quatre groupes différents.)

$$\overset{HC-COOH}{\underset{HOOC-CH}{\|}}$$

acide fumarique

$$\overset{HC-COOH}{\underset{HC-COOH}{\|}}$$

acide maléique

deux isomères en $C_4H_4O_4$

Le hollandais Van't Hoff et le français Le Bel ont tous deux, le premier en septembre, le second en novembre de la même année, mis en évidence le fait que chacun des composés optiquement actifs connus alors portait au moins un atome de carbone lié à quatre groupes différents. Ils ont démontré que, si l'on assimile un atome de carbone à un tétraèdre régulier et si l'on situe chacun des quatre groupes à un sommet du tétraèdre, il existe deux arrangements possibles. C'est-à-dire deux molécules qui sont des images de miroir l'une de l'autre, non superposables, donc différentes. Ce que ne rend pas du tout l'écriture

$$Br-\overset{\overset{F}{|}}{\underset{\underset{H}{|}}{C}}-Cl \quad\quad\quad Cl-\overset{\overset{F}{|}}{\underset{\underset{H}{|}}{C}}-Br$$

En effet, la structure plane de gauche est parfaitement superposable à son image, si on la tourne de 180° hors du plan. Donc, une telle représentation ne peut rendre compte de l'existence réelle des deux énantiomères. D'où la nécessité d'un carbone tétraédrique et non plan.

* Identifie le carbone asymétrique.

Localiser les carbones asymétriques sur les structures suivantes:

1.
$$H-\overset{\overset{\displaystyle Br}{|}}{\underset{\underset{\displaystyle Cl}{|}}{C}}-CH_3$$

2.
$$C_2H_5-\overset{\overset{\displaystyle CH_3}{|}}{\underset{\underset{\displaystyle OH}{|}}{C}}-CH_2-\overset{\overset{\displaystyle CH_3}{|}}{\underset{\underset{\displaystyle NH_2}{|}}{C}}-COOH$$

3.

4.
$$CH_3-\overset{\overset{\displaystyle H}{|}}{\underset{\underset{\displaystyle OH}{|}}{C}}-\overset{\overset{\displaystyle H}{|}}{\underset{\underset{\displaystyle OH}{|}}{C}}-CH_3$$

5.
$$CH_3-CH_2-\overset{\overset{\displaystyle OH}{|}}{\underset{\underset{\displaystyle H}{|}}{C}}-CH_2-CH_2-CH_3$$

Les substituants peuvent occuper **différentes positions** autour d'un carbone asymétrique.

(I)　　　　　　　　　　(II)

L'ordre des substituants a changé (H et Cl sont inversés).

La disposition ordonnée des substituants autour d'un carbone est appellée **configuration**. On dit alors que I n'a pas la même **configuration** (ordre de disposition) que II.

Il suffit donc de déplacer seulement **deux** des quatre substituants pour changer la configuration autour d'un carbone.

ATTENTION!

Déplacer trois substituants ou faire deux changements consécutifs, ne change rien. Vérifier cela à l'aide de modèles moléculaires.

Nous pouvons donc conclure que, pour une molécule ne possédant qu'un seul carbone asymétrique, il n'y a que deux façons de la représenter en trois dimensions. Ces deux représentations sont dites **isomères optiques**. Elles sont des **images de miroir** donc **non superposables.** Les structures I et II ci-haut en sont de bons exemples.

Il s'agit là réellement de deux substances différentes au même titre qu'une main gauche et une main droite.

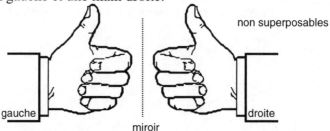

non superposables

gauche   miroir   droite

Ceci nous amène à définir un nouveau terme: **chiral**.

Une molécule est dite **chirale** si son image dans un miroir ne lui est pas superposable. Cette molécule est donc **asymétrique** comme dans les cas suivants:

- structures I et II de la page 99,
- main gauche - main droite,
- soulier gauche - soulier droit.

---

3 Parmi les objets suivants, lesquels sont asymétriques?
a) un stylo   b) une automobile
c) une chemise   d) une échelle

Voici un autre exemple, le 1-chloro-2-méthylbutane: $Cl-CH_2-\overset{*}{C}H-CH_2CH_3$ avec CH_3

Le carbone 2 est asymétrique. Cette substance possède donc deux stéréoisomères.

deux substituants ont été déplacés: CH_3 et C_2H_5

(a)

(b)

images de miroir

identiques

(c)

Les molécules *b* et *c* sont identiques et sont des images de miroir de *a*.

Autres notations

Dans certains textes, les stéréoisomères qui sont des images de miroir sont appelés: énantiomères (terme le plus utilisé), énantiomorphes, antipodes optiques, isomères optiques. Tous ces termes sont synonymes.

REMARQUE IMPORTANTE:

Pour que l'isomérie optique existe, il faut la présence d'au moins un carbone asymétrique. Il existe cependant quelques exceptions; elles ne sont toutefois pas abordées dans ce cours.

 Représenter les énantiomères des substances suivantes:
a) le *sec* -butylbenzène
b) l'alanine, $CH_3-CH-CO_2H$, un aminoacide.
        $|$
        NH_2

___ **Saviez-vous que...** ___

Le premier *Symposium international sur la séparation des molécules chirales* a eu lieu en juin 1988 à Paris, il n'y a donc pas très longtemps.
L'asymétrie chez les molécules est donc bel et bien devenue un sujet d'actualité!
D'ailleurs, dans le domaine de recherche de nouvelles réactions, celles qui introduisent la chiralité sur une molécule sont parmi les plus emballantes aux dires des chercheurs dans ce domaine!

3.3.1 Convention R/S

Les molécules, si petites soient-elles, sont des objets réels. Leurs modèles qu'on utilise à l'échelle macroscopique sont la meilleure façon actuelle de représenter la réalité. Ils sont particulièrement utiles pour déterminer la disposition spatiale réelle des substituants autour d'un carbone asymétrique. Il est alors plus facile de constater que cette disposition est différente pour chaque énantiomère. Mais qu'en est-il à propos de la nomenclature, de la façon de nommer de manière univoque chacun des énantiomères?

L'Union Internationale de Chimie Pure et Appliquée se sert d'un système de notation*, appelé convention R/S, qui permet de spécifier la configuration absolue (réelle) dans le nom du composé.

---

* Aussi appelé système Cahn-Ingold-Prelog. Système de notation proposé en 1966 par R. S. Cahn (Société chimique de Londres), Sir Christopher Ingold (University College, Londres) et V. Prélog (Eidgenössiche Technische Hochschule, Zurich).

a) Principe de la méthode

1. Étiqueter **a**, **b**, **c**, **d** les quatre substituants d'un carbone asymétrique et leur accorder une priorité **a>b>c>d**, où le symbole «>» signifie «précède» ou «a priorité sur».

2. Visualiser le modèle de la molécule dans l'espace de façon à pouvoir regarder le long de la liaison (à partir du C*) en direction du substituant **d** (celui de priorité la plus basse).

Les liaisons a—C*, b—C* et c—C* apparaissent alors comme les rayons d'un volant imaginaire reliant a, b et c. Si la séquence a ⇒ b ⇒ c est vers la droite, la configuration absolue autour du C* est désignée **R** (du latin, _rectus_, à droite). Si la séquence a ⇒ b ⇒ c est vers la gauche, la configuration absolue autour du C* est désignée **S** (du latin, _sinister_, à gauche).

R   **S**

b) Établissement des priorités a, b, c, d

Il suffit d'appliquer les règles suivantes en séquence.

Règle 1. On attribue la lettre **a** à l'atome dont le **numéro atomique** est le plus élevé et ainsi de suite. (Dans le cas où se présentent deux isotopes, la priorité est attribuée selon le nombre de masse.)

R   **S**

(R)-1-bromo-1-chloroéthane   (S)-1-bromo-1-chloroéthane

b) Établissement des priorités a, b, c, d (suite)

Règle 2. Lorsque deux des atomes reliés au C* sont identiques, parcourir chacune des deux chaînes d'atomes (atome après atome) jusqu'aux prochains atomes <u>différents</u>. Attribuer alors les priorités selon la règle 1.

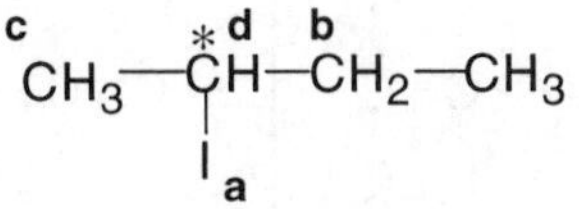

$$\overset{c}{CH_3}\!-\!\overset{*\ d}{C}\overset{b}{H}\!-\!\overset{b}{CH_2}\!-\!CH_3$$

$$\underset{\mathbf{a}}{|\ I}$$

2-iodobutane

Dans l'exemple ci-dessus, ils est facile d'attribuer les lettres **a** et **d**. L'attribution des deux autres lettres s'effectue de la façon suivante:

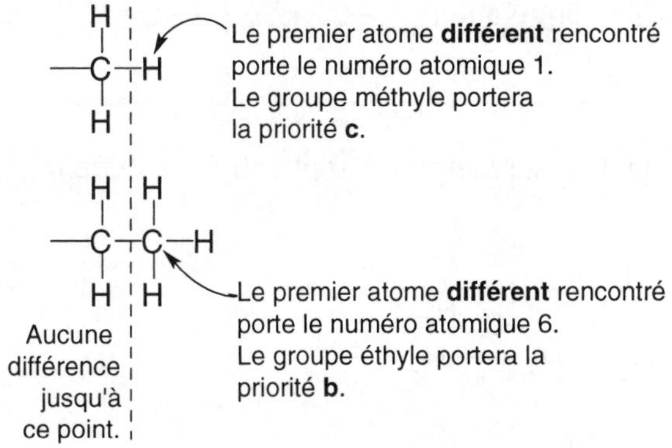

Le premier atome **différent** rencontré porte le numéro atomique 1. Le groupe méthyle portera la priorité **c**.

Le premier atome **différent** rencontré porte le numéro atomique 6. Le groupe éthyle portera la priorité **b**.

Aucune différence jusqu'à ce point.

Voici un autre exemple, le 4-chloro-2-méthyloctane, auquel on applique la même règle:

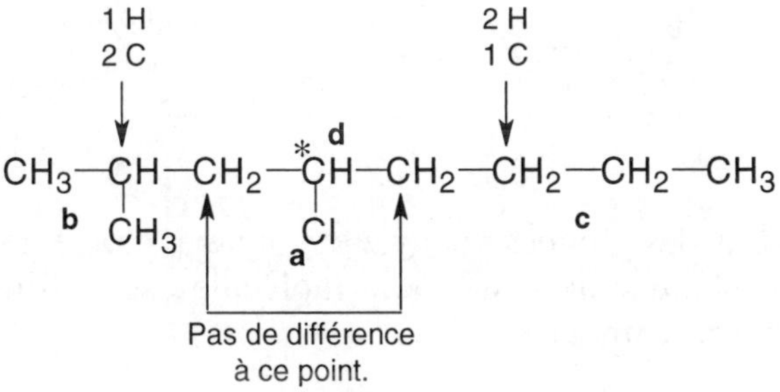

1 H
2 C

2 H
1 C

$$\overset{b}{CH_3}\!-\!CH\!-\!CH_2\!-\!\overset{*\ d}{C}H\!-\!CH_2\!-\!CH_2\!-\!\overset{c}{CH_2}\!-\!CH_3$$

CH₃   Cl
       a

Pas de différence
à ce point.

<u>Sous-règle 2.1</u>. Pour décider quel branchement suivre, il suffit de se diriger vers l'atome prioritaire (selon le numéro atomique) et d'appliquer les règles précédentes. Par exemple,

Le premier atome rencontré après l'oxygène est C.

Dans ce cas-ci, l'atome d'oxygène est l'atome prioritaire.

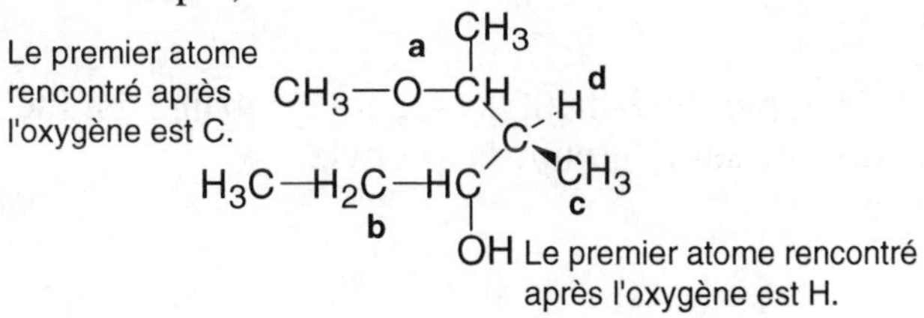

$$CH_3\!-\!O\!-\!\overset{a}{C}H$$

$$H_3C\!-\!H_2C\!-\!HC$$

OH Le premier atome rencontré après l'oxygène est H.

b) Établissement des priorités a, b, c, d (suite)

Règle 3. Cas des liaisons doubles et triples. Considérer que les deux atomes de la liaison sont doublés ou triplés.

Voici quelques exemples d'application de cette règle.

Règle 4. Cas des groupes phényle et vinyle. L'atome de carbone qui relie le groupe phényle au reste de la molécule est considéré comme étant rattaché à trois carbones.

Exemple, le 2-méthyl-1-phénylpropan-1-amine où le groupe phényle a priorité sur le groupe isopropyle:

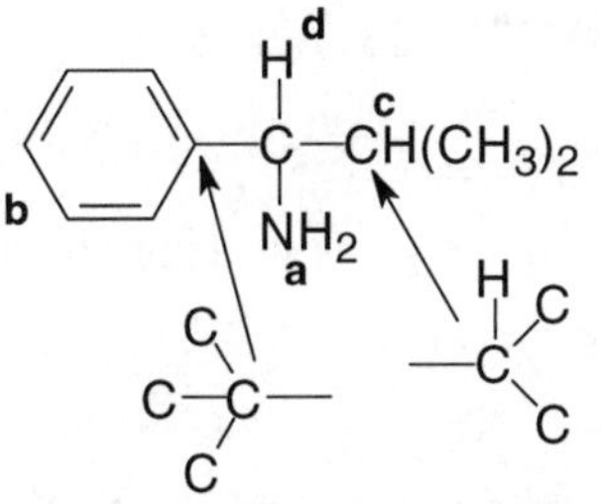

2-méthyl-1-phénylpropan-1-amine

Quant au groupe vinyle, $CH_2{=}CH{-}$, il a aussi priorité sur le groupe isopropyle, $(CH_3)_2CH{-}$.

$CH_2{=}CH{-}$ équivaut à $C{-}C{-}C{-}$

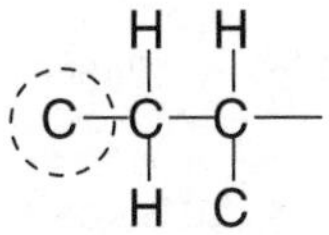

et a donc priorité sur $(CH_3)_2CH{-}$ où on a $H{-}C{-}C{-}$

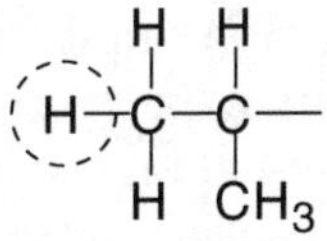

c) Relation entre la convention R/S et le pouvoir rotatoire*

Il n'y a pas de lien entre le signe du pouvoir rotatoire d'un énantiomère et sa configuration absolue R ou S. L'énantiomère S peut avoir un pouvoir rotatoire positif ou négatif. Il en est de même pour l'énantiomère R. Par exemple, le (S)-(+)-2-chlorobutane et son énantiomère, le (R)-(-)-2-chlorobutane.

Le nom du mélange racémique**, par exemple, des 2-chlorobutanes s'écrit (RS)-2-chlorobutane.

⬡ 5

1. Nommer les molécules suivantes en spécifiant leur configuration absolue selon la convention R/S.

a) 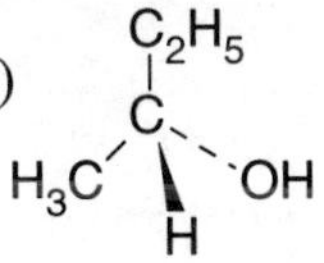
C_2H_5
$H_3C{-}C{-}OH$
H

b) 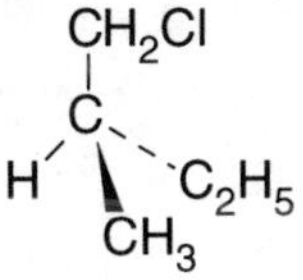
CH_2Cl
$H{-}C{-}C_2H_5$
CH_3

2. Représenter en perspective les stéréoisomères suivants:

a) le (R)-2-chlorobutane

b) le (S)-2-chloropentan-2-ol

---

* Voir section 3.3.2 ci-après.
** Voir section 3.3.3 ci-après.

3.3.2 Propriétés des énantiomères

Habituellement, les propriétés physiques (température d'ébullition et température de fusion, masse volumique, indice de réfraction, solubilité, etc.) et chimiques des énantiomères sont **identiques**.

Exemple

$$CH_3-\overset{\overset{\displaystyle H}{\overset{\displaystyle |}{\underset{\displaystyle |}{\overset{*}{C}}}}}{\underset{\displaystyle OH}{}}-CH_2-CH_3$$

le butan-2-ol

(a)

Éb 99,5°C
masse volumique: 0,8070 g / mL
indice de réfraction: 1,3975

(b)

Éb 99,5°C
masse volumique: 0,8080 g / mL
indice de réfraction: 1,3954

Les différences dans les valeurs de la masse volumique et de l'indice de réfraction étant assez faibles, elles ne sont pas suffisantes, à cause des erreurs expérimentales possibles, pour en faire deux composés distincts. Existe-t-il un moyen de les distinguer de manière plus évidente?

Une seule propriété physique permet de distinguer les deux énantiomères précédents: leur **pouvoir rotatoire**. En effet, toutes les molécules chirales ont la propriété de faire tourner d'un certain angle le plan de la lumière polarisée. La valeur numérique de l'angle ainsi créé est appelée pouvoir rotatoire. Cette propriété est déterminée expérimentalement au moyen d'un polarimètre. (Voir figures 3.1 et 3.2.)

Figure 3.1 Schéma des composantes d'un polarimètre.

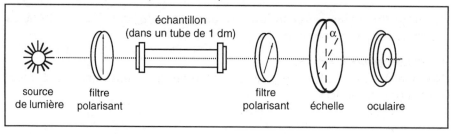

échantillon
(dans un tube de 1 dm)

source de lumière   filtre polarisant   filtre polarisant   échelle   oculaire

Figure 3.2 Schéma illustrant la déviation du plan de polarisation.

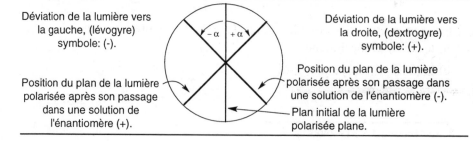

Déviation de la lumière vers la gauche, (lévogyre) symbole: (-).

Position du plan de la lumière polarisée après son passage dans une solution de l'énantiomère (+).

Déviation de la lumière vers la droite, (dextrogyre) symbole: (+).

Position du plan de la lumière polarisée après son passage dans une solution de l'énantiomère (-).

Plan initial de la lumière polarisée plane.

Le pouvoir rotatoire* d'un énantiomère s'exprime par la relation $[\alpha]_D^{25} = +\,15\,°$

où   • α = symbole pour l'angle de déviation,
    • D = raie D de la lumière jaune du spectre visible du sodium, 589,3 nm,
    • 25 = température de l'échantillon en °C,
    • + 15° = angle de déviation de la lumière polarisée.

La valeur de l'angle de déviation est la même en valeur absolue pour chaque énantiomère, mais de signe contraire.

Cette déviation peut être:
    • vers la droite, (+), et l'énantiomère est appelé **dextrogyre,**
    • vers la gauche, (-), et l'énantiomère est appelé **lévogyre.**

Ainsi les deux énantiomères du butan-2-ol se nomment:
    • (+) -butan-2-ol
    • (−) -butan-2-ol.

Deux énantiomères ont toujours la même valeur absolue de pouvoir rotatoire, mais de signe contraire. Pour le butan-2-ol par exemple, l'un des isomères a un pouvoir rotatoire de + 13,4 ° et l'autre de -13,4 °.

3.3.3 Mélange racémique

Définition:
> *Un mélange équimoléculaire de deux énantiomères s'appelle **mélange racémique**.*

Une telle combinaison d'isomères optiques est optiquement **inactive,** c'est-à-dire qu'elle ne dévie pas le plan de la lumière polarisée; son pouvoir rotatoire est nul. Ce résultat est facilement prévisible puisque dans ce mélange équimoléculaire d'énantiomères, la déviation de la lumière de l'un (+15 °) est annulée par la déviation de l'autre isomère (- 15 °). Dans la nomenclature, le symbole (±) ou (RS) suivi d'un tiret est placé au début du nom pour spécifier qu'on a affaire à un mélange racémique.

Les mélanges racémiques sont fréquemment rencontrés dans la synthèse de composés qui possèdent un carbone asymétrique. Il y a des mécanismes de réaction qui favorisent la formation de mélanges racémiques (voir chapitre 7).

La séparation des isomères optiques d'un tel mélange devient alors une nécessité pour le chimiste. Toutefois, cette opération est très difficile, car les deux énantiomères ont des propriétés physiques et chimiques très semblables.

---

* Toute substance qui dévie la lumière polarisée est qualifiée d'**optiquement active**.

Le détail des méthodes utilisées pour résoudre un mélange racémique ne fait pas partie de ce cours, mais citons quand même les grandes lignes de deux procédés:

1. Faire réagir le mélange avec une troisième substance optiquement active de façon à produire des composés contenant deux carbones asymétriques. Les produits obtenus sont séparés par cristallisation et chacun des énantiomères peut être récupéré séparément après certaines réactions chimiques.

2. Faire détruire un des deux isomères par un micro-organisme et récupérer l'isomère restant. Ce procédé peut être intéressant, mais il a toujours le désavantage de perdre la moitié du mélange racémique.

3.3.4 Cas des molécules à deux carbones asymétriques

L'augmentation du nombre de carbones asymétriques dans une molécule multiplie le nombre de stéréoisomères. Ainsi:

> 1 carbone asymétrique donne 2 stéréoisomères,
> 2 carbones asymétriques donnent 4 stéréoisomères,
> 3 carbones asymétriques donnent 8 stéréoisomères.

En général, **n** carbones asymétriques donnent 2^n stéréoisomères (au maximum).

Un exemple de composé contenant **deux** carbones asymétriques, le 3-phénylbutan-2-ol.

$$\overset{1}{CH_3}-\overset{2}{\underset{OH}{C}}-\overset{3}{\underset{|}{C}}-\overset{4}{CH_3}$$

3-phénylbutan-2-ol

Les carbones 2 et 3 sont asymétriques, c'est donc autour de ces derniers que la configuration doit changer pour obtenir les quatre stéréoisomères.

Il y a plusieurs façons de représenter tous ces isomères. Retenons un style d'écriture déjà étudié: **les projections de Newman** (voir section 2.4). Le carbone 2 est en avant du plan et le carbone 3 en arrière. (Sur les dessins ci-après, le symbole Φ représente le groupe phényle.)

Méthode pour obtenir ces quatre formules:

- Écrire une projection **a:** disposition quelconque des substituants sur les carbones 2 et 3 (voir structures précédentes).
- La projection **b** est simplement l'image de miroir de **a.**
- Pour obtenir **c,** faire un seul changement avec deux substituants sur le carbone 2 ou sur le carbone 3; ici, le OH et le CH_3 ont été interchangés sur le carbone 2.
- **d** est l'image de miroir de **c.**

Nous obtenons ainsi deux paires d'énantiomères, **a** et **b, c** et **d.** Cependant **c** et **d** *ne sont pas* les images de miroir de **a** et **b.** Nous disons alors que **a** et **b** sont diastéréoisomères par rapport à **c** et **d.**

Bref, une substance est dite **diastéréoisomère** d'une autre si elle est son stéréoisomère sans être son image de miroir. On parle alors d'isomérie **géométrique** au lieu d'isomérie optique.

Des diastéréoisomères sont donc moins semblables que des énantiomères. Il s'ensuit que leurs propriétés* physiques et chimiques peuvent être différentes, ce qui permet au chimiste de séparer et d'identifier plus facilement des diastéréoisomères qu'une paire d'énantiomères.

Pour nommer les quatre stéréoisomères, la convention R/S convient, mais une nomenclature complémentaire peut être employée. On utilise alors les termes *érythro, thréo* et *méso* (toujours en italique dans un texte imprimé). Cette nomenclature ne s'applique toutefois qu'aux molécules possédant deux ou trois paires de substituants identiques sur les deux carbones asymétriques. Dans l'exemple utilisé ici, les carbones 2 et 3 portent chacun un H et un CH_3. Cette nomenclature complémentaire peut donc s'appliquer.

---

* Les pouvoirs rotatoires de (a) et (b) sont toujours identiques en valeur absolue, alors que ceux de (c) et (d) (identiques entre eux) ont une valeur différente de ceux de (a) et (b).

Règles de nomenclature

Érythro

> *S'il est possible, par **rotation** autour de la liaison simple entre les deux carbones asymétriques, **d'éclipser simultanément** les deux paires de substituants identiques*, on a convenu d'appeler cet isomère érythro.*

Exemple

Rotation de 180 ° dans le sens de la flèche: les 2 H et les 2 CH_3 deviennent éclipsés.

structure (a)

isomère **érythro**
(2R, 3R)

Thréo

> *S'il est possible, par **rotation** autour de la liaison simple entre les deux carbones asymétriques, de n'éclipser **qu'une seule** paire de substituants identiques à la fois, l'isomère se nomme **thréo**.*

Exemple

Rotation de 60 ° dans le sens de la flèche.

structure (c)

seuls les CH_3 s'éclipsent
isomère **thréo**
(2S, 3R)

Cette nomenclature permet d'identifier une paire de stéréoisomères *érythro* (a et b) et une paire de stéréoisomères *thréo* (c et d). Donc, un isomère *érythro* est diastéréoisomère de l'isomère *thréo* .

 Représenter en projections de Newman tous les stéréoisomères du 2-chloro-3-méthylpentane. Identifier chaque isomère au moyen des termes *érythro* et *thréo* . Leur attribuer une valeur fictive du pouvoir rotatoire.

---

* Dans les cas où tous les substituants sont différents, il faut utiliser la convention R et S.

Méso	*Pour obtenir cette forme, les deux carbones asymétriques doivent porter trois paires de substituants identiques. L'isomère **méso** est celui dans lequel il est possible d'éclipser simultanément ces trois paires de substituants.*

Exemple, l'acide tartrique HOOC–CH–CH–COOH
                                            | |
                                           OH OH

Une rotation de 180° des substituants du carbone arrière dans le sens de la flèche donne la forme éclipsée.

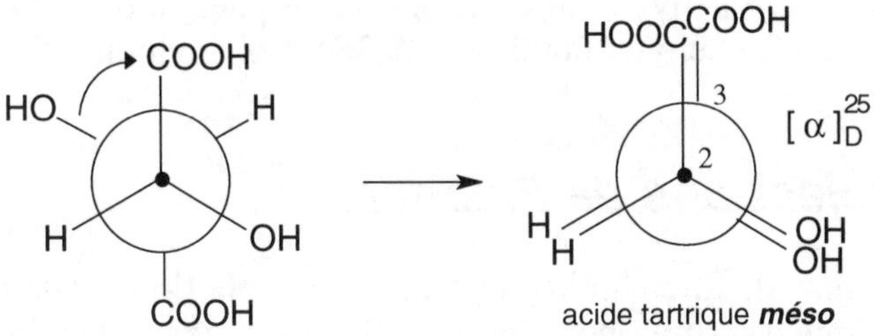

$[\alpha]_D^{25} = 0°$

acide tartrique **méso**
(2R, 3S)

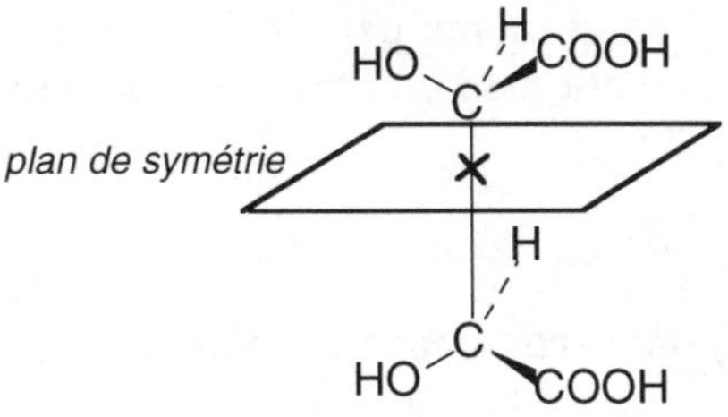

plan de symétrie

Les trois paires de substituants identiques deviennent éclipsées simultanément, donc isomère **méso.**

Cet isomère* a la particularité de ne pas avoir d'image de miroir à cause du plan de symétrie qui existe entre ses deux carbones asymétriques.

Comme il a été défini précédemment, une molécule dévie la lumière polarisée seulement si elle est totalement asymétrique. Toute forme **méso** est donc **optiquement inactive** puisqu'elle possède un plan de symétrie.

L'acide tartrique ne possède réellement que **trois** stéréoisomères: **un méso** **et deux** *thréo* . Les isomères *thréo* se présentent comme suit:

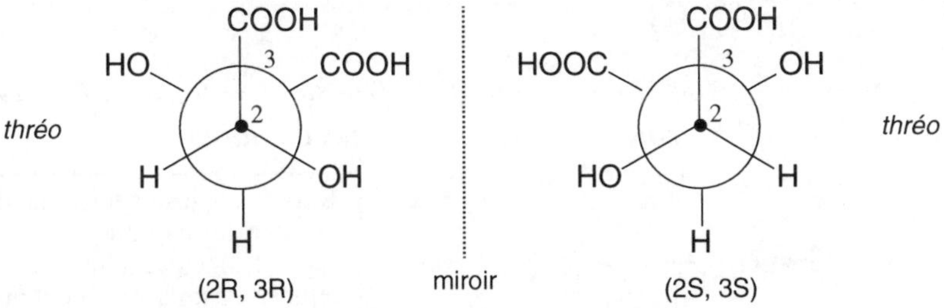

thréo

(2R, 3R)   miroir   (2S, 3S)

thréo

---

* C'est le cas également du 1,2-diméthylcyclohexane (exemple d, page 98).

Convention R/S

Dans le nom des composés comptant plus d'un carbone asymétrique, les symboles R et S, avec leurs indices, s'il y a lieu, placés entre parenthèses et suivis d'un trait d'union, sont placés devant le nom complet du composé ou du substituant.

Par exemple, les quatre stéréoisomères optiques du 3-phénylbutan-2-ol sont désignés de la façon suivante:

(2R,3S)-3-phénylbutan-2-ol, (2S,3R)-3-phénylbutan-2-ol,(énantiomères);
(2R,3R)-3-phénylbutan-2-ol, (2S,3S)-3-phénylbutan-2-ol,(énantiomères).

3.3.5 *Projections de Fischer*

Le chimiste allemand Emil Fischer, vers la fin du 19e siècle, proposa un système d'écriture pour les stéréoisomères de molécules contenant un ou plusieurs carbones asymétriques. Bien que cette notation soit surtout utile pour les substances contenant plus de deux carbones asymétriques (les glucides, par exemple), le principe est quand même exposé ici et servira ultérieurement dans le cas des glucides (section 12.3) et des aminoacides (section 14.1.2).

Règles d'écriture

1. *Disposer la chaîne carbonée principale* **verticalement** *(placer le carbone le plus oxydé vers le haut).*

2. *Regarder le carbone choisi (asymétrique et dans le plan de la feuille) de façon à ce que ses substituants (Y et Z) soient en* **avant** *de ce plan. Par exemple,*

$$C_1$$
$$Y \blacktriangleright C_2 \blacktriangleleft Z$$
$$C_3$$

- Y et Z sont en avant du plan de la feuille.
- C1 et C3 sont derrière le plan de la feuille.

3. *Écraser ce schéma dans le plan de la feuille. Les liaisons forment alors des angles droits et deviennent toutes coplanaires.*

$$C_1$$
$$Y \blacktriangleright C_2 \blacktriangleleft Z$$
$$C_3$$

devient

$$C_1$$
$$Y \!-\!\!|\!-\! Z$$
$$C_3$$

Note: dans les projections de Fischer, les carbones asymétriques ne sont pas représentés; ils se situent au croisement des traits verticaux et horizontaux.

Il est très facile, à partir de la projection de Fischer de l'un des énantiomères, d'obtenir l'autre au moyen de son image dans un miroir.

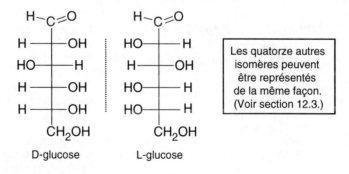

a　　　　　　b

a et **b** sont des **énantiomères**

Exemple 1, le 3-chlorobutan-2-amine. (4 stéréoisomères possibles)

Exemple 2, le glucose. (16 stéréoisomères possibles)

Les quatorze autres isomères peuvent être représentés de la même façon. (Voir section 12.3.)

⑦ Représenter en projection de Fischer tous les stéréoisomères du 2-méthoxy-3-phénylbutane.

_____ *Comment obtient-on l'information sur la structure des molécules?* _____

La plupart de ces renseignements sont obtenus de trois méthodes d'investigation.
- La cristallographie par rayons X (technique découverte en 1915): utilise le fait que les rayons X sont diffractés par les atomes d'un cristal selon des patterns très précis qui peuvent être traduits en structures moléculaires. Cette technique a subi un renouveau révolutionnaire ces dernières années grâce à l'accessibilité aux microprocesseurs à haute vitesse.
- La diffraction électronique (découverte en 1930): lorsque les atomes d'une molécule gazeuse sont bombardés par un flux d'électrons, ces derniers sont dispersés. Les patterns de dispersion (analogues à la diffraction) servent à déduire l'arrangement des atomes dans les molécules.
- La spectroscopie micro-onde (issue du développement du radar durant la seconde guerre mondiale): l'information sur la structure moléculaire est tirée des mesures d'absorption des micro-ondes par les molécules en phase gazeuse.

La première méthode étudie les molécules en phase solide. Les deux autres abordent les molécules en phase gazeuse. Malheureusement, il n'existe pas encore de méthodes comparables pour l'étude des structures moléculaires en solution. Ce qui serait d'une grande utilité puisque la plupart des réactions chimiques ont lieu en solution. Mais l'excellente corrélation entre les données de la cristallographie et celles des deux autres méthodes autorisent la recherche fondamentale à émettre l'hypothèse que les structures moléculaires en solution diffèrent peu des structures déduites en phase gazeuse.

_____ *Le mystère des acides maléique et fumarique...* _____

L'acide malique, présent dans de nombreux jus de fruits, a été isolé du jus de pomme par Scheele en 1785. La distillation sèche de cet acide, en 1817, conduisit à la découverte des acides maléique et fumarique par Braconnot et, indépendamment, par Vauquelin. Des études réalisées par Pelouze en 1836 suggéraient un cas d'isomérie, bien qu'à l'époque, l'état de la formulation des composés organiques était trop chaotique pour en être sûr. Liebig en 1838 obtint la même composition (C, H, O) pour les deux acides mais considéra le composé à point de fusion plus élevé (l'acide fumarique) comme étant un polymère de l'acide maléique. Il fallut attendre le développement de meilleures méthodes d'investigation pour trancher la question.

$$\underset{H}{\overset{HO_2C}{}}C=C\underset{H}{\overset{CO_2H}{}} \qquad \underset{HO_2C}{\overset{H}{}}C=C\underset{H}{\overset{CO_2H}{}}$$

acide maléique	acide fumarique
solide blanc	solide blanc
F 138-139 °C	sublime à 200 °C
Utilisé pour retarder la	F 300-302 °C
détérioration des huiles	Utilisé dans les liqueurs et la poudre
et des graisses (lipides).	à pâte. Sert aussi d'antioxydant et de
	mordant pour les teintures.

3.4　*Isomérie géométrique*

Ce type d'isomérie est caractérisé par un changement de configuration par rapport à un **système rigide***. Les cas les plus communs d'isomérie géométrique se retrouvent évidemment chez les alcènes et les cycles.

Isomérie géométrique chez les alcènes

L'origine de l'isomérie géométrique des alcènes réside dans le fait que les électrons π de la liaison double bloquent la rotation autour des carbones. La structure des alcènes est rigide et tout déplacement d'atomes implique une rupture de liaison.

Toutefois, pour qu'il y ait isomérie géométrique, il faut, en plus d'une liaison double (ou un système rigide), que **les deux substituants des carbones soient différents.** Voici trois exemples qui illustrent ce type d'isomérie.

Exemple 1, le 1,2-dichloroéthylène. (Les deux carbones de la liaison double portent des subtituants différents: H et Cl.)

Ces deux structures représentent le 1,2-dichloroéthylène, mais elles correspondent à deux substances bien distinctes. Il s'agit plus précisément de deux isomères, non pas de structure, mais géométriques. Ils appartiennent à la grande famille des stéréoisomères sans pour cela avoir de carbone asymétrique.

Mais attention! Les deux structures

sont identiques et ne représentent qu'une seule substance, le bromoéthylène. Il y a deux atomes d'hydrogène sur le même carbone, donc pas d'isomérie géométrique possible.

---

* L'isomérie géométrique s'applique aussi aux diastéréoisomères abordés à la section 3.3.4 (ces systèmes ne sont pas rigides).

** Toujours en italique dans un texte imprimé (voir définition, page 116).

⟨8⟩　Parmi les molécules suivantes, lesquelles peuvent impliquer de l'isomérie géométrique?

a) $CH_3—CH=C—CH_2—CH_3$
　　　　　　|
　　　　　CH_3

b) $CH_3—CBr=CCl—CH_3$

c) $CH_3—CH—CH=CH—CH—CH_3$
　　　　|　　　　　　　|
　　　CH_3　　　　　CH_3

d) $CH_2=CH—CH=C—CH_3$
　　　　　　　　　　|
　　　　　　　　　CH_3

L'information sur la structure des molécules...

D'autres méthodes viennent compléter l'arsenal de la recherche fondamentale. Ce sont:

- *la spectroscopie infrarouge*
- *la spectroscopie ultraviolette*
- *la résonance magnétique nucléaire*
- *la spectroscopie de masse*
- *la résonance paramagnétique nucléaire*

Toutes ces méthodes sont venues confirmer ce que les chimistes organiciens avaient déduit jusqu'à maintenant à partir des seules propriétés chimiques observables à l'échelle macroscopique. Elles permettent maintenant de déduire les structures moléculaires en quelques semaines ou quelques mois alors que la structure du cholestérol, par exemple, n'a été établie définitivement que 157 ans après son isolement.

L'identification des isomères géométriques se fait par l'utilisation de la notation ***cis/trans*** (*cis* du latin, *sur le côté* ; *trans* du latin, *opposé*). Donc, dans l'exemple 1, les deux chlores sont du même côté de la liaison double pour l'isomère *cis* et opposés pour le *trans* .

Exemple 2, le but-2-ène.

$$CH_3\diagdown\quad\diagup CH_3$$
$$C=C$$
$$H\diagup\quad\diagdown H$$

cis -but-2-ène

$$CH_3\diagdown\quad\diagup H$$
$$C=C$$
$$H\diagup\quad\diagdown CH_3$$

trans -but-2-ène

La nomenclature *cis/trans* n'est plus adéquate dans les cas où il y a trois ou quatre substituants différents.

Exemple 3 , le 1-bromo-1-chloropropène.

$$Cl\diagdown\quad\diagup CH_3$$
$$C=C\qquad cis\ ou\ trans\ ?$$
$$Br\diagup\quad\diagdown H$$

Cette ambiguïté peut être levée par le système de notation ***E/Z*** * :

　　　　E , de l'allemand *entgegen* , signifiant *opposé*
　　　　Z , de l'allemand *zusammen* , signifiant *ensemble* **.**

---

* Toujours en italique dans un texte imprimé.

Cette notation est régie par les règles suivantes:

1. La priorité des substituants de chaque carbone est établie par le numéro atomique des éléments. Pour l'exemple ci-dessous:

$$Cl \quad CH_3$$
$$\underset{Br}{\overset{1}{C}} = \underset{H}{\overset{2}{C}}$$

Sur le carbone 1:
- *Cl, numéro atomique 17*
- *numéro atomique 35 pour Br*

donc priorité au brome

Sur le carbone 2:
- *H numéro atomique 1*
- *numéro atomique 6 pour le carbone du groupe méthyle*

donc priorité au méthyle

2. Si les deux groupes prioritaires sont du même côté de la liaison double, on a l'isomère Z. S'ils sont opposés, il s'agit de l'isomère E.

Donc, pour l'exemple 3:

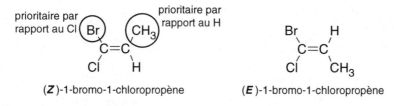

(**Z**)-1-bromo-1-chloropropène   (**E**)-1-bromo-1-chloropropène

---

9 Écrire la formule semi-développée des composés suivants:
a) (*Z*)-2-bromopent-2-ène
b) (*E*)-2,4-diméthylhex-3-ène.

Il est également possible de retrouver à la fois de l'isomérie géométrique (liaison double) et de l'isomérie optique (présence d'un carbone asymétrique). Le nombre total de stéréoisomères dans un tel cas est plus élevé que prévu. C'est ce qu'on retrouve chez le 4-bromopent-2-ène,

$$CH_3-CH=CH-\underset{\underset{Br}{|}}{CH}-CH_3$$

4-bromopent-2-ène

Ce composé présente:
- une isomérie géométrique par rapport à la liaison double,
- une isomérie optique par rapport au carbone asymétrique (celui qui porte le brome).

Représenter les quatre stéréoisomères du 4-bromopent-2-ène. Cette situation est assez fréquente chez les composés cycliques.

Isomérie géométrique chez les cycles

Considérant que les cycles sont des systèmes d'une certaine rigidité (surtout les cycles à 3 et à 4 atomes de carbone), ils sont comparables à des liaisons doubles élargies. Ainsi,

$$\underset{\substack{\displaystyle H \quad\quad H \\ \text{1,2-dichloroéthylène}}}{\overset{Cl \quad\quad Cl}{C=C}} \quad \text{est comparable à} \quad \underset{\substack{\displaystyle H \quad\quad\quad\quad H \\ \text{1,2-dichlorocyclopropane}}}{\overset{Cl \quad CH_2 \quad Cl}{C——C}}$$

Les cycles sont donc sujets à produire de l'isomérie géométrique (*cis/trans* ou *E/Z*) au même titre que les liaisons doubles.

Par exemple, le **1,2-dichlorocyclopropane** possède les deux isomères géométriques suivants:

cis ou *Z*   (a)   (b)   *trans* ou *E*

D'autre part, la présence de deux carbones asymétriques (ceux qui portent un chlore) sur ces molécules a pour effet de générer en même temps l'isomérie optique. Donc, les structures **a** et **b** ont la possibilité de générer chacune leur image de miroir. Toutefois, dans le cas de **a,** sa configuration *méso* (plan de symétrie) ne lui permet pas d'avoir un énantiomère; seul **b** peut exister sous la forme de deux antipodes optiques:

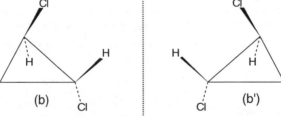

(b)   (b')

Le 1,2-dichlorocyclopropane possède donc trois stéréoisomères: un *méso* désigné par *cis* ou *Z* (structure **a**) et deux *thréo* désignés par *trans* ou *E* (structures **b** et **b'**).

Dans le cas des cycles à 4C, la situation est identique à celle des cycles à 3C, sauf que l'isomérie optique disparaît lorsque les substituants sont sur les carbones 1 et 3, comme le montrent les structures des diméthylcyclobutanes. Par exemple, il existe 3 stéréoisomères pour le 1,2-diméthylcyclobutane:

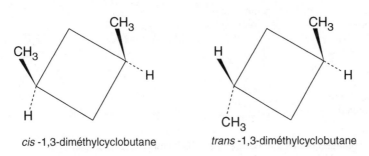

cis -1,2-diméthylcyclobutane   *trans* -1,2-diméthylcyclobutane
    isomère Z (*méso*)   isomères E

Le 1,3 diméthylcyclobutane ne possède que deux stéréoisomères:

cis -1,3-diméthylcyclobutane   *trans* -1,3-diméthylcyclobutane

Chez les cycles, le **plan** du cycle joue le même rôle que la liaison double des alcènes. Pour les cycles à 5 ou 6 atomes de carbone, l'approche est semblable avec quelques règles supplémentaires. Ils ne sont toutefois pas abordés dans ce cours.

Le tableau 3.1 présente un résumé de tout ce qui a été mentionné sur la stéréoisomérie.

Tableau 3.1 Résumé des notions importantes sur la stéréoisomérie.

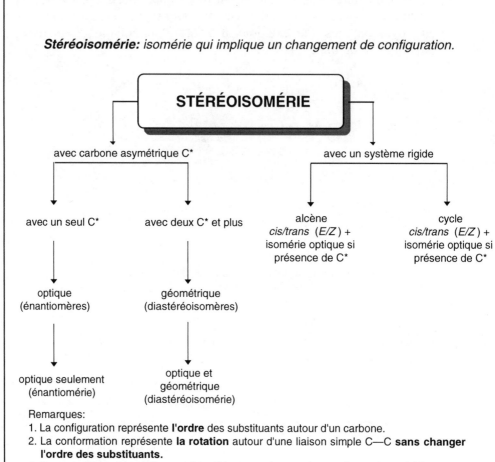

Stéréoisomérie: isomérie qui implique un changement de configuration.

STÉRÉOISOMÉRIE

avec carbone asymétrique C*

avec un système rigide

avec un seul C*

avec deux C* et plus

alcène
cis/trans (*E/Z*) +
isomérie optique si
présence de C*

cycle
cis/trans (*E/Z*) +
isomérie optique si
présence de C*

optique
(énantiomères)

géométrique
(diastéréoisomères)

optique seulement
(énantiomérie)

optique et
géométrique
(diastéréoisomérie)

Remarques:
1. La configuration représente **l'ordre** des substituants autour d'un carbone.
2. La conformation représente **la rotation** autour d'une liaison simple C—C **sans changer l'ordre des substituants.**
3. Pour que l'isomérie *cis/trans* existe, il faut que deux carbones du système rigide portent des **substituants différents.**
4. Le nombre maximum de stéréoisomères est de 2^n où n = le nombre de C*.

✳

EXERCICES 3

3.1 Présentation et 3.2 Isomérie de structure

1. Définir *isomères* .

2. Quelle différence fondamentale y a-t-il entre *isomérie de structure* et *stéréoisomérie* ?

3. Quelle est la seule condition pour que deux molécules soient classées *isomères de structure* ?

4. Comment se comparent les propriétés chimiques et physiques:

   a) de molécules isomères faisant partie d'une même famille chimique?

   b) de molécules isomères, mais portant des fonctions différentes?

5. Des substances isomères, mais ne faisant pas partie de la même famille chimique, sont appelées: isomères de_____ .

6. Des substances isomères faisant partie d'une même famille chimique sont appelées: isomères de _____ .

7. Quelles sont les deux conditions pour que deux molécules soient classées *isomères de position* ?

8. Trouver au moins quatre isomères de position (sauf pour b qui n'en a que trois) correspondant aux formules suivantes:

   a) $C_4H_{11}N$ b) C_5H_{12} c) $C_5H_{11}Cl$ d) $C_5H_{10}O$ e) $C_5H_{12}O$ f) C_6H_{14}

3.3 Stéréoisomérie

1. Qu'est-ce qui différencie essentiellement les stéréoisomères des autres types d'isomères?

2. Définir *carbone asymétrique* . Donner un exemple. Quel type d'hybridation lui est associé?

3. Qu'est-ce qui différencie deux stéréoisomères?

4. Encadrer les carbones asymétriques sur les molécules suivantes:

a)
$$\begin{array}{c} H_3C \\ \quad\diagdown \\ \quad\quad CH-CH_2-CH_2OH \\ \quad\diagup \\ H_3C \end{array}$$

b)

4. (suite)

c)

d)

5. Qu'entend-on par *configuration* autour d'un carbone asymétrique?

6. Pour une molécule contenant un seul C asymétrique, combien y a-t-il de façons de la représenter en trois dimensions? Comment appelle-t-on chacune de ces représentations? Qu'ont-elles de particulier entre elles?

7. Pourquoi les carbones hybridés sp^2 ou sp ne peuvent-ils pas être asymétriques?

8. Comment définit-on le terme *chiral* ?

9. Représenter en perspective le (R)-1-bromo-2-méthylpentane et le (S)-1-bromo-2-méthylpentane..

10. Donner trois autres synonymes pour *isomères optiques* .

11. Quelle est la condition essentielle pour qu'une molécule donne lieu à de l'isomérie optique?

12. Quelle est la seule propriété physique qui permet de distinguer deux isomères optiques? Décrire cette propriété.

13. Est-il possible, à partir d'une formule structurale d'une molécule, de prédire quelle sera la valeur de son pouvoir rotatoire?

14. Définir les termes *dextrogyre* et *lévogyre* . Indiquer quels sont les symboles utilisés pour les représenter?

15. Nommer les deux énantiomères du pentan-2-ol, de manière à préciser le sens de déviation de l'angle du plan de polarisation de la lumière polarisée.

16. Nommer, en incluant la convention R/S, les composés suivants:

Mélange racémique

17. Définir *mélange racémique* .

18. Quel symbole utilise-t-on, dans la nomenclature, pour indiquer que l'on est en présence d'un mélange racémique?

19. Pourquoi est-il difficile de séparer chimiquement les deux énantiomères d'un mélange racémique?

20. Nommer deux méthodes pour séparer les deux énantiomères d'un mélange racémique.

21. Représenter en perspective les énantiomères correspondant aux molécules suivantes:

    a) (R)-$C_4H_{10}O$ et (S)-$C_4H_{10}O$

    b) (S)-1-chloro-1-phénylpropane et (R)-1-chloro-1-phénylpropane

Cas des molécules à deux carbones asymétriques

22. Représenter en projections de Newman et identifier chacun des stéréoisomères des molécules suivantes en termes *érythro, thréo, méso*, R/S:

    a)
    $$CH_3$$
    $$H-C-OH$$
    $$OH-C-H$$
    $$CH_2CH_3$$

    b)
    $$Cl$$
    $$H-C-\langle cyclohexyle \rangle$$
    $$Cl-C-H$$
    $$CH_3$$

23. Quelle formule mathématique permet de prévoir le nombre de stéréoisomères possibles par rapport au nombre de carbones asymétriques présents sur une molécule?

24. Définir *diastéréoisomères* .

25. Utiliser des projections de Newman pour représenter tous les stéréoisomères du 3-bromobutan-2-ol et identifier les molécules en tant qu'énantiomères et diastéréoisomères.

26. Combien peut-on prévoir de stéréoisomères (au maximum) pour les molécules suivantes?

    a) $CH_3-CH_2-\underset{\underset{Br}{|}}{CH}-CH_2-\underset{\underset{OH}{|}}{CH}-\underset{\underset{CH_3}{|}}{CH}-\underset{\underset{CH_3}{|}}{CH}-CH_3$

    b)

    c)

    d)

27. Représenter tous les stéréoisomères correspondant aux molécules suivantes: a) 2-chloro-3-méthylbutane b) 4-bromo-2,3-diméthylhexane.

28. Qu'est-ce qui différencie fondamentalement les deux paires d'énantiomères générés par la présence de deux carbones asymétriques?

29. Est-il plus facile de séparer deux diastéréoisomères que deux énantiomères? Justifier la réponse donnée.

30. a) Dans quelle situation peut-on utiliser les préfixes *érythro* , *thréo* et *méso* ?
   b) Peut-on appliquer ces préfixes aux stéréoisomères du 3-bromobutan-2-ol?

31. Vrai ou faux. Un isomère *thréo* est diastéréoisomère de la structure *érythro* .

32. Qu'est-ce qui caractérise l'isomère *méso* ? Donner un exemple d'isomère *méso* .

33. Quel est l'effet de la présence d'un isomère *méso* sur le nombre de stéréoisomères possibles?

34. Représenter en projections de Newman tous les isomères des molécules suivantes et leur attribuer les lettres R et S appropriées:

   a) 2-chloropentan-3-ol

   b) butane-2,3-diol

   c) 2-bromo-3-chloro-4-méthylpentane.

35. Les composés suivants sont-ils: a) *érythro*, *thréo* ou *méso* ?
   b) conformères, énantiomères ou diastéréoisomères?

a)

b)

c)

d)

e)

f)

g)

h)

i)

36. Les composés suivants sont-ils: 1) *érythro, thréo ou méso* ?
    2) conformères, énantiomères ou diastéréoisomères ? 3) R ou S ?

a)

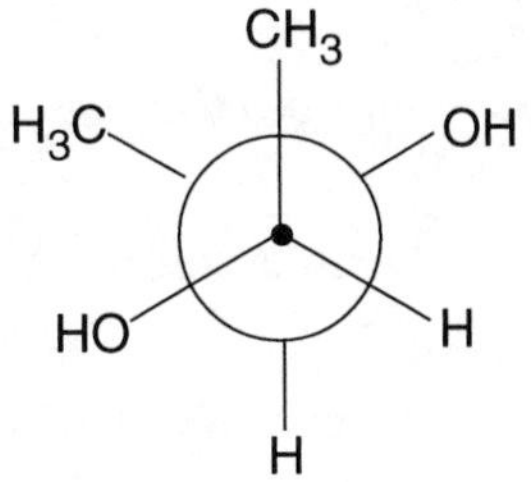

CH$_3$ / H$_3$C, OH / HO, H / H et CH$_3$ / H, OH / H, OH / CH$_3$

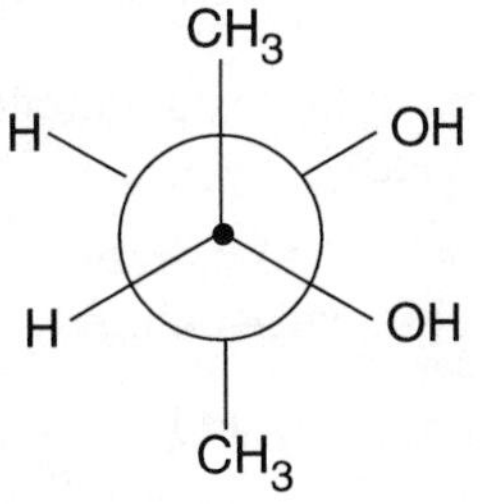

b)

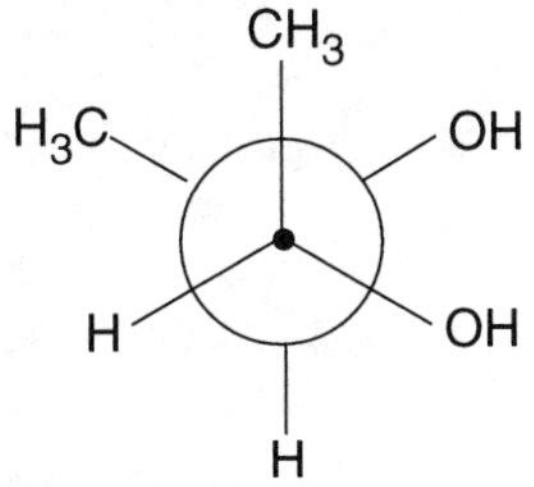

CH$_3$ / H$_3$C, OH / H, OH / H et 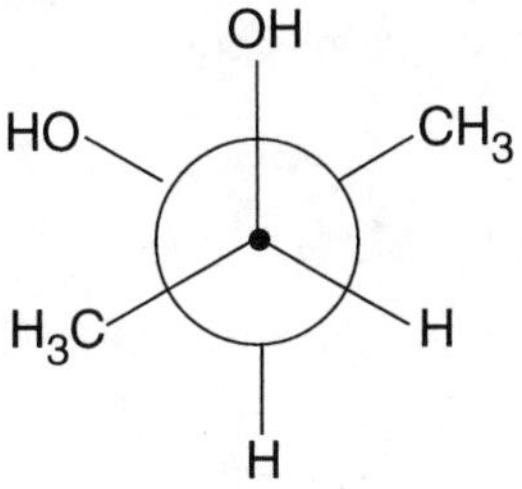 OH / HO, CH$_3$ / H$_3$C, H / H

c)

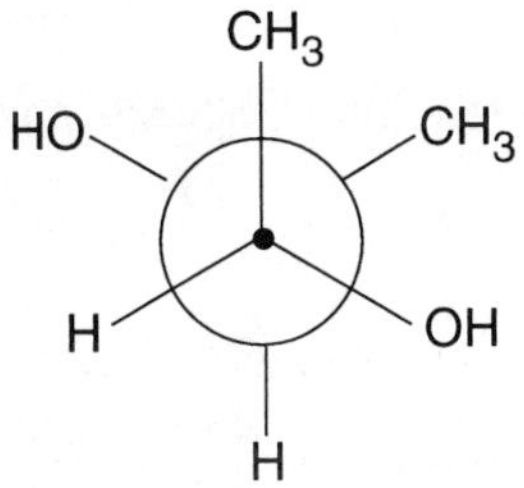

CH$_3$ / HO, CH$_3$ / H, OH / H et H / H, OH / HO, CH$_3$ / CH$_3$

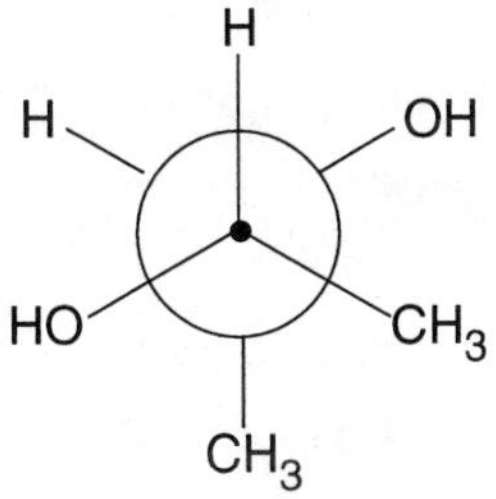

Projections de Fischer

37. Représenter en projections de Fischer tous les stéréoisomères des molécules suivantes:

a) 2-chloro-3-nitropentane   b) HOCH$_2$—CH(OH)—CH(OH)—CH$_3$

c) CH$_3$—CH(Cl)—CH(Br)—CH$_3$

38. Combien de stéréoisomères correspondent aux composés suivants?

a)

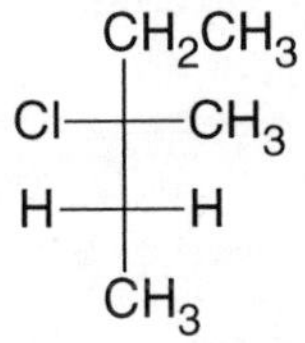

CH$_2$CH$_3$
Cl——CH$_3$
H——H
CH$_3$

b)

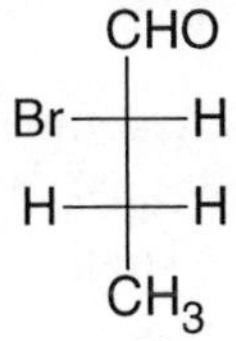

CHO
Br——H
H——H
CH$_3$

c)

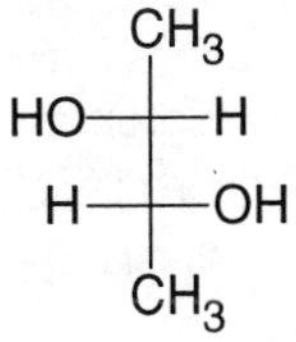

CH$_3$
HO——H
H——OH
CH$_3$

3.4 Isomérie géométrique

1. À quelles familles chimiques les plus connues s'applique l'isomérie géométrique?

2. Représenter les stéréoisomères du 1-bromo-2-chloropropène. En quoi se distinguent ces isomères?

3. Comment explique-t-on l'existence de l'isomérie géométrique?

4. Parmi les molécules suivantes, lesquelles peuvent donner lieu à de l'isomérie géométrique?

   a) $CH_3-\underset{\underset{CH_3}{|}}{C}=CH-CH_3$

   b) $CH_3-CH=CH-CH_2CH_3$

   c) $CH_2=CH-CH=CH-CH_3$

   d) $CH_2=CH-CH_3$

   e)

   f) $CH_3-CH=CH-CH_3$

5. Appliquer la terminologie *E/Z* aux isomères des composés suivants:

   a) 1-bromo-1-fluorobut-1-ène.
   b) 1-bromo-2-chlorocyclopropane.

6. Les terminologies *cis/trans* et *E/Z* sont-elles identiques? Commenter.

7. Représenter les isomères *E/Z* des substances chimiques suivantes:

   a) 1,2-dichlorocyclopropane
   b) 1-bromo-3-chlorocyclobutane
   c) 2,4-diméthylhex-3-ène.

8. Représenter tous les isomères:

   a) du 3-méthylpent-3-én-2-ol.
   b) du 1-bromo-2-chlorocyclobutane.

Exercices complémentaires

1. Dessiner et identifier par la nomenclature R/S les stéréoisomères des composés suivants:
   a) 3-chloropent-1-ène b) 3-chloro-4-méthylpent-1-ène
   c) $HOOCCH_2CHOHCOOH$ d) $C_6H_5CH(CH_3)NH_2$
   e) $C_6H_5CHOHCOOH$ f) $CH_3CH(NH_2)COOH$

---- ✳ ----

RÉACTIVITÉ 4
RÉACTIFS
RÉACTIONS

Sommaire

Mots / concepts clés

- polarité
- effet inductif, effet mésomère
- acidité, basicité
- répulsif, attractif
- résonance, mésomérie
- système conjugué
- délocalisation d'électrons
- formes limites
- hybride de résonance
- oxydant, réducteur, catalyseur
- nucléophile, électrophile

- acide, base de Lewis
- oxydation, réduction
- énergie d'activation
- état de transition, complexe activé
- intermédiaire de réaction
- carbanion, carbocation, radical
- rupture homolytique, hétérolytique
- réaction ionique, radicalaire
- addition, substitution, élimination
- réarrangement
- mécanisme de réaction

Objectifs spécifiques

Vous devez être capable de ...

- localiser les régions polaires d'une molécule organique;
- décrire l'effet inductif et commenter son influence sur l'acidité et la basicité;
- décrire la résonance d'un système conjugué en représentant toutes les formes limites et l'hybride de résonance;
- reconnaître les différents types de réactifs;
- commenter la force relative des nucléophiles;
- connaître les principales composantes et variables d'une réaction chimique;
- décrire et commenter un diagramme d'énergie représentant le déroulement d'une réaction;
- décrire les différentes ruptures de liaisons covalentes;
- connaître la formation, la structure et la réactivité des trois principaux intermédiaires de réactions;
- reconnaître les quatre principales classes de réactions;
- reconnaître une réaction d'oxydation et de réduction;
- localiser les sites réactifs d'un substrat face à un réactif nucléophile ou électrophile;
- utiliser correctement les conventions relatives aux déplacements d'électrons, de réactifs et de groupements amovibles;
- prévoir les ruptures homolytiques, hétérolytiques;
- définir et expliquer les mots / concepts clés.

Réactivité des substances organiques

4.1 Réactivité générale

Il est assez facile d'analyser les réactions des substances inorganiques et d'en prévoir les produits puisque, dans la plupart des cas, les sites positifs et négatifs sont localisés et bien définis. Ce sont souvent des anions ou des cations clairement identifiés comme dans le cas suivant.

$$H^+Cl^-_{(aq)} + Na^+OH^-_{(aq)} \longrightarrow Na^+Cl^-_{(aq)} + H_2O_{(l)}$$

Cette réaction, de nature ionique, se produit instantanément parce que les espèces mises en présence sont des ions ayant une grande affinité les uns envers les autres.

En chimie organique les ions sont rares et il y a beaucoup de liaisons C–H peu polaires. Il y a parfois des liaisons multiples et présence d'éléments plus électronégatifs comme O, N, X qui créent une certaine polarité. Ceci a pour effet d'entraver la prévision des réactions. Comment peut-on prévoir ou expliquer, par exemple, les réactions suivantes:

$$CH_2{=}CH_2 \ + \ HCl \ \longrightarrow \ CH_3{-}CH_2{-}Cl$$
éthylène — chloroéthane

phénol + ion nitronium $\longrightarrow$ 2,4,6-trinitrophénol

Les sections suivantes vont expliquer comment la polarité du substrat, ses effets inductifs et mésomères et la nature du réactif permettent de prévoir le résultat d'une réaction impliquant un composé organique.

4.2 *Polarité*

Comme il en a déjà été question au chapitre 1 (section 1.7), la polarité des molécules organiques ou inorganiques joue un rôle fondamental sur l'état physique, la solubilité et la réactivité des substances.

En général, la polarité d'un composé découle des facteurs suivants:

> • *la présence d'un élément très électronégatif (exemples: O, N, X, S);*
> • *la différence d'électronégativité entre les éléments liés, (polarité);*
> • *la géométrie de la molécule.*

Toutefois, sous l'angle de la réactivité, les sites actifs d'une substance organique sont d'une importance capitale. Pour prévoir la réactivité des composés organiques, il faut localiser, sur la molécule, la répartition des électrons afin de détecter les sites actifs, symbolisés par:

δ^- indique un enrichissement de la densité électronique
δ^+ indique un appauvrissement de la densité électronique

Ainsi, le carbone (déficitaire en électrons) du chlorométhane, CH_3Cl, est très vulnérable à l'attaque d'un ion hydroxyde, HO^-, un donneur d'électrons.

$$H-\overset{\overset{\displaystyle H}{|}}{\underset{\underset{\displaystyle H}{|}}{C}}{}^{\delta^+}-Cl^{\delta^-}$$

chlorométhane

La valeur élevée de l'électronégativité du chlore (3,16 pour le chlore et 2,55 pour le carbone) permet cette polarisation de la liaison carbone-chlore.

Il est assez facile, en examinant la différence d'électronégativité de deux éléments liés, de déceler un site positif ou négatif. Mais dans une molécule à plusieurs atomes, est-ce toujours aussi facile? Une liaison fortement polaire n'aura-t-elle pas un effet sur les liaisons voisines? La présence d'électrons π ou de doublets libres influencera-t-elle la répartition des électrons? Pour répondre à ces questions, il faut introduire deux nouveaux concepts de nature électronique:

> • l'effet inductif   • l'effet mésomère.

---

1. Rechercher les sites δ^- et δ^+ sur les molécules suivantes:

   a) CH_3-CH_2-OH

   b) $CH_3-\underset{\underset{\displaystyle CH_3}{|}}{C}=O$

   c) $CH_3-CH_2-CH_3$

   d) $CH_3-\underset{\underset{\displaystyle Cl}{|}}{CH}-CH_2-CH_3$

4.3 *Effet inductif*

Il est bien connu que la liaison σ d'une molécule de HCl gazeux est polaire. C'est une liaison polaire isolée c'est-à-dire qu'il n'y a pas d'autres liaisons dans son entourage. Mais si un élément grandement électronégatif comme le chlore se retrouve fixé à une chaîne de carbone, même les liaisons qui ne sont pas directement liées au chlore seront quand même polarisées; il y aura ce qu'on appelle un **effet inductif**. La chaîne carbonée suivante sert de modèle pour illustrer cet effet.

$$\underset{5}{C}-\underset{4}{C}-\underset{3}{C}-\underset{2}{C}-\underset{1}{C}-Cl$$

Nous sommes en présence d'une chaîne de cinq carbones, tous reliés par des liaisons σ normalement symétriques et identiques. Cependant, à cause du fort caractère électronégatif du chlore, la liaison σ (C–Cl) est déformée et devrait se représenter comme suit:

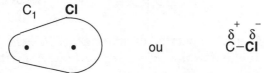

ou

Cette attraction du chlore crée un **appauvrissement** d'électrons autour de C_1. Ce déficit influencera alors le nuage électronique σ entre C_1 et C_2 pour le déformer à son tour, ce qui provoque une diminution de la densité électronique autour de C_2 qui devient donc légèrement positif, et ainsi de suite, quoique cet effet diminue rapidement le long de la chaîne de carbones.

> CE PHÉNOMÈNE DE LA DÉFORMATION D'UNE
> LIAISON PAR UNE AUTRE LIAISON POLAIRE
> ADJACENTE S'APPELLE **EFFET INDUCTIF.**

Comparaison:

Un aimant peut entraîner à la queue leu leu plusieurs petites épingles à cause d'un effet d'induction qui se propage en elles tout en perdant de l'efficacité à mesure qu'on s'éloigne de l'aimant.

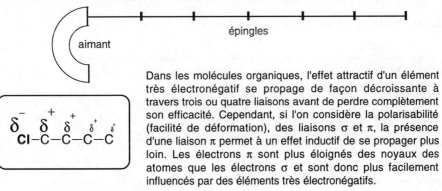

Dans les molécules organiques, l'effet attractif d'un élément très électronégatif se propage de façon décroissante à travers trois ou quatre liaisons avant de perdre complètement son efficacité. Cependant, si l'on considère la polarisabilité (facilité de déformation), des liaisons σ et π, la présence d'une liaison π permet à un effet inductif de se propager plus loin. Les électrons π sont plus éloignés des noyaux des atomes que les électrons σ et sont donc plus facilement influencés par des éléments très électronégatifs.

L'effet inductif peut prendre deux formes: premièrement, il y a le cas qui vient d'être présenté, c'est-à-dire celui qui provient de la présence d'un élément plus électronégatif que le carbone; il s'agit là de l'effet inductif **attractif**, souvent très fort. Deuxièmement, il y a la situation d'un effet inductif **répulsif** causé par la présence d'un élément moins électronégatif que le carbone; c'est surtout l'hydrogène qui joue ce rôle. Toutefois, puisque la différence d'électronégativité entre le carbone et l'hydrogène est faible, cet effet sera lui aussi faible, bien qu'il s'accentuera un peu par l'allongement d'une chaîne, puisque le nombre de liaisons C–H augmente.

Effet inductif **attractif** du chlore:	Effet inductif **répulsif** des liaisons C–H de la chaîne:
$Cl \leftarrow CH_2 \leftarrow CH_2 \leftarrow CH_2 \cdots$	

Il existe donc des effets inductifs attractifs *généralement forts* et des effets inductifs répulsifs *toujours assez faibles*, ces effets varient comme suit:

Effets **attractifs** *croissants:* *(présence d'un élément très électronégatif)*	NH_2, OH, I, Br, Cl, F $\longrightarrow$
Effets **répulsifs** *croissants:*	méthyle, éthyle, isopropyle, *tert*-butyle. $\longrightarrow$

Plus la chaîne carbonée est importante, plus l'effet répulsif est fort.

L'une des conséquences les plus évidentes de l'effet inductif est le **caractère acide** des acides organiques. Rappelons que le caractère acide d'une substance dépend de sa facilité à libérer des ions H^+ (voir tableau 4.1). La force d'un acide est inversement proportionnelle à la valeur de son pK_a ($pK_a = -\log K_a$).

Tableau 4.1 Acidité de quelques acides organiques.

Nom	Formule	K_a	pK_a
acide acétique	$CH_3—COOH$	$1,75 \times 10^{-5}$	4,75
acide chloroacétique	$Cl—CH_2—COOH$	140×10^{-5}	2,85
acide 4-chlorobutanoïque	$Cl—CH_2—CH_2—CH_2—COOH$	$3,0 \times 10^{-5}$	4,52
acide 4-chlorobut-2-énoïque	$Cl—CH_2—CH=CH—COOH$	126×10^{-5}	2,90
acide propanoïque	$CH_3—CH_2—COOH$	$1,34 \times 10^{-5}$	4,87

De ces données, on peut déduire que la présence du chlore dans l'acide chloroacétique le rend presque cent fois plus acide que l'acide acétique qui ne possède pas cet élément à caractère très électronégatif. Par contre, avec l'acide 4-chlorobutanoïque, dans lequel le **Cl** est beaucoup plus loin du groupe **COOH,** il est clair que l'effet inductif a perdu son effet sur l'acidité puisque le K_a n'est plus que le double de celui de l'acide acétique. D'autre part, en comparant les acides 4-chlorobutanoïque et 4-chlorobut-2-énoïque, qui ne diffèrent que par la présence d'une **liaison π,** nous observons que cette liaison permet une meilleure propagation de l'effet inductif; la valeur de K_a est donc beaucoup plus élevée.

Enfin, en comparant les K_a de l'acide acétique et de l'acide propanoïque, on remarque une **légère** diminution (1,75 à 1,34). Ce résultat est le reflet d'un faible effet inductif **répulsif** issu des atomes de carbone liés à des atomes d'hydrogène.

L'effet **attractif** du chlore
augmente l'acidité.

L'effet **répulsif** du méthyle
(faible) diminue l'acidité.

2 Comparer l'acidité des composés suivants:

a) CH_3-CH_2-COOH

b) $Cl-CH_2-CH_2-COOH$

c) $CH_3-CH_2-CH_2-CH_2-COOH$

d) $Cl-CH=CH-COOH$

e) $Br-CH_2-CH_2-COOH$

f) $CH_3-\underset{\underset{Cl}{|}}{CH}-COOH$

La **basicité** est aussi très influencée par les effets inductifs. En effet, les alcoolates, RO^-, sont des bases plus fortes que l'ion hydroxyde à cause de l'effet inductif répulsif de la chaîne carbonée. Pour la même raison, les amines sont souvent plus basiques que l'ammoniac (voir tableau 4.2). La force d'une base est inversement proportionnelle à la valeur de son pK_b ($pK_b = -\log K_b$).

Tableau 4.2 Basicité de quelques composés azotés.

Nom	Formule	K_b	pK_b
ammoniac	$\ddot{N}H_3$	$1{,}79 \times 10^{-5}$	4,75
méthylamine	$CH_3-\ddot{N}H_2$	37×10^{-5}	3,43
diméthylamine	$CH_3-\underset{\underset{CH_3}{|}}{\ddot{N}H}$	54×10^{-5}	3,26

Par contre, s'il y a présence d'un effet attractif (un halogène, un alcool ou autre) le caractère basique est diminué. C'est le cas de l'amine suivante:

$$HO{\leftarrow}CH_2{\leftarrow}CH_2{\leftarrow}\overset{..}{N}H_2$$

Le doublet d'électrons libres sur l'azote est rendu moins disponible à cause de l'effet attractif de la fonction HO.

---

3 Comparer la basicité des composés suivants:

a) $CH_3{-}CH_2{-}\overset{..}{N}H_2$ c) $Br{-}CH_2{-}CH_2{-}\overset{..}{N}H_2$

b) $CH_3{-}CH_2{-}\overset{..}{N}H{-}CH_3$ d) $CH_3{-}\overset{..}{N}H_2$

Dans certains cas, l'effet inductif est jumelé à un autre effet électronique appelé effet mésomère. Ce dernier est généralement plus fort que l'effet inductif et peut provoquer des situations inexplicables par l'effet inductif. Par exemple, pourquoi le caractère basique de l'aniline est-il si faible ($K_b = 4,2 \times 10^{-10}$) alors que celui de la cyclohexylamine est élevé ($K_b = 5,5 \times 10^{-5}$)? L'effet mésomère permet d'expliquer cette situation.

4.4 Effet mésomère

Le benzène, C_6H_6, constitue le meilleur exemple pour introduire la notion d'effet mésomère. En effet, cette molécule a un comportement singulier au point de vue chimique. Cela tient à sa structure particulière. Par exemple, on peut représenter le benzène par la structure I,

(I)

mais il faut tout de suite révéler que ce dessin ne représente pas tout à fait cette substance telle qu'elle existe réellement. Voyons pourquoi en examinant le tableau 4.3.

Tableau 4.3 Les caractéristiques du benzène.

C$_6$H$_6$ **Benzène dessin**	C$_6$H$_6$ **Benzène réel**
• tous les carbones hybridés sp^2	• tous les carbones hybridés sp^2
• six liaisons σ (C—C)	• six liaisons σ (C—C) identiques
• trois liaisons π (C—C) dans un système conjugué*	• six électrons π répartis uniformément au-dessus et en-dessous du plan des carbones
• trois liaisons C—C de 0,154 nm	• six liaisons carbone-carbone de 0,140 nm
• trois liaisons C—C de 0,135 nm	
• enthalpie d'hydrogénation théorique: -359 kJ/mol	• enthalpie d'hydrogénation expérimentale**: -208 kJ/mol

Il est donc très clair, d'après ces données, qu'il existe chez le benzène un facteur stabilisant. La preuve évidente est la différence de 151 kJ/mol entre les enthalpies d'hydrogénation théorique et expérimentale du benzène. Cette différence d'énergie s'appelle **énergie de résonance** et a pour effet de diminuer la réactivité des électrons π.

Cette stabilité énergétique s'explique par la **délocalisation** des électrons π appelée **mésomérie** ou **résonance**.

Autrement dit, les électrons les plus mobiles de cette molécule (jamais les électrons σ) cherchent à occuper le niveau d'énergie le plus bas possible. De ce fait, les nuages électroniques occupent **le plus grand volume** possible et la répulsion électronique est réduite au minimum; la molécule est stabilisée d'autant. La figure 4.1 montre la formation et la représentation précise du benzène.

---

* Le système conjugué: alternance de liaisons simples et de liaisons doubles, entre autres.

**Pour la réaction suivante:

benzène   +   3 H$_2$ ⟶   cyclohexane   +   208 kJ/mol

Figure 4.1 Représentation orbitalaire des liaisons du benzène.

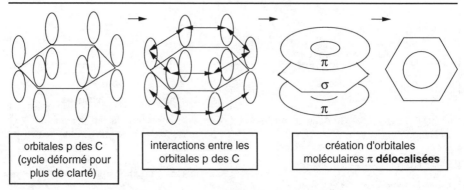

| orbitales p des C (cycle déformé pour plus de clarté) | interactions entre les orbitales p des C | création d'orbitales moléculaires π **délocalisées** |

Les liaisons σ sont formées par le recouvrement d'orbitales sp^2 , tandis que chaque carbone contribue d'un électron p au système π par recouvrement latéral de son orbitale p avec l'orbitale p de ses deux voisins.

Toutefois, pour réprésenter le **mouvement** des électrons dans un tel système, nous utilisons:

• *des formes limites: représentations fictives de la molécule, donc sans existence réelle,*
• *des hybrides de résonance.*

Ainsi, le benzène*, C_6H_6 , peut prendre les formes suivantes:

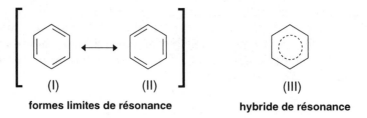

| (I) | (II) | (III) |

formes limites de résonance   **hybride de résonance**

Les structures I et II sont des **formes limites.** La flèche à double tête indique qu'il y a résonance ou équivalence entre ces deux formes.
La structure III est le résultat d'une superposition ou mixage des formes limites I et II. Cette structure s'appelle **hybride de résonance**.

* Von Stradonitz (August) Kékulé, chimiste allemand (1829 -1896), a suggéré la structure cyclique du benzène. L'histoire raconte que Kékulé aurait proposé cette structure suite à un rêve dans lequel il voyait un serpent qui se mordait la queue.

Il est possible de **décrire** la mésomérie d'un tel système, c'est-à-dire de montrer comment les électrons **voyagent** dans la molécule pour passer d'une forme limite à une autre. Pour ce faire, on utilise des flèches courbes ( ) qui représentent un déplacement de deux électrons. Par

exemple, $C_1{=}C_2{-}C_3$ donne $C_1{-}C_2{=}C_3$ et signifie que les deux électrons π entre C_1 et C_2 se déplacent entre C_2 et C_3.

Pour le benzène, la résonance entre les structures I et II s'écrit donc:

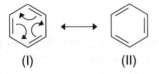

(I)   (II)

> Formes limites sans apparition
> de charges électriques.

Généralisation à d'autres espèces chimiques

Il n'y a pas seulement le benzène qui présente un phénomène de résonance. D'autres molécules peuvent présenter de la résonance ou de la mésomérie. Voici les critères pour déceler les cas de mésomérie:

1. Présence d'électrons π, de doublets d'électrons disponibles et/ou de charges (+) ou (-):

$$\overset{\backslash}{\underset{/}{C}}{=}\overset{/}{\underset{\backslash}{C}} \qquad \overset{\backslash}{\underset{/}{C}}{=}O \qquad {-}C{\equiv}C{-} \qquad {-}C{\equiv}N \qquad {-}\overset{+}{\underset{|}{C}}{-}$$

$$-\overset{..}{\underset{..}{X}}: \qquad -\overset{..}{\underset{..}{O}}- \qquad -\overset{..}{\underset{..}{S}}- \qquad -\overset{..}{\underset{|}{N}}- \qquad -\overset{|}{\underset{|}{C}}-$$

*2. Ces électrons π et/ou doublets sont délocalisés s'ils font partie d'un **système conjugué**. Un **système conjugué** est celui dans lequel il y a alternance d'électrons faiblement liés (π ou doublets) et de liaisons simples. (Des éléments avec des charges (+) ou (-) peuvent également faire partie d'un système conjugué). Par exemple,*

$$\overset{\backslash}{\underset{/}{C}}{=}C{-}C{=}\overset{/}{\underset{\backslash}{C}} \qquad {-}\overset{O}{\overset{\|}{C}}{-}\overset{..}{\underset{..}{O}}{-} \qquad \text{(benzène)}\overset{+}{\underset{}{C}}{\overset{H}{\underset{H}{\big\langle}}} \qquad \overset{-}{C}H_2{-}\overset{O}{\overset{\|}{C}}{-}CH_3$$

Note: Un système conjugué ne débute jamais et ne se termine jamais par une liaison σ.

Voici deux exemples de substances qui présentent ce phénomène de résonance.

a) buta-1,3-diène: $CH_2{=}CH{-}CH{=}CH_2$ b) phénol: (benzène)${-}\overset{..}{\underset{..}{O}}{-}H$

électrons π et système   électrons π, doublets,
conjugué   système conjugué

4 Encadrer le système conjugué des composés suivants:

a) $CH_3-CH=CH-\overset{+}{C}H_2$

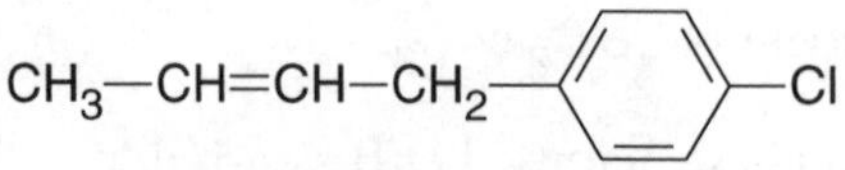

c)

b) $CH_3-CH=CH-CH_2$——Cl

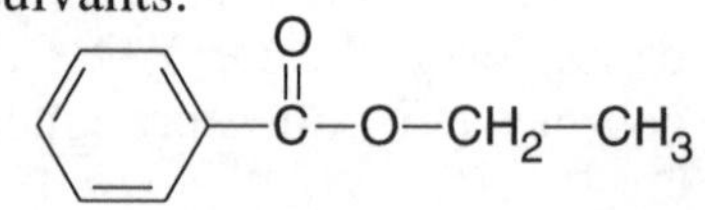

d)

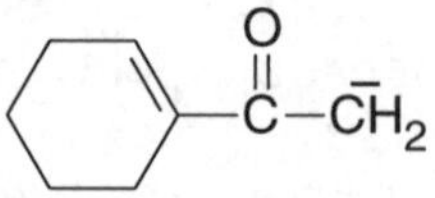

Comment trouver et écrire **toutes les formes limites de résonance?** Voici quelques règles (il y en a 5) pour s'y retrouver.

Règle 1. *À partir de la structure de base, à l'aide de flèches courbes, déplacer les électrons π ou les doublets d'électrons sur une liaison simple voisine.*

Règle 2. *S'il s'agit d'un hydrocarbure insaturé, ces déplacements se font simultanément et dans les deux sens.*

Par exemple,

a) le benzène,

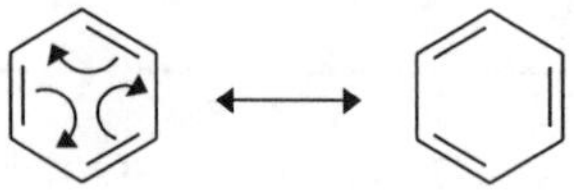

b) le buta-1,3-diène,

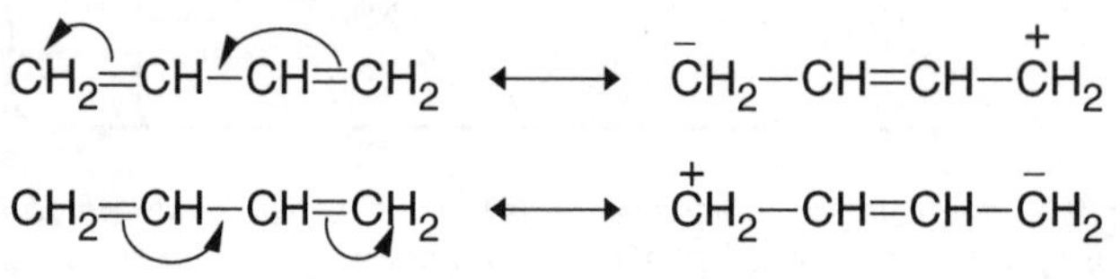

La résonance prend une grande importance dans les composés benzéniques et se propage souvent à l'extérieur du cycle si un système conjugué est présent sur le substituant. L'aniline et le benzaldéhyde en sont de bons exemples.

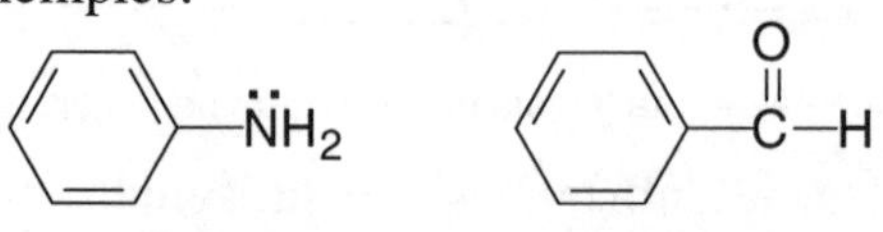

aniline　　　　　　benzaldéhyde

Le doublet libre sur l'azote dans l'aniline et les électrons π du carbonyle dans le benzaldéhyde participeront à la résonance.

Lorsque le système conjugué fixé au cycle contient un élément plus électronégatif que le carbone, deux cas peuvent se présenter. Les deux règles suivantes en régissent alors l'application.

> **Règle 3 a.** *Cet élément plus électronégatif est lié au carbone par liaison simple; dans ce cas, c'est un doublet libre de l'élément électronégatif qui se déplace vers la chaîne ou le cycle carboné et il y a **refoulement** des électrons. L'aniline en est un exemple.*

L'aniline est donc un cas type d'un groupement **donneur** d'électrons. C'est tout à fait la même situation pour les groupes suivants:

> **Règle 3 b.** *Cet élément plus électronégatif est lié au carbone par liaison multiple; dans ce cas, le déplacement des électrons s'effectue vers l'élément électronégatif, à partir des électrons π de la liaison multiple. Le benzaldéhyde en est un exemple.*

D'autres groupements **attracteurs** d'électrons se comportent comme le benzaldéhyde:

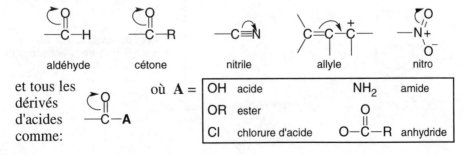

et tous les dérivés d'acides comme:

où **A** =

OH	acide	NH$_2$	amide
OR	ester	O‖	
Cl	chlorure d'acide	O—C—R	anhydride

5 Décrire la résonance dans les composés suivants:

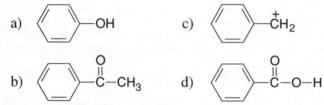

a) ⬡—OH

c) ⬡—$\overset{+}{C}H_2$

b) ⬡—$\overset{\overset{O}{\|}}{C}$—$CH_3$

d) ⬡—$\overset{\overset{O}{\|}}{C}$—O—H

Règle 4. *Limiter au minimum l'apparition de charges. En voici un exemple avec l'acroléine.*

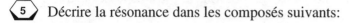

$$CH_2\!=\!\overset{\frown}{C}H\!-\!C\!\overset{\frown}{=}\!O \quad \longleftrightarrow \quad \overset{+}{C}H_2\!-\!\overset{-}{C}H\!-\!\overset{+}{C}\!-\!O^-$$
$$\underset{H}{|} \qquad\qquad\qquad\qquad\qquad \underset{H}{|}$$

acroléine   **à éviter**

---

6 Écrire correctement toutes les formes limites de résonance de l'acroléine.

Règle 5. *Enfin, pour trouver l'hybride de résonance d'une molécule, il faut imaginer la superposition de **toutes** les formes limites écrites les unes sur les autres.*

Ainsi, les exemples précédents ont comme **hybride de résonance** les structures suivantes où l'on indique les électrons π par un pointillé ..... , et les charges + et - par δ^+ et δ^-.

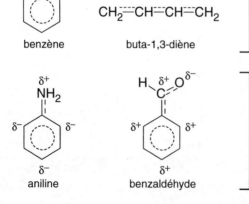

benzène   buta-1,3-diène   Deux structures sans polarisation, donc sans δ^+ ni δ^-.

$CH_2\!\cdots\!CH\!\cdots\!CH\!\cdots\!CH_2$

aniline   benzaldéhyde   Avec polarisation à cause des atomes N et O, très électronégatifs.

Cette résonance est particulièrement importante chez les **composés benzéniques**. En examinant l'hybride de résonance, il devient maintenant possible de prévoir ou d'expliquer pourquoi certains carbones sont plus *actifs* que d'autres face à un même réactif.

L'aniline est facilement attaquée par des réactifs positifs sur les carbones δ^-, alors qu'avec le benzaldéhyde, il en serait tout autrement. Il n'est donc pas surprenant que la réaction suivante ait lieu:

7   Décrire l'effet mésomère dans les substances suivantes et en déduire la structure de l'hybride de résonance.

a) $CH_3-\overset{\displaystyle O}{\overset{\|}{C}}-NH_2$ b) $CH_3-\overset{\displaystyle O}{\overset{\|}{C}}-\bar{O}$ c)   d)

La résonance et la couleur...

Plusieurs substances sont colorées à cause de l'important système conjugué qu'elles contiennent. La résonance dans ces systèmes crée des formes limites qui absorbent la lumière correspondant à des longueurs d'onde du visible et ce phénomène permet à ces substances de présenter différentes couleurs. L'effet est spectaculaire chez les composés azoïques benzéniques (voir section 13.7) couramment utilisés comme teintures dans l'industrie du textile.

azobenzène
(un azoïque)

La coloration est plus intense avec des substituants en ortho ou para sur les cycles benzéniques et il a été remarqué que les couleurs foncées sont souvent causées par la présence d'un substituant attracteur d'électrons sur un benzène et d'un substituant donneur sur l'autre; c'est le cas du 4-diméthylamino-4'-nitroazobenzène.

4-diméthylamino-4'-nitroazobenzène

La coloration foncée est attribuée à la présence d'une forme limite quinoïde (du même genre que la benzoquinone).

D'autres composés azoïques servent d'indicateurs parce qu'ils changent de couleur en fonction du pH d'une solution, par exemple, le méthylorange, rouge à pH 3,1 et jaune à pH 4,4.

Le phénomène de résonance découle donc d'observations expérimentales. Il permet de prévoir le sens ou le déroulement de plusieurs réactions. Les figures 4.2 et 4.3 résument les principes de base régissant la mésomérie.

Figure 4.2 Systèmes conjugués et résonance.

1. Système conjugué:

   Système dans lequel il y a alternance entre des électrons π, des doublets d'électrons libres ou des sites (+) ou (-) et des liaisons σ.

2. Résonance:

   Délocalisation d'électrons mobiles.

3. Consignes:

   • Indiquer les déplacements d'électrons par des flèches courbes.
   (toujours à partir d'un site donneur d'électrons).

   départ   **arrivée**
   site donneur

   • Ne pas oublier que les électrons sont des particules négatives.

   • Si on refoule des électrons vers un système, ce dernier devient de plus en plus négatif.

4. Fonctions et espèces ayant tendance à **donner** des électrons:

   —Ö—H   —Ö—R   —X: —C̈—   et   —N̈—

5. Fonctions et espèces ayant tendance à **attirer** des électrons:

   —C̈—H   —C̈—R   —C≡N   C=C–C⁺—   —N⁺(=O)(O⁻)
    ‖O   ‖O

   —C̈—A   où **A** =

OH	Cl	O
OR	NH₂	O—C̈—R

6. En mésomérie, seuls les électrons se déplacent; tous les atomes restent en place. Pour trouver l'hybride de résonance, il faut écrire toutes les formes limites de résonance.

7. Limiter l'apparition de charges au minimum.

Figure 4.3 Méthode pour trouver toutes les formes limites d'un système conjugué.

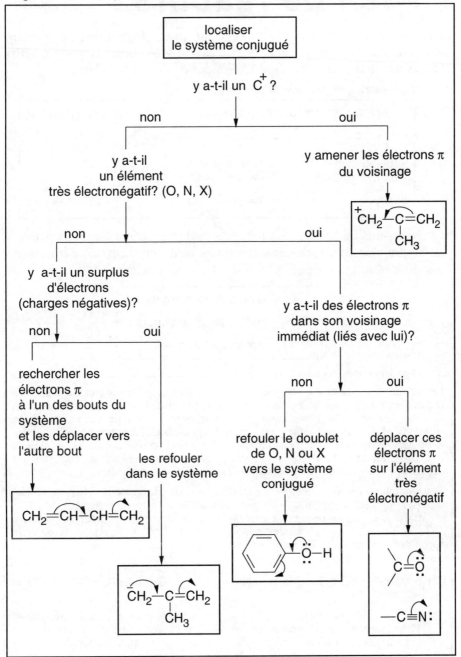

Types de réactifs

Les substances organiques réagissent avec de nombreux réactifs inorganiques et elles peuvent aussi réagir entre elles. Il y a plusieurs façons de classer ces réactifs; en voici une basée sur la polarité.

Figure 4.4 Une classification possible des réactifs.

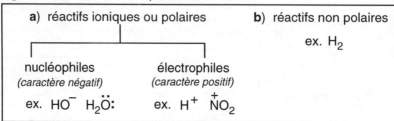

Quelques-uns de ces réactifs ioniques, polaires ou non polaires peuvent aussi être classés autrement selon qu'ils sont: **oxydants** ou **réducteurs** (ces termes seront précisés plus loin). En voici quelques cas:

O_2	non polaire et oxydant
H_2	non polaire et réducteur
$KMnO_4$	ionique et oxydant

── *Les phéromones, réactifs sexuels...* ──────────

Le monde des insectes a souvent fait l'objet d'émerveillement et de plusieurs recherches pour tenter de comprendre le comportement de ces minuscules êtres vivants. Les abeilles, par exemple, ont une organisation de vie sociale bien structurée et il en est de même pour bien d'autres espèces. Les phéromones sont des hormones fabriquées par certains insectes; elles jouent un rôle très important dans la régularisation de certains comportements (comportement sexuel des papillons ou des mouches domestiques; construction des alvéoles chez les abeilles, etc.).

Les phéromones sont des composés relativement simples: alcool, éther, aldéhyde, etc. Les insectes communiquent entre eux au moyen de ces substances assez volatiles, bien qu'émises et détectées en quantités extrêmement faibles. La stéréochimie de ces substances est souvent un facteur déterminant dans la spécificité de l'hormone. En voici quelques exemples:

$$CH_3-[CH_2]_{12}-\overset{H}{\underset{}{C}}=\overset{H}{\underset{}{C}}-[CH_2]_7-CH_3$$

cis-tricos-9-ène
(muscalure)
Phéromone, attracteur sexuel des
mouches domestiques mâles.

$$CH_3-\overset{O}{\overset{\|}{C}}-[CH_2]_5-\overset{}{C}=\overset{H}{\underset{H}{C}}-CO_2H$$

acide *trans*-9-oxodéc-2-énoïque
Phéromone produite par la
reine chez les abeilles.

Les phéromones peuvent être utilisées pour piéger les mâles et ainsi contrôler la population de certains insectes. Ces hormones constituent donc des réactifs très spécifiques capables de déclencher toute une série de réactions chimiques conduisant à un comportement spécifique chez l'insecte.

4.5 Réactifs ioniques ou polaires

Comme il en a été question à la figure 4.4, les réactifs ioniques ou polaires se subdivisent en deux groupes, les nucléophiles et les électrophiles.

• Les nucléophiles

*Un nucléophile a tendance à **donner** des électrons.*

Les donneurs d'électrons sont souvent des anions comme Cl^-, HO^-. Les électrons peuvent aussi provenir de doublets libres ou d'électrons π comme le montre le tableau 4.4.

Tableau 4.4 Quelques donneurs d'électrons.

Formule	$\overset{..}{N}H_3$	$CH_2{=}CH_2$	HO^-
Espèce chimique	moléculaire	moléculaire	ionique
Nature des électrons	doublet d'électrons (sans charge)	électrons π	doublet d'électrons (avec charge)

Même si l'expression «donneur d'électrons» demeure très générale, il faut bien distinguer entre deux manières de donner des électrons:

1. donneur à titre de **base**;
2. donneur à titre de **nucléophile**.

La **basicité** d'une espèce chimique est son affinité (au sens d'Arrhénius, Brönsted ou Lewis) pour un proton. Par exemple, l'ion hydroxyde, HO^-, joue un rôle de **base** lorsqu'il forme de l'eau, son acide conjugué faible:

$$HO^- \ + \ HA \ \longrightarrow \ H_2O \ + \ A^-$$

base   acide   acide conjugué   base conjuguée

Le tableau 4.5 permet d'apprécier la basicité de plusieurs particules en se rappelant que la force d'une base est proportionnelle au pK_a de son acide conjugué. Par exemple, l'ion amidure, NH_2^-, est une base très forte puisque le pK_a de l'ammoniac, NH_3, est élevé; alors que l'ion chlorure, Cl^-, est une base très faible puisque le pK_a de HCl est seulement de -7. Donc, dans le tableau 4.5, l'acide sulfurique est l'acide le plus fort et le carbanion méthyle, CH_3^-, est la base la plus forte. En chimie organique, les bases fortes jouent un rôle crucial dans les réactions d'éliminations qui conduisent à la formation d'alcènes et d'alcynes (voir les sections 4.10, 5.6 et 5.7).

Tableau 4.5 Quelques données sur les acides et les bases.

Acide		pK$_a$	Base	
H$_2$SO$_4$	**Acide** le plus fort.	-9	HSO$_4^-$	**Base** la plus faible.
HCl		-7	Cl$^-$	
CH$_3$CH$_2\overset{+}{\underset{H}{O}}$H		-2,4	CH$_3$CH$_2$OH	
H$_3$O$^+$		-1,7	H$_2$O	
⟨benzène⟩—SO$_3$H		-0,6	⟨benzène⟩—SO$_3^-$	
Cl$_3$C—C(=O)—OH		0,7	Cl$_3$C—C(=O)—O$^-$	
H—C(=O)—OH		3,7	H—C(=O)—O$^-$	
⟨benzène⟩—C(=O)—OH		4,2	⟨benzène⟩—C(=O)—O$^-$	
⟨benzène⟩—$\overset{+}{N}$H$_3$		4,6	⟨benzène⟩—NH$_2$	
CH$_3$—C(=O)—OH		4,8	CH$_3$—C(=O)—O$^-$	
⟨pyridine⟩$\overset{+}{N}$—H		5,2	⟨pyridine⟩N	
HCN		9,1	CN$^-$	
NH$_4^+$		9,4	NH$_3$	
(CH$_3$)$_3\overset{+}{N}$—H		9,8	(CH$_3$)$_3$N	
⟨benzène⟩—OH		10,0	⟨benzène⟩—O$^-$	
CH$_3$—$\overset{+}{N}$H$_3$		10,6	CH$_3$—NH$_2$	

Suite du tableau à la page suivante...

Tableau 4.5   Quelques données sur les acides et les bases. (suite)

Acide		pK_a	Base	
CH_3OH		15,5	CH_3O^-	
H_2O		15,7	HO^-	
CH_3CH_2OH		15,9	$CH_3CH_2O^-$	
$H_3C-\overset{\overset{CH_3}{\mid}}{\underset{\underset{CH_3}{\mid}}{C}}-OH$		18	$H_3C-\overset{\overset{CH_3}{\mid}}{\underset{\underset{CH_3}{\mid}}{C}}-O^-$	
$HC\equiv CH$		26	$HC\equiv C^-$	
NH_3		35	NH_2^-	
CH_4	**Acide** le plus faible.	47	CH_3^-	**Base** la plus forte.

Les valeurs de pK_a du tableau 4.5 permettent de prévoir l'orientation d'une réaction d'équilibre acido-basique en considérant que ce type de réaction tend à produire l'acide le plus faible. Il est donc normal et fréquent de constater le formation d'eau (un acide faible) dans plusieurs réactions acido-basiques.

phénol, un   base forte   base faible   eau, un acide
acide faible   **très** faible
pK_a = 10,0 pK_a = 15,7

Cette réaction, efficace avec le phénol, est beaucoup plus difficile avec un alcool comme l'éthanol dont le pK_a est beaucoup plus élevé.

$$CH_3CH_2OH \quad + \quad Na^+OH^- \quad \rightleftharpoons \quad CH_3CH_2O^-Na^+ \quad + \quad H_2O$$

éthanol, un acide   base forte   base très forte   eau, un acide
très faible   **très** faible
pK_a = 15,9 pK_a = 15,7

Réaction peu efficace avec l'éthanol parce la différence d'acidité entre l'eau et l'éthanol est négligeable et qu'il y a production d'une base forte. L'obtention efficace de l'éthanolate de sodium exige des conditions plus propices comme l'action du sodium métallique sur l'éthanol (voir page 342, section 8.6).

D'un autre côté, le **caractère nucléophile** d'un donneur d'électrons est relié à son affinité pour un atome de carbone dans le but de former une liaison covalente avec ce carbone. (Ce caractère nucléophile est mesuré en terme de vitesse de réaction avec le carbone).

Voici une liste de particules susceptibles de **donner** des électrons (comme base ou comme nucléophile).

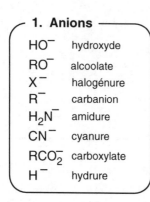

1. Anions

HO⁻	hydroxyde
RO⁻	alcoolate
X⁻	halogénure
R⁻	carbanion
H₂N⁻	amidure
CN⁻	cyanure
RCO₂⁻	carboxylate
H⁻	hydrure

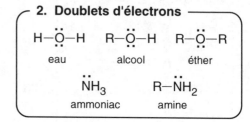

2. Doublets d'électrons

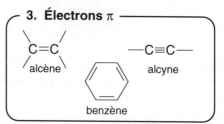

3. Électrons π

Toutes ces particules peuvent donner des électrons, les meilleures **bases** sont celles qui fournissent les acides conjugués les plus faibles (se fier aux valeurs des pK_a). Par exemple, HO^-, RO^- et H_2N^- sont des bases fortes puisqu'en captant un proton, ils forment respectivement H_2O, ROH et NH_3, des acides conjugués faibles.

L'évaluation de la force d'un **nucléophile** est un peu plus nuancée. À prime abord, l'efficacité d'un nucléophile va de pair avec sa basicité, mais il faut aussi examiner d'autres variables. Cela est illustré par l'application des trois règles suivantes:

Règle 1. *Le doublet d'électrons d'un anion est plus disponible qu'un doublet libre sur le même élément (l'oxygène ou l'azote, par exemple).*

HO⁻   meilleur nucléophile que   H—Ö—H

H₂N⁻   meilleur nucléophile que   N̈H₃

Attention, l'ion cyanure, ⁻CN, est un bon nucléophile mais une base faible puisqu'il s'attaque plus souvent au carbone qu'à un hydrogène avec lequel il formerait un acide de force moyenne ($pK_a = 9,1$).

Règle 2. *La particule ayant des électrons disponibles sur l'élément le moins électronégatif est le meilleur nucléophile. (Électrons sur des éléments d'une même période ou d'un même groupe).*

$$H-\overset{\overset{\displaystyle H}{|}}{\underset{\underset{\displaystyle H}{|}}{C}}{}^- \quad > \quad H-\overset{\displaystyle -}{\underset{\underset{\displaystyle H}{|}}{N}} \quad > \quad H-\overset{\displaystyle -}{O} \quad > \quad F^-$$

$$H-\overset{..}{\underset{\underset{\displaystyle H}{|}}{N}}-H \quad > \quad H-\overset{..}{\underset{..}{O}}-H \quad > \quad H-\overset{..}{\underset{..}{F}}{:}$$

$$I^- \quad > \quad Br^- \quad > \quad Cl^- \quad > \quad F^-$$

Règle 3. *L'effet inductif répulsif favorise la disponibilité des électrons alors que l'effet mésomère diminue le caractère nucléophile en délocalisant la charge négative ou le doublet libre. En voici trois exemples:*

1. $CH_3-\overset{\overset{\displaystyle CH_3}{|}}{\underset{\underset{\displaystyle CH_3}{|}}{C}}-O^- \quad > \quad CH_3\rightarrow O^-$ L'effet inductif répulsif des méthyles sur le butyle tertiaire rend les électrons plus disponibles sur l'oxygène.

2. $CH_3-\overset{..}{N}H_2 \quad >$ La résonance dans l'aniline délocalise le doublet de l'azote et rend ces électrons moins disponibles.

3. $CH_3-CH_2-O^- \quad > \quad CH_3-\overset{\overset{\displaystyle O}{\|}}{C}-O^-$ La résonance dans l'ion carboxylate délocalise la charge sur plusieurs atomes.

— *Une réaction nucléophile utile...* —

Certaines molécules ont la propriété de faire diminuer la tension de surface de l'eau. C'est ce qui se produit lorsque des molécules de savon ou de détergent font mousser l'eau. (Voir savons et détergents, complément A). Sans la présence de molécules de ce genre, on a beau brasser l'eau, très peu de mousse se forme. Les molécules de savon ou de détergent sont appelées **agents tensioactifs** et elles peuvent être anioniques, cationiques ou neutres/polaires. Le chlorure de benzylhexadécyldiméthylammonium est un exemple d'agent tensioactif cationique.

$$\overset{..}{N}H_3 \qquad \overset{\delta^+}{C}H_2-\overset{\delta^-}{C}l \qquad \left[\quad CH_2-\overset{\overset{\displaystyle CH_3}{|}}{\underset{\underset{\displaystyle C_{16}H_{33}}{|}}{\overset{+}{N}}}-CH_3 \quad \right] Cl^-$$

chlorure de benzyle   chlorure de benzylhexadécyldiméthylammonium (cationique)

Ce composé sert également d'agent antiseptique (désinfectant). Il a la propriété d'être soluble dans plusieurs solvants organiques. On peut considérer que l'une des étapes de sa fabrication implique l'attaque d'une molécule d'ammoniac (**réactif nucléophile**) sur le carbone partiellement positif du chlorure de benzyle.

La figure 4.5 peut servir de guide pour comparer le caractère nucléophile de plusieurs particules.

Figure 4.5 Variation du caractère nucléophile selon les espèces chimiques.

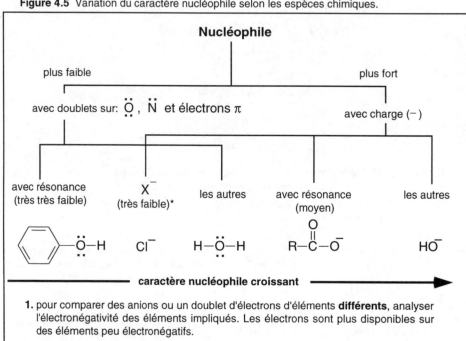

1. pour comparer des anions ou un doublet d'électrons d'éléments **différents**, analyser l'électronégativité des éléments impliqués. Les électrons sont plus disponibles sur des éléments peu électronégatifs.

$$\ddot{\underset{..}{O}} \; < \; \ddot{N} \; \ll \; O^- \; < \; N^- \; < \; C^-$$

2. pour comparer des anions ou un doublet d'électrons d'un **même** élément, analyser les effets inductifs et/ou mésomères

$$H-\ddot{\underset{..}{O}}-H \; < \; CH_3-\ddot{\underset{..}{O}}-H \; \ll \; HO^- \; < \; CH_3O^-$$

8 Comparer le caractère nucléophile des particules suivantes:

a) $CH_3-\bar{N}H$ $\quad$ $CH_3\bar{O}$ $\quad$ CH_3-S^- $\quad$ $CH_3-\bar{C}H_2$

b) NH_3 $\quad$ $CH_3-CH_2-NH_2$ $\quad$ $CH_3-CH_2-NH-CH_3$

c) ⌬$-\overset{\overset{\displaystyle O}{\|}}{C}-O^-$ $\quad$ $CH_3-\underset{\underset{\displaystyle CH_3}{|}}{C}HO^-$ $\quad$ HO^-

---

*Les ions halogénure, surtout fluorure et chlorure, demeurent cependant des nucléophiles très faibles comparés aux autres anions. Leur importante électronégativité et leur symétrie sphérique diminuent la disponibilité de leurs électrons.

• *Les électrophiles*

*Un réactif électrophile est toute particule susceptible **d'accepter** des électrons.*

Le premier cas est l'ion H^+. Il s'agit en effet d'une particule déficitaire en électrons et son comportement normal est d'en accepter:

$$HO^- \ + \ H^+ \longrightarrow H_2O$$

L'électrophile **accepte** les électrons.

Comme pour les nucléophiles, les électrophiles peuvent être des particules chargées ou non chargées comme le montre le tableau 4.6.

Tableau 4.6 Quelques exemples d'électrophiles.

H^+	proton ou ion hydrogène (hydron)	R^+	carbocation alkyle
$\overset{+}{N}O_2$	ion nitronium	$H\overset{+}{S}O_3$	ion sulfonium
Cl^+	ion chloronium	$R-\overset{+}{C}=O$	carbocation acyle
$R-\overset{+}{N_2}$	ion diazonium		
$AlCl_3$ BF_3 $ZnCl_2$		Ces trois espèces sont des accepteurs d'électrons au sens de Lewis.	

Toutes les espèces chimiques du tableau 4.6 acceptent donc facilement des électrons; leur réactivité sera étudiée ultérieurement dans des réactions particulières. Le cas de R^+ (carbocation) sera détaillé en même temps que les mécanismes de réaction.

┌─ *Dis-moi qui tu hantes, je te dirai qui tu es!* ─────

Ce proverbe s'applique même en chimie. Si un réactif fréquente un alcène, c'est qu'il a un caractère électrophile. Si un autre courtise les alcanes c'est qu'il est probablement neutre. Celui qui recherche les carbocations est probablement nucléophile.

En cuisine, «chaque chaudron trouve son couvercle». En chimie, «chaque électron trouve une place qui lui est chère» ce qui signifie que chaque nucléophile trouve son électrophile et chaque base trouve son acide.

4.6 Autres réactifs

En plus des électrophiles et des nucléophiles, il existe d'autres réactifs fréquemment utilisés, mais difficiles à regrouper. Toutefois, en utilisant des critères différents de ceux des deux catégories précédentes, il est possible de former quatre nouvelles catégories de réactifs:

a) Molécules non polaires: Cl_2, Br_2, I_2, H_2, O_2.

b) Composés fortement oxygénés: $KMnO_4$, $K_2Cr_2O_7$, OsO_4, O_2, O_3, RCO_3H.

c) Métaux: Ni, Pt, Pd, Zn, Li, Na, K, Mg.

d) Composés fortement hydrogénés: $LiAlH_4$, $NaBH_4$, H_2.

Cette classification regroupe des réactifs semblables, mais dont la réactivité face aux substances organiques varie d'un groupe à l'autre. Cette relation est souvent complexe et ne peut être précisée que par un examen détaillé d'une substance organique et d'un réactif précis. Par exemple, quelle réaction peut-il y avoir entre le méthane et le chlore?

Le méthane, CH_4, est une molécule symétrique, non polaire ne possédant aucun site à caractère positif ou négatif. De son côté, le chlore, Cl_2, est lui aussi non polaire. Donc il est normal qu'un mélange de ces deux gaz soit inerte. Toutefois, si un agent externe, comme la lumière, vient décomposer le chlore pour produire du chlore atomique, Cl, cette nouvelle particule pourra s'attaquer au méthane et engendrer une réaction.

$$CH_4 \ + \ Cl_2 \ \xrightarrow{\ h\nu\ } \ CH_3Cl \ + \ HCl$$

méthane   chlorométhane

La réactivité précise des réactifs qui viennent d'être regroupés (a,b,c et d ci-dessus) sera présentée, au besoin, dans les chapitres suivants. Il convient toutefois de préciser tout de suite l'effet de certains d'entre eux: les **oxydants** et les **réducteurs**.

Les oxydants, souvent riches en oxygène, provoquent, entre autres, la diminution du nombre de liaisons C—H du substrat. C'est le cas du permanganate de potassium lorsqu'il oxyde l'éthanol en acide acétique*.

$$\underset{\text{éthanol}}{CH_3-\overset{\displaystyle H}{\underset{\displaystyle H}{C}}-O-H} \ + \ KMnO_4 \ \longrightarrow \ \underset{\text{acide acétique}}{CH_3-\overset{\displaystyle O}{C}-O-H}$$

*La **perte** de deux liaisons C—H et **l'ajout** d'un oxygène à l'alcool de départ, le transforme en acide.

Quelques **oxydants**:

$$KMnO_4 \qquad OsO_4 \qquad O_2$$
$$K_2Cr_2O_7 \qquad RCO_3H \qquad O_3$$

(réactifs riches en oxygène)

De leur côté, les réducteurs, souvent riches en hydrogène, permettent la formation de nouvelles liaisons C—H, comme dans la réduction de l'acétone par le borohydrure de sodium, $NaBH_4$.

$$\underset{\text{acétone}}{CH_3-\overset{\overset{\displaystyle O}{\|}}{C}-CH_3} \quad + \quad NaBH_4 \quad \longrightarrow \quad \underset{\text{propan-2-ol}}{CH_3-\overset{\overset{\displaystyle OH}{|}}{\underset{\underset{\displaystyle H}{|}}{C}}-CH_3}$$

Les nouvelles liaisons C—H et O—H transforment l'acétone en propan-2-ol.

Quelques **réducteurs**:

$$LiAlH_4 \quad NaBH_4 \quad H_2$$
(réactifs riches en hydrogène)

Avec l'hydrogène, il faut ajouter un catalyseur comme Ni, Pt ou Pd.

La notion d'oxydation est détaillée à la section 4.10.

La liste des réactifs les plus couramment utilisés est présentée au tableau 4.7.

1. Les réactifs suivants sont-ils oxydants ou réducteurs?
   O_2 H_2 $NaBH_4$ $KMnO_4$ $K_2Cr_2O_7$ $LiAlH_4$

2. Trouver le qualificatif (oxydant, réducteur, polaire, non polaire, métal, fortement oxygéné ou fortement hydrogéné) qui convient aux réactifs suivants:
   Br_2 Mg $NaBH_4$ H_2CrO_4 HO^- Cl^+ CH_3O^-

   Pt NO_2^+ NH_3 HCl   NaOH H_2O CN^-

Tableau 4.7 Liste des principaux réactifs et catalyseurs.

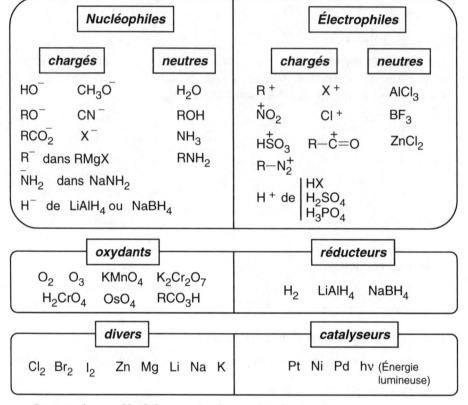

Le caractère nucléophile, une simple question d'argent!

On entend souvent dire que la chimie est compliquée, abstraite, presque de la sorcellerie: polarité, nucléophile, oxydation, réduction, électronégativité, etc., une foule de termes qui sont des bêtes noires mais d'une grande utilité.

Une solution à ce problème, c'est de concrétiser la notion d'électron; quoi de plus palpable que de la remplacer par **l'argent**!

On peut comparer les éléments à des êtres sociaux et leurs électrons à de l'argent.

De cette manière, les halogènes, l'oxygène et l'azote forment un clan très riche, avare et d'aucune générosité (fortement attracteurs d'électrons et mauvais nucléophiles) ce sont les requins de la finance en chimie. D'autre part, les alcalins et l'hydrogène débordent de générosité, ils sont prêts à tout donner pour les autres.

Quant au carbone, c'est peut-être le plus sociable des éléments. Très diplomate, il ne déplaît à personne et se plie aux caprices de son entourage. Avec les halogènes (les requins de la finance) il donne son argent (électrons); avec l'hydrogène il accepte l'argent (l'électron) et s'enrichit en devenant un carbanion, lequel, avec son électron en surplus, acquiert une générosité presque sans limite.

Certains individus très à l'aise, comme les ions amidures et les ions hydroxydes, ont le coeur sur la main face à la pauvreté. Les plus démunis comme les carbocations et les hydrogènes positifs (protons) se lieront fièrement d'amitié avec les généreux donnateurs hydroxydes et amidures.

Réactions

4.7 Généralités

La chimie organique repose sur les mêmes principes que la chimie générale. Elle représente ses réactions sous forme d'équations chimiques complètes ou à l'équilibre.

$$A + B \xrightarrow[\text{ou}]{Z} C + D$$

réactifs ⇌ produits

Dans la partie gauche de l'équation, *A* est souvent une substance organique qu'on appelle **substrat** et *B,* souvent inorganique, est le réactif. *Z* peut représenter un catalyseur, un solvant ou des conditions expérimentales telles la température et la pression. En voici un exemple, l'hydrogénation catalytique:

$$\ce{C=C} + H_2 \xrightarrow[\text{(catalyseur)}]{Pd} \ce{-C-C-}$$

substrat　　　　réactif　　　　　　　　produit

La **stœchiométrie** y conserve une place très importante. Selon Lavoisier, «Rien ne se perd, rien ne se crée». Cette phrase célèbre est valable même en chimie organique! En effet, il faut équilibrer les réactions pour s'assurer de respecter les proportions réactifs/produits comme le démontre la réaction d'addition de HCl sur le buta-1,3-diène.

$$CH_2\!=\!CH\!-\!CH\!=\!CH_2 + 2\,HCl \longrightarrow CH_3\!-\!\underset{\underset{Cl}{|}}{CH}\!-\!\underset{\underset{Cl}{|}}{CH}\!-\!CH_3$$

buta-1,3-diène

1 mole　　　　　+　2 moles ⟶　　　1 mole

ou　54 g　　　　+　73 g　　⟶　　　127 g

Or, il n'est généralement pas suffisant de savoir ce que devient un substrat après réaction. Il faut aussi étudier le *comment* et le *pourquoi* d'une telle transformation. Par exemple, en écrivant

$$CH_3Cl + NaOH \longrightarrow CH_3OH + NaCl \quad (1)$$

on ne donne pas d'information sur l'énergie impliquée, sur la vitesse de cette réaction, ni sur le mode de rupture et de formation des liaisons.

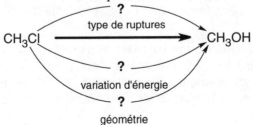

4.8 Thermodynamique et cinétique des réactions

L'énergie impliquée dans une réaction et la vitesse à laquelle elle s'effectue dépendent de plusieurs facteurs dont l'affinité substrat/réactif, la température, le catalyseur, etc.

Une réaction s'amorce lorsque les molécules se rencontrent. Les chocs substrat/réactif provoquent la rupture de certaines liaisons et permettent la formation de nouvelles liaisons dans les produits.

Il y a, premièrement, les réactions simples en une étape. Le diagramme énergétique du déroulement de la réaction peut ressembler à celui de la figure 4.6.

Figure 4.6　Diagramme d'énergie d'une réaction simple (qui se déroule en **une étape**).

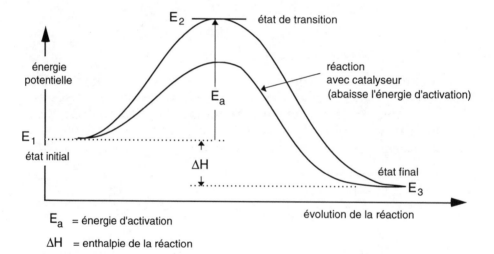

E_a = énergie d'activation

ΔH = enthalpie de la réaction

D'après ce diagramme, en se référant à la réaction 1 (page 155),

l'état initial :　　CH_3Cl　+　$NaOH$　　　E_1

l'état de transition:　$\left[HO\cdots CH_3 \cdots Cl \right]^-$　　E_2
　　　　　　　　　　(complexe activé)

l'état final:　　　CH_3OH　+　$NaCl$　　　E_3

L'état de transition n'a pas d'existence réelle et n'est pas isolable. Il doit être considéré un peu comme un arrêt sur image des substances réagissantes au moment où une liaison, C–Cl, se brise et une autre, HO–C, se forme. Cette structure temporaire se nomme **complexe activé**.

L'énergie requise pour atteindre cet état de transition est appelée énergie d'activation, E_a.

$$E_a = E_2 - E_1$$

La valeur de E_a influence beaucoup la vitesse d'une réaction et les conditions expérimentales qui doivent prévaloir.

Si l'énergie d'activation est très élevée, la réaction est difficile à réaliser, mais ce problème peut être contourné par l'utilisation de catalyseurs ayant pour effet de diminuer cette barrière énergétique (figure 4.6).

Enfin, l'enthalpie de réaction, ΔH, peut être obtenue par la différence énergétique entre l'état final et initial.

$$\Delta H = (E_3 - E_1)$$ Si $E_3 > E_1$, la réaction est endothermique.
Si $E_3 < E_1$, la réaction est exothermique.
(C'est le cas de la réaction 1. p. 155.)

Plusieurs réactions se déroulent cependant par des processus plus complexes. Le processus le plus fréquemment rencontré s'effectue en deux étapes. La figure 4.7 présente le diagramme d'énergie d'une telle réaction.

Figure 4.7 Diagramme d'énergie d'une réaction **en deux étapes.**

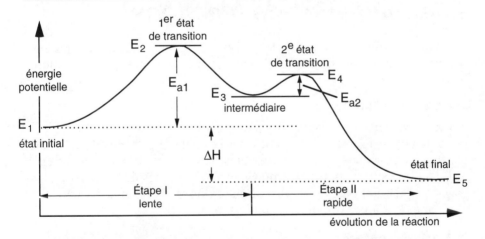

Cette catégorie de réaction est caractérisée, entre autres, par la formation temporaire d'une nouvelle espèce chimique, un **intermédiaire de réaction**, défini comme suit:

*Un intermédiaire de réaction est une espèce chimique (ordinairement **carbocation, carbanion ou radical libre**) qui se forme au cours d'une réaction. Sa durée de vie est très courte, il est difficilement isolable, mais possède une existence réelle.*

La présence de deux états de transition, donc de deux valeurs d'énergies d'activation, E_{a1} et E_{a2}, distinctes, caractérise la réaction globale. La vitesse de chaque étape dépend de sa propre énergie d'activation et il arrive souvent que la première étape soit la plus lente, donc celle qui détermine la vitesse globale de la réaction. La principale raison de ce fait: dans la plupart des cas, on a $E_{a1} \gg E_{a2}$. La deuxième étape est souvent très rapide parce que l'intermédiaire formé est très réactif (souvent ionique). La formation et les propriétés des intermédiaires de réactions sont précisées à la section 4.9.

La réaction suivante (sans indiquer les états de transition) est un exemple typique d'une réaction en deux étapes.

$$CH_2{=}CH_2 \; + \; HCl \longrightarrow CH_3{-}\overset{+}{C}H_2 \xrightarrow{\;Cl^-\;} CH_3{-}CH_2{-}Cl$$

| substrat | réactif | intermédiaire (carbocation) | produit |

première étape, **lente**　　　deuxième étape, **rapide**
(Les particules qui
réagissent sont ioniques.)

4.9 Types de ruptures et intermédiaires de réactions

Certaines notions sur la nature des liaisons et le mode de rupture qui leur est associé sont nécessaires pour bien saisir le mécanisme électronique d'une réaction.

1. Nature des liaisons

- Dans une liaison covalente, il y a un **partage** d'électrons.
- Ce partage est **égal** si les atomes ont la même électronégativité (deux atomes identiques), ou **inégal** si les atomes liés ont une différence d'électronégativité plus petite ou égale à 1,7 (atomes différents).
- Dans ce dernier cas, la liaison est dite *polaire* et des charges partielles apparaissent aux extrémités de la liaison.

2. Types de ruptures

- La rupture **homolytique**, c'est-à-dire le bris symétrique d'une liaison covalente, produit des radicaux libres (voir la situation *a* du tableau 4.9). Ce genre de rupture donne des réactions de type **radicalaire**. Ces réactions impliquent souvent des réactifs neutres et requièrent la présence d'un catalyseur comme le platine, le nickel ou la lumière avec le chlore.

• La rupture **hétérolytique**, c'est-à-dire le bris asymétrique d'une liaison covalente, produit des ions: carbocations ou carbanions (voir les situations *b* ou *c* du tableau 4.9). Ce type de rupture est à l'origine des réactions à caractère ionique.

L'ensemble des données précédentes permet d'expliquer la formation des trois principaux intermédiaires de réactions (tableau 4.9).

Tableau 4.9 Formation des intermédiaires de réactions.

Situation	(a)	(b)	(c)
Nature de la liaison	—C ⅹ C—	—C ⅹ Cl	—C ⅹ H
Polarité de la liaison	aucune polarité donc partage égal des électrons $$—C \overset{x}{\underset{\blacksquare}{}} C—$$	Cl est plus électronégatif que C $$\overset{\delta+}{—C} \overset{x}{\underset{\blacksquare}{}} \overset{\delta-}{Cl}$$	H est moins électronégatif que C $$\overset{\delta-}{—C} \overset{x}{\underset{\blacksquare}{}} \overset{\delta+}{H}$$
Mode de rupture*	symétrique —C ⅹ C— homolytique	asymétrique —C ⅹ Cl hétérolytique	asymétrique —C ⅹ H hétérolytique
Intermédiaires de réactions formés	—C ■ ⅹ C— deux **radicaux libres**	—C$^+$ ⅹCl$^-$ ou —C$^+$ Cl$^-$ **carbocation**	—C$^-$ H$^+$ ou —C$^-$ H$^+$ **carbanion**
Genre de réaction impliquée	réactions radicalaires	réactions de substitution et d'élimination	attaque d'un hydrogène par une base forte

*La particule qui se détache du carbone pour donner une espèce relativement stable s'appelle **groupement amovible**. Dans la majorité des cas, ce groupement est plus électronégatif que le carbone.

Dans chacun des composés suivants, indiquer le type de rupture favorisé (homolytique ou hétérolytique) pour les liaisons pointées par la flèche.

CH_3—CH_2—CH_3 CH_3—OH

a)   b)   c)   d)

Examinons plus en détail les trois intermédiaires de réaction dont il a été question au tableau 4.9.

a) Le radical libre   —$\overset{|}{\underset{|}{C}}$ •

Le radical libre provient d'une rupture homolytique; le carbone a conservé son quatrième électron périphérique, maintenant non partagé. Ce radical libre **neutre** est très réactif à cause de la présence de cet électron grandement disponible.

La stabilité d'un tel radical, quoique précaire (durée de vie de l'ordre de 10^{-6} seconde), varie selon le degré de substitution du carbone porteur de l'électron.

Tableau 4.10 Stabilité relative de quelques radicaux libres.

CH_3—$\overset{CH_3}{\underset{CH_3}{C}}$ • > CH_3—$\overset{CH_3}{\underset{H}{C}}$ • > CH_3—$\overset{H}{\underset{H}{C}}$ • > H—$\overset{H}{\underset{H}{C}}$ •

tertiaire plus stable	secondaire	primaire	nullaire moins stable
380	397	410	435

Ces valeurs représentent l'énergie de dissociation, en kJ/mole, correspondant à la rupture conduisant à chacun de ces radicaux (en phase gazeuse), selon le schéma suivant:

—$\overset{|}{\underset{|}{C}}$—H   ⟶   —$\overset{|}{\underset{|}{C}}$ •   +   •H

La stabilité supérieure du radical libre tertiaire est due à la possibilité de *partage* (répartition) de la densité électronique sur les carbones voisins. Bien que relativement plus stable que les autres radicaux libres, le radical libre tertiaire demeure une espèce chimique très réactive (voir section 5.9.2, substitution radicalaire).

b) Le carbocation $-\overset{|}{\underset{|}{C}}{}^{+}$

Dans cette espèce chimique, le carbone a perdu un électron et sa configuration électronique est maintenant identique à celle du bore (cinq électrons). Rappelons ici le type de molécules dans lesquelles le bore peut être impliqué: BF_3, BCl_3, $B(CH_3)_3$, etc. Dans tous ces cas, le bore s'hybride sp^2 et forme des molécules planes, ce qui rejoint la théorie de Gillespie. Il en est de même lorsque le carbone se retrouve avec trois voisins:

- Le carbone s'hybride sp^2.

- Tous les substituants sont dans le plan de la feuille.

- Tous les angles sont de 120°.

La **stabilité** des carbocations dépend beaucoup du voisinage qui permet plus ou moins facilement la délocalisation ou la dispersion de la charge par effet inductif ou par effet mésomère.

L'effet inductif répulsif neutralise partiellement la charge. Cet effet est représenté par des flèches dans la série suivante.

$$CH_3\!\rightarrow\!\overset{CH_3}{\underset{CH_3}{\overset{|}{\underset{|}{C}}}}{}^{+} \quad > \quad CH_3\!\rightarrow\!\overset{CH_3}{\underset{H}{\overset{|}{\underset{|}{C}}}}{}^{+} \quad \gg \quad CH_3\!\rightarrow\!\overset{H}{\underset{H}{\overset{|}{\underset{|}{C}}}}{}^{+} \quad > \quad H\!-\!\overset{H}{\underset{H}{\overset{|}{\underset{|}{C}}}}{}^{+}$$

| tertiaire, le plus stable | secondaire | primaire | nullaire, le moins stable |

Si le carbocation fait partie d'un système conjugué, l'effet mésomère disperse la charge et le stabilise davantage. Dans ce cas, il devient même plus stable qu'un carbocation tertiaire. Par exemple,

Les carbocations se forment surtout sur les carbones tertiaires et d'autant plus facilement que le caractère électronégatif du groupement amovible est fort. En voici deux exemples:

$$CH_3\!-\!\overset{CH_3}{\underset{CH_3}{\overset{|}{\underset{|}{C}}}}\!-\!Cl \longrightarrow CH_3\!-\!\overset{CH_3}{\underset{CH_3}{\overset{|}{\underset{|}{C}}}}{}^{+} \ + \ Cl^{-}$$

facile
- groupement amovible très électronégatif
- carbocation tertiaire

$$CH_3\!-\!CH_2\!-\!NH_2 \longrightarrow CH_3\!-\!\overset{+}{C}H_2 \ + \ NH_2^{-}$$

difficile
- groupement amovible peu électronégatif
- carbocation primaire

c) Le carbanion $-\overset{|}{\underset{|}{C}}{}^-$

Le carbone, avec un électron supplémentaire, conserve une configuration électronique de type saturé (octet). La structure d'un carbanion est tout à fait semblable à celle de l'ammoniac, NH_3.

structure pyramidale avec hybridation sp^3
de l'atome central

carbanion   ammoniac

La paire d'électrons disponible sur le carbone en fait un excellent donneur d'électrons (nucléophile et base forte).

Ce type d'intermédiaire se forme souvent suite au départ d'un hydrogène sur des molécules fortement polarisées par un ou des carbonyles (voir sction 10.5). Voici, par exemple, ce qui ce passe avec un aldéhyde:

$$H-\overset{\overset{\displaystyle H}{|}}{\underset{\underset{\displaystyle H}{|}}{C}}-\overset{\overset{\displaystyle O}{||}}{C}-H \quad \xrightarrow[\substack{\text{en présence} \\ \text{d'une base} \\ \text{forte}}]{-H^+} \quad {}^-CH_2-\overset{\overset{\displaystyle O}{||}}{C}-H$$

un carbanion

Le carbanion formé ici est stabilisé par résonance et il se crée un système d'équilibre appelé *tautomérie*. Un tel carbanion s'appelle ion énolate.

Le tableau 4.11 résume toute la question des intermédiaires possibles selon le type de rupture de liaison.

⑪ Écrire l'intermédiaire de réaction le plus probable suite à une rupture hétérolytique (pointée par la flèche) des substances suivantes:

a) $CH_3-CH_2\overset{\downarrow}{-}Br$

c) $CH_3\overset{\overset{\displaystyle OH}{\underset{\displaystyle |}{\rightarrow}}}{-CH}-CH_3$

b)

d)

Tableau 4.11 Les intermédiaires de réactions, leur mode de formation et leur structure.

	Radical libre	Carbocation	Carbanion
Formule	$-\overset{\mid}{\underset{\mid}{C}}\cdot$	$-\overset{\mid}{\underset{\mid}{C}}{}^{+}$	$-\overset{\mid}{\underset{\mid}{C}}{}^{-}$
Charge	0	+1	-1
Type de rupture	homolytique	hétérolytique	hétérolytique
Formation	$-\overset{\mid}{\underset{\mid}{C}}\,\,\overset{\mid}{\underset{\mid}{C}}-$ où les 2 éléments liés sont identiques ou d'électronégativité voisine	$-\overset{\mid}{\underset{\mid}{C}}-A$ où A est plus électronégatif que le carbone	$-\overset{\mid}{\underset{\mid}{C}}-B$ où B est moins électronégatif que le carbone
Type de réaction impliqué	radicalaire	ionique	ionique
Structure	2p		
Géométrie	plane	plane	pyramidale
Hybridation du carbone	sp^2	sp^2	sp^3
Stabilité	3° > 2° > 1°	3° > 2° > 1°	—

4.10 Classification des réactions selon le bilan de réaction

Bien qu'il y ait plusieurs critères pour classifier les réactions, les organiciens utilisent la plupart du temps le **bilan** global (réactifs/produits) pour établir la catégorie à laquelle appartient une réaction. De cette manière, il est possible de différencier quatre grandes classes de réactions:

> - **addition**
> - **élimination**
> - **substitution**
> - **réarrangement**

• **Addition:** *modification d'un substrat par l'ajout d'atomes.*

C'est le cas de l'addition de brome sur un alcène:

$$\begin{array}{c}\diagdown \\ \diagup\end{array} C=C \begin{array}{c}\diagup \\ \diagdown\end{array} \xrightarrow{\ Br_2\ } \quad \begin{array}{c} Br \\ | \\ -C-C- \\ | \\ Br \end{array}$$

Addition de deux atomes de brome. Ce genre de réaction a lieu seulement avec les substrats insaturés.

• **Élimination:** *le substrat perd un certain nombre d'atomes.*

Exemple, l'élimination de HCl par une base forte:

$$\begin{array}{c} H \\ | \\ -C-C- \\ | \\ Cl \end{array} \xrightarrow{\ NaOH\ } \begin{array}{c}\diagdown \\ \diagup\end{array} C=C \begin{array}{c}\diagup \\ \diagdown\end{array} + H_2O + NaCl$$

Départ des atomes H et Cl. Ce genre de réaction conduit toujours à la formation de produits insaturés.

• **Substitution:** *un ou plusieurs atomes du substrat sont remplacés par d'autres atomes.*

C'est le cas de la substitution sur un halogénure:

$$CH_3-Br \xrightarrow{\ NaOH\ } CH_3-OH + NaBr$$

Remplacement de Br par OH.

• **Réarrangement:** *réorganisation interne du substrat sans gain ni perte d'atomes.*

La pyrolyse d'un alcane en est un exemple:

$$CH_3-CH_2-CH_2-CH_3 \xrightarrow{\ \Delta\ } \begin{array}{c} CH_3-CH-CH_3 \\ | \\ CH_3 \end{array}$$

Réorganisation du substrat en un autre produit isomère.

$$C_4H_{10} \qquad\qquad\qquad C_4H_{10}$$

12   Attribuer à chacune des réactions suivantes, la classe de réaction qui lui convient:

a) $CH_3-CH-CH_3$ + $NaNH_2$ ⟶ $CH_3-CH=CH_2$ + NH_3 + $NaBr$
      | Br

b) $CH_2=CH-CH_3$ + Br_2 ⟶ $CH_2-CH-CH_3$
                               Br   Br

c)   ⬡ + $\overset{+}{C}H_3$ ⟶ ⬡$-CH_3$ + H^+

d) $CH_3-CH_2-CH_2-CH_3$ + Cl_2 $\xrightarrow{h\nu}$ $CH_3-CH_2-CH_2-CH_2-Cl$ + HCl

e) $CH_3-CH_2-CH_2-Br$ + $CH_3\overset{-}{O}\ \overset{+}{Na}$ ⟶ $CH_3-CH_2-CH_2-O-CH_3$
                                                          + $NaBr$

f)   ⬜∥ + HCl ⟶ ⬜ Cl

g)   (cyclohexane avec CH_3 et Br) + H_2O ⟶ (cyclohexane avec CH_3 et OH) + HBr

Chacune des classes de réactions précédentes peut être détaillée selon le type de réactif qui intervient pour modifier le substrat. Ainsi, selon qu'une réaction s'effectue à l'aide d'un réactif nucléophile, électrophile ou radicalaire, une précision supplémentaire est ajoutée pour nommer le type de mécanisme* impliqué. Voici deux réactions à titre d'exemple:

a) CH_3-Br + $\overset{+}{Na}\ \overset{-}{OH}$ ⟶ CH_3-OH + $NaBr$

b)   ⬡$-H$ + $\overset{+}{N}O_2$ ⟶ ⬡$-NO_2$ + H^+

Ces deux réactions sont des substitutions. La première est qualifiée de **substitution nucléophile** parce que le réactif, OH^-, qui effectue la substitution est un nucléophile. La deuxième réaction est une **substitution électrophile** puisque c'est l'électrophile, NO_2^+, qui remplace l'hydrogène du benzène.

Le **mécanisme d'une réaction, c'est la description (par des flèches) des ruptures et de la formation de toutes les liaisons impliquées dans une réaction (voir section 4.11). Un mécanisme de réaction est établi expérimentalement (par études de vitesse de réaction ou d'autres méthodes).*

⟨13⟩ Préciser le type de réaction impliqué en c), d), e) et g) de la question no. 12.

En se référant à d'autres critères, comme le gain ou la perte de liaisons C–H (il en a été question en 4.6 au sujet des réactifs), certaines réactions peuvent être appelées *oxydation* ou *réduction*.

Oxydation:

• *diminution du nombre de liaisons C—H*

$$CH_3{-}CH_3 \xrightarrow[hv]{Cl_2} CH_3{-}CH_2{-}Cl \ + \ HCl$$

Il s'agit aussi d'une substitution radicalaire.

• *réaction avec des réactifs fortement oxygénés.*

L'oxydation peut donc être décelée par la diminution du nombre de liaisons C–H, par la rupture d'une liaison carbone-carbone ou encore, par l'entrée d'un ou de plusieurs atomes d'oxygène. Voici quelques exemples:

a)
$$CH_3{-}\underset{\underset{CH_3}{|}}{C}{=}CH{-}CH_3 \xrightarrow[conc.]{KMnO_4} CH_3{-}\overset{\overset{O}{||}}{C}{-}CH_3 \ + \ CH_3{-}COOH$$

b)
$$CH_3{-}CH{=}CH_2 \xrightarrow[2)\ H_2O\ ,\ Zn]{1)\ O_3} CH_3{-}\overset{\overset{O}{||}}{C}{-}H \ + \ H_2C{=}O$$

c)
$$CH_3{-}CH_2OH \xrightarrow{K_2Cr_2O_7} CH_3{-}CO_2H$$

Note: Ici, on néglige la nature des produits résultant de la transformation des réactifs inorganiques.

d)
$$\underset{H}{\overset{H}{\diagdown}}C{=}C\underset{H}{\overset{H}{\diagup}} \xrightarrow[dilué]{KMnO_4} H{-}\underset{\underset{OH}{|}}{\overset{\overset{H}{|}}{C}}{-}\underset{\underset{OH}{|}}{\overset{\overset{H}{|}}{C}}{-}H$$

En **a**, il y a diminution du nombre de liaisons C–H, rupture d'une liaison carbone-carbone et entrée de nouveaux atomes d'oxygène.

En **b**, il y a aussi rupture d'une liaison carbone-carbone et entrée de nouveaux atomes d'oxygène sans toutefois y avoir de diminution du nombre de liaisons C–H.

En **c**, un nouvel oxygène est entré et deux liaisons C–H sont disparues.

En **d**, deux nouveaux atomes d'oxygène sont entrés. (Cette réaction est aussi une réaction d'addition).

Toutes ces réactions sont donc des oxydations.

Réduction: *augmentation du nombre de liaisons C—H.*

$$CH_2{=}CH_2 \xrightarrow[Pt]{H_2} CH_3{-}CH_3$$

Ces deux réactions sont aussi des réactions d'addition.

$$CH_3{-}\overset{O}{\overset{\|}{C}}{-}CH_3 \xrightarrow{NaBH_4} CH_3{-}\overset{OH}{\underset{|}{CH}}{-}CH_3$$

En résumé, pour analyser l'oxydation et la réduction, il ne faut pas se fier seulement à la variation du nombre de liaisons C–H. Il faut aussi surveiller:

- le type de réactif (l'oxydant pour l'oxydation et le réducteur pour la réduction),
- l'entrée d'un oxygène sur le substrat, ce qui identifie une oxydation,
- la rupture d'une liaison carbone-carbone, ce qui représente aussi une oxydation.

14 Les réactions suivantes sont-elles des oxydations ou des réductions?

a) $$CH_3Cl \xrightarrow[Pt]{H_2} CH_4 + HCl$$

b) $$CH_3{-}\overset{O}{\overset{\|}{C}}{-}O{-}CH_3 \xrightarrow{LiAlH_4} CH_3{-}CH_2OH + CH_3{-}OH$$

c) $$CH_3{-}\overset{O}{\overset{\|}{C}}{-}H \xrightarrow{KMnO_4} CH_3{-}CO_2H$$

d) $\xrightarrow[Pt]{3\,H_2}$

e) $$CH_3{-}CH{=}CH_2 \xrightarrow[\text{dilué}]{KMnO_4} CH_3{-}\underset{\underset{OH}{|}}{CH}{-}\underset{\underset{OH}{|}}{CH_2}$$

f) $\xrightarrow[\text{conc.}]{H_2SO_4}$ $+ \quad H_2O$

g) $-CH_2-CH_2-CH_3 \xrightarrow[\text{conc.}]{KMnO_4}$ $-CO_2H$

4.11 *Description d'un mécanisme de réaction*

La classification des réactions ne se limite donc pas au seul bilan de la réaction. Elle peut aussi être précisée par son mécanisme, c'est-à-dire, par le mode de rupture et de formation des liaisons.

Un mécanisme de réaction met en évidence les ruptures et formations de liaisons impliquées dans une réaction chimique. Cette description se fait à l'aide de flèches courbes, ⌢↖, qui indiquent les déplacements d'électrons. Comme dans la description des formes limites de résonance, la flèche **part** d'une région riche en électrons et aboutit sur une autre région pauvre en électrons. Le mécanisme de réaction doit aussi décrire les intermédiaires de réaction, s'il y a lieu.

Les deux réactions suivantes

a) CH_3-CH_2-Br + Na^+OH^- ⟶ CH_3-CH_2-OH + $NaBr$

b) $CH_3-CH=CH_2$ + $\overset{\delta+}{H}-\overset{\delta-}{Cl}$ ⟶ $CH_3-\overset{+}{C}H-CH_3$ + Cl^- ⟶ $CH_3-\underset{\underset{Cl}{|}}{C}H-CH_3$

sont décrites par leur mécanisme respectif:

a) $CH_3-\underset{\underset{\delta+}{}}{C}H_2-\underset{\underset{\delta-}{}}{Br}$ + Na^+OH^- ⟶ CH_3-CH_2-OH + $NaBr$

b) $CH_3-CH=CH_2$ + $\overset{\delta+}{H}-\overset{\delta-}{Cl}$ ⟶ $CH_3-\overset{+}{C}H-CH_3$ $\xrightarrow{Cl^-}$ $CH_3-\underset{\underset{Cl}{|}}{C}H-CH_3$

Dans le cas de réactions radicalaires, des flèches à demi-pointe ⌢↖ sont utilisées, puisqu'un seul électron est déplacé.

$$-\overset{|}{\underset{|}{C}}-\overset{|}{\underset{|}{C}}- \longrightarrow -\overset{|}{\underset{|}{C}}\bullet + x\overset{|}{\underset{|}{C}}-$$

radicaux libres

Il existe trois catégories de mécanismes importants:

> • *addition*
> • *élimination*
> • *substitution*

Le détail et l'application de ces mécanismes de réactions seront
présentés, au besoin, dans les prochains chapitres.

15 ⟩ 1. Placer les flèches courbes qui décrivent les transformations suivantes:

a)

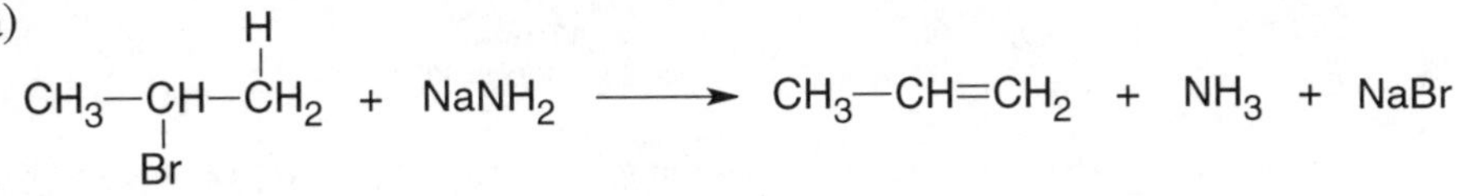

$$CH_3-\underset{\underset{Br}{|}}{\overset{\overset{H}{|}}{CH}}-CH_2 \; + \; NaNH_2 \longrightarrow CH_3-CH=CH_2 \; + \; NH_3 \; + \; NaBr$$

b) $CH_3-CH_2-CH=CH_2 \; + \; H^+ \longrightarrow CH_3-CH_2-\overset{+}{CH}-CH_3$

$\Big\downarrow H_2O$

$H_3O^+ \; + \; CH_3-CH_2-\underset{OH}{\overset{|}{CH}}-CH_3 \xleftarrow{\; H_2O \;} CH_3-CH_2-\underset{\underset{+}{H-O-H}}{\overset{|}{CH}}-CH_3$

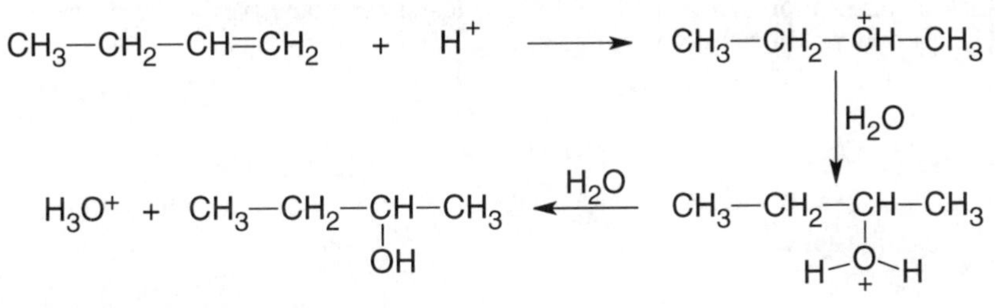

2. Compléter les réactions suivantes:

a) $CH_3-\underset{\underset{\cdot\cdot}{\overset{|}{OH}}}{CH}-CH_3 \quad + \quad H^+ \longrightarrow$

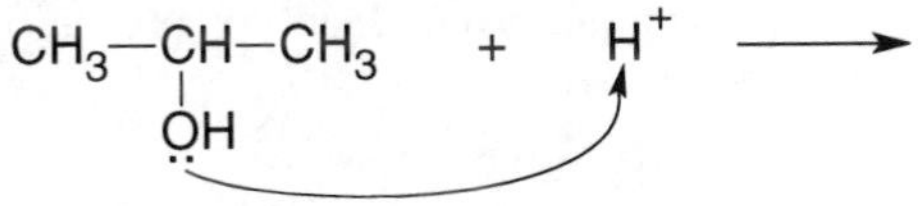

b) $CH_3-CH_2-Br \quad + \quad \ddot{N}H_3 \longrightarrow$

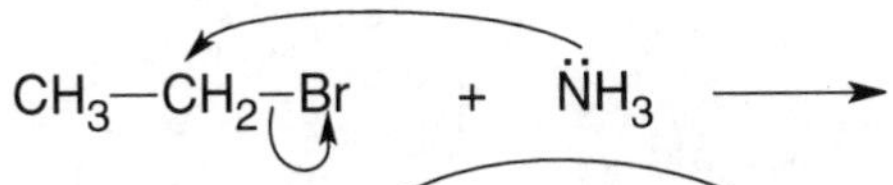

c) $CH_3-CH_2-CH_2-I \quad + \quad CN^- \longrightarrow$

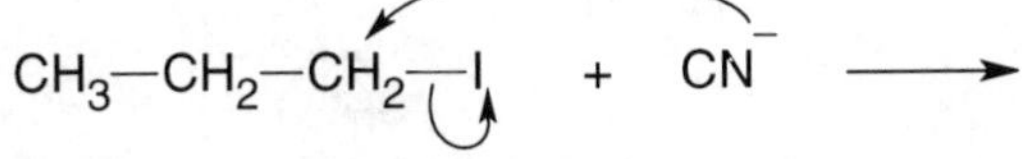

Un peu de chimie culinaire...

Le processus de la cuisson n'est rien d'autre qu'une transformation chimique.

• Le brunissement du pain sous l'effet de la chaleur et celui des fèves de cacao est décrit par la réaction de Maillard. Cette réaction peut se produire entre la fonction aldéhyde d'un glucide et la fonction amine d'un aminoacide. En voici un exemple général:

glucide (sucre)   fonction aldéhyde   fonction amine sur un aminoacide d'une protéine   substance responsable de la coloration brune

• Quand l'eau vous vient à la bouche et que l'odeur vous chatouille les narines devant un steak qui cuit sur le grill, voici ce qui arrive au glycérol, un composant des graisses animales:

$$CH_2-CH-CH_2 \longrightarrow CH_2{=}CH-CHO + 2\,H_2O$$

$$\underset{\text{glycérol}}{OH \quad OH \quad OH} \qquad \underset{\substack{\text{acroléine}\\\text{(substance volatile)}}}{CH_2{=}CH-CHO}$$

• Lorsqu'on cuit des légumes, il est préférable qu'ils cuisent le plus rapidement possible pour garder leur belle couleur vert brillant. Mais la chlorophyle qu'ils contiennent est très sensible à la chaleur (très instable). Pendant le chauffage, le magnésium présent dans la chlorophyle est remplacé par de l'hydrogène; c'est la phéophytination. En voici l'équation générale:

chlorophylles (vert clair)   phéophytines (vert olive terne)

• Qui ne connait pas le brunissement à la surface d'une pomme fraîchement entamée? Il s'agit d'un phénomène d'oxydation, catalysée par une enzyme, qui a lieu à la surface du fruit. Voici un exemple d'une réaction produisant une orthoquinone responsable de brunissement:

fonctions phénoliques (incolore)   orthoquinone (rougeâtre)

• En guise de prévention, on peut abaisser le pH à la surface du fruit par l'ajout de jus de citron (passablement acide). Certains fruits ne brunissent pas, probablement parce qu'ils ne contiennent pas l'enzyme qui catalyse la réaction ou parce qu'ils sont plus acides: oranges, citrons, ananas, fraises et tomates.

✳

EXERCICES 4

Réactivité des substances organiques

4.1 et 4.2 Réactivité générale et polarité

---

1. Si on compare les réactions impliquant des substances inorganiques à celles qui impliquent des substances organiques, pourquoi les réactions sont-elles plus lentes en chimie organique?

2. Expliquer pourquoi la molécule d'eau est polaire.

3. Pourquoi la molécule de méthane est-elle non polaire?

4. Expliquer, en termes de polarité, pourquoi le méthanol est soluble en toutes proportions dans l'eau, alors que l'hexane ne l'est presque pas.

5. La présence de liaisons polaires sur une molécule est-elle suffisante pour conclure à la polarité ou à la non polarité d'une molécule?

6. Classer les molécules suivantes en ordre croissant de polarité:

   a) CH_3OH

   b) $CH_3-CH_2-CH_2-CH_2-OH$

   c) CH_3-CH_2-OH

   d) $CH_3-[CH_2]_6-OH$

7. Indiquer les principaux sites porteurs de charges partielles δ^+ ou δ^- sur les molécules suivantes:

   a) $CH_3-\underset{\underset{Cl}{|}}{CH}-CH_3$

   b) ⬡$-\overset{\overset{O}{\|}}{C}-H$

   c) $CH_3-\overset{\overset{O}{\|}}{C}-OH$

   d) $CH_3-CH_2-CH_2-NH_2$

8. Sur quel carbone des molécules suivantes, l'ion hydroxyde, HO^-, serait-il le plus susceptible d'attaquer? (Localiser d'abord les δ^+ sur les C partiellement positifs.)

   a) $CH_3-CH_2-\underset{\underset{CH_3}{|}}{CH}-Br$

   b) $CH_3-\overset{\overset{O}{\|}}{C}-O-CH_2-CH_3$

   c) $CH_3-CH_2-\underset{\underset{O}{\diagdown}}{CH}\underset{\diagup}{-}CH_2$

   d) CH_3-⬡$-CH_2-Cl$

4.3 Effet inductif

1. Résumer en quelques mots en quoi consiste l'effet inductif engendré par la présence d'un élément très électronégatif.

2. Quel est l'effet de la présence d'un élément très électronégatif comme le chlore sur les électrons d'une liaison σ? Cet effet se propage-t-il de proche en proche à toutes les liaisons?

3. Comparer les deux molécules suivantes au point de vue polarité et dire laquelle possède la constante de dissociation la plus élevée:

   a) $BrCH_2-CH_2-CH_2-CH_2-COOH$ b) $BrCH_2-CH_2-CH=CH-COOH$

4. L'effet inductif peut être attractif ou répulsif.
   a) Dresser une liste en ordre croissant d'effet inductif attractif des fonctions: Br, Cl, I, OH, F et NH_2.
   b) Dresser une liste en ordre croissant d'effet inductif répulsif des groupes: $(CH_3)_2CH$, CH_3, $(CH_3)_3C$ et CH_3CH_2.
   c) Quelle différence y a-t-il en termes d'intensité entre l'effet inductif attractif et l'effet inductif répulsif?

5. Comparer l'acidité des composés suivants entre eux:

   a)   1. $\underset{\displaystyle Br}{CH_3-CH-COOH}$ et   2. $\underset{\displaystyle Cl}{CH_3-CH-COOH}$

   b)   1. $\overset{\displaystyle CH_3}{\underset{\displaystyle CH_3}{CH_3-C-COOH}}$ et   2. CH_3-CH_2-COOH

   c)   1. $HO-CH_2-CH_2-COOH$ et   2. $\underset{\displaystyle OH}{CH_3-CH_2-CH-COOH}$

6. Sachant que la basicité d'un composé est étroitement liée à la disponibilité des électrons, comparer le caractère basique des particules suivantes:

   a)   1. CH_3O^- et   2. $CH_3CH_2O^-$

   b)   1. $CH_3CH_2N\overline{H}$ et   2. $\overline{N}H_2$

   c)   1. CH_3-NH_2 et   2. $CH_3-NH-CH_3$

4.4 Effet mésomère

1. Énumérer cinq faits expérimentaux justifiant la parfaite symétrie de la molécule de benzène.

2. Quelle est la conséquence de cette symétrie sur la stabilité de la molécule de benzène?

3. Représenter la molécule de benzène de manière à mettre en évidence la formation des orbitales π.

4. Représenter, au moyen de flèches courbes, l'équivalence entre les formes limites de résonance de la molécule de benzène. Représenter également la structure de l'hybride de résonance.

5. Que signifie l'expression *décrire la mésomérie d'un système* ?

6. Nommer les deux critères permettant d'affirmer qu'une molécule présente le phénomène de mésomérie. Appliquer ces critères à un exemple simple.

7. Qu'entend-on par *système conjugué* ? (À ne pas confondre avec les termes *acide conjugué* et *base conjuguée*). Donner un exemple simple.

8. Écrire toutes les formes limites et l'hybride de résonance pour:

a) le méthoxybenzène　　　b) l'ion benzyle　　　c) allylphénylcétone

d) *N*-éthylaniline　　　e) penta-1,3-diène　　　f) 3-chlorotoluène

g) benzonitrile　　　h) l'ion benzoate

9. À partir de l'hybride de résonance des molécules suivantes, localiser les points d'entrée d'un réactif positif R^+ (sur le noyau benzénique seulement):

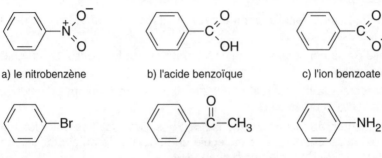

a) le nitrobenzène   b) l'acide benzoïque   c) l'ion benzoate

d) le bromobenzène   e) l'acétophénone   f) l'aniline

Types de réactifs

4.5 Réactifs ioniques ou polaires

1. Regrouper les réactifs suivants en deux catégories: a) les réactifs ioniques ou polaires, b) les réactifs non polaires.

$$H_2 \quad HBr \quad H_2C{=}CH_2 \quad H_2O \quad HO^- \quad Cl_2 \quad O_2$$

2. Définir le terme *nucléophile*. Donner un exemple.

3. Définir le terme *électrophile*. Donner un exemple.

4. Classer les réactifs suivants en deux catégories: a) les réactifs nucléophiles, b) les réactifs électrophiles.

$$H_2C{=}CH_2 \quad RO^- \quad HSO_3^+ \quad ROH \quad H^+ \quad \bar{N}H_2 \quad H^- \quad CH_3O^-$$

$$H_2O \quad R^- \quad AlCl_3 \quad RNH_2 \quad ZnCl_2 \quad HO^- \quad Cl^+ \quad X^- \quad R{-}\overset{+}{C}{=}O$$

$$NO_2^+ \quad Br^- \quad CN^- \quad ROR \quad R^+ \quad R{-}N_2^+ \quad RCOO^- \quad BF_3 \quad NH_3$$

5. Comparer le caractère nucléophile des particules suivantes:

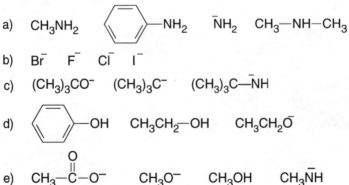

a) CH_3NH_2 ⟨benzène⟩—NH_2 $\bar{N}H_2$ $CH_3{-}NH{-}CH_3$

b) Br^- F^- Cl^- I^-

c) $(CH_3)_3CO^-$ $(CH_3)_3C^-$ $(CH_3)_3C{-}\bar{N}H$

d)   ⟨benzène⟩—OH $CH_3CH_2{-}OH$ $CH_3CH_2\bar{O}$

e) $CH_3{-}\overset{O}{\overset{||}{C}}{-}O^-$ CH_3O^- CH_3OH $CH_3\bar{N}H$

4.6 Autres réactifs

1. Classer les réactifs suivants en quatre catégories:
   - molécules non polaires
   - composés fortement oxygénés
   - métaux
   - composés fortement hydrogénés

$$H_2 \quad KMnO_4 \quad Zn \quad NaBH_4 \quad Ni \quad LiAlH_4 \quad Cl_2$$

$$K_2Cr_2O_7 \quad Br_2 \quad Pt \quad O_3 \quad OsO_4 \quad I_2 \quad O_2 \quad Pd$$

2. Quelle définition pratique de l'oxydation et de la réduction utilise-t-on en chimie organique?

3. Parmi les réactifs de la question 1, lesquels peuvent (théoriquement) effectuer les transformations suivantes;

   a) $CH_3-CH=CH_2 \longrightarrow CH_3-CH_2-CH_3$

   b) $CH_3-CH_3 \longrightarrow CH_3-CH_2-Cl$

   c) aldéhyde $\longrightarrow$ acide carboxylique

   d) alcyne $\longrightarrow$ alcane

   e) $CH_2=CH_2 \longrightarrow Br-CH_2-CH_2-Br$

Réactions

4.7 Généralités

1. Qu'entend-on généralement par *substrat* dans une réaction de chimie organique?

2. Combien de grammes de HCl doit-on utiliser dans la réaction suivante pour obtenir 0,100 mol du produit indiqué à partir de 0,100 mol de propène?

   $$CH_3-CH=CH_2 \quad + \quad HCl \longrightarrow CH_3-CHCl-CH_3$$

4.8 Thermodynamique et cinétique des réactions

1. Définir les termes suivants: a) énergie potentielle, b) état initial, c) état de transition, d) état final, e) complexe activé, f) énergie d'activation, g) chaleur de réaction ou enthalpie (ΔH), h) intermédiaire, i) réaction globale.

2. Représenter par un diagramme énergétique le déroulement d'une réaction simple (celle qui s'effectue en une seule étape) pour chacun des cas suivants, sans oublier de localiser l'énergie d'activation: a) réaction dont $\Delta H < 0$, b) réaction dont $\Delta H > 0$.

3. Par quel moyen peut-on favoriser la réaction entre un substrat et un réactif lorsque la valeur de l'énergie d'activation est très élevée?

4. Représenter par un diagramme énergétique le déroulement d'une réaction complexe (par exemple celle qui s'effectue en deux étapes) pour chacun des cas suivants, sans oublier de localiser les énergies d'activation et l'intermédiaire; identifier clairement les étapes: a) réaction dont $\Delta H < 0$, b) réaction dont $\Delta H > 0$.

4.9 Types de ruptures et intermédiaires de réactions

---

1. Illustrer, à l'aide de flèches courbes, les déplacements d'électrons selon le mode de rupture des liaisons:
   a) la rupture homolytique C—C dans l'éthane,
   b) la rupture hétérolytique C—Cl dans le 2-chloro-2-méthylpropane.

2. Quel genre de réaction implique: a) des ruptures hétérolytiques? b) des ruptures homolytiques?

3. Quelles sont les différences fondamentales entres des ions et des radicaux libres?

4. Comparer la stabilité relative des radicaux libres 1°, 2° et 3°.

5. Représenter la structure tridimensionnelle: a) d'un carbocation 3°, b) d'un carbanion 3°, c) d'un radical libre 3°.

6. Discuter de la stabilité particulière d'un carbocation tertiaire en relation avec l'effet inductif.

7. Comparer la stabilité relative des carbocations suivants:

   a) $CH_3\overset{+}{C}H_2$ $(CH_3)_3C-\overset{+}{C}H_2$ $(CH_3)_2\overset{+}{C}H$ $(CH_3)_3\overset{+}{C}$

   b) +   —$\overset{+}{C}H_2$ —$CH_2-\overset{+}{C}H_2$

8. Parmi les molécules suivantes, indiquer celle qui peut donner naissance au carbocation le plus stable.

   a) $\begin{array}{c} H_3C \\ \\ H_3C \end{array}\!\!\!\diagdown\!\!\!\diagup CH-Br$ b) $CH_3-CH_2-CH_2-Br$ c) $(CH_3)_3C-Br$

4.10 Classification des réactions selon le bilan de réaction

---

1. Qu'entend-on par mécanisme de réaction?

2. Comment est-on arrivé, expérimentalement, à proposer des mécanismes de réaction?

3. Nommer les quatre grandes catégories de réactions?

4. Définir chacune des catégories de réactions et donner un exemple comportant un C de plus que l'exemple utilisé dans le texte.

5. Voici une liste de réactions. Préciser leur catégorie selon les termes suivants: substitution nucléophile (S_N), substitution électrophile (S_E), substitution radicalaire (S_R), addition, élimination, réarrangement, oxydation ou réduction).

a) $CH_3CH_2\!-\!\underset{\underset{\textstyle CH_3}{|}}{CH}\!-\!I$ + NaCN $\longrightarrow$ $CH_3CH_2\!-\!\underset{\underset{\textstyle CH_3}{|}}{CH}\!-\!CN$ + NaI

b) + Cl^+ $\longrightarrow$ $-Cl$ + H^+

c) $-CH_3$ + $KMnO_4$ $\longrightarrow$ $-COOH$

d) $CH_3\!-\!\underset{\underset{\textstyle OH}{|}}{CH}\!-\!CH_3$ + H_2SO_4 $\longrightarrow$ $CH_3\!-\!CH\!=\!CH_2$ + H_2O

e) $CH_3\!-\![CH_2]_4\!-\!CH_3$ $\xrightarrow{\Delta}$ $CH_3\!-\!\underset{\underset{\textstyle CH_3}{|}}{CH}\!-\!\underset{\underset{\textstyle CH_3}{|}}{CH}\!-\!CH_3$

f) $-CH_3$ $\xrightarrow[h\nu]{Cl_2}$ $-CH_2\!-\!Cl$ + HCl

g) $-OH$ $\xrightarrow[Pt]{H_2}$ $-OH$

h) $CH_3\!-\!\underset{\underset{\textstyle CH_3}{|}}{CH}\!-\!Cl$ + $CH_3\!-\!\overset{\overset{\textstyle O}{\|}}{C}\!-\!O^-\,Na^+$ $\longrightarrow$ $CH_3\!-\!\underset{\underset{\textstyle CH_3}{|}}{CH}\!-\!O\!-\!\overset{\overset{\textstyle O}{\|}}{C}\!-\!CH_3$ + NaCl

4.11 Description d'un mécanisme de réaction

1. Quelle est la convention relative au sens du déplacement d'un doublet d'électrons lors de la description d'un mécanisme de réaction? Illustrer par un exemple simple.

2. Quel type de flèches courbes utilise-t-on dans le cas d'une rupture homolytique?

3. Placer les flèches qui décrivent les transformations suivantes:

a) $CH_3CH_2\overset{-}{O}\,Na^+$ + CH_3-Cl $\longrightarrow$ $CH_3CH_2O-CH_3$ + $NaCl$

b)

$\text{Ph}-MgBr$ + $CH_3-\overset{\displaystyle O}{\overset{\|}{C}}-CH_3$ $\longrightarrow$ $CH_3-\overset{\overset{\textstyle \overset{-}{O}\,\overset{+}{M}gBr}{|}}{\underset{\text{Ph}}{C}}-CH_3$

$H\!-\!OH$

$H\overset{-}{O}\,\overset{+}{M}gBr$ + $CH_3-\overset{\overset{\textstyle OH}{|}}{\underset{\text{Ph}}{C}}-CH_3$ $\longleftarrow$

c) $CH_3-\overset{\overset{\textstyle CH_3}{|}}{\underset{\underset{\textstyle CH_3}{|}}{C}}-Br$ $\longrightarrow$ $CH_3-\overset{\overset{\textstyle CH_3}{|}}{\underset{\underset{\textstyle CH_3}{|}}{C}}{}^+$ + $\overset{-}{Br}$

$H-O-H$

HBr + $CH_3-\overset{\overset{\textstyle CH_3}{|}}{\underset{\underset{\textstyle CH_3}{|}}{C}}-OH$ $\overset{\overset{\textstyle \overset{-}{Br}}{}}{\longleftarrow}$ $CH_3-\overset{\overset{\textstyle CH_3}{|}}{\underset{\underset{\textstyle CH_3\;H}{|}}{C}}-\overset{+}{O}-H$

d) $CH_3-CH_2-CH_2-CH_3$ $\longrightarrow$ $CH_3-CH_2-\overset{\cdot}{C}H_2$ + $\overset{\cdot}{C}H_3$

4. Compléter les réactions suivantes et placer les flèches qui décrivent le mécanisme de la réaction.

a) $\overset{+}{C}H_2$ + $\overset{-}{Cl}$ ⟶

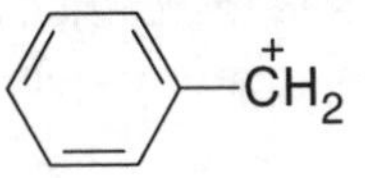

b) $CH_3-\overset{\cdot}{C}H_2$ + $\overset{\cdot}{C}H_3$ ⟶

c) $CH_3-\underset{\underset{CH_3}{|}}{CH}-Br$ + $H\overset{-}{O}$ ⟶

Exercices complémentaires

---

1. Comparer l'acidité des composés suivants:

a) $Cl-CH_2-CH_2-COOH$

c) $CH_3-\underset{|}{CH}-CH_2-COOH$

b) $CH_3-\underset{\underset{Br}{|}}{CH}-CH_2-COOH$

d) $CH_3-CH_2-\underset{\underset{Cl}{|}}{CH}-COOH$

2. Comparer l'acidité du phénol avec celle du cyclohexanol.

3. Pourquoi la méthylamine, CH_3NH_2, est-elle un meilleur nucléophile que l'aniline?

4. Décrire l'effet mésomère et représenter l'hybride de résonance des composés suivants:

a) $=CH-\overset{\overset{O}{\|}}{C}-CH_3$

c) $-\overset{-}{O}$

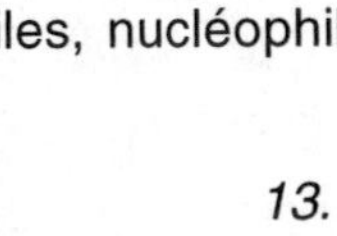

b) $CH_3O-$$-\overset{\overset{O}{\|}}{C}-H$

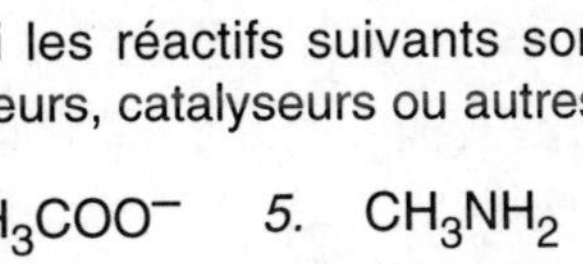

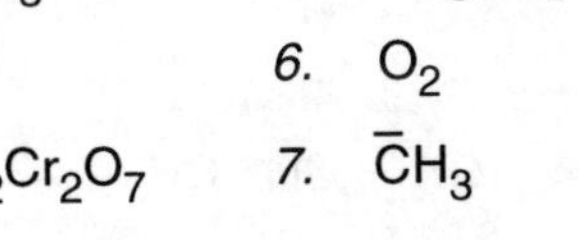

d) $-O-CH_2CH_3$

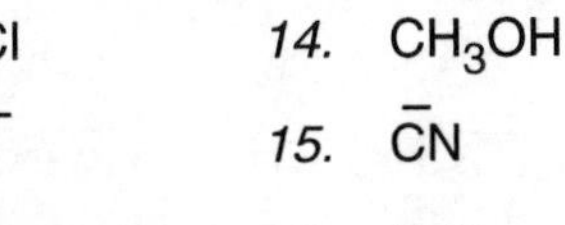

5. Dire si les réactifs suivants sont: électrophiles, nucléophiles, oxydants, réducteurs, catalyseurs ou autres.

1. CH_3COO^-
5. CH_3NH_2
9. H_2
13. $CH_3-\overset{+}{C}=O$

2. Pt
6. O_2
10. HCl
14. CH_3OH

3. $K_2Cr_2O_7$
7. $\overset{-}{C}H_3$
11. $\overset{-}{Cl}$
15. $\overset{-}{C}N$

4. $ZnCl_2$
8. H_2SO_4
12. $CH_3CH_2O^-$
16. $FeBr_3$

6. a) Quelle différence y a-t-il entre un intermédiaire de réaction et un état de transition?

6. b) Lorsqu'on décrit la résonance dans un composé, peut-on dire qu'il s'agit-là d'une réaction de réarrangement?

   c) Pourquoi les électrons σ ne participent-ils pas à la résonance?

   d) Expliquer pourquoi les électrons π sont plus polarisables que les électrons σ.

7. Dire si les réactions suivantes sont des réactions: de substitution électrophile, nucléophile ou radicalaire, d'addition, d'élimination, de réarrangement, d'oxydation ou de réduction. (Note: considérer la première molécule comme substrat.)

   a) [cyclohexane-Br] + KOH $\longrightarrow$ [cyclohexène] + KBr + H_2O

   b) [cyclohexane-Br] + KOH $\longrightarrow$ [cyclohexane-OH] + KBr

   c) CH_3Br + $CH_3O^- Na^+$ $\longrightarrow$ CH_3-O-CH_3 + NaBr

   d) $CH_3-CH=CH-OH$ $\longrightarrow$ CH_3-CH_2-CHO

   e) $CH_3-CH_2-\overset{\overset{\displaystyle CH_3}{|}}{\underset{\underset{\displaystyle CH_3}{|}}{CH}}$ + 8 O_2 $\longrightarrow$ 5 CO_2 + 6 H_2O

   f) [benzène] + NO_2^+ $\longrightarrow$ [benzène]$-NO_2$ + H^+

   g) $CH_3-C\equiv CH$ + HBr $\longrightarrow$ $CH_3-\overset{\overset{\displaystyle}{}}{\underset{\underset{\displaystyle Br}{|}}{C}}=CH_2$

   h) $CH_3-CH=CH_2$ $\xrightarrow[\text{2) Zn, } H_2O]{\text{1) } O_3}$ $CH_3-\overset{\overset{\displaystyle}{}}{\underset{\underset{\displaystyle H}{|}}{C}}=O$ + $H-\overset{\overset{\displaystyle}{}}{\underset{\underset{\displaystyle H}{|}}{C}}=O$

   i) $CH_3-\overset{\overset{\displaystyle Cl}{|}}{CH}-CH_3$ + NaI $\longrightarrow$ $CH_3-\overset{\overset{\displaystyle I}{|}}{CH}-CH_3$ + NaCl

   j) $CH_3-CH=CH_2$ + H_2 $\xrightarrow{Pt}$ $CH_3-CH_2-CH_3$

   ———— ✳ ————

LES HYDROCARBURES 5

Alcanes – Alcènes – Alcynes

Sommaire

Mots / concepts clés

- alcane, alcène, alcyne
- pyrolyse
- hydrogénation catalytique
- réaction de Wurtz
- réaction d'élimination (E1 et E2)
- règle de Saytzev
- déshydratation
- élimination de Hofmann

- réaction stéréospécifique
- alcyne vrai
- combustion
- réaction de substitution radicalaire
- réaction d'addition
- règle de Markovnikov
- réaction d'ozonolyse

Objectifs spécifiques

Vous devez être capable de ...

- classifier les hydrocarbures et en commenter les propriétés physiques;
- décrire les principales synthèses des alcanes, alcènes et alcynes;
- décrire le mécanisme d'élimination;
- prévoir la réactivité des alcanes, alcènes, alcynes et écrire les produits de réaction;
- décrire le mécanisme d'addition sur les alcènes et les alcynes et le mécanisme de substitution radicalaire sur les alcanes;
- appliquer les règles de Saytzev et de Markovnikov;
- relier les hydrocarbures entre eux par un enchaînement de réactions;
- définir et expliquer les mots / concepts clés.

Introduction

5.1 Présentation

Un hydrocarbure ne contient que deux sortes d'éléments: du **carbone** et de **l'hydrogène**.

Qu'il s'agisse d'une substance aussi simple que le gaz naturel, CH_4, (principal constituant) ou d'une cire, $C_{40}H_{82}$, ces deux produits appartiennent à la grande famille des hydrocarbures. Le caoutchouc est un hydrocarbure et le film plastique polyéthylène aussi. Tous les produits pétroliers sont également des hydrocarbures et, d'autres comme les terpènes proviennent des plantes. L' α-pinène, par exemple, est extrait des aiguilles de pin et le β-carotène, responsable de la coloration orange des carottes, correspond à la formule $C_{40}H_{56}$.

5.2 Classification

A. Selon la structure chimique

Les hydrocarbures peuvent être regroupés en différentes classes selon leur structure chimique. Les molécules d'hydrocarbures sont dites saturées si elles ne comportent que des liaisons σ. Elles peuvent alors exister sous forme de chaînes linéaires ou ramifiées: ce sont les hydrocarbures acycliques ou alcanes. On en retrouve en quantité dans le pétrole. Elles peuvent également se présenter sous forme de chaînes fermées ou cycles: les cycloalcanes.

Les molécules d'hydrocarbures insaturés sont celles qui comptent une ou plusieurs liaisons π. Elles aussi peuvent exister sous forme de chaînes linéaires, ramifiées ou sous forme de cycles. Le pétrole à l'état brut en contient peu. C'est le raffinage du pétrole qui permet d'en fabriquer. Certaines plantes en contiennent.

Il existe un autre groupe d'hydrocarbures insaturés, dits benzéniques. Ils portent ce nom parce qu'on retrouve, sur chacune de leurs molécules, une structure de base à six atomes de carbone, dérivée de la molécule C_6H_6 nommée benzène. Ces composés seront examinés au chapitre 6.

Le tableau 5.1 illustre cette classification.

Tableau 5.1 Classification des hydrocarbures.

	Hydrocarbures				
	Saturés		Insaturés		
	acycliques (alcanes)	cycliques (cycloalcanes)	alcènes	alcynes	hydrocarbures benzéniques
Type de liaisons	simples	simples	doubles	triples	doubles
Type de structure	chaîne	cycle	chaîne et cycle	chaîne	cycle
Hybridation des carbones	sp^3	sp^3	sp^2	sp	sp^2
Formule générale	$C_nH_{(2n+2)}$	$C_nH_{(2n)}$	$C_nH_{(2n)}$	$C_nH_{(2n-2)}$	variable
Nomenclature (terminaison)	ane	ane	ène	yne	ène
Origine	pétrole	raffinage du pétrole	plantes et raffinage du pétrole	synthèse	raffinage du pétrole
Exemple	C_3H_8 propane	C_6H_{12} cyclohexane	C_2H_4 éthylène	C_2H_2 acétylène	C_6H_6 benzène
Éb (°C)	-42,1	80,7	-103,7	-84,0	80,1

B. Selon l'état physique

Les hydrocarbures sont des substances dont la polarité est négligeable, ce qui diminue les possibilités de former des liaisons intermoléculaires, en particulier lorsque la masse molaire est faible. Il est donc normal que les plus petits hydrocarbures soient des gaz. Effectivement, le méthane, l'éthane, le propane et le butane sont des gaz à la température ambiante, c'est-à-dire 20-25°C (tableau 5.2).

À mesure que la chaîne carbonée s'allonge, les liaisons de London étant de plus en plus fortes (plus nombreuses), les hydrocarbures deviennent liquides (de plus en plus visqueux) puis, finalement, solides quand la molécule contient plus de dix-sept carbones. On observe notamment cette progression au niveau du point de fusion des hydrocarbures que l'on retrouve dans le tableau 5.2.

Tableau 5.2 Propriétés physiques des alcanes non ramifiés.

Nombre de carbones	Nom	F (°C)	Éb (°C)	Masse volumique (g/mL)	Indice de réfraction n_D^{20}
1	méthane	- 182	-164	0,466a	
2	éthane	- 183,3	- 88,6	0,572a	
3	propane	- 189,7	- 42,1	0,5853b	1,2898b
4	butane	- 138,4	- 0,5	0,5788b	1,3326b
5	pentane	- 130	36,1	0,6262	1,3575
6	hexane	- 95	69	0,6603	1,3751
7	heptane	- 90,6	98,4	0,6837	1,3878
8	octane	- 56,8	125,7	0,7025	1,3974
9	nonane	- 51	150,8	0,7176	1,4054
10	décane	- 29,7	174,1	0,7300	1,4102
11	undécane	- 25,6	196,8	0,7402	1,4398
12	dodécane	- 9,6	216,3	0,7487	1,4216
15	pentadécane	10	270,6	0,7685	1,4315
20	eicosane	36,8	343	0,7886c	1,4425c
30	triacontane	65,8	449,7	0,7750c	1,4536c

a   au point d'ébullition   b   sous pression   c   pour le liquide à basse température

L'état physique des hydrocarbures dépend donc beaucoup de leur structure chimique. Ils peuvent être gazeux, liquides ou solides selon le nombre de carbones qu'ils contiennent. Cependant, les ramifications ont souvent pour effet de les rendre plus volatils à cause d'une diminution de l'efficacité des liaisons de London. Par exemple, on observe une diminution du point d'ébullition chez les pentanes à mesure que le nombre de ramifications augmente.

$$CH_3-CH_2-CH_2-CH_2-CH_3 \qquad CH_3-\overset{\displaystyle CH_3}{\underset{\displaystyle |}{CH}}-CH_2-CH_3 \qquad CH_3-\overset{\displaystyle CH_3}{\underset{\displaystyle \underset{\displaystyle CH_3}{|}}{\overset{|}{C}}}-CH_3$$

pentane	2-méthylbutane (isopentane)	2,2-diméthylpropane (néopentane)
Éb 36,1°C	Éb 27,8°C	Éb 9,5°C

On retrouve le même phénomène chez les isomères de l'hexane, C_6H_{14}, (tableau 5.3).

Tableau 5.3 Propriétés physiques des alcanes en C_6H_{14}.

Nom de l'alcane	Structure	F (°C)	Éb (°C)	Masse volumique à 20°C (g/mL)
hexane	$CH_3[CH_2]_4CH_3$	-95	69	0,6603
3-méthylpentane	$CH_3CH_2\overset{\overset{\displaystyle CH_3}{\vert}}{C}HCH_2CH_3$	-118	63,3	0,6645
2-méthylpentane (isohexane)	$CH_3\overset{\overset{\displaystyle CH_3}{\vert}}{C}HCH_2CH_2CH_3$	-153,7	60,3	0,6532
2,3-diméthylbutane	$CH_3\overset{\overset{\displaystyle CH_3}{\vert}}{C}H\!-\!\overset{\overset{\displaystyle CH_3}{\vert}}{C}HCH_3$	-128,5	58,0	0,6616
2,2-diméthylbutane (néohexane)	$CH_3\overset{\overset{\displaystyle CH_3}{\vert}}{\underset{\underset{\displaystyle CH_3}{\vert}}{C}}CH_2CH_3$	-99,9	49,7	0,6485

Les hydrocarbures saturés sont les plus importants au point de vue économique (pétrole). Toutefois, les hydrocarbures insaturés sont beaucoup plus réactifs. Ils ouvrent donc la porte aux autres fonctions (ce que fait la pétrochimie).

Le pétrole contient surtout des hydrocarbures saturés acycliques à chaînes relativement longues. Ces substances sont transformées chimiquement dans les raffineries en une grande variété d'alcanes, d'alcènes et de composés benzéniques.

Pétrole

Que savons-nous vraiment sur ces composés qui sont à l'origine de la majorité des substances modernes qui font maintenant partie de notre existence (plastiques, colorants, médicaments, etc.)? Nous retenons facilement le prix de l'essence automobile et de l'huile à chauffage, nous savons aussi que ces deux produits brûlent bien et rapidement, mais nos connaissances sur l'impact de l'utilisation des hydrocarbures sur l'environnement sont encore très limitées.

5.3 *Distillation du pétrole brut*

Le pétrole brut ne peut pas être utilisé tel qu'on le trouve dans la croûte terrestre. Il doit d'abord être séparé par distillation en ses différents constituants comme le présente la figure 5.1.

Figure 5.1 Distillation du pétrole brut.

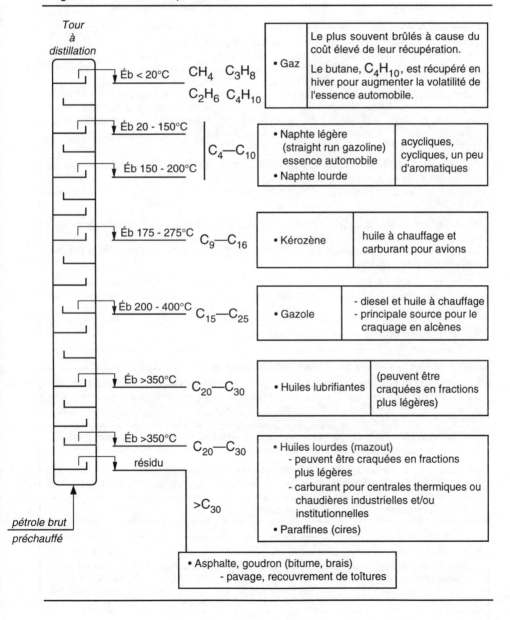

À propos du pétrole...

Le pétrole sert de matière de base pour la fabrication d'un grand nombre de matériaux modernes. Que savons-nous vraiment sur les termes suivants?

– pétrole brut	– gaz naturel	– benzène	– varsol
– hydrocarbure	– propane	– acétylène	– mazout
– raffinerie	– huiles	– naphte	– toluène
– carburant	– butane	– graisses	– caoutchouc
– solvant	– octane	– cires (chandelles)	– essence

Les produits pétroliers occupent environ 40 % de la consommation en énergie au Québec, mais il ne possède pas de gisement de pétrole exploitable. Les raffineries québécoises ont cependant accès au pétrole brut du reste du Canada ou au marché mondial, à partir de deux oléoducs et par voie maritime (superpétroliers qui peuvent contenir jusqu'à 540 000 tonnes de brut). Cet or noir est très abondant dans les pays arabes, mais l'ouest canadien en fournit aussi une importante quantité par ses puits de pétrole et ses sables bitumineux. La région du golfe persique possède plus de la moitié de la réserve mondiale de pétrole. Le gaz naturel, dont le méthane est le principal constituant, nous provient des provinces de l'ouest du Canada par train ou par oléoduc.

Au Québec, la raffinerie Ultramar de St-Romuald traite plus de 120 000 barils de pétrole brut par jour, même quantité pour celle de Shell à Montréal et 87 000 barils pour Pétro-Canada (Montréal). Ces raffineries transforment le pétrole brut en une importante gamme de produits, allant de l'essence, jusqu'à l'asphalte.

À son arrivée à l'usine, le pétrole brut subit une première distillation dans de hautes tours pour séparer le naphte, l'essence, le kérosène, l'huile à chauffage, le diesel, etc. Le résidu est distillé sous vide pour éviter le craquage thermique; on isole ainsi des asphaltes et des gazoles.

Les huiles lourdes sont dirigées vers l'unité de craquage catalytique où, au moyen d'un catalyseur et de chaleur, ces huiles sont transformées en d'autres produits plus légers (des gaz, essences, huile à chauffage, etc.). C'est ce qu'on appelle le raffinage du pétrole. Quant au domaine de la pétrochimie, il consiste en une foule de transformations chimiques des produits pétroliers.

Le superpétrolier Afran Zodiac, tout un bateau!

De propriété américaine et construit au Japon, le Zodiac est aussi large qu'un terrain de football et pourrait en contenir presque trois bout-à-bout avec son impressionnante superficie de 50 mètres par 317 mètres. Il est aussi long que la tour Eiffel. Ce navire est utilisé par la compagnie pétrolière Gulf et peut contenir 320 x 10^6 litres de pétrole brut, ce qui représente suffisamment de pétrole pour produire l'essence servant à remplir les réservoirs de toutes les autos de Chicago.

Le Zodiac reste toutefois un superpétrolier de taille moyenne avec sa capacité de 228 000 tonnes. Le Bellamya de 541 000 tonnes est le plus gros au monde. Il transporte régulièrement des cargaisons de plus de 50 millions de dollars en pétrole brut. Quelles menaces pour l'environnement!

Saviez-vous que...

• le **cyclohehane**, d'abord synthétisé en 1894 et isolé du pétrole en 1895, 70 ans après la découverte du benzène par Faraday en 1825, est fabriqué aujourd'hui surtout par hydrogénation catalytique du benzène (1 à 2 milliards de kg annuellement aux États-Unis). 90% de cet hydrocarbure sert à la fabrication du nylon-6,6 ou 6.

5.4 *Raffinage du pétrole et pétrochimie*

Le raffinage permet de transformer certaines fractions de la distillation en composés primaires, gaz, naphte et gazole, matériaux de base pour la pétrochimie. Le craquage et le reformage constituent les principales étapes de ces transformations. Le **craquage** brise les hydrocarbures à longue chaîne en fragments plus petits, alors que le **reformage** conduit à de nouveaux hydrocarbures (souvent aromatiques) qui ont sensiblement le même nombre de carbones ou un peu plus que les composés de départ. La figure 5.2 en montre quelques possibilités.

Figure 5.2　Quelques transformations possibles des composés primaires extraits du brut.

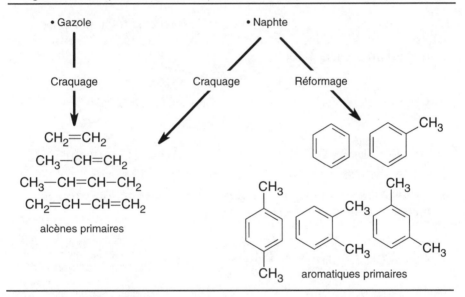

Ces deux modes de transformation du pétrole, réalisés par chauffage à haute température (environ 500°C) avec des catalyseurs variés, sont des réactions de **pyrolyse**. Ces réactions, de type radicalaire, provoquent la rupture de liaisons C—C et C—H et engendrent la production d'un mélange complexe d'alcanes et d'alcènes. Les quatre cas suivants sont des réactions radicalaires provoquées lors de la pyrolyse du pétrole.

1. Rupture de chaîne: bris d'une liaison carbone-carbone pour former un alcane et un alcène plus courts.

$$CH_3\text{—}[CH_2]_{10}\text{—}CH_3 \xrightarrow{\Delta} CH_3\text{—}CH_2\text{—}CH_2\text{—}CH_2\text{—}CH=CH_2$$

hydrocarbure à **12C**

$$+ \quad CH_3\text{—}[CH_2]_4\text{—}CH_3$$

deux hydrocarbures à **6C**

2. Déshydrogénation: l'élimination d'une molécule d'hydrogène provoque la formation d'un alcène. Par exemple,

$$CH_3—[CH_2]_4—CH_3 \xrightarrow{\Delta} CH_3—CH_2—CH_2—CH_2—CH=CH_2 \ + \ H_2$$

      hexane   hex-1-ène

3. Isomérisation: la création d'une ramification produit souvent des substances plus volatiles. Par exemple,

$$CH_3—[CH_2]_4—CH_3 \xrightarrow{\Delta} CH_3—\overset{\displaystyle CH_3}{\overset{|}{CH}}—CH_2—CH_2—CH_3$$

      hexane   2-méthylpentane
      Éb 69°C   Éb 60,3°C

L'isomérisation de l'octane peut produire l'essence de référence pour la détermination de l'indice d'octane*. Celui de l'isooctane (2,2,4-triméthylpentane) est fixé arbitrairement à 100.

$$CH_3—[CH_2]_6—CH_3 \xrightarrow{\Delta} CH_3—\overset{\displaystyle CH_3}{\overset{|}{CH}}—CH_2—\overset{\displaystyle CH_3}{\underset{\displaystyle CH_3}{\overset{|}{\underset{|}{C}}}}—CH_3$$

         octane   isooctane
(indice d'octane: -19)   (indice d'octane: 100)

4. Cyclisation accompagnée de **déshydrogénation**. Par exemple, la transformation de l'hexane en benzène.

$$CH_3—[CH_2]_4—CH_3 \xrightarrow{\Delta} \text{⬡} \ + \ 4 \ H_2$$

      hexane   benzène
(indice d'octane: 25)   (indice d'octane: 106)

> Le benzène est un produit fondamental dans l'industrie chimique. Ses atomes d'hydrogène peuvent être remplacés pour produire plusieurs substances d'usage courant (toluène, phénol, polystyrène, T.N.T. , etc.).

Les catalyseurs utilisés pour ces pyrolyses sont souvent des zéolithes**, aluminosilicates sodiques, accompagnés de platine, nickel ou tungstène et souvent en présence d'hydrogène.

---

 * L'indice d'octane est la mesure des propriétés antidétonantes d'une essence, c'est-à-dire son aptitude à resister au cognement. Le cognement est provoqué par l'auto-allumage de l'essence qui s'enflamme prématurément dans la chambre de combustion à cause de la température élevée qui y règne.

** Il existe une quarantaine de zéolithes naturelles dans les roches volcaniques et sédimentaires et plusieurs zéolithes synthétiques sont disponibles dans le commerce. La formule suivante est celle de la zéolithe A: $Na_{12}(AlO_2)_{12}(SiO_2)_{12}(H_2O)_{27}$.

Le craquage permet surtout de transformer le pétrole brut en plus petits hydrocarbures souvent très utiles comme combustibles. L'essence en est un exemple.

Dans l'opération de craquage, les gaz formés (propane et butane surtout) sont dirigés vers l'unité de polymérisation catalytique. Ces gaz, en présence d'un catalyseur et l'influence d'une pression de l'ordre de 3 800 kPa, se polymérisent pour donner des liquides plus utiles.

$$2 \ CH_3{-}CH_2{-}CH_3 \longrightarrow CH_3{-}CH_2{-}CH_2{-}CH_2{-}CH_2{-}CH_3 \ + \ H_2$$

propane (gaz)　　　　　　　　　　　hexane (liquide)

De son côté, le reformage est surtout utilisé pour la production de liquides aromatiques (composés à structure benzénique). Solvants ou combustibles, ces substances servent aussi de matières premières en pétrochimie. Le toluène est obtenu par le reformage de l'heptane.

$$CH_3{-}[CH_2]_5{-}CH_3 \xrightarrow[\substack{500°C \\ H_2 \ (20 \ atm.)}]{PtSiO_2Al_2O_3}$$

heptane　　　　　　　　　　　　　　　　　　toluène

Le toluène sert à produire aussi des plastiques, des teintures, des médicaments et bien d'autres.

Plusieurs produits obtenus du craquage et du reformage contiennent des impuretés dont le soufre est la principale. Ce soufre est extrait des hydrocarbures par divers procédés, dont l'un peut récupérer jusqu'à 80 tonnes de soufre liquide par jour. L'hydrogène ajouté aux réactions de pyrolyse permet de former de l'ammoniac avec les résidus azotés et du sulfure d'hydrogène avec le soufre. Ces deux gaz sont facilement éliminés.

Une fois séparées, et souvent modifiées par le raffinage, les composantes du pétrole deviennent les pierres d'assise de ce qu'on appelle la *pétrochimie*, i.e. la fabrication de plusieurs milliers d'autres substances organiques dites de synthèse.

C'est donc à partir de l'éthylène, du propène, des butènes, du benzène et de ses quelques dérivés que sont fabriqués les composés organiques que nous utilisons, des produits pharmaceutiques aux plastiques, en passant par les fibres textiles synthétiques.

⎯ Le gaz naturel, mille et un usages... ⎯

Le méthane est le principal constituant du gaz naturel. Son point d'ébullition est de -164 °C, et il possède une faible masse molaire. Le méthane brûle facilement et totalement pour produire une chaleur intense:

$$CH_4 + 2 O_2 \longrightarrow CO_2 + 2 H_2O + 890 \text{ kJ/mol}$$

Au Canada, le gaz naturel est la ressource énergétique la plus abondante: 2,5 trillions de mètres cubes de réserves prouvées tandis que les réserves potentielles se chiffrent à 7 trillions de mètres cubes.

Ce gaz, devenu accessible à tous depuis quelques années, est utilisé comme combustible dans toutes sortes de buts: chauffage, cuisson des aliments, fontionnement des moteurs, etc. Le gaz naturel prend de plus en plus de place dans l'industrie automobile: peut-être qu'un jour nous roulerons tous au gaz naturel! Même si le gaz possède de belles qualités (combustion propre, diminution de l'usure du moteur et des frais d'entretien, démarrage plus rapide par temps froid et fonctionnement plus régulier au ralenti), il y a des ombres au tableau comme la faible distance d'autonomie (65 à 160 km), les postes de ravitaillement peu nombreux et l'important volume du réservoir dans le véhicule. À suivre ...

⎯ De l'ordinaire, du super, mais toujours sans plomb... ⎯

Les moteurs d'automobiles brûlent la gazoline et les pistons se déplacent avec plus ou moins de violence selon la qualité de l'essence. C'est l'indice d'octane qui nous informe sur cette violence de combustion.

L'indice d'octane se définit par une échelle arbitraire construite par l'évaluation du pouvoir antidétonnant (rapport vitesse de combustion et cognement d'un piston standard) de deux hydrocarbures saturés: indice 0 pour l'heptane et indice de 100 pour le 2,2,4-triméthylpentane aussi appelé «isooctane». Le super à 97 d'indice d'octane, par exemple, se comporte comme un mélange de 97% d'isooctane et 3% d'heptane.

Certains additifs, comme le tétraéthyle de plomb, augmentent l'indice d'octane. Toutefois le caractère polluant de ce produit l'a chassé du marché. L'essence sans plomb doit donc contenir des hydrocarbures à haut indice d'octane ou d'autres additifs (sans plomb) comme le 2-méthylpropan-2-ol (alcool butylique tertiaire) .

⎯ Quelques définitions... ⎯

- Un baril de pétrole: mesure liquide du pétrole brut correspondant à 42 gallons US, 158,9873 litres, 0,1589873 mètre cube ou environ 306 livres.

- Quad: un quadrillion de Btu; c'est l'énergie tirée de huit milliards de gallons de gazoline. Ceci correspond à la consommation annuelle de gazoline pour dix millions d'automobiles.

- Btu: abréviation de British Thermal Unit. C'est la quantité de chaleur nécessaire pour élever la température d'une livre d'eau de un degré Farenheit, ce qui correspond à environ 0,25 calorie. La calorie est définie par rapport à un gramme d'eau et un degré Celcius. Une calorie est égale à 4,186 joules.

- Gasohol: aux États-Unis, c'est un carburant constitué de 90% de gazoline sans plomb et 10% d'éthanol. La chaîne Sonic l'offre maintenant aux Québécois.

- OPEP: l'organisation des pays exportateurs de pétrole constituée de treize nations qui travaillent à établir des politiques d'un marché commun du pétrole.

Allons-nous manquer d'essence?

On calcule, qu'au Canada, les réserves connues de pétrole suffiraient à alimenter la consommation domestique durant environ 10 ans. Il y a déjà plusieurs années que cette évaluation a été avancée et plusieurs variables peuvent la modifier: prix du pétrole, nouvelles ressources énergétiques etc.

Selon la revue *The Economist*, les réserves ultimes de pétrole dans le monde dureront encore plus d'un siècle. Les experts du deuxième congrès mondial de pétrole, tenu à Houston en 1987, écrivaient, à propos du pétrole et du gaz: «bien que les ressources soient évidemment limitées, leurs quantités actuellement connues apparaissent suffisantes pour satisfaire la demande pour plusieurs décennies et certainement au-delà d'un avenir prévisible».

Au Canada, si on inclut les sables bitumineux, les réserves ultimes de plus de 56 milliards de mètres cubes (plus de 350 milliards de barils) dureraient plusieurs siècles. Dans les pays arabes, le bilan est le suivant:

Réserves de pétrole des pays arabes*

Pays	Réserves de pétrole en **milliards** de barils
Arabie Saoudite	257,6
Irak	100,0
Émirats Arabes	98,1
Unis	97,1
Koweit	92,9
Iran	4,5
Qatar	4,5
Égypte	4,3
Oman	1,7
Syrie	

De leur côté, la Jordanie et Israël n'en possèdent que 5,0 et 1,5 millions de barils respectivement.

*National Geographic février 1991.

La raison principale permettant d'écarter la crainte d'en manquer, est que les marchés, si on n'interfère pas dans leur fonctionnement, devraient continuer d'ajuster automatiquement l'offre à la demande.

Cela se fait soit par la découverte et l'exploitation de nouvelles réserves, (à mesure que le prix du pétrole augmente), soit par la mise au point d'énergie de remplacement (combustion du bois et des déchets, énergie solaire, éolienne, nucléaire, etc.). Dans le cas de l'essence, les carburants de remplacement possibles incluent les produits tirés de végétaux, comme le méthanol et l'éthanol, ainsi que des carburants comme le propane et le gaz naturel comprimé. Donc pas de panique!

Les sables pétrolifères, intéressant!

Les sables pétrolifères de l'Ouest du Canada contiennent 175 fois plus de pétrole que toutes les réserves du Canada. On évalue que les gisements pétrolifères de l'Alberta sont parmi les plus importants au monde, avec plus de 1,2 trillion de barils en place. À présent, cependant, seulement 200 milliards de barils sont récupérables par l'intermédiaire de techniques d'exploitation minière et d'exploitation *in situ*.

Synthèse des hydrocarbures

Tant que le pétrole demeure la source naturelle abondante d'hydrocarbures, leur synthèse en laboratoire n'a pas beaucoup d'intérêt. Or le pétrole contient surtout des alcanes; il faut donc préparer de toutes pièces les alcènes et les alcynes dont l'industrie a besoin au moyen des réactions chimiques appropriées de la pétrochimie.

5.5 Synthèse des hydrocarbures saturés (alcanes)

Comme nous venons de le voir, les alcanes s'obtiennent facilement et en grande quantité à partir du pétrole. Toutefois, en laboratoire, on peut avoir besoin, à l'occasion, de transformer un carbone substitué ou un carbone insaturé en un carbone saturé. Dans cette optique, voici deux des principales méthodes de synthèse des alcanes en laboratoire:

- l'hydrogénation catalytique,
- la condensation de deux halogénures.

5.5.1 L'hydrogénation catalytique

L'hydrogénation catalytique, en général, consiste à faire réagir l'hydrogène gazeux en présence d'un **catalyseur**. Ce catalyseur est très souvent un métal (en poudre fine) comme **Pt, Ni ou Pd.** Le palladium est toutefois un peu moins efficace que les deux autres.

Ce type de réaction implique la rupture homolytique de liaisons. Il s'agit principalement de l'addition radicalaire de l'hydogène gazeux sur les hydrocarbures insaturés. L'hydrogénation catalytique peut aussi s'appliquer aux halogénures par la substitution radicalaire.

À cause du caractère non polaire et de la faible polarisabilité de la molécule d'hydrogène (petite taille), celle-ci ne peut que fournir des radicaux libres lors de sa décomposition. Ainsi, à l'aide de catalyseurs métalliques tels que Pt, Ni ou Pd, l'hydrogène gazeux se fixe à la surface de ces métaux pulvérisés et se scinde ensuite en deux radicaux libres très réactifs.

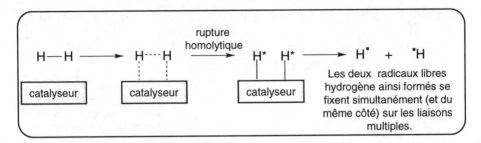

Exemple

L'alcène est plan dans la région de la liaison double et les deux radicaux libres hydrogène se fixent d'un seul côté de ce plan. Cette réaction est appelée addition *cis*.

a. Hydrogénation d'un composé insaturé

À partir d'un alcène, on obtient facilement l'alcane correspondant.

alcène $\xrightarrow[\text{Ni}]{\text{H}_2}$ alcane

À partir d'un alcyne, l'addition d'hydrogène catalysée par Pt ou Ni conduit aussi à l'alcane correspondant, mais avec le palladium, la réduction peut s'arrêter à l'alcène. Ce catalyseur est obtenu de la façon suivante: le palladium est précipité sur du carbonate de calcium et traité par de l'acétate de plomb et de la quinoléine. Ce catalyseur s'appelle catalyseur de Lindlar*.

alcène $\xleftarrow[\substack{\text{Pd} \\ \text{catalyseur} \\ \text{de Lindlar}}]{\text{H}_2}$ alcyne $\xrightarrow[\text{Ni}]{\text{H}_2}$ alcène $\xrightarrow[\text{Ni}]{\text{H}_2}$ alcane

Exemple:

$$CH_3-CH=CH_2 \xleftarrow[\substack{\text{Pd} \\ \text{catalyseur} \\ \text{de Lindlar}}]{\text{H}_2} CH_3-C{\equiv}C-H \xrightarrow[\text{Ni}]{2\,\text{H}_2} CH_3-CH_2-CH_3$$

propène   propyne   propane

---

*Herbert H.M. Lindlar, né en 1909. Il a travaillé chez Hoffmann La Roche et Co. S. A., Bâle, Suisse.

L'**addition radicalaire** s'amorce par la formation de deux radicaux libres (H• •H) à la surface du catalyseur, lesquels se fixent ensuite simultanément du même côté de la liaison double; c'est une addition *cis*. En voici une illustration avec le but-2-ène:

Noter que les deux hydrogènes se sont fixés du même côté de la liaison carbone-carbone.

(*E*)-but-2-ène

Ce procédé d'hydrogénation est couramment utilisé en industrie pour transformer les huiles végétales en margarines, obtenir des graisses végétales ou produire d'autres «solides» comme le beurre d'arachides. L'hydrogénation des huiles en élève la température de fusion, donc transforme des liquides en solides (voir Complément A sur les lipides, section A.2).

b. Hydrogénation d'un halogénure *(substitution radicalaire)*

L'hydrogénation catalytique peut aussi transformer un halogénure en alcane par substitution radicalaire; cette méthode est cependant peu utilisée.

$$R{-}X \xrightarrow[Pd]{H_2} R{-}H + HX$$

Le palladium est employé pour catalyser cette réaction. C'est le cas de l'hydrogénation du bromoéthane.

$$CH_3{-}CH_2{-}Br \xrightarrow[Pd]{H_2} CH_3{-}CH_3 + HBr$$

bromoéthane   éthane

5.5.2 La condensation de deux halogénures

Cette réaction, appelée **réaction de Wurtz,** consiste à mettre un halogénure en présence d'un métal actif, comme le sodium, pour obtenir la condensation des deux chaînes carbonées de l'halogénure.

$$2\,R{-}X + 2\,Na \longrightarrow R{-}R + 2\,NaX$$

alcane

L'alcane formé (R—R) est symétrique et sa chaîne carbonée est deux fois plus longue que celle de l'halogénure de départ. Par exemple,

$$2\ CH_3{-}CH_2{-}CH_2{-}\mathbf{Br} \xrightarrow{\ 2\ Na\ } CH_3{-}CH_2{-}CH_2{-}CH_2{-}CH_2{-}CH_3 + 2\ NaBr$$

       1-bromopropane   hexane

         3 carbones   **6** carbones

Cette méthode permet de rallonger une chaîne carbonée, mais son utilité est restreinte par le fait qu'elle conduit aux alcanes **symétriques**, c'est-à-dire ceux qui contiennent un nombre pair de carbones, puisqu'ils proviennent de la condensation de deux groupes identiques. Si l'on utilise deux halogénures **différents** au départ, la réaction produira **plusieurs** alcanes différents.

$$CH_3{-}\mathbf{Br} + CH_3{-}CH_2{-}\mathbf{Br} \xrightarrow{\ 2\ Na\ } CH_3{-}CH_3 + CH_3{-}CH_2{-}CH_3$$

                                         éthane   propane

$$+ CH_3{-}CH_2{-}CH_2{-}CH_3 + 2\ NaBr$$

                                  butane

Ce dernier exemple montre bien que cette méthode doit se limiter à la production d'alcanes symétriques si l'on espère de bons rendements. La réaction de Wurtz n'est par ailleurs presque plus utilisée à cause de cette restriction, du danger de travailler avec du sodium métallique et aussi de l'accès aux alcanes rendu très facile par les raffineries de pétrole.

1. À partir du bromoéthane, comment pourrait-on obtenir:
   a) de l'éthane? b) du butane?

2. Comment peut-on transformer le benzène en cyclohexane?

3. Que donne l'acétylène avec l'hydrogène en présence de palladium?

5.6 *Synthèse des alcènes*

Les alcènes étant insaturés, il faut s'attendre à **les obtenir** surtout par des réactions **d'élimination**. Les deux principaux types de substrats qui peuvent donner des alcènes de cette manière sont les halogénures et les alcools.

$$R{-}X \xrightarrow[\text{forte}]{\text{base}} \ \ \overset{\diagdown}{\underset{\diagup}{C}}{=}\overset{\diagup}{\underset{\diagdown}{C}} \ \ \xleftarrow[\text{anhydre}]{\text{acide}} R{-}OH$$

   halogénure   **alcène**   alcool

Pour réaliser efficacement l'élimination sur l'halogénure, il faut utiliser des bases fortes telles que

> • l'ion hydroxyde　HO^-
> • l'ion amidure　　NH_2^-
> • un ion alcoolate　RO^-

L'élimination sur un alcool se réalise, pour sa part, en présence d'un acide anhydre comme l'acide sulfurique concentré ou l'acide phosphorique.

Dans les deux cas, le **mécanisme** de la réaction peut se dérouler en une ou deux étapes.

A. Le mécanisme en **une étape**, appelé **E2 ou bimoléculaire**, est favorisé par les substrats **primaires** et les solvants non ionisants comme le benzène, le cyclohexane ou autre solvant peu ou non polaire.

Élimination E2

> mécanisme dit concerté (en une seule étape)
>
> vitesse de réaction $= k\,[\text{substrat}]^1 \times [\text{réactif}]^1$

- La vitesse de cette réaction est proportionnelle à la concentration du substrat et du réactif. C'est une réaction d'ordre 2 ou **bimoléculaire**.

- **Y** et **Z** représentent les deux groupes éliminés dits groupements amovibles. Le premier, **Y**, est très souvent un hydrogène alors que le second, **Z**, doit être un élément (ou un groupe d'atomes) **plus électronégatif que le carbone.**

GROUPEMENTS AMOVIBLES *Z*	$-X$	$-OH$	$-O-\overset{\displaystyle O}{\overset{\displaystyle \|}{C}}-R$	$-\overset{+}{N}R_3$

- **Nu** représente un donneur d'électrons (nucléophile) qui se comporte comme une **base**. Mais attention, lorsque l'élimination s'effectue sur un alcool, Z est un —OH et le réactif doit être un acide (voir 5.6.2).

En voici un exemple avec l'action de l'hydroxyde de potassium (base forte) sur le 1-bromopropane.

$$CH_3-CH-CH_2 \quad + \quad K^+OH^- \quad \longrightarrow \quad CH_3-CH=CH_2 \quad + \quad H_2O \quad + \quad KBr$$

propène

1-bromopropane   base forte
un halogénure **primaire**

B. Le mécanisme en **deux étapes**, appelé **E1**, est favorisé par les substrats **tertiaires** et les solvants ionisants comme l'eau, l'éthanol ou autre solvant polaire. Ce mécanisme passe par l'intermédiaire d'un **carbocation**.

$$-\overset{|}{\underset{Y}{C}}-\overset{Z}{\underset{|}{C}}- \quad \longrightarrow \quad -\overset{|}{\underset{Y}{C}}-\overset{+}{\underset{|}{C}}- \quad \overset{Nu}{\longrightarrow} \quad \overset{\textstyle\diagdown}{}C=C\overset{\textstyle\diagup}{} \quad + \quad Nu-Y \quad + \quad Z^-$$

(lent)   (rapide)

carbocation

Élimination E1

mécanisme en deux étapes passant par la
formation d'un carbocation

vitesse de réaction $= k\,[\,\text{substrat}\,]^1$

• La vitesse de cette réaction est proportionnelle à la concentration du seul substrat. C'est une réaction d'ordre 1 ou **unimoléculaire**.

• **Y**, **Z** et **Nu** sont les mêmes que pour le mécanisme E2.

En voici un exemple avec l'action de l'hydroxyde de sodium (base forte) sur le 2-chloro-2-méthylpropane.

$$CH_2-\overset{Cl}{\underset{CH_3}{\overset{|}{C}}}-CH_3 \quad \longrightarrow \quad CH_2-\overset{+}{\underset{CH_3}{\overset{|}{C}}}-CH_3 \quad + \quad Na^+OH^- \quad \longrightarrow \quad CH_2=C\overset{\textstyle CH_3}{\underset{\textstyle CH_3}{}} \quad \begin{matrix}+ \ H_2O \\ + \ NaCl\end{matrix}$$

2-chloro-2-méthylpropane   base forte   2-méthylpropène
un halogénure **tertiaire**   en solution
                                      aqueuse

Dans la première étape du mécanisme, le substrat tertiaire forme un carbocation favorisé et stabilisé par l'eau (un solvant polaire). L'élimination est complétée par l'attaque de HO⁻ favorisée par la formation d'eau, acide très faible (voir chapitre 4). L'encombrement stérique autour du groupement amovible nuit au mécanisme E2.

5.6.1 Synthèse d'un alcène à partir d'un halogénure R–X

Pour produire une élimination sur R–X, **le nucléophile fort qui joue le rôle de base forte** (parce qu'il existe une forte tendance à former un acide très faible en s'attaquant à un hydrogène) donne les meilleurs résultats. Le mécanisme de cette élimination peut être de type E1 ou E2 selon la nature du substrat (rappelons que le substrat primaire favorise E2 et le tertiaire E1).

Réaction générale

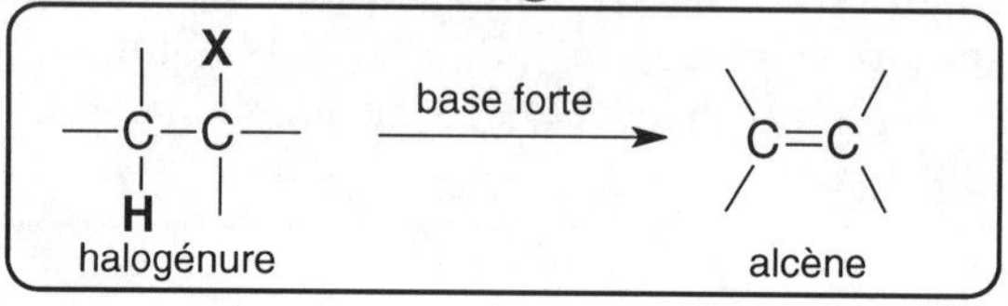

Exemple à partir du 2-bromopropane:

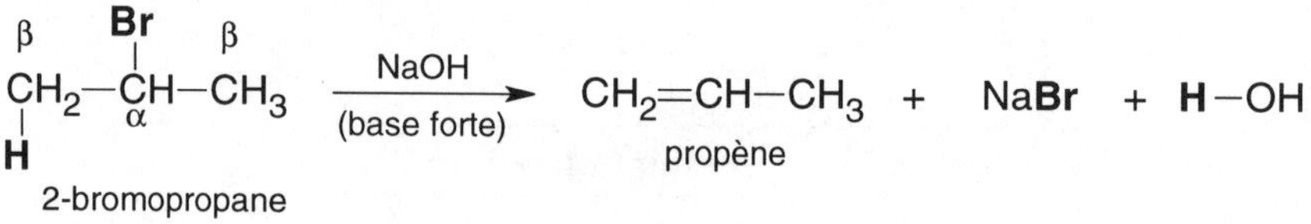

Élimination facile conduisant exclusivement au propène. L'hydrogène éliminé peut provenir indifféremment de l'un ou de l'autre des carbones β.

---

2 Si la vitesse de la réaction précédente est doublée par le fait de doubler la concentration de NaOH, décrire le mécanisme de cette réaction.

Ce genre de réaction peut aussi bien s'effectuer avec d'autres bases comme un alcoolate ou l'amidure de sodium. Ainsi, l'élimination unimoléculaire sur le 2-bromo-2-phénylpropane conduit facilement au 2-phénylpropène avec le méthanolate de sodium; en voici le mécanisme de réaction:

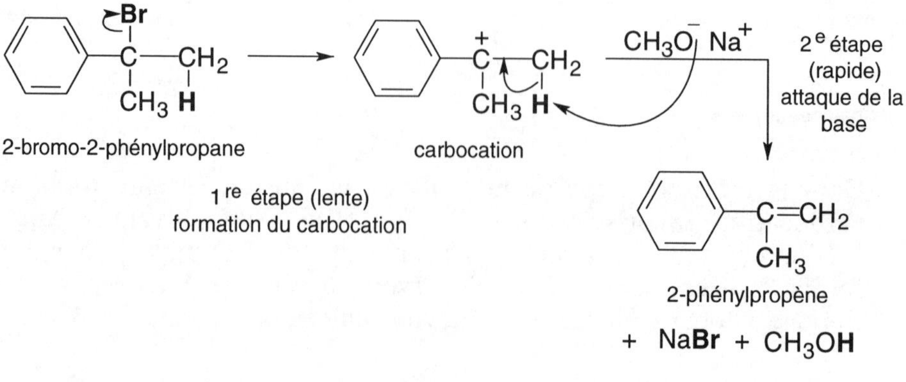

Qu'en est-il maintenant avec le 2-bromo-3-méthylbutane qui possède deux carbones β substitués différemment?

$$CH_3-\overset{\beta}{\underset{\underset{CH_3}{|}}{CH}}-\overset{\overset{Br}{|}}{\underset{\alpha}{CH}}-\overset{\beta}{CH_3} \xrightarrow{\text{NaOH}} ?$$

2-bromo-3-méthylbutane

Deux cas sont possibles:

i. Élimination à partir du carbone β de gauche (**le plus substitué**), pour former:

(A) $CH_3-\underset{\underset{CH_3}{|}}{C}=CH-CH_3$

(produit majeur)

ii. Élimination à partir du carbone β de droite (**le moins substitué**), pour former:

(B) $CH_3-\underset{\underset{CH_3}{|}}{CH}-CH=CH_2$

L'expérience démontre que les deux substances A et B se forment, mais A prédomine.

Ce type d'élimination est soumis à une règle générale dite **Règle de Saytzev*.**

> Dans une réaction d'élimination, lorsque plusieurs carbones β portent de l'hydrogène, c'est le carbone **le plus substitué** (celui qui a le moins d'hydrogène) qui subit l'élimination.

En voici un exemple sur le 2-chlorométhylcyclohexane:

2-chlorométhylcyclohexane   prédominant

3 Si vous faites réagir le 2-bromo-2-phénylpentane dans une solution aqueuse de KOH, quels alcènes pourriez-vous obtenir? Lequel serait prédominant? Décrire le mécanisme le plus probable de cette réaction.

---

*La règle de Alexandre M. Saytzev, chimiste russe (1841-1910), s'applique surtout si le groupement amovible est X ou OH.

5.6.2 Synthèse d'un alcène à partir d'un alcool R–OH

Les alcools peuvent être déshydratés ($-H_2O$) pour donner des alcènes, mais cette réaction atteint un équilibre et nécessite l'aide d'un catalyseur comme l'acide sulfurique concentré ou tout autre acide anhydre comme H_3PO_4. Les acides de Lewis comme $AlCl_3$ et BF_3 peuvent aussi produire la déshydratation des alcools. Cette élimination, comme celle sur R—X, suit la règle de Saytzev.

Cette réaction **d'équilibre** se représente globalement comme suit:

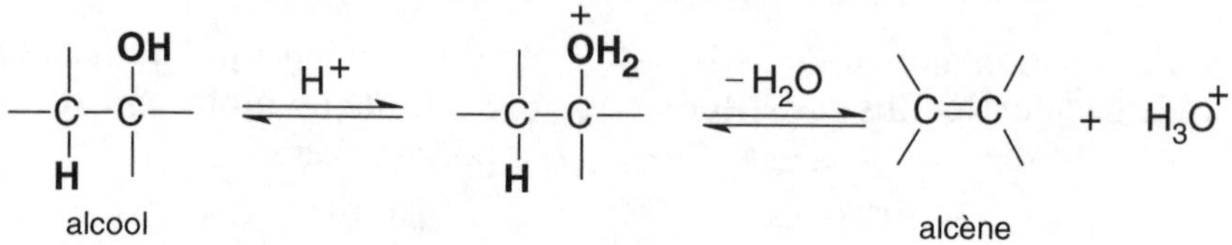

Le mécanisme de cette élimination se déroule par E1 ou E2, comme pour les éliminations en milieu basique, sauf que ces mécanismes sont **toujours** précédés d'une étape de protonation, ce qui donne:

• **L'étape de protonation:**

À la manière de l'eau qui, en présence d'acide, forme l'ion H_3O^+, l'alcool fixe facilement un proton pour créer un groupement amovible efficace.

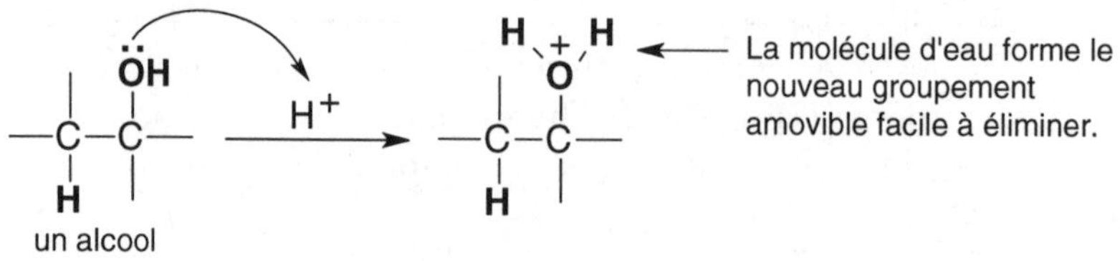

La molécule d'eau forme le nouveau groupement amovible facile à éliminer.

L'élimination s'amorce ensuite par un mécanisme E1 ou E2 selon le type d'alcool.

Les alcools **tertiaires** se déshydratent surtout en suivant un mécanisme E1 parce qu'ils forment des carbocations relativement plus stables que les alcools primaires ou secondaires. La déshydratation des alcools secondaires passe aussi (généralement) par ce type de mécanisme.

• **Mécanisme E1** (en deux étapes)

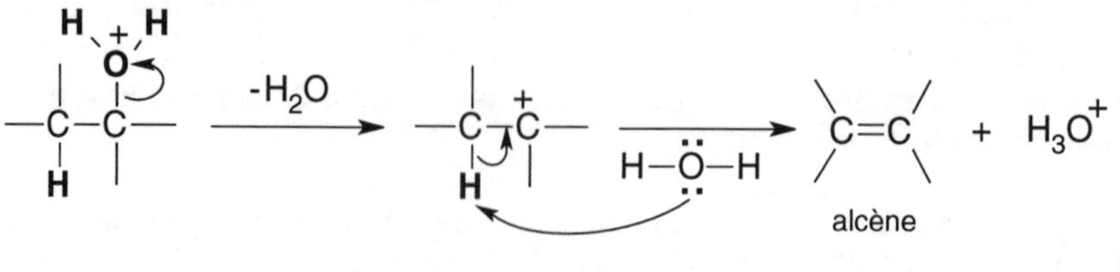

• **Mécanisme E2** (en une seule étape)

Si l'alcool de départ est **primaire**, le mécanisme E2 est favorisé après l'étape de protonation. Les alcools primaires sont difficiles à déshydrater, il faut utiliser des conditions expérimentales plus rigoureuses que pour les autres catégories d'alcools. Par exemple, il faut chauffer le propan-1-ol à 180°C avec de l'acide sulfurique concentré pour former le propène.

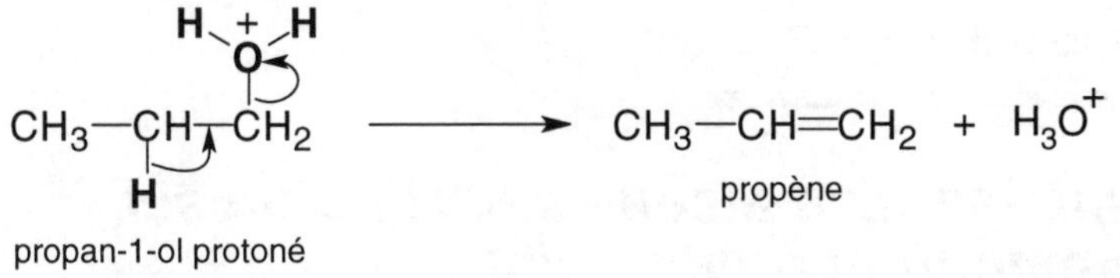

propan-1-ol protoné

Voici trois exemples d'élimination conduisant à des alcènes à partir d'alcools.

a. Mécanisme **E1**, favorisé quand l'alcool est **tertiaire.**

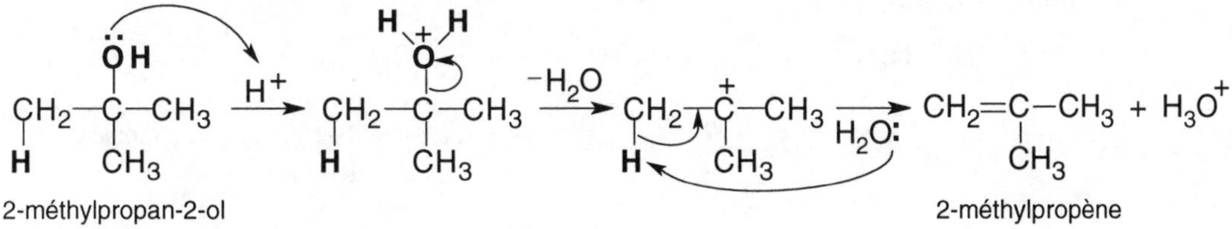

2-méthylpropan-2-ol

2-méthylpropène

b. Mécanisme **E2**, favorisé quand l'alcool est **primaire.**

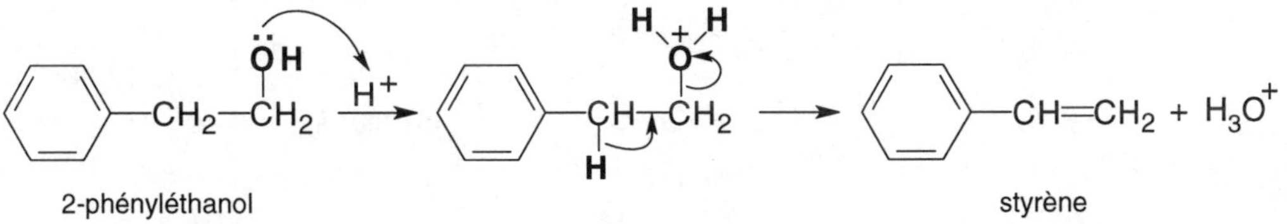

2-phényléthanol

styrène

c. Application de la règle de Saytzev.

3-méthylbutan-2-ol

prédominant
(règle de Saytzev)

Compléter et décrire le mécanisme le plus probable des réactions suivantes:

1. 1-méthylcyclohexan-1-ol + H_3PO_4 ⟶

2.

$$\text{(phényle)}-\overset{\displaystyle OH}{\underset{\displaystyle |}{CH}}-CH_2-CH_3 + H_2SO_4 \text{ conc.} \longrightarrow$$

3. hexan-1-ol + H_2SO_4 conc. $\xrightarrow{\Delta}$

5.6.3 Synthèse d'un alcène à partir d'un sel d'ammonium quaternaire

Les sels d'ammonium sont bien connus en chimie inorganique comme, par exemple, le chlorure d'ammonium, NH_4^+ Cl^-. Ce genre de sel existe aussi en chimie organique. Ils proviennent des amines, comme dans la réaction suivante:

$$CH_3-CH_2-NH_2 + 3 CH_3-I \longrightarrow CH_3-CH_2-\overset{+}{N}(CH_3)_3 \; I^-$$

un sel d'ammonium quaternaire:
l'iodure d'éthyltriméthylammonium
analogue de NH_4^+ I^-

Pour produire une élimination, la formule générale d'un tel sel se présente comme suit, où $Z = \overset{+}{N}R_3$ (groupement amovible):

$$\underset{Y}{\overset{Z}{\underset{\beta \;|\;\;|\; \alpha}{-C-C-}}} \qquad \left(-\underset{H}{\overset{\overset{+}{N}R_3}{\underset{|\;\;|}{C-C-}}} \right) I^- \quad \text{analogue à} \quad -\underset{H}{\overset{\overset{+}{O}H_2}{\underset{|\;\;|}{C-C-}}}$$

sel d'ammonium quaternaire

Le caractère positif du groupement amovible permet une élimination facile, mais son encombrement a pour conséquence de s'opposer à la règle de Saytzev. En effet, une telle élimination conduit préférentiellement à l'alcène le moins substitué; ce type d'élimination est appelée **élimination de Hofmann***.

---

*Le chimiste August Wilhelm von Hofmann découvrit ce comportement en 1881.

L'oxyde d'argent aqueux produit les ions hydroxydes nécessaires à réaliser ce genre d'élimination.

$$Ag_2O \; + \; H_2O \longrightarrow 2\,AgOH$$

Dans un premier temps, il y a substitution de l'ion iodure par l'ion hydroxyde formé par l'oxyde d'argent et l'eau. L'élimination du groupement amovible procède ensuite par un mécanisme E2 (le plus souvent). Un bon chauffage favorise l'élimination. Par exemple,

groupement amovible

$$CH_3-\underset{\underset{CH_3}{|}}{\overset{\overset{+}{N(CH_3)_3}}{\underset{\beta}{CH}}}-\underset{\alpha}{CH}-\underset{\beta}{CH_3} \xrightarrow[\substack{H_2O \\ \Delta}]{Ag_2O} \left[CH_3-\underset{\underset{CH_3}{|}}{\underset{\beta}{CH}}-\underset{\alpha}{CH}-\underset{\overset{|}{H}}{\overset{+}{N(CH_3)_3}}{CH_2} \; HO^- \right] + \; AgI_{(s)}$$

$$CH_3-\underset{\underset{CH_3}{|}}{C}=CH-CH_3 \; + \; CH_3-\underset{\underset{CH_3}{|}}{CH}-CH=CH_2$$

+ $N(CH_3)_3$

+ H_2O

prédominant

(L'hydrogène éliminé provient du carbone β qui en possède **le plus**, celui de droite).

⟨5⟩ 1. Compléter la réaction suivante:

$$CH_3-CH_2-\underset{\underset{CH_3}{|}}{\overset{\overset{CH_3}{|}}{C}}-CH_2-\underset{\underset{CH_3}{|}}{\overset{\overset{CH_3}{|}}{C}}-\overset{\overset{CH_3}{|}}{\underset{\underset{CH_3}{|}}{N}}^+ CH_3 \; \; I^- \xrightarrow[\substack{H_2O \\ \Delta}]{Ag_2O}$$

2. Décrire la réaction suivante par un mécanisme bimoléculaire.

$$CH_3-\underset{\underset{Cl}{|}}{CH}-\underset{\underset{CH_3}{|}}{CH}-\text{⬡} \xrightarrow{NaOH}$$

5.6.4 Synthèse d'un alcène à partir d'un dihalogénure vicinal

Un dihalogénure vicinal (deux halogènes sur des carbones voisins) peut perdre ses deux halogènes sous l'action d'un métal donneur d'électrons comme le zinc (ce sont les deux électrons 4s du zinc qui amorcent cette réaction). Il y aura formation d'un alcène et de dihalogénure de zinc par un mécanisme de type E2. Les halogènes se placent alors dans une conformation telle que l'encombrement est réduit au minimum (opposés).

$$-\overset{|}{C}-\overset{|}{C}- \quad\xrightarrow{\text{Zn}}\quad \overset{\diagdown}{\underset{\diagup}{C}}=\overset{\diagup}{\underset{\diagdown}{C}} \quad + \quad \text{ZnX}_2$$

dihalogénure vicinal   alcène

En voici un exemple avec le 1,2-dibromopropane:

$$CH_3-CH-CH_2 \quad\xrightarrow{\text{Zn}}\quad CH_3-CH=CH_2 \quad + \quad \text{ZnBr}_2$$

1,2-dibromopropane   propène

5.6.5 Autres synthèses d'alcènes

Il est également possible d'obtenir un alcène par réduction partielle d'un alcyne (hydrogénation catalytique). Cette réduction est difficile à contrôler et conduit souvent à l'alcane, produit de réduction totale (voir 5.5.1), ce qui donne:

$$-C\equiv C- \quad\xrightarrow[\text{catalyseur}]{H_2}\quad \overset{H}{\underset{\diagup}{}}\!\!C=C\!\!\overset{H}{\underset{\diagdown}{}} \quad\xrightarrow[\text{catalyseur}]{H_2}\quad -\overset{H}{\underset{H}{C}}-\overset{H}{\underset{H}{C}}-$$

alcyne   alcène   alcane

difficile d'arrêter à cette étape
(possible avec le catalyseur de Lindlar)

En industrie, l'éthylène sert de matière première pour l'obtention d'une foule de produits commerciaux comme le polyéthylène, l'éthylèneglycol, le chlorure de vinyle et bien d'autres. Il est surtout préparé à partir de l'éthane. Ce gaz est soumis, sur une courte période de temps, à de hautes températures:

$$CH_3-CH_3 \quad\xrightarrow{700\text{-}900°C}\quad CH_2=CH_2 \quad + \quad H_2$$

éthane   éthylène

En résumé, les alcènes sont obtenus par des réactions d'élimination à partir d'un halogénure, d'un alcool ou d'un sel d'ammonium quaternaire. Généralement la réaction nécessite une base forte, mais avec un alcool comme substrat, c'est un acide anhydre qui permet l'élimination. La synthèse d'un alcène se résume ainsi:

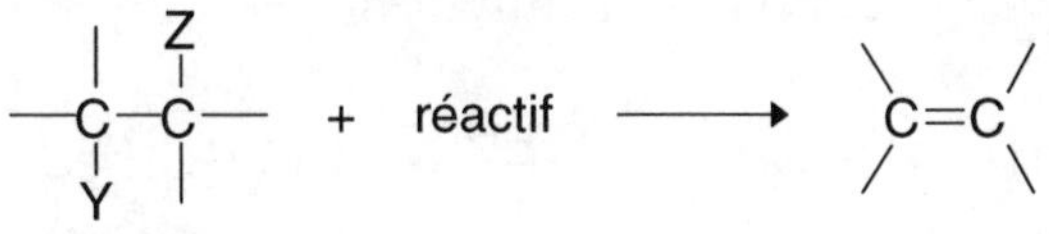

substrat   alcène

Substrat		Réactif
Z	**Y**	
—X	H	base forte (HO$^-$, RO$^-$, NH$_2^-$)
—OH	H	acide anhydre (H$_2$SO$_4$, H$_3$PO$_4$)
—$\overset{+}{N}$R$_3$	H	(Ag$_2$O et H$_2$O) source d'ions HO$^-$
—X	—X	Zn

6 Trouver les inconnues A, B, C, D, E et F des réactions suivantes:

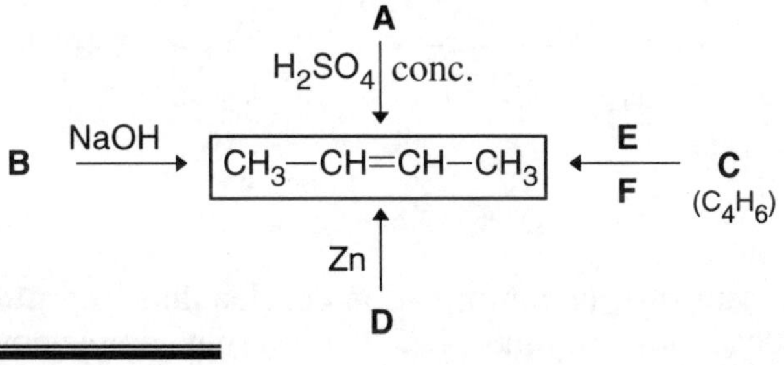

Saviez-vous que...

• l'**éthylène** est utilisé commercialement pour la fabrication de divers plastiques (65%), de l'antigel (éthylèneglycol) (10%) et de quelques solvants (5%).

Il est aussi transformé chimiquement en plusieurs dérivés comme: le polyéthylène (45%), le chlorure de vinyle (15%), le styrène (10%) et l'oxyde d'éthylène.

CH$_2$=CH$_2$
éthylène
Éb -103,7 °C

• le **propène** peut servir à l'obtention du cumène (utilisé pour la synthèse du phénol) par réaction de Friedel-Crafts sur le benzène. Il sert aussi à la fabrication de plusieurs plastiques.

CH$_3$—CH=CH$_2$
propène
Éb -47,4 °C

5.6.6 Stéréochimie des réactions d'élimination E2

Lorsque les réactions d'élimination sont localisées sur des carbones asymétriques et se déroulent par un mécanisme de type E2, il devient pertinent de s'attarder un peu sur la nature des produits formés. En voici un exemple avec le 2-bromo-3-méthylpentane.

$$CH_3-\overset{*}{CH}-\overset{*}{CH}-CH_2-CH_3 \xrightarrow{\text{NaOH}} CH_3-CH=C-CH_2-CH_3$$
$$\underset{\text{Br}}{|}\quad\underset{\text{CH}_3}{|} \qquad\qquad\qquad \underset{\text{CH}_3}{|}$$

2-bromo-3-méthylpentane   3-méthylpent-2-ène

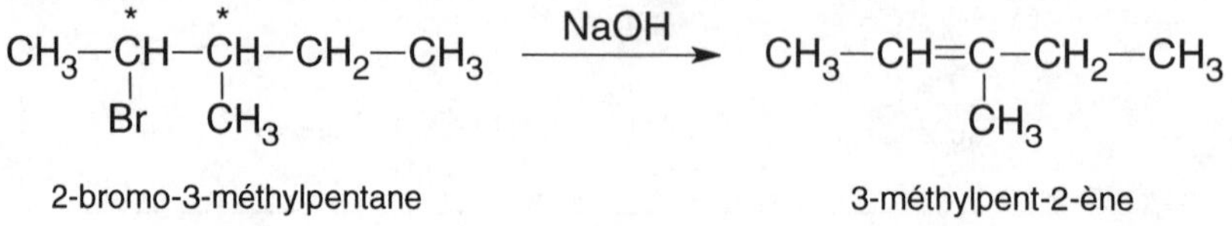

L'alcène obtenu dans cette élimination est-il l'isomère **E** ou l'isomère **Z** ?

Pour répondre convenablement à cette interrogation, il faut:

> **1.** préciser la nature de l'isomère de départ (est-il *érythro* ou *thréo* ?);
>
> **2.** décrire précisément le mécanisme d'élimination E2 en utilisant une projection de Newman.

Voici le mécanisme d'élimination à partir d'un isomère *thréo*:

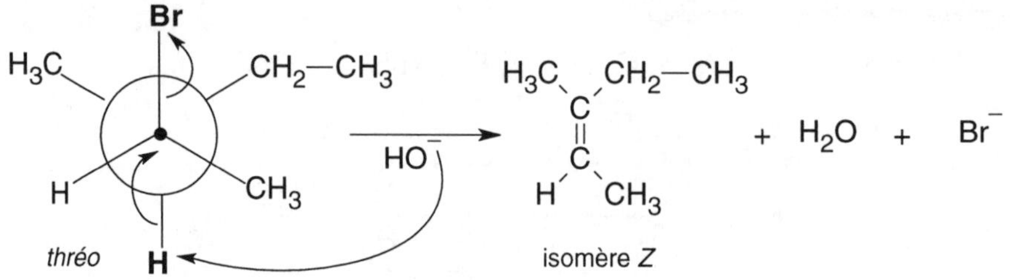

Dans ce mécanisme, la conformation décalée du substrat dans laquelle les deux substituants éliminés (ici, H et Br) sont complètement **opposés,** explique la formation préférentielle de l'isomère *E* ou de l'isomère *Z*. Dans l'exemple précédent, la forme *thréo* du substrat a conduit à l'isomère *Z*. Une telle réaction est qualifiée de **stéréospécifique,** puisqu'elle ne produit qu'une seule structure moléculaire.

L'élimination par le zinc, sur un dihalogénure vicinal, conduit aussi à un seul isomère insaturé. En voici un exemple avec le 2,3-dibromobutane:

$$CH_3-\overset{Br}{\underset{Br}{\overset{*}{C}H}}-\overset{*}{C}H-CH_3 \xrightarrow{\quad Zn \quad} CH_3-CH{=}CH-CH_3 \quad + \quad ZnBr_2$$

2,3-dibromobutane　　　　　　　　　　　　　but-2-ène

Lors de cette élimination E2, le substrat prend la conformation où **les deux halogènes sont opposés**, afin de réduire au minimum l'encombrement stérique. En projection de Newman, l'élimination se déroule comme suit:

$$\text{(projection de Newman, thréo)} \xrightarrow{\quad Zn \quad} \overset{H_3C}{\underset{H_3C}{\diagdown}}C{=}C\overset{H}{\underset{H}{\diagup}} \quad + \quad ZnBr_2$$

thréo　　　　　　　　　　　　　　　　　　*Z*

L'isomère *méso* donne l'alcène *E* .

$$\text{(projection de Newman, méso)} \xrightarrow{\quad Zn \quad} \overset{H}{\underset{H_3C}{\diagdown}}C{=}C\overset{CH_3}{\underset{H}{\diagup}} \quad + \quad ZnBr_2$$

méso　　　　　　　　　　　　　　　　　　*E*

Note: *Pour un substrat érythro, on obtient aussi un alcène E.*

 1. Effectuer la réaction de l'isomère *érythro* du 2-chloro-3-phénylbutane avec l'hydroxyde de sodium. En montrer la stéréochimie.

2. Décrire le mécanisme de la réaction du zinc sur l'isomère *thréo* du 2,3-dibromo-2-phénylbutane.

Des alcènes dans les plantes...

Les terpènes sont des alcènes qui comptent un multiple entier du nombre de carbones (5) de l'isoprène (le 2-méthylbuta-1,3-diène). On les retrouve dans une grande variété de plantes, en voici quelques exemples:

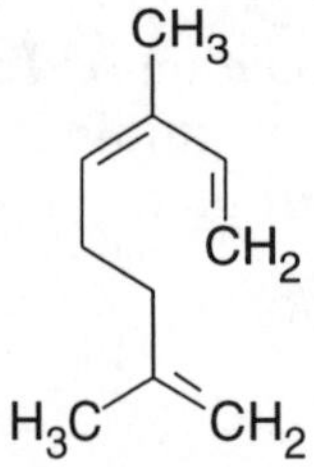

ocimène
liquide,
Éb 176-8 °C
se décompose

Extrait du basilic, plante
aromatique.

myrcène
liquide,
Éb 167 °C

Extrait de la
baie du laurier.

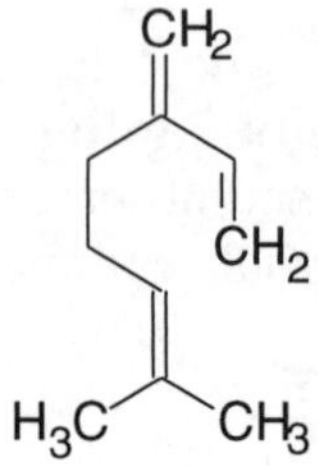

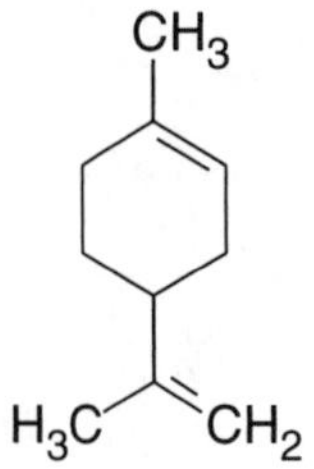

limonène
liquide,
Éb 177-8 °C

Extrait des aiguilles de
pin, de la menthe et des
fruits du genre citrus.

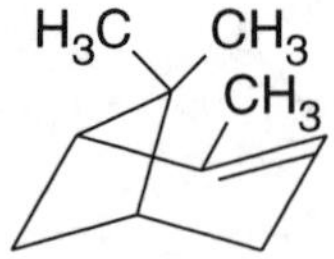

α-pinène
liquide,
Éb 156 °C

Principal constituant de la
térébenthine (résine
semi-liquide de certains
conifères).

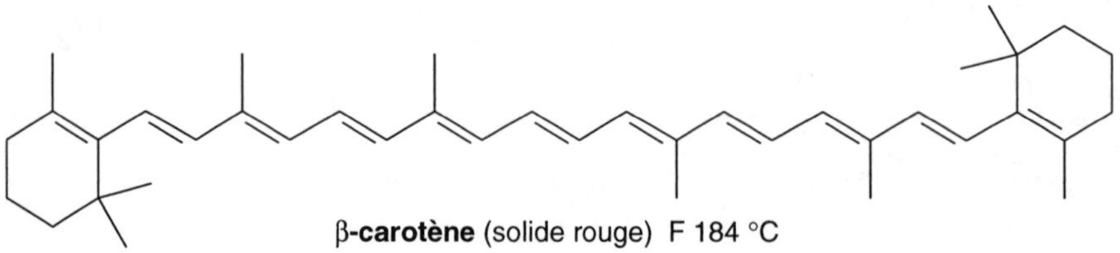

β-carotène (solide rouge) F 184 °C

Substance responsable de la couleur orangée de la carotte. C'est l'important système conjugué de cette structure qui cause cette coloration. La vitamine A, avec ses 20 carbones, est obtenue par la rupture centrale du β-carotène.

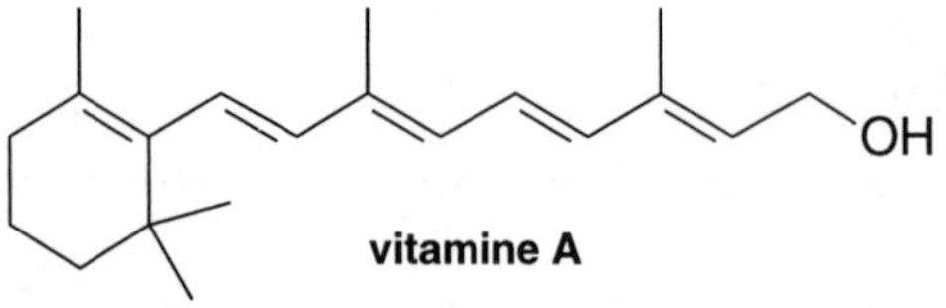

vitamine A

Cette vitamine sous forme
d'alcool primaire, s'oxyde en
rétinal (aldéhyde correspondant)
qui joue un rôle important dans le
phénomène de la vision.

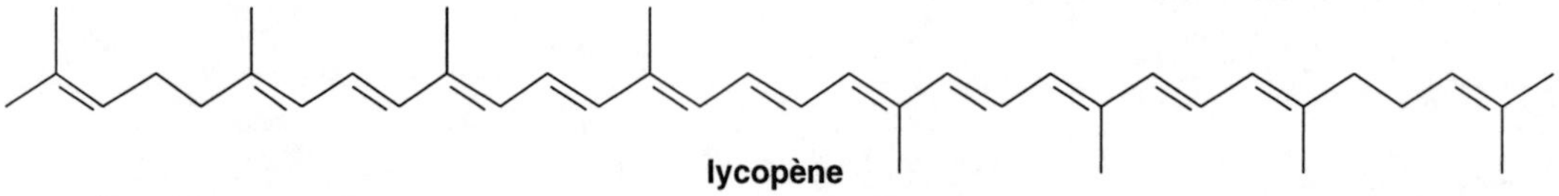

lycopène

Colorant rouge de la tomate, on le retrouve aussi dans d'autres fruits et dans l'huile de palme.

5.7 *Synthèse des alcynes*

Comme les alcènes, les alcynes sont des composés insaturés. Il n'est donc pas surprenant que leur principale méthode de synthèse soit aussi **l'élimination**.

En effet, les liaisons triples apparaissent suite à une réaction de double élimination sur un dihalogénure géminal ou vicinal.

$$
\begin{array}{c}
\underset{\substack{|\\H}}{\overset{\substack{H\\|}}{C}}-\underset{\substack{|\\X}}{\overset{\substack{X\\|}}{C}}
\quad \xrightarrow[\text{- 2 HX}]{\text{base forte}} \quad
\boxed{-C\equiv C-}
\quad \xleftarrow[\text{- 2 HX}]{\text{base forte}} \quad
\underset{\substack{|\\H}}{\overset{\substack{X\\|}}{C}}-\underset{\substack{|\\H}}{\overset{\substack{X\\|}}{C}}
\end{array}
$$

dihalogénure géminal   **alcyne**   dihalogénure vicinal

Le mécanisme de ces réactions est de type E2 répété, comme celui décrit pour la synthèse des alcènes. Le réactif est une base forte comme NaOH, KOH, $RO^-\,Na^+$ ou $NaNH_2$. Pour obtenir efficacement l'alcyne terminal, on utilise principalement l'amidure de sodium dans l'ammoniac liquide parce qu'avec les autres bases il peut y avoir isomérisation de la liaison triple.

$$
CH_3-CH_2-\underset{\substack{|\\ \textbf{Br}}}{CH}-\underset{\substack{|\\ \textbf{Br}}}{CH_2} \quad \xrightarrow[\substack{NH_3\\ \text{liquide}}]{NaNH_2} \quad CH_3-CH_2-C\equiv CH
$$

but-1-yne

Lorsque l'élimination est réalisée en chauffant l'halogénure dans une solution d'hydroxyde de potassium dans l'alcool, il y a migration (isomérisation) de la liaison triple.

$$
CH_3-CH_2-\underset{\substack{|\\ \textbf{Br}}}{CH}-\underset{\substack{|\\ \textbf{Br}}}{CH_2} \xrightarrow[\Delta]{KOH} CH_3-CH_2-C\equiv CH \xrightarrow{KOH} CH_3-C\equiv C-CH_3
$$

dans l'éthanol   La réaction continue et   but-2-yne
la liaison triple migre   produit final
vers le centre.

En industrie, **l'acétylène** est produit en grande quantité à cause de son implication dans l'obtention d'une foule d'autres substances et aussi de sa grande utilité en soudure et dans le travail des métaux.

Deux procédés importants sont utilisés pour obtenir l'acétylène:

- à partir du carbone et de la chaux,
- à partir du méthane.

- # À partir du carbone et de la chaux

$$3\,C + CaO \xrightarrow[\substack{\text{à pression}\\\text{élevée}}]{2500°} CaC_2 + CO$$

coke   chaux   carbure
                                      de calcium

$$(C\equiv C)^- Ca^{+2} + 2\,H_2O \longrightarrow H-C\equiv C-H + Ca(OH)_2$$

acétylène

Remarquer que les conditions expérimentales sont très rigoureuses (haute température et pression) et que les matières premières (C, CaO, H_2O) sont peu couteuses et accessibles. Cela reflète bien les caractéristiques d'un procédé industriel.

- # À partir du méthane

La pyrolyse du méthane sur une très courte période de temps produit une bonne quantité d'acétylène.

$$2\,CH_4 \xrightarrow[\substack{\text{à pression}\\\text{élevée}}]{1\,500°C} H-C\equiv C-H + 3\,H_2$$

méthane   acétylène

L'acétylène constitue le substrat de départ pour la synthèse de plusieurs autres alcynes (voir 5.11, réactivité des alcynes).

Nomenclature optionnelle des alcynes

Cette famille de composés organiques est souvent identifiée par l'expression générale, **composés acétyléniques,** puisqu'ils ont tous un certain lien de parenté avec l'acétylène. Dans ce sens, il arrive de remplacer occasionnellement les noms systématiques de l'UICPA par des noms reliés à l'acétylène, surtout si la chaîne carbonée n'est pas trop complexe. Les alcynes se nomment alors: **alkylacétylènes**.

Formule générale:

$$R-\boxed{C\equiv C}-R$$

alkyle   acétylène   alkyle

Exemples

1. $CH_3-C\equiv C-CH_3$

    diméthylacétylène

2. $CH_3-\underset{\underset{CH_3}{|}}{CH}-C\equiv C-CH_2-CH_3$

    éthylisopropylacétylène

1. Nommer, selon les règles de l'UICPA, les composés 1 et 2 présentés dans l'encadré de la page précédente.

2. Compléter les réactions suivantes:

   a) $\xleftarrow[\Delta]{KOH}$ CH$_3$—[CH$_2$]$_4$—CHCl$_2$ $\xrightarrow[\substack{NH_3 \\ liquide}]{NaNH_2}$

   dans l'éthanol

   b) $\underset{\underset{CH_3}{|}}{\overset{\overset{Br \qquad Br \qquad CH_3}{| \qquad | \qquad |}}{CH_2-CH-C-CH_3}}$ $\xrightarrow[\substack{\Delta \\ \text{dans l'éthanol}}]{KOH}$

   c) $\underset{\underset{Br \qquad Br}{| \qquad |}}{\overset{\overset{CH_3 \quad CH_3}{| \qquad |}}{H_3C-C-C-CH_3}}$ $\xrightarrow[\substack{\Delta \\ \text{dans l'éthanol}}]{KOH}$

3. Nommer trois substances naturelles qui pourraient servir à la synthèse de l'acétylène.

Un alcyne commun, mais très chaud...

$H-C\equiv C-H$

acétylène

Éb -84,0 °C

Surtout utilisé pour la soudure et la coupe des métaux, sa flamme fait fondre l'acier. Il sert de matière première pour la fabrication de l'acétaldéhyde et de l'acide acétique.

Des alcynes rares, cruels ou guérisseurs...

À l'état naturel, les alcynes sont très rares, mais certaines plantes et autres organismes vivants en contiennent quelques-uns. Certains de ces alcynes sont des poisons mortels comme l'ichthyothéréol qui contient un système conjugué de trois liaisons triples; d'autres comme le 17-éthynylestradiol est un estrogène plus efficace dans le contrôle des naissances que les hormones naturelles.

Saviez-vous que...

• le **benzène** est surtout obtenu du pétrole par des pyrolyses catalytiques. Ses principaux dérivés sont: l'éthylbenzène (50%), le cumène (15%), le cyclohexane (15%) et l'aniline (5%). Il sert à la fabrication du polystyrène (25%) et des nylons (20%). Le phénol et l'acétone sont obtenus à partir du cumène.

benzène

Éb 80,1 °C

F 5,5 °C

masse volumique: 0,8765 g / mL

Réactivité des hydrocarbures

5.8 **Combustion**

Les alcanes qui ne contiennent que des liaisons σ sont beaucoup moins réactifs que les hydrocarbures insaturés. Ces derniers possèdent des électrons π, plus disponibles, et favorisent une grande variété de réactions.

Il existe cependant une réaction commune à tous les hydrocarbures, la combustion. En effet, ces substances organiques brûlent très bien en dégageant beaucoup d'énergie. Voici quelques exemples:

$$CH_4 \ + \ 2\,O_2 \longrightarrow CO_2 \ + \ 2\,H_2O \ + \ 890,9 \text{ kJ/mol}$$
méthane

$$CH_2{=}CH_2 \ + \ 3\,O_2 \longrightarrow 2\,CO_2 \ + \ 2\,H_2O \ + \ 1\,411,9 \text{ kJ/mol}$$
éthylène

$$2\,CH{\equiv}CH \ + \ 5\,O_2 \longrightarrow 4\,CO_2 \ + \ 2\,H_2O \ + \ 1\,300,5 \text{ kJ/mol}$$
acétylène

5.9 *Réactivité des alcanes*

Comme il vient d'être mentionné, les alcanes brûlent bien mais ce ne sont pas les produits formés, CO_2 et H_2O, qui nous intéressent dans la combustion; c'est l'énergie dégagée.

Les alcanes peuvent-ils être transformés en d'autres substances organiques utiles? Oui. Mais considérant la faible réactivité de ces substances saturées, il faut s'attendre à:

- des réactions difficiles (conditions expérimentales rigoureuses),
- des mécanismes radicalaires,
- un mélange de produits,
- une variété limitée de réactions.

Dans le cadre de ce cours, seulement deux types de réactions seront brièvement examinés:

　　　　　• la pyrolyse　• l'halogénation

5.9.1 La pyrolyse

La pyrolyse des alcanes a été mentionnée à la section 5.4 lors de la description du raffinage du pétrole. Cette méthode de transformation produit une variété de réactions radicalaires telles:

- la rupture de chaînes
- l'isomérisation
- la déshydrogénation
- la cyclisation

Cette réaction ne sera pas détaillée davantage.

5.9.2 L'halogénation (substitution radicalaire)

Les hydrocarbures saturés sont de polarité négligeable. Il est donc normal que les substitutions dans lesquelles ils sont impliqués soient de type radicalaire.

En général, les réactions radicalaires sont le propre des substrats et des réactifs de faible polarité. Les hydrocarbures saturés deviennent donc des substrats intéressants pour subir ce type de réaction. Quant aux réactifs, les molécules diatomiques non polaires comme H_2 et Cl_2 sont très utilisées. En ce qui concerne **l'halogénation**, la chloration est la plus utilisée pour diverses raisons comme la grande réactivité du chlore, son bas prix et la facilité de sa préparation (électrolyse du chlorure de sodium). La réactivité des halogènes, dans ce genre de réactions, décroit du fluor à l'iode. Le fluor est peu utilisé parce qu'il est dispendieux et très corrosif; de son côté, l'iode est si peu réactif qu'il ne peut être utilisé.

Ces réactions nécessitent la présence de catalyseurs pour être amorcées. La lumière ultraviolette, par exemple, joue très souvent ce rôle. Ce sont d'ailleurs les réactions photochimiques qui priment dans ce domaine.

Le catalyseur produit des ruptures homolytiques du réactif et engendre la formation de radicaux libres. Le contrôle de ces intermédiaires de réaction est difficile et conduit inévitablement à un **mélange** de produits.

La réaction entre le méthane et le chlore moléculaire illustre bien cette halogénation.

Réaction globale

$$CH_4 + Cl_2 \xrightarrow{\text{lumière}} CH_3{-}Cl + HCl + \text{autres produits}$$

méthane

chlorométhane
produit principal

Cette réaction radicalaire peut comprendre trois étapes:

- phase d'initiation,
- phase de propagation,
- phase d'arrêt.

Étape 1: *Phase d'initiation*

Dans cette étape, il n'y a que la formation de radicaux libres à partir du réactif.

$$Cl \overset{x}{\underset{\bullet}{|}} Cl \xrightarrow{\text{lumière}} Cl^x + {}^{\bullet}Cl$$

rupture homolytique   deux radicaux libres

Étape 2: *Phase de propagation*

Les radicaux libres formés lors de la première étape s'attaquent au substrat pour produire un seul nouveau radical libre et un nouveau composé. Le nouveau radical libre formé peut continuer de réagir de la même façon et le nouveau composé également subir l'attaque de radicaux libres. On assiste alors à une réaction en chaîne.

$$H_3C \overset{x}{\underset{\bullet}{|}} H \quad + \quad {}^{\bullet}Cl \longrightarrow H_3C^x \quad + \quad HCl$$

$$H_3C^x \quad + \quad Cl \overset{x}{\underset{\bullet}{|}} Cl \longrightarrow CH_3{-}Cl \quad + \quad {}^{\bullet}Cl$$

$$ClH_2C \overset{x}{\underset{\bullet}{|}} H \quad + \quad {}^{\bullet}Cl \longrightarrow ClH_2C^x \quad + \quad HCl$$

Étape 3: *Phase d'arrêt*

Le jumelage de radicaux deux à deux met fin à la réaction au cours de cette étape.

$$H_3C^x \quad + \quad {}^xCH_3 \longrightarrow CH_3{-}CH_3$$

$$^{\bullet}Cl \quad + \quad {}^{\bullet}Cl \longrightarrow Cl{-}Cl$$

$$ClH_2C^x \quad + \quad {}^{\bullet}Cl \longrightarrow Cl{-}CH_2{-}Cl$$

$$ClH_2C^x \quad + \quad {}^{\bullet}CH_2Cl \longrightarrow Cl{-}CH_2{-}CH_2{-}Cl$$

$$ClH_2C^x \quad + \quad {}^xCH_3 \longrightarrow Cl{-}CH_2{-}CH_3$$

> En résumé, selon cet exemple, les produits formés sont:
>
> $Cl{-}CH_2{-}CH_2{-}Cl$
> $CH_3{-}CH_2{-}Cl$
> $Cl{-}CH_2{-}Cl$
> $CH_3{-}CH_3$
> $CH_3{-}Cl$
> $Cl{-}Cl$
> HCl

Même si ce genre de réaction conduit effectivement à un mélange de produits, le chlorométhane demeure le plus abondant.

Les réactions radicalaires ouvrent toutefois la porte sur le domaine des halogénures, lesquels sont d'une grande utilité lors de la synthèse d'alcènes et de bien d'autres composés. Les alcanes qui donnent les meilleurs résultats sont ceux qui ont le plus de liaisons C—H identiques puisqu'il y a une différence de réactivité entre un carbone primaire, secondaire ou tertiaire. En général les liaisons C—H tertiaires sont les plus réactives, mais encore là, la proportion des produits formés doit tenir compte aussi de la **proportion** des diffétents types de liaisons C—H présents dans l'alcane de départ. La nature de l'halogène influence aussi le site de la substitution; avec le fluor et le brome, il y a beaucoup d'exceptions.

• Chloration de l'éthane, tous les H sont sur des carbones primaires.

$$CH_3CH_3 + Cl_2 \xrightarrow{h\nu} CH_3CH_2Cl + HCl$$

éthane

chloroéthane
produit en
bonne quantité

• Chloration du 2-méthylpropane, neuf des H sont sur des carbones primaires et un seul H est sur un carbone tertiaire.

2-méthylpropane　　　　1-chloro-2-méthylpropane　2-chloro-2-méthylpropane
produit prédominant

Dans cet exemple, on note expérimentalement la formation de presque deux fois plus du produit de substitution d'un H sur un carbone primaire même s'il est au départ moins réactif. C'est le rapport 9:1 des hydrogènes primaires qui provoque ce résultat, même si l'hydrogène tertiaire est plus réactif. En résumé, il n'est pas évident de prévoir le résultat précis d'une substitution radicalaire, il y a plusieurs variables à considérer.

• Chloration d'un hydrocarbure benzénique.

toluène

L'halogène se fixe sur la
chaîne latérale et non sur
le cycle benzénique.

⑨ Identifier les inconnues A et B.

éthylbenzène + Cl_2 $\xrightarrow{h\nu}$ **A** $\xrightarrow{NaOH}$ **B**

5.10 *Réactivité des alcènes*

Contrairement aux alcanes, les alcènes sont très réactifs à cause de la disponibilité de leurs électrons π. Cette réactivité est analysée ici face à deux grandes classes de réactions: • **l'addition**　• **l'oxydation**

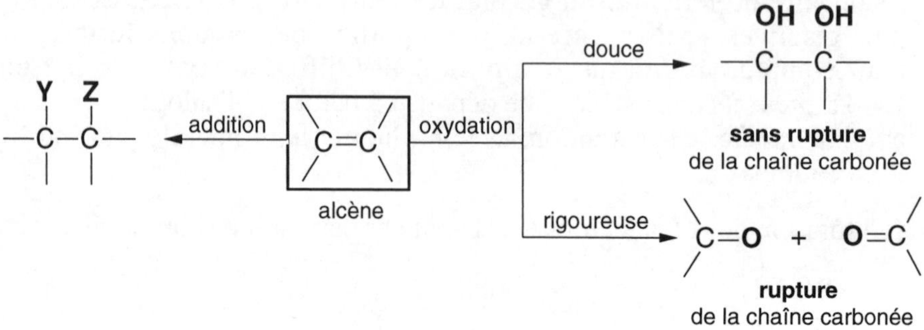

Détaillons d'abord la réaction d'addition sur un alcène.

5.10.1 *L'addition*

Les électrons π de la liaison double confèrent aux alcènes une excellente réactivité face aux réactifs fortement polarisés.

Réaction générale

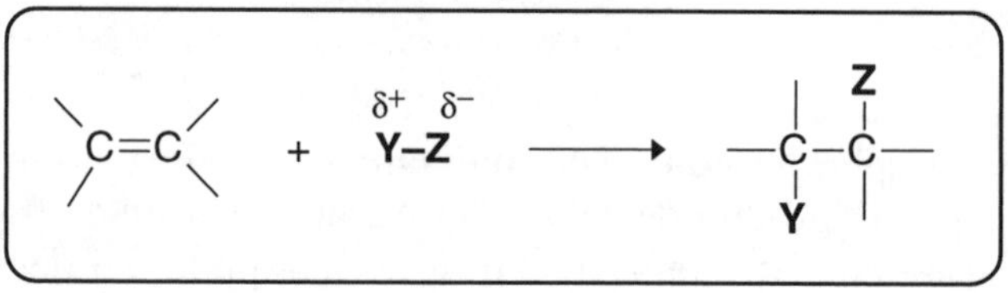

Le mécanisme de l'addition se déroule en **deux** étapes et passe par l'intermédiaire d'un carbocation:

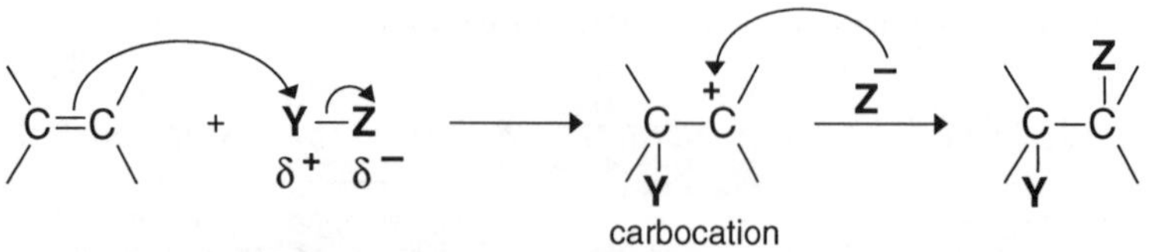

mécanisme d'addition électrophile

Le réactif Y—Z peut prendre plusieurs formes que l'on peut regrouper en deux catégories: • polaires, • non polaires. Le tableau 5.4 présente les principaux réactifs de ce genre.

Tableau 5.4 Quelques cas importants d'addition électrophile et radicalaire.

a. *Réactifs polaires:*

Réaction	Réactif Y—Z		Produit formé
	Y	Z	
Halogénation	H	halogène	halogénure
Hydrolyse (avec catalyse acide)	H	OH	alcool
Add. de HCN	H	CN	nitrile
Add. de ClOH (Cl_2 dans H_2O)	Cl	OH	halohydrine
Add. de H_2SO_4	H	OSO_3H	hydrogénosulfate

b. *Réactifs non polaires:*

Réaction	Y et Z (ou Z_2)	Produit formé
Halogénation	halogène (X_2)	dihalogénure vicinal
Hydrogénation	hydrogène* (H_2)	alcane

Voici quelques exemples d'addition sur l'éthylène au moyen de chacun des réactifs du tableau 5.4.

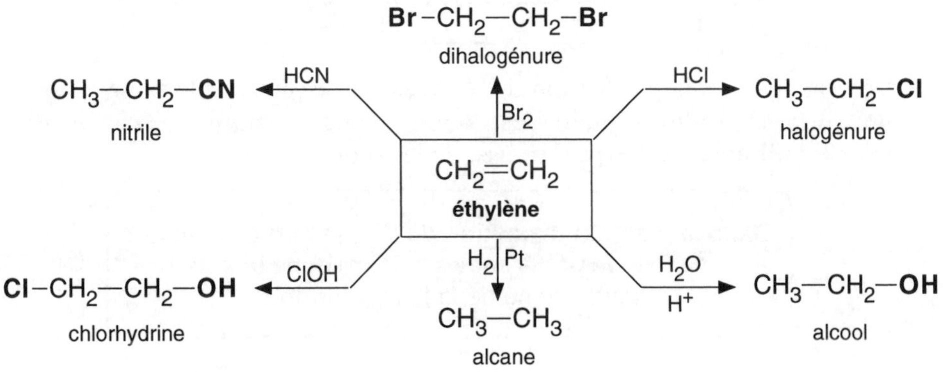

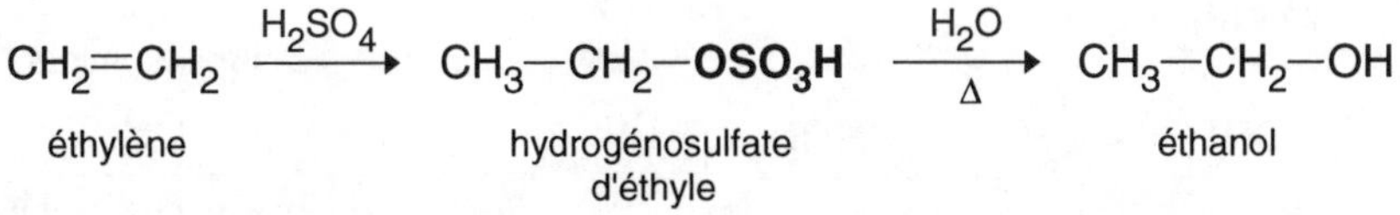

Dans ce dernier cas, le léger chauffage de l'hydrogénosulfate d'éthyle en milieu aqueux produit l'alcool correspondant.

---

*Pour l'addition de H_2, il faut un catalyseur comme Pt, Ni ou Pd et le mécanisme de réaction est de type **radicalaire** (voir 5.5.1).

Pour les cinq premiers réactifs du tableau 5.4, le mécanisme de l'addition passe par l'intermédiaire d'un **carbocation**. Puisqu'il y a toujours possibilité de former le carbocation sur l'un ou l'autre des carbones de la liaison double, il se formera effectivement deux carbocations, mais avec prédominance du plus stable. Il faut se rappeler ici la stabilité relative des carbocations: $3° > 2° > 1°$. Le mécanisme comprend deux étapes.

• *Première étape: formation d'un* **carbocation**.

$$CH_3-CH=CH_2 \ + \ \overset{\delta^+ \ \delta^-}{H-Cl} \longrightarrow CH_3-\overset{+}{C}H-CH_3 \ + \ CH_3-CH_2-\overset{+}{C}H_2$$

propène   carbocation **secondaire**   carbocation **primaire**

• *Deuxième étape: attaque du nucléophile.*

$$CH_3-\overset{+}{C}H-CH_3 \ + \ Cl^- \longrightarrow CH_3-\overset{\overset{\displaystyle Cl}{|}}{C}H-CH_3$$

Produit **majeur** puisqu'il provient du carbocation le plus stable.

$$CH_3-CH_2-\overset{+}{C}H_2 \ + \ Cl^- \longrightarrow CH_3-CH_2-CH_2-Cl$$

produit mineur

> **Le produit majeur provient du carbocation le plus stable.**

Ce principe, i.e. la production du carbocation le plus stable pour former un certain produit majeur est connu sous le nom de **règle de Markovnikov***. On l'exprime aussi de la façon suivante:

> **Dans la réaction d'addition de $\overset{\delta^+ \ \delta^-}{Y-Z}$ sur un alcène, le Y se fixe de préférence sur le carbone le plus hydrogéné de la liaison double.**

Exemple

$$\overset{3}{C}H_3-\overset{\overset{\displaystyle |}{\underset{\displaystyle CH_3}{\overset{2}{C}}}}{}=\overset{1}{C}H_2 \ + \ HCN \longrightarrow$$

2-méthylpropène

$$CH_3-\overset{\overset{\displaystyle CN}{|}}{\underset{\overset{\displaystyle |}{CH_3}}{C}}-CH_3 \quad \text{produit majeur}$$

$$CH_3-\overset{\overset{\displaystyle |}{\underset{\displaystyle CH_3}{CH}}}{}-CH_2-CN$$

Le carbone *1* possède deux hydrogènes de plus que le carbone 2, donc le H de HCN se fixe surtout sur le carbone *1*.

*Markovnikov, chimiste russe, 1838-1904.

〈10〉 Décrire le mécanisme et trouver le produit principal formé dans la réaction entre l'acide chlorhydrique et le 1-méthylcyclohex-1-ène.

Bien que Markovnikov, en 1869, ait déduit sa règle d'addition à partir d'expériences avec HCl, il est bien connu aujourd'hui que la règle du célèbre chimiste russe s'applique aussi bien à l'addition de HX, HCN, H_2O ClOH ou H_2SO_4 .

• **Addition d'eau**
À cause de la faible dissociation de la molécule d'eau, son addition sur un alcène doit s'effectuer par **catalyse acide** et le mécanisme de réaction est légèrement modifié.

Réaction générale

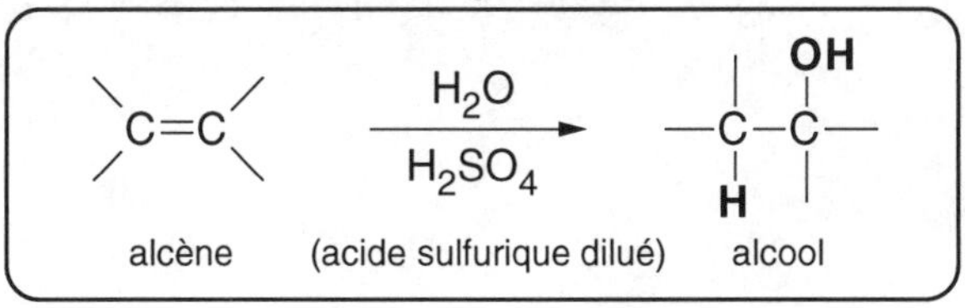

en respectant la règle de **Markovnikov**

Exemple

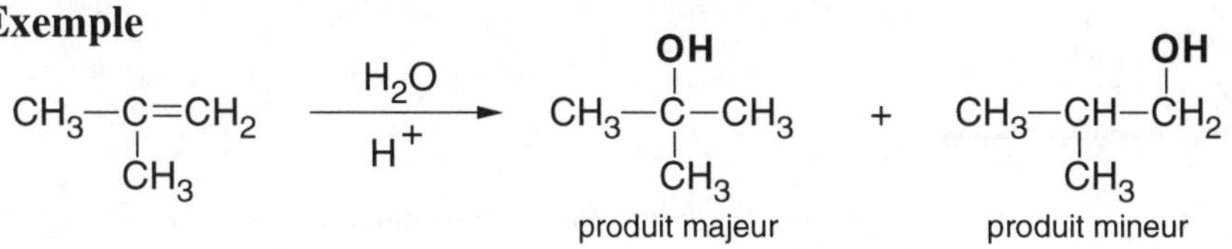

Mécanisme de l'addition d'eau sur un alcène

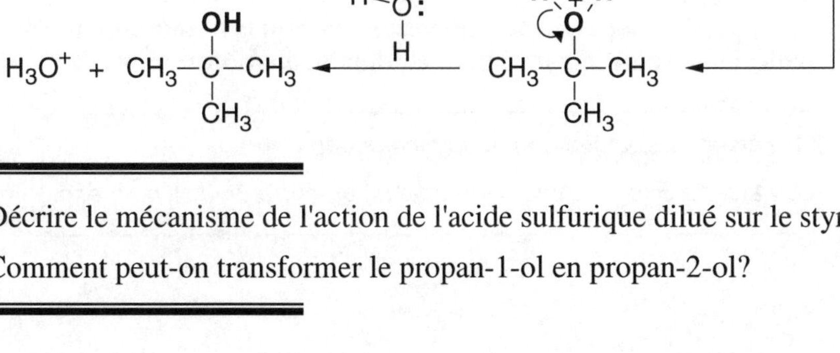

〈11〉 1. Décrire le mécanisme de l'action de l'acide sulfurique dilué sur le styrène.

2. Comment peut-on transformer le propan-1-ol en propan-2-ol?

Pour **l'addition de X_2** sur un alcène, le mécanisme passe aussi par un carbocation instable lequel se transforme rapidement en un cation dérivé de l'halogène, en voici le mécanisme:

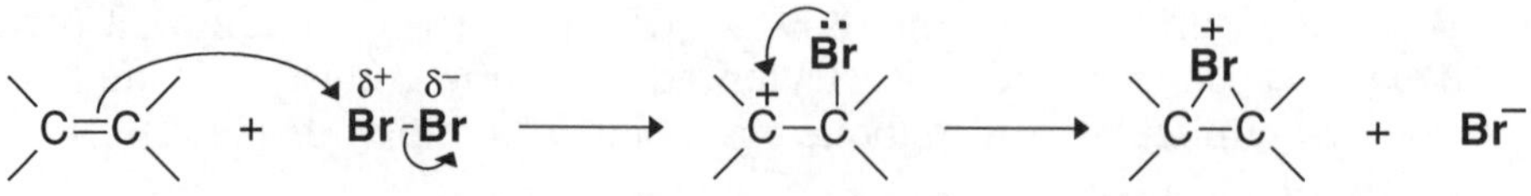

| La **grosse** molécule de brome se polarise à l'approche des électrons π de l'alcène. | Une paire d'électrons sur Br permet une cyclisation vers le carbocation. | **ion bromonium** |

Dans la dernière étape, l'ion bromure, **Br^-, doit** attaquer l'ion bromonium du côté **opposé** à l'atome de brome déjà en place, c'est-à-dire par en-dessous de cet ion complexe:

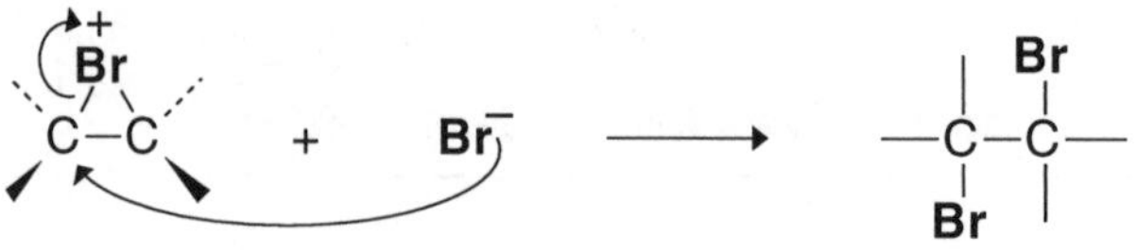

---

(12) Compléter et décrire le mécanisme des réactions suivantes:

1. 2-méthylpropène + brome ⟶
2. cyclobutène + brome ⟶

Le dihalogénure vicinal formé possède donc deux halogènes en opposition à cause des exigences de la structure de l'alcène de départ (plan) et de la dernière étape du mécanisme qui se déroule de façon à réduire l'encombrement au minimum (attaque par-dessous). Les caractéristiques de cette réaction ont une conséquence importante sur la **stéréochimie** de l'alcène par rapport au dihalogénure formé.

> *Un alcène Z (ou cis) donne un dihalogénure thréo.*
>
> *Un alcène E (ou trans) donne un dihalogénure érythro ou méso.*

Exemple

H$_3$C,   CH$_3$
    C=C
H'   'H

(*Z*)-but-2-ène

$\xrightarrow{\text{Br}_2}$

thréo -2,3-dibromobutane
(**racémique**)

Mécanisme

H,   CH$_3$
  C
  ‖   δ$^+$ δ$^-$
  C   Br⁻Br
H'   CH$_3$

molécule
plane

ion bromonium

+

mélange racémique **thréo**

Résultat de l'attaque de
l'ion bromure sur le
carbone **arrière**.

Résultat de l'attaque de
l'ion bromure sur le
carbone **avant**.

---

 1. Effectuer l'addition du brome sur l'isomère trans du but-2-ène et en décrire la stéréochimie.

2. Trouver un enchaînement de réactions pour effectuer les transformations suivantes:

   a) 1-bromopropane en 2-bromopropane;
   b) éthane en éthanol;
   c) éthylène en butane;

   d) ⬡—CH$_2$OH   en   ⬡ (CH$_3$, OH)

5.10.2 L'oxydation

Les alcènes réagissent facilement avec la majorité des oxydants, mais le résultat obtenu varie beaucoup selon la nature du réactif et surtout selon la rigueur des conditions expérimentales. Les oxydations des alcènes se regroupent en deux catégories:

1. Oxydation douce	**2. Oxydation rigoureuse**
Celle qui se réalise à basse température avec un réactif dilué. Elle forme un diol.	Celle qui se réalise à haute température avec un réactif concentré ou par ozonolyse. Elle provoque la rupture complète de la liaison carbone-carbone et la formation de plusieurs composés carbonylés.

```
diol ◄――――― [ alcène ] ――――► possibilité de plusieurs
     oxydation        oxydation    produits: cétone,
     douce            rigoureuse   aldéhyde, acide, dioxyde
                                   de carbone et eau
```

Comme exemple, prenons l'oxydation du 2-méthylbut-2-ène:

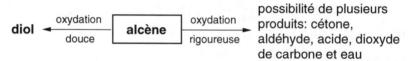

diol　　　　　　　　2-méthylbut-2-ène　　　　　　　cétone　　　　　acide
　　　　　　　　　　　　　　　　　　　　　　　　　　　　　carboxylique

On comprend que deux séries différentes de réactifs doivent être utilisées pour conduire ces deux types d'oxydation. Les réactifs les plus utilisés pour une oxydation douce sont: une solution diluée de $KMnO_4$, OsO_4 ou un peracide. Les réactifs pour une oxydation rigoureuse sont: une solution de $KMnO_4$ concentrée à chaud ou O_3. L'action de chacun de ces réactifs, selon sa catégorie, est détaillée dans les pages suivantes, mais les mécanismes de réaction, souvent très complexes, n'y seront pas présentés, sauf quelques explications pour l'oxydation au permanganate.

1. Oxydation douce

a) Par $KMnO_4$ (en solution diluée)

Le permanganate de potassium avec son manganèse à l'état d'oxydation +7 est un oxydant efficace même en solution diluée. Le manganèse de degré d'oxydation +7 est réduit au degré d'oxydation +4 et provoque la formation d'un diol sur les carbones des substances éthyléniques.

Le **mécanisme** détaillé de ce genre d'oxydation est très complexe, mais peut se résumer comme suit: au contact de l'ion permanganate avec l'alcène, il y a un déplacement des électons π de la liaison double vers le permanganate de manière à former un espèce d'ester cyclique. Le manganèse est alors réduit à +5. L'ester s'hydrolyse facilement par l'eau du milieu réactionnel et libère un diol et le Mn^{5+} qui se transforme finalement en Mn^{4+} dans MnO_2. Il est aussi important de noter que pour des raisons stériques les deux oxygènes du permanganate se fixent du même côté de la liaison double, c'est une réaction dite *syn*, par opposition à *anti* (voir plus bas).

| alcène | Ici, le Mn est +7. | un ester cyclique avec Mn +5 | diol | solide brun |

Réaction globale:

| alcène | | diol | solide brun |

b) Par OsO_4

Avec le tétroxyde d'osmium, les alcènes donnent aussi des diols, par réaction *syn*, avec un bon rendement. Ce réactif a l'inconvénient d'être très toxique et dispendieux.

| alcène | | diol |

c) Par un **peracide** $(R-CO_3H)$

Les peracides sont de bons oxydants. Ils transforment un alcène en époxyde qui peut facilement s'ouvrir par hydrolyse et fournir un diol de type *anti*, où les deux fonctions OH sont opposées.

| alcène | un peracide | un époxyde | diol |

Réactions chimiques dans les moteurs d'automobiles...

- Les réactions chimiques qui ont lieu dans les moteurs d'automobiles ne sont malheureusement pas complètes. C'est ce qui explique la pollution atmosphérique causée par l'automobile. La plupart des voitures actuellement vendues au Canada sont munies de convertisseurs catalytiques trifonctionnels qui diminuent considérablement les émissions d'hydrocarbures, de monoxyde de carbone et d'oxydes d'azote.

Convertisseur catalytique trifonctionnel

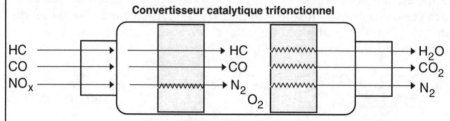

Le convertisseur trifonctionnel, qui comprend deux chambres, transforme les hydrocarbures, le monoxyde de carbone et les oxydes d'azote en produisant de la vapeur d'eau, du gaz carbonique et de l'azote.

- Le convertisseur est une composante de la tuyauterie d'échappement, non du moteur. Ce n'est pas un silencieux: il n'amortit pas le bruit produit par les réactions de combustion dans le bloc moteur.
- Les dispositifs antipollution contribuent activement à réduire la pollution causée par les véhicules automobiles. Un convertisseur catalytique peut réduire de 90 % environ l'émission de polluants dans l'atmosphère.
- Il suffit de faire 10 fois le plein d'essence au plomb pour qu'un convertisseur catalytique devienne inactif. Ce problème n'existe plus depuis l'avènement des essences sans plomb.

2. Oxydation rigoureuse

Ce type de réaction peut conduire aussi bien à la formation d'une cétone, d'un aldéhyde, d'un acide carboxylique et même à du dioxyde de carbone et de l'eau selon la nature du substrat et les conditions expérimentales.

a) Par **KMnO$_4$** (en solution concentrée et à chaud)

Dans des conditions rigoureuses (solutions concentrées chaudes), le permanganate de potassium scinde les alcènes en deux pour former diverses substances dont la nature dépend de celle du substrat.

$$\underset{R'}{\overset{R}{\diagdown}}C=C\underset{R}{\overset{R}{\diagup}} \quad \xrightarrow[\textbf{conc. } \Delta]{\text{KMnO}_4} \quad \underset{R'}{\overset{R}{\diagdown}}C=O \quad + \quad O=C\underset{R}{\overset{R}{\diagup}}$$

composés carbonylés

Le mécanisme de cette réaction débute comme pour la formation d'un diol et l'oxydation se poursuit jusqu'à l'obtention d'un carbonyle.

Note: Si un aldéhyde peut se former, la réaction se poursuit:

un aldéhyde   un acide carboxylique

Si le carbonyle formé est porteur de deux H, il y a oxydation totale en dioxyde de carbone et eau, parce que l'acide formique est lui-même oxydé.

formaldéhyde   acide formique   acide carbonique instable

La formation de dioxyde de carbone peut être mise en évidence par la formation d'un précipité blanc de **carbonate de calcium** (réaction avec l'eau de chaux).

Puisque cela ne peut se produire que lorsque la liaison double est en bout de chaîne, cette oxydation peut être utilisée pour détecter les fonctions éthyléniques **terminales**.

14 1. Que donnent les oxydations suivantes?

2. Trouver un enchaînement de réactions pour transformer le 2,3-diméthylbutan-2-ol en acétone.

b) Par l'ozone, O_3

L'ozone est obtenu par des décharges électriques dans l'oxygène. Ce gaz est un oxydant puissant. Il peut transformer les liaisons doubles en ozonides instables dont l'hydrolyse donne des substances carbonylées. Ces réactions doivent être effectuées à très basse température (autour de -75°C).

alcène   ozonide   aldéhyde ou cétone

L'hydrolyse de l'ozonide s'effectue ordinairement dans un **milieu réducteur** contenant du zinc, Zn, ou du sulfure de diméthyle, $(CH_3)_2S$. Cette ouverture de l'ozonide en milieu réducteur fournit exclusivement des aldéhydes et/ou des cétones.

Le traitement de l'ozonide peut aussi s'effectuer dans des **conditions oxydantes** (mais rarement utilisées) obtenues par la présence de peroxyde d'hydrogène, H_2O_2. On obtient alors un ou deux acides:

$$
\begin{array}{c}
\underset{HO}{\overset{H_3C}{>}}C=O \ + \ O=C\underset{CH_3}{\overset{CH_3}{<}}
\end{array}
\xleftarrow[\substack{2) \ H_2O_2 \\ NaOH \\ 3) \ H_3O^+ \\ \text{hydrolyse en} \\ \text{milieu oxydant}}]{1) \ O_3}
\boxed{\underset{H}{\overset{H_3C}{>}}C=C\underset{CH_3}{\overset{CH_3}{<}}}
\xrightarrow[\substack{2) \ H_2O \\ Zn \\ \text{hydrolyse en} \\ \text{milieu réducteur}}]{1) \ O_3}
\underset{H}{\overset{H_3C}{>}}C=O \ + \ O=C\underset{CH_3}{\overset{CH_3}{<}}
$$

un acide   un aldéhyde

Ce procédé d'ozonolyse peut aussi servir de méthode d'analyse pour localiser une liaison double dans un composé. La méthode consiste à rompre l'alcène et d'en analyser les fragments obtenus. Par exemple, si l'ozonolyse d'un hexène en milieu réducteur, ne donne qu'**un** seul aldéhyde, le propanal, cela signifie qu'il s'agissait de l'hex-3-ène (la liaison double est au **centre**).

$$
CH_3-CH_2-CH=CH-CH_2-CH_3 \xrightarrow[\substack{2) \ H_2O \\ Zn}]{1) \ O_3} 2 \ CH_3-CH_2-\underset{H}{\overset{\displaystyle}{C}}=O
$$

hex-3-ène

15 1. Que donnent les oxydations suivantes?

   a) $\xleftarrow[\substack{2) \ H_2O \\ Zn}]{1) \ O_3}$ $CH_3-CH_2-\underset{CH_3}{\overset{\displaystyle}{C}}=CH-CH_2-CH_3$ $\xrightarrow[\substack{2) \ H_2O_2 \\ NaOH \\ 3) \ H_3O^+}]{1) \ O_3}$

   b) $\xleftarrow[\substack{2) \ H_2O_2 \\ NaOH \\ 3) \ H_3O^+}]{1) \ O_3}$ ⬠$=CH_2$ $\xrightarrow[\substack{2) \ H_2O \\ Zn}]{1) \ O_3}$

2. Quelle est la structure de l'alcène qui a produit les fragments suivants par ozonolyse?

   a) $CH_3-\underset{H}{\overset{\displaystyle}{C}}=O$ et $CH_3-\underset{CH_3}{\overset{\displaystyle}{C}}H-CH_2-\underset{H}{\overset{\displaystyle}{C}}=O$

   b) ⬠$=O$ et $CH_3-\underset{CH_3}{\overset{\displaystyle}{C}}=O$

3. Trouver un enchaînement de réactions pour transformer le 2-chloropropane en éthanal (aldéhyde contenant deux carbones).

5.11 Réactivité des alcynes

Les composés à liaisons triples ou acétyléniques se prêtent bien à l'addition. D'autres réactions sont évidemment possibles mais elles sont plus difficilement réalisables.

5.11.1 Réactions d'addition

À la manière des insaturés éthyléniques qui donnent lieu à des réactions d'addition à cause de leur orbitale π, les alcynes, avec quatre électrons π, sont très sensibles à de telles réactions. En effet, à peu de choses près, les composés acétyléniques peuvent additionner les mêmes réactifs que les alcènes (section 5.10). Il faut quand même apporter quelques précisions.

a) L'addition est **double** dans la cas de H_2, X_2 et HX, selon le mécanisme déjà décrit. La règle de Markovnikov s'applique. En voici quelques exemples:

L'application de la règle de Markovnikov conduit au dihalogénure **géminal**.

b) Les conditions expérimentales sont légèrement différentes dans le cas de l'**addition d'eau**. Il faut catalyser cette réaction par des sels de Hg (II). Cette addition produit des substances carbonylées de type aldéhyde ou cétone. La réaction passe, en premier lieu, par la formation d'un énol qui se transforme par la suite en carbonyle dans le milieu réactionnel. Ce réarrangement énol/cétone (possible aussi avec les aldéhydes) se nomme **tautomérie**. Ce type d'isomérie implique un déplacement simultané d'un proton et d'une liaison double.

Pour les alcynes doublement substitués, la réaction est plus facile, mais il y a formation de deux cétones, c'est le cas avec le pent-2-yne:

$$CH_3-C\equiv C-CH_2-CH_3 \xrightarrow[\text{HgSO}_4]{\substack{\text{H}_2\text{O} \\ \text{H}_2\text{SO}_4}}$$

pent-2-yne

$$\underset{O}{\overset{\|}{CH_3-C-CH_2-CH_2-CH_3}}$$
~ 50%

+

$$\underset{O}{\overset{\|}{CH_3-CH_2-C-CH_2-CH_3}}$$
~ 50%

Cette réaction d'addition d'eau est utilisée en industrie pour obtenir l'acétaldéhyde à partir de l'acétylène.

$$H-C\equiv C-H \xrightarrow[\text{Hg}^{+2}]{\substack{\text{H}_2\text{O} \\ \text{H}^+}} \underset{O}{\overset{\|}{CH_3-C-H}}$$

acétylène $\qquad$ acétaldéhyde
(éthanal)

5.11.2 *Réactions d'oxydation*

Les conditions d'oxydation décrites pour les alcènes ne sont pas efficaces avec les alcynes. Cependant, en milieu neutre ou fortement basique, une solution concentrée de $KMnO_4$ peut briser la liaison triple et produire **des acides** après acidification du milieu réactionnel, comme pour le pent-2-yne.

$$CH_3-C\equiv C-CH_2-CH_3 \xrightarrow[\text{pH} > 7]{\text{KMnO}_4} CH_3-CO_2^-\ K^+ + CH_3-CH_2-CO_2^-\ K^+$$

$$\downarrow H^+$$

$$CH_3-CO_2H \quad + \quad CH_3-CH_2-CO_2H$$

Par ailleurs, **l'ozonolyse** des alcynes est possible. Elle conduit cependant à la formation exclusive **d'acides** comme le montre l'ozonolyse du hex-3-yne:

$$CH_3-CH_2-C\equiv C-CH_2-CH_3 \xrightarrow[\text{2) H}_2\text{O}]{\text{1) O}_3} 2\ CH_3-CH_2-CO_2H$$

hex-3-yne

5.11.3 *Acidité des alcynes*

Certains alcynes qui, comme l'acétylène, possèdent un hydrogène sur un carbone hybridé sp, ont un léger caractère acide et peuvent perdre cet hydrogène en milieu basique fort. Le pKa de l'acétylène est de 26 et celui du propyne et ses semblables sont du même ordre de grandeur. De tels alcynes sont souvent appelés **alcynes vrais**.

Il y a deux catégories d'alcynes:

• les alcynes vrais	• les alcynes disubstitués
Ceux qui ont au moins un **hydrogène** sur la liaison triple $R-C\equiv C-H$ $H-C\equiv C-H$	$R-C\equiv C-R$

Les alcynes vrais sont caractérisés par le caractère légèrement acide de l'hydrogène fixé au carbone de la liaison triple. Ainsi, en présence d'une base forte, les alcynes vrais forment des sels et perdent l'hydrogène de la liaison triple, ce qui donne:

$$R-C\equiv C-H \quad \xrightarrow{NaNH_2} \quad R-C\equiv C^- \ Na^+ \quad + \quad NH_3$$

Sel contenant un **carbanion**
à fort caractère nucléophile.

La base forte, $\overline{N}H_2$, est souvent utilisée pour arracher l'hydrogène mobile. Cette acidité des alcynes vrais est exploitée pour la synthèse d'alcynes substitués en leur attribuant le rôle de nucléophiles pouvant substituer les halogénures d'alkyle; ce qui donne:

$$R-C\equiv C-H \quad \xrightarrow{NaNH_2} \quad R-C\equiv C^- \ Na^+ \quad \xrightarrow{\overset{\delta^+ \ \delta^-}{R'-X}} \quad R-C\equiv C-R' \quad + \quad NaX$$

nucléophile   Alcyne substitué obtenu par
substitution nucléophile et dont la
chaîne est **allongée** d'autant de
carbones qu'en contient le **R'**.

Ce genre de substitution s'effectue de préférence sur des halogénures primaires afin d'éviter l'élimination. Cette réaction permet ainsi **d'allonger** une chaîne carbonée d'autant de carbones qu'en contient l'halogénure. En voici un exemple qui permet de passer du propyne au pent-2-yne:

$$CH_3-C\equiv C-H \quad \xrightarrow{NaNH_2} \quad CH_3-C\equiv C^- \ Na^+ \quad + \quad NH_3$$

propyne

$$CH_3-C\equiv C^- \ Na^+ \quad + \quad CH_3-CH_2\overset{\delta^+ \ \delta^-}{-Cl} \quad \longrightarrow \quad CH_3-C\equiv C-CH_2-CH_3 + NaCl$$

substitution nucléophile   pent-2-yne
(contient deux carbones de plus
que l'alcyne de départ)

L'acétylène est donc un composé très intéressant pour la synthèse d'alcynes substitués puisqu'il possède deux hydrogènes disponibles et permet la substitution de chaque côté de la liaison triple.

Exemple acétylène ------------------► but-2-yne

$$H-C≡C-H \xrightarrow{NaNH_2} H-C≡C^- \ Na^+ \xrightarrow{CH_3-Br} H-C≡C-CH_3$$

acétylène

$$\downarrow NaNH_2$$

$$CH_3-C≡C-CH_3 \xleftarrow{CH_3-Br} Na^+ \ ^-C≡C-CH_3 \longleftarrow$$

but-2-yne

16 1. Compléter les réactions suivantes:

a) but-1-yne + HBr ⟶

b) acétylène + H_2O, H_2SO_4, $HgSO_4$ ⟶

c) pent-1-yne + $NaNH_2$ ⟶ **A** $\xrightarrow{CH_3-Cl}$ **B**

d) $\xleftarrow{Br_2}$ pent-1-yne $\xrightarrow[\substack{H_2SO_4 \\ HgSO_4}]{H_2O}$

2. Trouver la structure des inconnues:

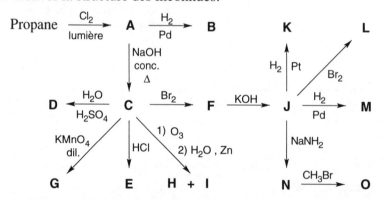

3. Décrire un enchaînement de réactions permettant d'obtenir le hex-3-yne à partir du but-1-yne.

Trouver un cheminement pour transformer le 1-bromobutane en:

   a) 2-bromobutane
   b) butan-2-ol
   c) acide propanoïque (acide carboxylique à trois carbones)
   d) octane
   e) but-1-yne
   f) butane-1,2-diol
   g) hexane

——— ✳ ———

Tableau 5.5 Synthèses et transformations des alcanes.

ALCANES

Synthèses	*Transformations*

A. Par hydrogénation catalytique

1. sur un alcène

$$\overset{\diagdown}{\diagup}C=C\overset{\diagup}{\diagdown} \quad \xrightarrow[\text{Ni}]{\text{H}_2}$$

2. sur un alcyne

$$-C\equiv C- \quad \xrightarrow[\text{Ni}]{\text{H}_2}$$

3. sur un halogénure

$$R-X \quad \xrightarrow[\text{Pd}]{\text{H}_2}$$

B. Par condensation (Wurtz)

$$2\ R-X \xrightarrow{\text{Na}} R-R$$

(permet de doubler la longueur
d'une chaîne de carbone)

A. Combustion

$$\xrightarrow{\text{O}_2} \quad CO_2 \ + \ H_2O$$

B. Pyrolyse

1. rupture de chaîne
2. déshydrogénation
3. isomérisation
4. cyclisation

C. Halogénation

$$\xrightarrow[h\nu]{\text{X}_2} \quad R-X$$

Alcanes

Alcanes

Tableau 5.6   Synthèses et transformations des alcènes.

ALCÈNES

Synthèses

A. Par élimination (E1 ou E2)

1. de HX   (règle de Saytsev)

$$R—X \xrightarrow{\text{base forte}}$$

2. de H_2O (règle de Saytsev)

$$R—OH \xrightarrow[\text{conc.}]{H_2SO_4}$$

3. de $—NR_3$ (règle de Hofmann)

$$\overset{+}{—N}R_3 \xrightarrow[\Delta]{Ag_2O,\, H_2O}$$

4. de X_2 (toujours E2)

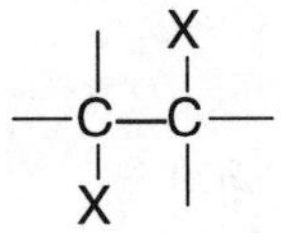

$$\underset{X}{\overset{X}{—C—C—}} \xrightarrow{Zn}$$

B. Par addition

$$—C≡C— \xrightarrow[\text{(Lindlar)}]{H_2 \,/\, Pd}$$

Transformations

A. Par addition

1. de $\overset{\delta^+}{Y}—\overset{\delta^-}{Z}$ (règle de Markovnikov)

    a) $\xrightarrow{H—X}$ R—X

    b) $\xrightarrow{H—CN}$ R—CN

    c) $\xrightarrow{H_2O,\, H^+}$ R—OH

    d) $\xrightarrow{H_2SO_4}$ $R—O—SO_3H$

    e) $\xrightarrow{Cl—OH}$ $\underset{Cl\ \ OH}{—C—C—}$

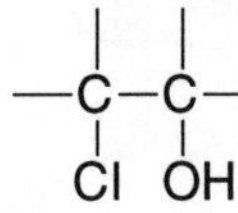

2. de X_2 $\xrightarrow{X_2}$ $\underset{X}{\overset{X}{—C—C—}}$

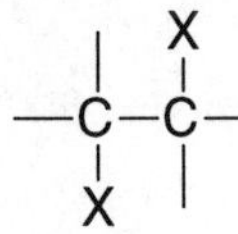

3. de H_2 $\xrightarrow[\text{Pt ou Ni}]{H_2}$ $\underset{\ }{\overset{H\ \ H}{—C—C—}}$

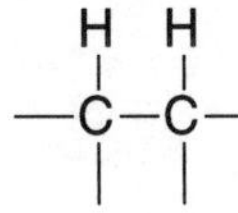

B. Par oxydation

1. douce:

    $\xrightarrow{[O]}$ $\overset{OH\ OH}{—C—C—}$

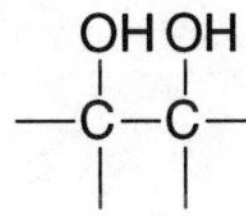

                    diol

2. rigoureuse:

    $\xrightarrow{[O]}$ acide, cétone, CO_2

    $\xrightarrow[\text{2) } H_2O,\, Zn]{\text{1) } O_3}$ aldéhyde, cétone

*(barre verticale centrale : **Alcènes** / **Alcènes**)*

Tableau 5.7   Synthèses et transformations des alcynes.

ALCYNES

Synthèses

A. Par élimination sur RX_2

1. $\xrightarrow[\text{NH}_3]{\text{NaNH}_2}$ liaison triple en **bout** de chaîne
   liquide

2. $\xrightarrow[\Delta]{\text{KOH}}$ liaison triple au **centre**
   dans l'éthanol

Transformations

A. Par addition

1. $\xrightarrow[\text{Pd}]{\text{H}_2}$ C=C $\xrightarrow[\text{Pt ou Ni}]{\text{H}_2}$ alcane

2. $\xrightarrow{X_2}$ $-\overset{\displaystyle X}{\underset{\displaystyle X}{C}}-\overset{\displaystyle X}{\underset{\displaystyle X}{C}}-$

3. $\xrightarrow{HX}$ $-\overset{\displaystyle H}{\underset{\displaystyle H}{C}}-\overset{\displaystyle X}{\underset{\displaystyle X}{C}}-$

4. $\xrightarrow[\text{Hg}^{2+}]{\text{H}_2\text{O}}$ $\overset{}{\underset{H}{C}}=\overset{}{\underset{OH}{C}}$ $\longrightarrow$ $-\overset{}{C}-\overset{}{C}=O$

   énol   carbonyle

B. Par oxydation

$\xrightarrow[\text{(difficile)}]{[O]}$ des acides

C. Acidité des alcynes et S_N

$$R-C\equiv C-H$$

$$\Big\downarrow \text{NaNH}_2$$

$$R-C\equiv C^- \ \overset{+}{Na}$$

$$\Big\downarrow R'-X$$

$$R-C\equiv C-R'$$

Alcynes   Alcynes

Figure 5.3 Analyse d'une réaction de chimie organique.

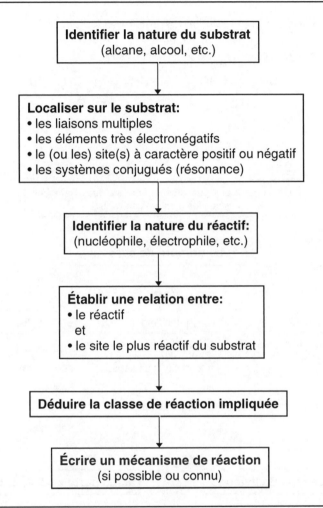

Identifier la nature du substrat
(alcane, alcool, etc.)

Localiser sur le substrat:
• les liaisons multiples
• les éléments très électronégatifs
• le (ou les) site(s) à caractère positif ou négatif
• les systèmes conjugués (résonance)

Identifier la nature du réactif:
(nucléophile, électrophile, etc.)

Établir une relation entre:
• le réactif
  et
• le site le plus réactif du substrat

Déduire la classe de réaction impliquée

Écrire un mécanisme de réaction
(si possible ou connu)

Note: les figures 5.3 et 4.4 peuvent être utiles pour résoudre les exercices.

La figure 5.3 présente une méthode de travail qui permet d'obtenir une réponse juste en utilisant un cheminement de raisonnement faisant appel à la compréhension et l'utilisation des connaissances acquises.

La figure 5.4 présente, quant à elle, une marche à suivre pour les exercices qui exigent un enchaînement de plusieurs réactions. Encore là, l'accent est mis sur le raisonnement, l'utilisation adéquate des données et l'établissement de liens entre les différentes réactions étudiées.

Figure 5.4 Marche à suivre pour les problèmes de synthèse.

Marche à suivre pour la résolution de problèmes de synthèse à plusieurs étapes.

Exemple, comment passer, en une ou plusieurs étapes, de:

$$CH_3-\underset{\underset{Cl}{|}}{CH}-CH_3 \quad \text{à} \quad CH_3-\underset{\underset{Br}{|}}{CH}-\underset{\underset{Br}{|}}{CH_2} \quad ?$$

(A) (B)

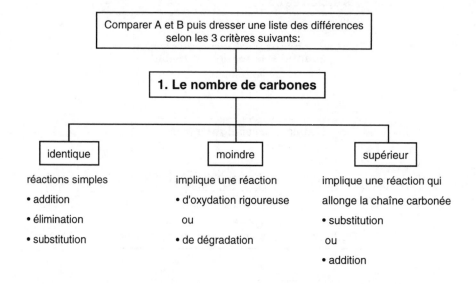

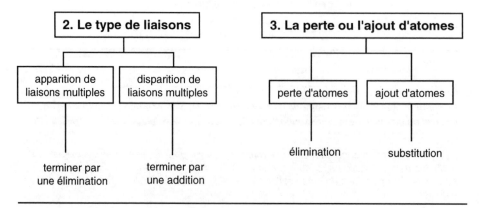

EXERCICES 5

Introduction

5.1 Présentation

1. Nommer un critère permettant de classer une substance chimique en tant qu'hydrocarbure à partir de sa formule empirique.

2. Donner deux exemples d'hydrocarbures couramment utilisés.

5.2 Classification

1. Qu'elles sont les deux grandes catégories d'hydrocarbures?

2. Donner un exemple simple pour les types d'hydrocarbures suivants:
   a) cyclique saturé b) acyclique saturé c) alcyne d) alcène e) benzénique.

3. Comment varie le point d'ébullition des alcanes non ramifiés?

4. Quel est l'effet, sur le point d'ébullition, si on transforme un alcane normal en l'un de ses isomères ramifiés?

Pétrole

5.3 et 5.4 Distillation, raffinage du pétrole et pétrochimie

1. Le Québec produit-il du pétrole?

2. D'où provient le pétrole que nous utilisons?

3. Quel autre combustible fossile utilisons-nous?

4. Quelle technique de séparation est utilisée sur une grande échelle dans une raffinerie?

5. Qu'entend-on par *craquage thermique*? Pourquoi cherche-t-on à éviter qu'il se produise au début du traitement du brut?

6. Donner un synonyme pour *pyrolyse* catalytique.

7. Nommer les quatre types de réactions provoquées par le craquage catalytique.

8. Pourquoi ajoute-t-on du butane à l'essence automobile en hiver? Pourquoi en réduit-on la proportion en été?

9. Quelle est la principale impureté que l'on retrouve dans le pétrole brut? Sous quelle forme peut-elle s'échapper dans l'air si on ne la retire pas du pétrole en cours de raffinage?

Synthèse des hydrocarbures

5.5 Synthèse des hydrocarbures saturés

1. Mis à part la production industrielle d'hydrocarbures saturés à partir du pétrole brut, il se peut, occasionnellement, que l'on ait besoin de transformer en tout ou en partie une substance organique en un hydrocarbure saturé à l'échelle du laboratoire. Il existe pour cela deux méthodes principales. Quelles sont-elles?

2. Écrire la réaction, incluant réactifs et produits, de l'hydrogénation catalytique du propène en présence de nickel.

3. Écrire la réaction, incluant réactifs et produits, de l'hydrogénation catalytique du but-2-yne en présence de nickel.

4. Effectuer une réaction de condensation (réaction de Wurtz) entre le bromoéthane et le 1-bromopropane. Donner tous les hydrocarbures susceptibles de se former.

5.6 Synthèse des alcènes

1. Quel type général de réaction permet d'obtenir des alcènes?

2. Qu'entend-on par *dihalogénure vicinal* ? Donner un exemple simple.

3. Quel métal peut être employé pour provoquer une élimination sur un dihalogénure vicinal? Quelles sont ses caractéristiques en termes d'électrons périphériques?

4. Lorsque le groupe amovible est OH, en quoi la réaction d'élimination possible se distingue-t-elle des autres?

5. Qu'entend-on par *protonation*? Donner un exemple simple impliquant l'éthanol dans une élimination E2.

6. Pourquoi faut-il que les acides utilisés pour la transformation d'un alcool en alcène soient de préférence concentrés?

7. Illustrer au moyen de flèches courbes le mécanisme d'élimination bimoléculaire pouvant se produire entre le 1,2-dichloropropane et le zinc.

8. Compléter les réactions suivantes. Appliquer la règle de Saytzev.

    a) 3-bromo-2-méthylpentane + NaOH $\longrightarrow$

    b) 2-chlorométhylcyclopentane + NaOH $\longrightarrow$

9. La règle de Saytzev s'applique surtout à deux types de groupements amovibles. Lesquels?

10. Effectuer la déshydratation en milieu H_2SO_4 concentré a) du propan-2-ol, b) du butan-2-ol; décrire le mécanisme de ces réactions.

11. Qu'est-ce qui caractérise l'élimination de Hofmann en ce qui concerne les produits obtenus?

12. Effectuer une élimination en présence de zinc métallique finement divisé sur le 2,3-dibromopentane. Représenter en projection de Newman la stéréospécificité de cette réaction.

13. Effectuer une élimination, en présence de NaOH, sur chacun des stréoisomères du 3-bromo-3,4-diméthylhexane. Représenter, en projection de Newman, la stéréospécificité de cette réaction pour un mécanisme E2. Obtiendra-t-on quatre alcènes différents?

5.7 Synthèse des alcynes

1. Quel type général de réaction permet d'obtenir des alcynes?

2. Nommer trois bases fortes typiques pouvant servir à la préparation d'alcynes.

3. Comparer l'effet des réactifs KOH dans l'éthanol et $NaNH_2$ avec NH_3 liquide sur un substrat comme le 2,2-dibromopentane en ce qui a trait aux produits obtenus.

4. Si on dit que le réactif KOH peut provoquer une isomérisation de la liaison triple, qu'est-ce que cela signifie?

5. Pourquoi l'acétylène est-il produit industriellement en quantité?

6. Décrire brièvement les deux principaux procédés utilisés en industrie pour la fabrication de l'acétylène.

7. On utilise encore de nos jours des lampes à acétylène dans l'exploration spéléologique. Le procédé consiste en de l'eau qui tombe goutte à goutte sur des brisures de carbure de calcium. Écrire l'équation de la réaction qui s'y produit et proposer une explication pour la production de lumière.

8. Nommer les composés suivants de deux façons différentes.

   a) $CH_3-C{\equiv}C-CH_2-CH_2-CH_3$ b) $\langle\!\!\!\bigcirc\!\!\!\rangle\!-CH_2-C{\equiv}C-\underset{\underset{CH_3}{|}}{CH}-CH_3$

   c) $CH_3-CH_2-CH_2-C{\equiv}C-CH_2-CH_2-CH_3$

Réactivité des hydrocarbures

5.8 Combustion

1. Quels sont les deux seuls produits formés lors de la réaction de combustion d'un hydrocarbure?

2. Quel hydrocarbure serait le plus efficace (sans être toutefois le plus rentable) pour le chauffage d'une résidence?

3. Écrire les réactions complètes et équilibrées de la combustion
   a) de l'octane   b) de l'éthanol.

5.9 Réactivité des alcanes

1. Expliquer pourquoi les alcanes sont très peu réactifs?

2. Peut-on, malgré leur faible réactivité, obtenir des produits utiles à partir des alcanes? Si oui, par quelles réactions?

3. Écrire un exemple de la réaction de rupture de chaîne produite lors d'une pyrolyse de l'octane.

4. Quel type de réaction est impliqué dans une réaction d'halogénation d'un alcane? Quelles sont les principales caractéristiques de cette réaction?

5. Compléter les réactions suivantes:
   a) propane + chlore $\xrightarrow{hv}$
   b) cyclohexane + oxygène $\longrightarrow$

5.10 Réactivité des alcènes

1. Pourquoi les alcènes sont-ils beaucoup plus réactifs que les alcanes?

2. Quelles sont les deux principales réactions des alcènes?

3. Représenter de façon générale les fonctions ou composés suivants et donner un exemple simple:
   a) halohydrine b) nitrile c) dihalogénure vicinal.

4. Comment se comparent entre eux (sous l'aspect de la stabilité) les carbocations que l'on peut rencontrer au cours d'une réaction d'addition sur un alcène?

5. Que donnerait le propène avec les réactifs suivants:
   a) HCN   c) HCl   e) H_2 (Pt)
   b) Br_2 d) H_2O (H^+)   f) ClOH

6. Nommer et énoncer la règle qui permet de prévoir la formation du carbocation le plus stable lors d'une addition sur un alcène.

7. Décrire le mécanisme et indiquer tous les produits possibles résultant de l'addition de HCl sur le 2-méthylbut-1-ène.

8. Décrire le mécanisme de la réaction d'addition du brome moléculaire sur le propène.

9. Donner un exemple: a) d'alcène *cis* b) d'alcène *trans*.

10. Représenter, au moyen des projections de Newman, le mécanisme de la réaction entre le brome et le (*E*)-but-2-ène. Illustrer la stéréochimie des produits.

11. Parmi les couples (réactifs+conditions) suivants utilisés pour les réactions d'oxydation sur les alcènes, quels sont:
    a) ceux qui conduisent à un diol?
    b) ceux qui causent la rupture complète de la liaison C—C?

    $KMnO_4$ dilué RCO_3H, H_2O (H^+) $KMnO_4$ conc., Δ

    O_3, H_2O / Zn OsO_4, H_2O

12. Indiquer le ou les produits résultant de chacune des réactions d'oxydation suivantes sur le 2-méthylpent-2-ène avec:
    a) permanganate concentré et à chaud
    b) peracide suivi d'ajout d'eau acidulée
    c) ozone suivi d'ajout de peroxyde d'hydrogène en milieu basique et terminer par l'acidification du milieu
    d) ozone suivi d'ajout d'eau neutre et de zinc métal
    e) permanganate dilué et à froid.

13. Indiquer tout ce qui peut arriver au propène lorsqu'il est traité au permanganate concentré et chaud.

14. Laquelle des réactions d'oxydation permet de mettre en évidence (détecter) les liaisons doubles terminales (situées en bout de chaîne carbonée)?

15. Quelle est la structure de l'alcène qui produit l'acide benzoïque et l'acétone par son oxydation au moyen de permanganate concentré et chaud?

16. Quel alcène pourrait se décomposer complètement en dioxyde de carbone et en eau par réaction avec l'ozone?

5.11 Réactivité des alcynes

1. Nommer les trois principales réactions auxquelles peuvent participer les alcynes.

2. Écrire les réactions d'addition:
   a) de l'hydrogène sur le but-2-yne avec le platine comme catalyseur
   b) du chlore sur le pent-1-yne
   c) de l'acide chlorhydrique sur le but-2-yne.

3. Quel est le résultat de l'addition d'eau à la molécule:
   a) de but-2-yne?   b) de pent-1-yne?

4. L'acétaldéhyde, qui peut être transformé facilement en acide acétique, est produit industriellement à partir de quel alcyne?

5. Qu'est-ce qui distingue les alcynes des alcènes du point de vue des réactions d'oxydation?

6. Compléter la réaction suivante: hex-3-yne + permanganate concentré + NaOH, suivi d'une acidification du milieu réactionnel.

7. Que donne l'ozonolyse du propyne?

8. Donner un exemple d'alcyne a) vrai   b) disubstitué.

9. Présenter un mécanisme pour la réaction entre l'amidure de sodium et le but-1-yne.

10. Écrire la réaction entre l'amidure de sodium et le propyne. Utiliser ensuite le produit principal de cette réaction pour le faire réagir avec le bromoéthane. Décrire le mécanisme de ces réactions.

11. Comment peut-on allonger de deux carbones la chaîne carbonée du bromoéthane en utilisant comme réactifs l'amidure de sodium, $NaNH_2$, et un alcyne?

12. Écrire un enchaînement de réactions qui permet de passer de l'acétylène au hex-3-yne. Supposer que le bromoéthane est disponible.

Exercices complémentaires

1. Compléter les réactions suivantes:

a)

$$\xleftarrow[\text{H}^+]{\text{H}_2\text{O}}$$

$$\xrightarrow{\text{HCN}}$$

$$\xleftarrow[\text{2) H}_2\text{O, Zn}]{\text{1) O}_3}$$

$$\xrightarrow[\text{Pt}]{\text{H}_2}$$

b) $\underset{\text{OH}}{\text{CH}_3-\overset{|}{\text{C}}\text{H}-\text{CH}_2-\text{CH}_3}$ $\xrightarrow[\text{conc.}]{\text{H}_2\text{SO}_4}$ $\xrightarrow[\text{dilué}]{\text{KMnO}_4}$

c) $\xleftarrow{\text{Zn}}$ $\underset{\text{Br} \quad \text{Br}}{\text{CH}_3-\text{CH}_2-\overset{|}{\text{C}}\text{H}-\overset{|}{\text{C}}\text{H}_2}$ $\xrightarrow[\substack{\Delta \\ \text{éthanol}}]{\text{KOH}}$

d) $\text{CH}_3-\text{CH}_2-\text{C}{\equiv}\text{CH}$ $\xrightarrow{\text{NaNH}_2}$ $\xrightarrow{\text{CH}_3-\text{CH}_2-\text{Br}}$

e) $\xleftarrow{\text{2 HCl}}$ $\text{HC}{\equiv}\text{C}-\text{CH}_3$ $\xrightarrow[\substack{\text{H}_2\text{SO}_4 \\ \text{HgSO}_4}]{\text{H}_2\text{O}}$

f) $\xleftarrow[\text{H}^+]{\text{H}_2\text{O}}$ 2-méthylpropène $\xrightarrow{\text{ClOH}}$

g) $\left[\underset{\text{CH}_3 \ \text{CH}_2\text{CH}_3}{\overset{\text{CH}_3 \qquad \text{CH}_3}{\text{CH}_3-\overset{+}{\text{N}}-\text{CH}-\overset{|}{\text{C}}\text{H}-\text{CH}_3}} \right] \text{I}^-$ $\xrightarrow[\Delta, \ \text{H}_2\text{O}]{\text{Ag}_2\text{O}}$

h) $\xleftarrow[\text{conc.}]{\text{KMnO}_4}$ $\underset{}{\text{CH}_3-\overset{\overset{\text{CH}_3}{|}}{\text{C}}{=}\text{CH}_2}$ $\xrightarrow[\text{2) H}_2\text{O, Zn}]{\text{1) O}_3}$

2. Trouver un cheminement de quelques étapes pour transformer le propan-1-ol en:

a) propène

b) 1,2-dibromopropane

c) 2-bromopropane

d) propane

e) propan-2-ol

f) propyne

g) 1-chloropropane

h) hexane

i) 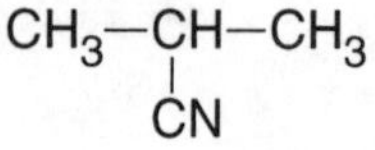 $CH_3-\underset{\underset{CN}{|}}{CH}-CH_3$

j) 1,1,2,2-tétrabromopropane

k) 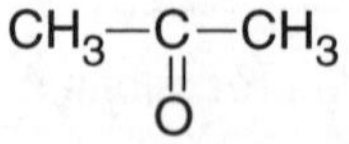 $CH_3-\underset{\underset{O}{\|}}{C}-CH_3$

l) CH_3-COOH

m) 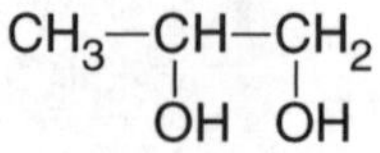 $CH_3-\underset{\underset{OH}{|}}{CH}-\underset{\underset{OH}{|}}{CH_2}$

n) 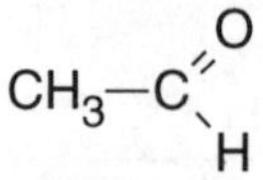 $CH_3-C\overset{\nearrow O}{\underset{\searrow H}{}}$

o) $CH_3-C\equiv C-\underset{\underset{CH_3}{|}}{CH}-CH_3$

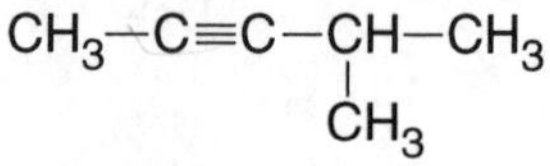

p) 2-méthylpentane

3. Décrire le mécanisme des réactions suivantes:

a) 2-méthylpentan-2-ol $\xrightarrow[\text{conc.}]{H_2SO_4}$

b) $\xrightarrow{HBr}$

c) 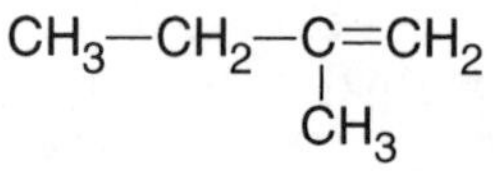 $CH_3-CH_2-\underset{\underset{CH_3}{|}}{C}=CH_2 \xrightarrow[H^+]{H_2O}$

d) 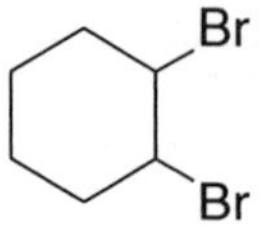 $\xrightarrow{Zn}$

4. Trouver la structure de l'alcène qui, par ozonolyse, est transformé en:

a) 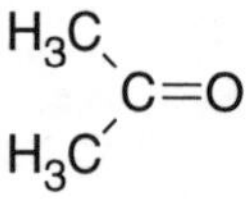 $\underset{H_3C}{\overset{H_3C}{>}}C=O$ et

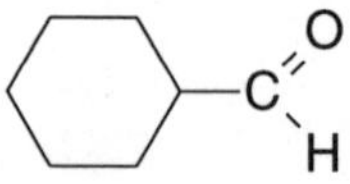

b) 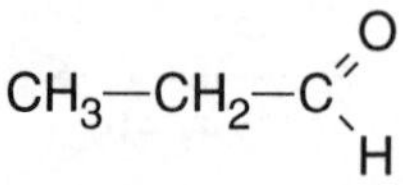 $CH_3-CH_2-C\overset{\nearrow O}{\underset{\searrow H}{}}$, $\underset{H}{\overset{O}{\|}}C-CH_2-C\overset{\nearrow O}{\underset{\searrow H}{}}$ et $CH_3-C\overset{\nearrow O}{\underset{\searrow CH_3}{}}$

c) $CH_3-\underset{\underset{\|}{}}{\overset{O}{\overset{\|}{C}}}-CH_2-\overset{O}{\overset{\|}{C}}-CH_3$ et $\underset{H}{\overset{O}{\|}}C-\underset{\underset{CH_3}{|}}{CH}-C\overset{\nearrow O}{\underset{\searrow H}{}}$

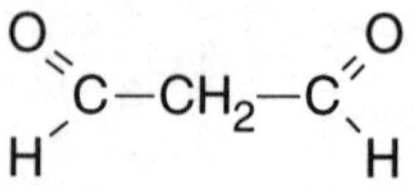

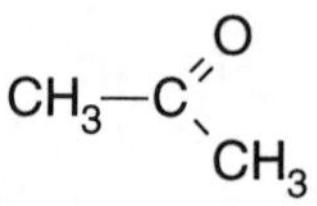

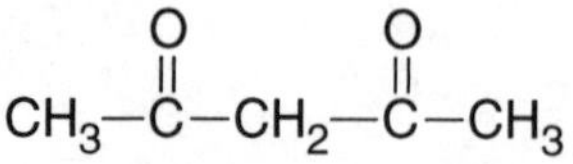

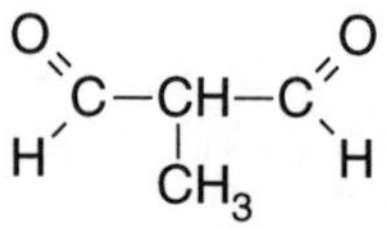

5. À l'aide de projections de Newman, représenter les transformations suivantes (décrire le mécanisme):
(Note: décrire le mécanisme pour chacun des diastéréoisomères)

  1-bromo-1,2-diphénylpropane

  $(CH_3)_3CO^- K^+$

  A $\xrightarrow{Br_2}$ B $\xrightarrow{C_2H_5O^- Na^+}$ C

6. Suggérer un mécanisme pour la réaction suivante:
(Note: décrire le mécanisme pour chacun des diastéréoisomères)

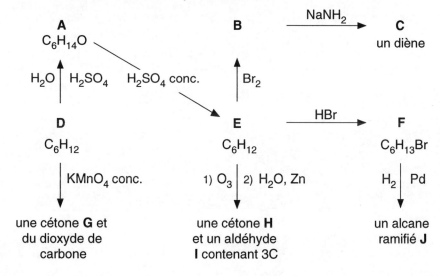

7. Décrire le mécanisme (en respectant la stéréochimie) de l'addition de brome sur le (*E*)-1,2-diphényléthylène.

8. Trouver les inconnues du système suivant:

| A | B | $\xrightarrow{NaNH_2}$ | C |
| $C_6H_{14}O$ | | | un diène |

H$_2$O | H$_2$SO$_4$ H$_2$SO$_4$ conc.   Br$_2$

| D | E | $\xrightarrow{HBr}$ | F |
| C_6H_{12} | C_6H_{12} | | $C_6H_{13}Br$ |

KMnO$_4$ conc.   1) O$_3$ | 2) H$_2$O, Zn   H$_2$ | Pd

une cétone **G** et	une cétone **H**	un alcane
du dioxyde de	et un aldéhyde	ramifié **J**
carbone	**I** contenant 3C	

9. Trouver les inconnues du système suivant:

$$C_4H_7N \xleftarrow{\text{HCN}} C_3H_6 \xrightarrow[\text{dilué}]{\text{KMnO}_4} C_3H_8O_2$$
$$\quad\text{K} \qquad\qquad \text{J} \qquad\qquad\qquad \text{L}$$

$$H_2 \Big\vert Pd$$

$$C_3H_4Br_4 \xleftarrow{\text{Br}_2} C_3H_4 \xrightarrow{\text{NaNH}_2} C_3H_3Na$$
$$\quad\text{I} \qquad\qquad \text{A} \qquad\qquad\qquad \text{B}$$

$$\Big\downarrow \text{CH}_3\text{Br}$$

$$C_4H_6 \xleftarrow[\substack{\text{NH}_3 \\ \text{(liquide)}}]{\text{NaNH}_2} C_4H_8Br_2 \xleftarrow{\text{HBr}} C_4H_6$$
$$\quad\text{H} \qquad\qquad\qquad \text{E} \qquad\qquad\qquad \text{C}$$

$$\Big\downarrow \text{KOH} \qquad\qquad H_2O \Big\vert \substack{\text{H}_2\text{SO}_4 \\ \text{HgSO}_4}$$

$$C_4H_{10} \xleftarrow[\text{Ni}]{\text{H}_2} C_4H_6 \qquad\qquad C_4H_8O$$
$$\quad\text{G} \qquad\qquad\quad \text{F} \qquad\qquad\qquad \text{D}$$

———— ✳ ————

LES COMPOSÉS BENZÉNIQUES

6

Sommaire

Mots / concepts clés

- hydrocarbure benzénique
- règle de Hückel
- aromaticité
- réaction de substitution électrophile
- alkylation, nitration, halogénation, sulfonation et acylation
- réaction de substitution nucléophile
- réaction de substitution radicalaire
- fusion alcaline

Objectifs spécifiques

Vous devez être capable de ...

• définir l'aromaticité et reconnaître un composé aromatique;
• connaître les principales réactions des composés benzéniques;
• décrire le mécanisme de la substitution électrophile sur les composés benzéniques et en déduire les produits de réaction;
• relier des composés benzéniques entre eux par divers enchaînements de réactions;
• préparer le phénol par différentes méthodes;
• définir et expliquer les mots / concepts clés.

Introduction

6.1 Présentation

Le benzène, C_6H_6, est un liquide (Éb 80,1°C) obtenu surtout du raffinage du pétrole par pyrolyse catalytique. D'autres hydrocarbures de la même famille que celle du benzène, comme le toluène et le xylène, sont de bons solvants. La famille des composés benzéniques, en plus des hydrocarbures, comprend d'autres fonctions organiques et une grande variété de produits utiles dans différents domaines. En voici quelques-uns:

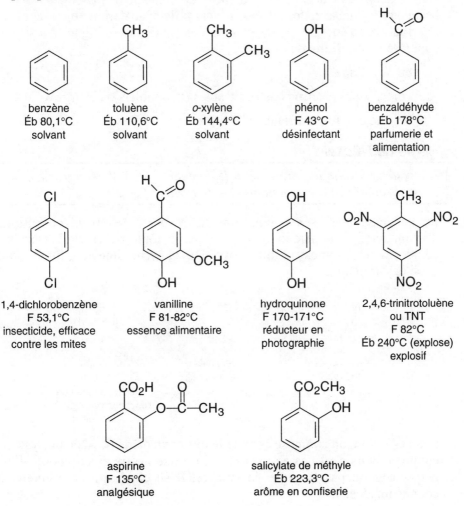

benzène
Éb 80,1°C
solvant

toluène
Éb 110,6°C
solvant

o-xylène
Éb 144,4°C
solvant

phénol
F 43°C
désinfectant

benzaldéhyde
Éb 178°C
parfumerie et
alimentation

1,4-dichlorobenzène
F 53,1°C
insecticide, efficace
contre les mites

vanilline
F 81-82°C
essence alimentaire

hydroquinone
F 170-171°C
réducteur en
photographie

2,4,6-trinitrotoluène
ou TNT
F 82°C
Éb 240°C (explose)
explosif

aspirine
F 135°C
analgésique

salicylate de méthyle
Éb 223,3°C
arôme en confiserie

6.1.1 L'aromaticité

Tous les composés précités contiennent un cycle benzénique dans lequel les électrons π sont délocalisés par résonance. Ce phénomène a déjà été examiné à la section 4.4. On qualifie souvent ces substances d'aromatiques à cause du phénomène de la résonance.

Cette **aromaticité** des composés organiques existe aussi dans bien d'autres structures comme celles du naphtalène, de la pyridine, du pyrrole etc. Le chimiste britanique Sir Robert Robinson, en 1926, a introduit cette idée d'aromaticité chez certains composés organiques. Le chimiste allemand Erich Hückel, en 1931, a précisé cette notion.

En remontant dans l'histoire, on constate que les composés benzéniques étaient qualifiés d'aromatiques à cause de leur odeur, mais cette idée a beaucoup évolué avec les années. **L'aromaticité** se définit aujourd'hui en relation avec l'énergie de résonance d'un système conjugué. Ainsi, un composé **aromatique** doit:

- être cyclique,
- contenir des électrons délocalisables (π, doublets ou charges),
- respecter la règle de Hückel.

Règle de Hückel

> *Un système cyclique conjugué doit contenir (4n + 2) électrons π ou délocalisables (où **n** est un nombre entier égal à 0,1,2,3,4...).*

Le benzène, avec ses 6 électrons π, respecte les trois conditions d'aromaticité en considérant n = 1 dans la règle de Hückel. D'autres composés bien connus comme la pyridine, la pyrimidine et le furane sont aussi des aromatiques.

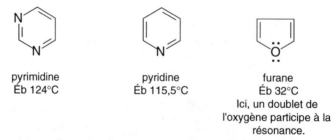

pyrimidine
Éb 124°C

pyridine
Éb 115,5°C

furane
Éb 32°C
Ici, un doublet de l'oxygène participe à la résonance.

Mais attention, un composé comme le cyclobutadiène possède un système conjugué mais n'est pas aromatique; il n'a que quatre électrons π. Il ne respecte donc pas la règle de Hückel. Il se comporte chimiquement comme un alcène.

Les composés suivants sont-ils aromatiques?

a)   b)   c)   d)

Réactivité

Le caractère aromatique du benzène et de ses dérivés leur procure une réactivité différente de celle des alcènes. En effet, les additions de HX, H_2O et X_2 s'effectuent bien avec les hydrocarbures insaturés. Or, ces mêmes réactions sont pratiquement impossibles à réaliser avec le benzène. Il en est de même pour l'oxydation. Donc le cycle benzénique présente un comportement nettement différent de celui d'un alcène. La grande stabilité du benzène, due à la résonance du système conjugué, est responsable de cette résistance à plusieurs réactions typiques des alcènes.

Toutefois, dans des conditions particulières, l'addition d'hydrogène est réalisable. L'oxydation rigoureuse est aussi réalisable, mais elle est surtout utilisée pour dégrader les ramifications sur le cycle benzénique sans modifier ce dernier.

6.2 La substitution

Les trois catégories de substitution, électrophile, nucléophile et radicalaire, s'appliquent aux composés benzéniques; examinons les particularités de chacune.

6.2.1 Substitution électrophile, S_E

La forte densité électronique du cycle benzénique le rend attirant pour des réactifs électrophiles; l'addition de telles particules est cependant peu probable puisqu'elle briserait l'aromaticité du cycle. Les électrophiles conduisent plutôt à la **substitution** d'un hydrogène du cycle.

Réaction générale

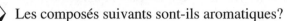

L'électrophile est obtenu à partir des réactifs du tableau 6.1.

L'électrophile ou, plus précisément, le cation qui produit la substitution, peut être obtenu à partir d'une grande variété de réactifs. Le tableau 6.1 en présente quelques-uns parmi les plus importants.

Tableau 6.1 La substitution électrophile et ses principaux réactifs.

Électrophile réagissant	Réactifs	Réaction
R^+　(carbocation)	$R-X$　et　$AlCl_3$	alkylation (réaction de Friedel-Crafts*)
NO_2^+　(ion nitronium)	HNO_3　et　H_2SO_4	nitration
HSO_3^+　(ion sulfonium) ou SO_3	H_2SO_4　et　SO_3	sulfonation
X^+　(ion halogénium) ou $\overset{\delta+}{X}--\overset{\delta-}{FeX_4}$	X_2　et　FeX_3	halogénation
$R-\overset{+}{C}=O$　(carbocation)	$R-\overset{\underset{\|}{Cl}}{C}=O$　et　$AlCl_3$	acylation

Chacun de ces cations est obtenu par une réaction spécifique, préliminaire à la substitution électrophile. Le principe de base de leur formation est sensiblement le même pour tous, c'est-à-dire la réaction entre un acide de Lewis (accepteur d'électrons) et une molécule source d'électrons. En voici un exemple détaillé avec la formation d'un carbocation qui sert d'électrophile pour une alkylation (réaction de Friedel-Crafts).

$$R-Cl \;+\; AlCl_3 \longrightarrow R^+ \;+\; AlCl_4^-$$

halogénure　　　acide de Lewis　　　　carbocation (électrophile)

Plus en détails:

rupture hétérolytique　　　acide de Lewis

Dans cet exemple, le réactif électrophile R^+ formé peut être attaqué par des électrons π en provenance du cycle benzénique. Par la suite, l'anion $AlCl_4^-$ sert de base pour enlever l'hydrogène dans la dernière étape du mécanisme de réaction (voir au bas de la page 257).

*Charles Friedel (1832-1899), chimiste français et James Mason Crafts (1839-1917), chimiste américain, ont découvert cette réaction en 1877. (Voir alkylation, page suivante).

Voici maintenant les cinq principales réactions de substitution électrophile et les réactions chimiques permettant d'obtenir le réactif électrophile nécessaire.

• ALKYLATION avec R^+

Ce cation est obtenu par la réaction d'un halogénure d'alkyle avec un acide de Lewis. La substitution électrophile qui s'ensuit porte le nom de réaction de **Friedel-Crafts**, une alkylation.

$$R-X \; + \; AlCl_3 \; \longrightarrow \; R^+ \; + \; AlCl_4^-$$

carbocation   (si X est un chlore)

Cette réaction est favorisée par l'utilisation d'halogénures tertiaires ou secondaires et provoque souvent des réarrangements de carbocations sur les halogénures primaires.

• NITRATION avec $\overset{+}{N}O_2$

L'ion nitronium se forme lors du mélange d'acide nitrique et d'acide sulfurique.

$$HNO_3 \; + \; H_2SO_4 \; \longrightarrow \; \overset{+}{N}O_2 \; + \; HSO_4^- \; + \; H_2O$$

ion nitronium

• HALOGÉNATION avec X^+ ou $X^{\delta+}--\overset{\delta-}{Fe}X_4$

À première vue, il peut sembler curieux de travailler avec un ion halogénure positif. Mais dans les faits, il s'agit plutôt d'une polarisation de l'halogène qui forme un complexe avec l'acide de Lewis, un bon accepteur d'électrons, comme ceci:

$$:\ddot{B}r-\ddot{B}r: \; + \; FeBr_3 \; \longrightarrow \; :\ddot{B}r-\overset{+}{\ddot{B}r}-\overset{-}{Fe}Br_3$$

C'est sur le brome électrophile du complexe $\overset{+}{B}r_2-\overset{-}{Fe}Br_3$ que les électrons π du cycles benzénique amorcent la réaction.

De façon générale et simplifiée, la formation de l'électrophile peut prendre la forme suivante:

$$X_2 \; + \; \begin{matrix} AlCl_3 \\ ou \\ FeX_3 \end{matrix} \; \longrightarrow \; X^+ \; + \; FeX_4^- \quad ou \quad AlCl_3X^-$$

ion halogénium

• SULFONATION avec $H\overset{+}{S}O_3$

Cet ion apparaît en solution lorsqu'on fait barboter le trioxyde de soufre dans l'acide sulfurique concentré. La solution résultante s'appelle oléum.

$$H_2SO_4 \; + \; SO_3 \; \longrightarrow \; H\overset{+}{S}O_3 \; + \; HSO_4^-$$

ion sulfonium

La substitution électrophile s'amorce par une attaque des électrons π du cycle sur $H\overset{+}{S}O_3$ ou directement sur l'atome de soufre du trioxyde de soufre, SO_3.

La sulfonation permet la synthèse de détergents aromatiques appelés alkylbenzènesulfonates (voir complément A). Malheureusement, ces détergents sont difficilement biodégradables, donc une cause de pollution. D'un autre côté, la sulfonation ouvre la porte à la synthèse des sulfonamides, appelés en Anglais «*sulfa drugs*». Ces composés, aussi appelés sulfamides, sont des agents chimiothérapeutiques et agissent comme médicaments antibactériens pour combattre plusieurs maladies telles que: infections urinaires, lèpre, paludisme, pneumonie etc.

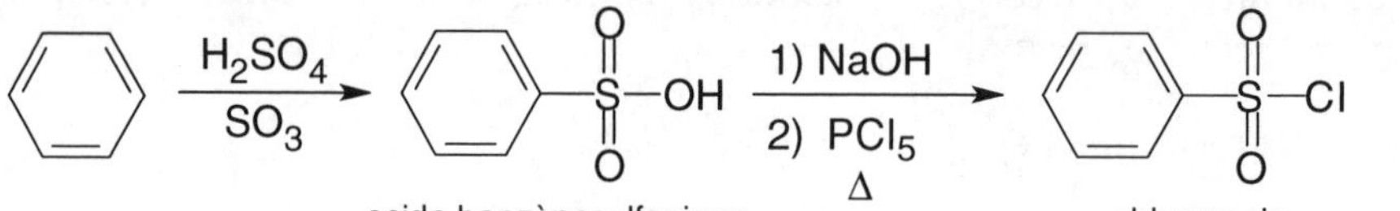

acide benzènesulfonique

chlorure de benzènesulfonyle

Des milliers de sulfonamides, mais surtout ceux avec une fonction amine en para, sont reconnus pour leurs propriétés antibactériennes, mais la découverte des antibiotiques a déplacé ces médicaments au second rang.

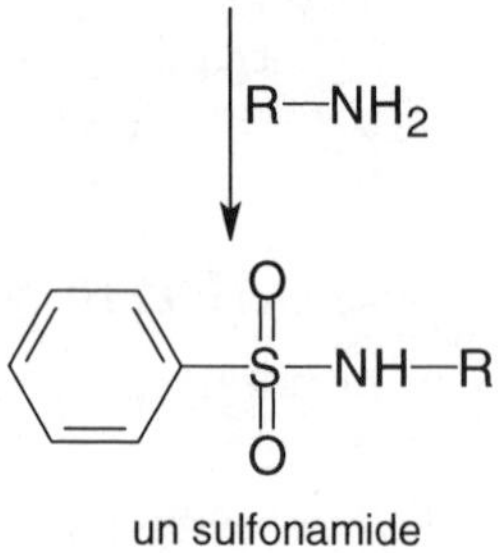

un sulfonamide (sulfamide)

• **ACYLATION avec** $R-\overset{+}{C}=O$

Il existe plusieurs façons de produire un cation acyle. Les chlorures d'acides demeurent cependant les réactifs préférés pour la production de ce cation.

un chlorure d'acide

carbocation acylium

Voici deux exemples de substitution électrophile sur le benzène, une nitration et une acylation:

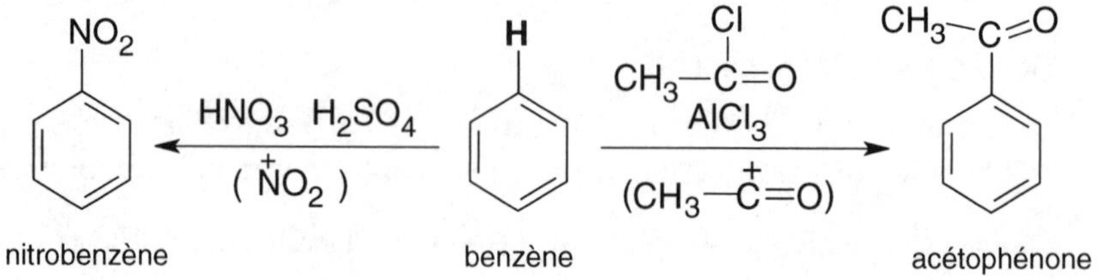

nitrobenzène

benzène

acétophénone

La synthèse du toluène à partir du benzène est un exemple d'alkylation:

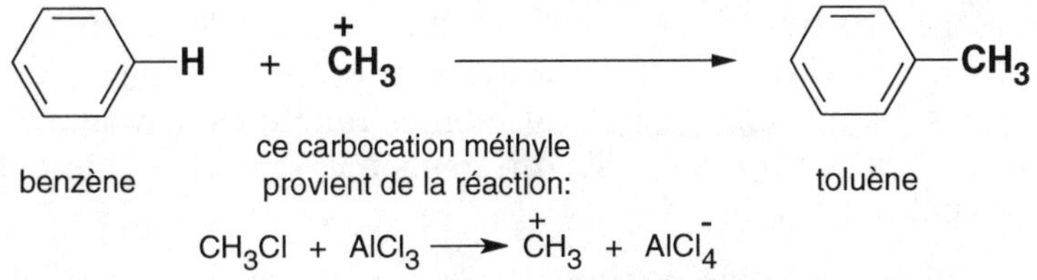

benzène

ce carbocation méthyle
provient de la réaction:

toluène

$$CH_3Cl + AlCl_3 \longrightarrow \overset{+}{C}H_3 + Al\overset{-}{C}l_4$$

Le **mécanisme** de la substitution électrophile se déroule en deux étapes:

1. Attaque des électrons π du cycle sur l'électrophile pour produire un carbocation stabilisé par résonance; c'est l'étape **lente** de la réaction.

2. Perte d'un proton, grâce à une base présente dans le milieu réaction-nel, pour retrouver le caractère aromatique au cycle; c'est l'étape **rapide**.

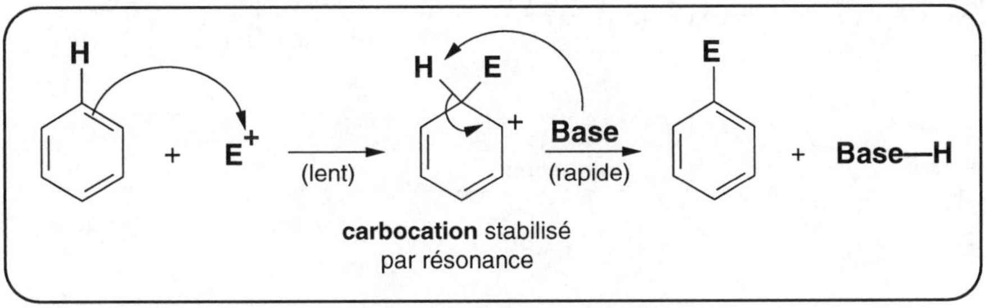

Mécanisme de *substitution électrophile*

Ainsi, le benzène est transformé en toluène par le mécanisme suivant:

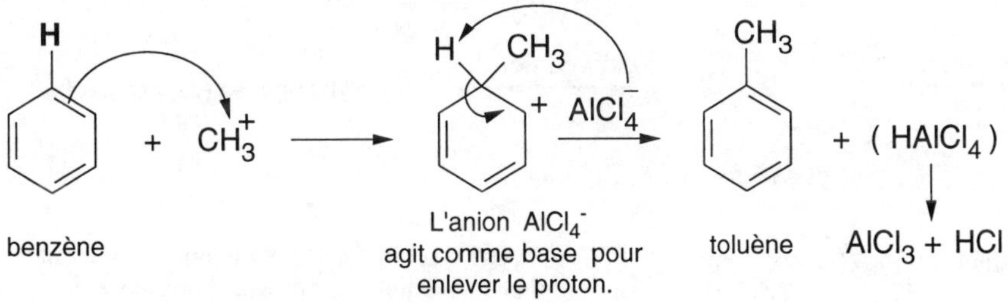

benzène

L'anion AlCl$_4^-$
agit comme base pour
enlever le proton.

toluène   AlCl$_3$ + HCl

La substitution électrophile ouvre la porte à la synthèse de toute une série de substances d'une importance capitale pour l'industrie chimique. En effet, grâce à ce type de réaction, on est en mesure de fabriquer une foule de composés, tous contenant le cycle benzénique comme élément de base, mais auquel sont greffés différentes fonctions permettant d'obtenir par la suite des composés aussi différents que l'aspirine et le polystyrène (styrofoam).

Le tableau 6.2 présente quelques exemples de ces composés dérivés du benzène.

Tableau 6.2 Quelques utilisations industrielles du benzène.

2 Indiquer les réactifs qui permettraient de réaliser la première étape des synthèses présentées au tableau 6.2. Décrire le mécanisme de ces réactions.

• *Substitution électrophile sur un cycle benzénique déjà substitué*

Les composés benzéniques monosubstitués peuvent, à leur tour, subir d'autres substitutions et conduire ainsi à une grande variété de produits. Cependant, une deuxième substitution électrophile exige de bien analyser l'implication du groupe déjà en place sur l'orientation du nouveau substituant.

Pour cela, il faut examiner les effets **inductifs** et **mésomères** des substituants déjà en place. Cette analyse nous renseigne sur l'orientation d'une nouvelle substitution électrophile et sur sa rapidité d'exécution.

1. Vitesse de réaction des substitutions électrophiles

Les substituants donneurs d'électrons (en considérant leurs effets inductifs et mésomères) activent le cycle benzénique et favorisent la substitution électrophile alors que c'est le contraire pour les substituants attracteurs d'électrons. Les tableaux 6.3 et 6.4 résument la situation.

Tableau 6.3 Pouvoir activant et désactivant des substituants du cycle benzénique.

Activants forts	Désactivants forts		
• les amines —$\overset{..}{N}$—	• les carbonyles $\diagdown C{=}O$	(aldéhyde, cétone, acide et amide)	
• les alcools —$\overset{..}{\underset{..}{O}}H$	• les acides sulfoniques —SO_3H		
	• les nitriles —CN		
• les éthers —$\overset{..}{\underset{..}{O}}R$	• les nitros —NO_2		
Activants faibles	**Désactivants faibles**		
• les alkyles —R	• les halogènes —$\overset{..}{\underset{..}{X}}:$		
• les aryles —Ar			

Les alkylbenzènes, comme le toluène, sont activés par l'effet inductif répulsif du groupe alkyle. Pour les substrats qui possèdent des substituants conduisant à un effet mésomère, c'est cet effet qui l'emporte presque toujours sur l'effet inductif, sauf pour les halogènes. Pour eux, l'effet inductif domine et désactive le cycle benzénique.

Tableau 6.4 Vitesses relatives de la nitration de quelques composés benzéniques.

Substrat	Vitesse relative	Substrat	Vitesse relative
⬡—H	1	⬡—Cl	0,033
⬡—OH	1 000	⬡—I	0,18
⬡—CH₃	25	⬡—NO₂	6×10^{-8}

  3 Les composés suivants sont-ils activés ou désactivés face à une substitution électrophile?

a) CN

b) Br

c) OCH₃

d) H₃C—CH—CH₃

e) NH—CH₃

f) $\overset{O}{\underset{}{C}}$—OCH₃

2. Régiosélectivité des substitutions électrophiles

La nature du substituant déjà en place oriente l'entrée du deuxième. Le tableau 6.5 résume les principaux cas.

Tableau 6.5 Orientation généralement observée, causée par divers substituants lors d'une substitution électrophile sur un cycle benzénique.

Orienteurs en *ortho* et *para*	Orienteurs en *méta*
• les amines —N̈—	• les carbonyles C=O (aldéhyde, cétone, acide et amide)
• les alcools —ÖH	• les acides sulfoniques —SO₃H
	• les nitriles —CN
• les éthers —ÖR	• les nitros —NO₂
• les alkyles —R	
• les aryles —Ar	
• les halogènes —Ẍ:	

L'explication de la régiosélectivité *ortho* et *para* pour les alkyles, dans lesquels il n'y a pas d'effet mésomère, réside dans la stabilité supérieure du carbocation formé pendant la substitution. Ce carbocation est en partie tertiaire pour une substitution en *ortho* ou *para*, mais totalement secondaire pour une substitution en *méta*.

Pour les autres catégories de substitutants, l'effet mésomère dirige l'orientation de l'électrophile sur le cycle. Les substituants donneurs d'électrons, au sens de la mésomérie, introduisent une importante densité électronique en *ortho* et *para* et y favorisent l'entrée d'un réactif électrophile. L'aniline en est un exemple.

aniline   hybride de résonance   isomère *para*   isomère *ortho*
                                                (produit majeur)

Même si les deux isomères peuvent se former, l'encombrement stérique du groupe en place ou de l'électrophile favorise l'isomère **para**. En voici un autre exemple, à partir du phénol.

phénol   Isomère peu abondant à
                                                cause de l'encombrement
                                                important du butyle tertiaire.

D'autre part, les substituants attracteurs d'électrons, également par mésomérie, diminuent la densité électronique en *ortho* et *para*. Dans ce cas, la substitution électrophile est désavantagée mais peut quand même être réalisée, par défaut de sites activés, en position *méta*. C'est le cas de l'acide benzoïque.

acide benzoïque   (hybride de résonance)   acide **méta**-nitrobenzoïque

1. Décrire le mécanisme de la nitration de l'acide benzoïque.

2. Suggérer une suite de réactions pour obtenir le *m*-chloronitrobenzène à partir du benzène.

6.2.2 Substitution nucléophile, S_N

Les substances benzéniques sont généralement inertes face aux nucléophiles. Toutefois, si un halogénure benzénique est activé par la présence de groupes nitrés, la substitution de l'halogène peut réussir. C'est le cas du 1-fluoro-2,4-dinitrobenzène qui réagit facilement avec les amines. Cette substance est d'ailleurs très utile dans la détermination de structure de protéines.

• *Substitution d'un fluor*

$$O_2N- \!\!\!\!\!\!\!\! \qquad \!\!\!\! -F \quad \overset{\overset{\ddot{N}H_2}{|}}{\underset{\text{(un aminoacide)}}{R-CH-CO_2H}} \quad \longrightarrow \quad O_2N- \!\!\!\!\!\!\!\! \qquad \!\!\!\! -NH-\overset{R}{\underset{}{CH}}-CO_2H \quad + \quad HF$$

1-fluoro-2,4-dinitrobenzène

• *Substitution d'un chlore*

Les phénols ne peuvent pas être obtenus par substitution électrophile directement à partir du benzène. Mais en utilisant des composés benzéniques déjà substitués par un chlore ou un sulfonate, il est possible, dans des conditions expérimentales très rigoureuses, d'y réaliser une substitution **nucléophile** par un ion hydroxyde pour obtenir un phénol. Encore ici, la présence de groupements nitrés sur le cycle augmente la réactivité. Le 2,4-dinitrophénol est obtenu par cette méthode. Ce phénol est toxique, mais très utile pour la synthèse de teintures; il sert aussi d'insecticide, de préservatif pour le bois et même d'indicateur de pH entre pH 2,6 (incolore) et pH 4,4 (jaune).

Le nucléophile est l'ion **HO⁻** produit par le carbonate dans l'eau.

$$O_2N- \!\!\!\!\!\!\!\! \qquad \!\!\!\! -Cl \quad \xrightarrow[\text{2) } H^+]{\overset{\text{1) } Na_2CO_3 \; H_2O}{\text{24 heures}}} \quad O_2N- \!\!\!\!\!\!\!\! \qquad \!\!\!\! -OH$$

1-chloro-2,4-dinitrobenzène   2,4-dinitrophénol

Le 1-chloro-2,4-dinitrobenzène peut aussi être substitué par l'hydrazine et former la 2,4-dinitrophénylhydrazine, réactif très utile pour caractériser les aldéhydes et les cétones par un dérivé (voir section 10.7.3).

O$_2$N—⟨⟩—Cl   +   H$_2$NNH$_2$ ⟶   O$_2$N—⟨⟩—NHNH$_2$
          | (excès) |
          NO$_2$ NO$_2$

1-chloro-2,4-dinitrobenzène   hydrazine   2,4-dinitrophénylhydrazine

Le phénol est obtenu industriellement par substitution nucléophile d'un chlore ou d'un sulfonate benzénique. Les conditions expérimentales de cette synthèse doivent cependant être très rigoureuses puisque le cycle benzénique n'est pas activé par d'autres substituants. On utilise la **fusion alcaline** (hydroxyde de sodium solide chauffé à 350°C) pour l'obtenir. Le phénol est isolé après acidification du milieu.

Cl   1) NaOH (solide)   OH
| 350°C |
⟨⟩   (fusion alcaline)   ⟨⟩
                    ─────────────────⟶
                      2) H$_3$O$^+$

chlorobenzène   phénol

═══

⟨5⟩ Suggérer un procédé pour transformer le benzène en *p* -méthylphénol.

═══

6.2.3 Substitution radicalaire, S$_R$

Cette réaction est rappelée ici pour montrer qu'il est possible d'halogéner sélectivement **une chaîne** latérale d'un cycle benzénique.

⟨⟩—CH$_3$ $\xrightarrow[h\nu]{Cl_2}$ ⟨⟩—CH$_2$—Cl

Cette réaction radicalaire, catalysée par la lumière, ne s'attaque pas au cycle. La substitution **sur** le cycle est réservée aux réactifs **électrophiles**.

6.3 L'addition d'hydrogène

L'hydrogénation catalytique (radicalaire) du benzène exige une température et une pression élevée pour en rompre l'aromaticité.

| Découvert en 1825 par Faraday. Structure établie de 1865 à 1888. | benzène | $\xrightarrow[\text{Ni (Raney*)}]{3\,H_2}$ | cyclohexane | Hydrogénation réussie pour la première fois par Sabatier et Senderens en 1901. |

La réduction du cycle benzénique peut s'appliquer aussi aux composés benzéniques substitués, comme le toluène et le phénol, entre autres.

méthylcyclohexane $\xleftarrow[\text{Ni (Raney)}]{3\,H_2}$ toluène   phénol $\xrightarrow[\text{Ni (Raney)}]{3\,H_2}$ cyclohexanol

6 Suggérer un enchaînement de réactions pour transformer le phénol en cyclohexène.

6.4 L'oxydation

L'oxydation du cycle benzénique ne se rencontre que lors d'une combustion. Elle est possible, mais destructrice dans des conditions extrêmement rigoureuses comme, par exemple, dans un mélange sulfo-chromique, H_2SO_4 / $K_2Cr_2O_7$.

L'oxydation des dérivés du benzène est très utile car elle permet de déduire la position des substituants. En effet, elle conduit à l'acide greffé là où l'étaient les substituants initiaux. Par exemple,

(A) $\xrightarrow[\substack{\text{KMnO}_4 \\ H_3O^+}]{\Delta}$

Les deux acides carboxyliques en *méta* indiquent que les substituants carbonés de la substance A étaient aussi en ***méta***.

*Le nickel Raney est un catalyseur de nickel spécial découvert par l'américain M. Raney en 1927. Ce catalyseur permet de réaliser des hydrogénations à la température de la pièce et à de faibles pressions. Le nickel Raney est obtenu en traitant un alliage de nickel-aluminium avec une solution chaude d'hydroxyde de sodium. L'aluminium se dissout et le nickel est libéré sous la forme d'une suspension noire saturée d'hydrogène. La première hydrogénation du benzène a été réussie en 1901, par Sabatier et Senderens, 76 ans après sa découverte.

7 En utilisant le benzène comme substance de départ (ceci n'exclut pas, au besoin, l'utilisation d'autres molécules organiques comme réactifs), trouver une façon de préparer les composés suivants:

a) le *p* -chloronitrobenzène

b) l'acide 3-nitrobenzoïque

c) l'acide 4-éthylbenzènesulfonique

d) le 2,4-dinitrophénol

e) $Cl{-}\langle\text{benzène}\rangle{-}CH_2{-}Cl$

f) $Br{-}\langle\text{benzène}\rangle{-}\overset{\overset{\displaystyle O}{\|}}{C}{-}CH_3$

L'histoire emmêlée du benzène et du cyclohexane.*

Dates importantes:

1825: Faraday découvre le benzène.
1865: Kékulé propose la structure du benzène.
1865 à **1888**: la structure du benzène est établie définitivement.
1895: le cyclohexane est synthétisé puis isolé par Markovnikov.

Un écheveau que quatre grands laboratoires ont mis au-delà de 25 ans (1867-1895) à démêler!

1867/1868, Berthelot (France). Berthelot développe une méthode générale de réduction des composés organiques. Selon lui, le benzène consiste en 3 molécules d'acétylène associées. Le benzène et le phénol traités par HI (250 °C, pendant plusieurs heures) conduisent à un composé dont Éb 69 °C. Il croit que c'est du n-hexane, C_6H_{14}, d'abord isolé en 1862 du pétrole américain puis synthétisé en 1863 par Wanklyn et Erlenmeyer. Le benzène, de formule C_6H_6 (F 5,5 °C; Éb 80 °C) avait été synthétisé par Berthelot en 1864 par traitement thermique de l'acétylène, d'où ses croyances et sa théorie des saturations relatives (i.e. 3 molécules d'acétylène associées).

1870, Bayer, étudiant chez Kékulé (Allemagne). Bayer, sceptique, refait les expériences de Berthelot. Les résultats de Berthelot exigeaient, en effet, la rupture du cycle. Il obtient un composé dont Éb 70 °C qu'il n'étudie pas à fond, peut-être par courtoisie pour Berthelot. Pour lui, ce produit est de l'hexahydrobenzène, C_6H_{12}, inconnu à l'époque et difficile à distinguer du n-hexane, C_6H_{14}, à cause de la faible différence entre les résultats des analyses élémentaires: C_6H_{14} : 16,3 % H et 83,7 % C; C_6H_{12} : 14,3 % H et 85,7 % C.

1877, Wreden (Russie). Il refait les expériences de Berthelot sur le benzène. De plus, il traite par HI le toluène, le m-xylène et le phénol. Dans chaque cas, il obtient un composé de formule C_nC_{2n}. Il conclut que les composés aromatiques ne peuvent absorber que 6H. Berthelot lui répond ironiquement et lui rappelle «comment faire pour obtenir les mêmes résultats que lui».

Malgré tout, Berthelot se met à douter de ses résultats précédents et il refait 3 fois le traitement du benzène par le HI. Il obtient encore un composé dont Éb 68,5-70 °C. Il demeure cependant convaincu que c'est du n-hexane. Il reste attaché à sa théorie.

1885. Bayer élabore la théorie sur la stabilité des molécules cycliques.

1888. La distillation du pétrole donne un composé de formule C_6H_{12} (Éb 69-70 °C). On l'appelle hexanaphthène. Une autre théorie suggérait l'existence possible d'un autre composé de formule C_6H_{12} qu'on a appelé hexaméthylène.

(suite page suivante...)

* Source: Warnhoff E.W., «The Curiously Intertwined Histories of Benzene and Cyclohexane», *Journal of Chemical Education*, vol. 73, n°6, (juin 1996), p. 495-497. Adaptation libre.

— *L'histoire emmêlée du benzène et du cyclohexane.* *(suite)* ———

1890. Markovnikov (Russie) avance une hypothèse d'explication: les composés
- **hexahydrobenzène** (Éb 69-71 °C), obtenu du benzène traité par HI,
- **hexanaphthène** (Éb 69-70 °C), isolé du pétrole en 1888,
- **hexaméthylène**, hypothétique,

sont identiques ! Mais cela reste à être prouvé.

1891. Kishner, étudiant chez Markovnikov, réussit à préparer le hexahydrobenzène (Éb 69-71 °C) par la méthode de Berthelot. Il l'obtient pur en 1892 (Éb 69-72 °C) pour fins de comparaison.

1892. Quatre grands laboratoires sont alors capables de reproduire les expériences de Berthelot mais restent en désaccord sur la pureté et la structure des composés obtenus à cause des limites expérimentales et des théories divergentes.

Les moyens de purification disponibles à l'époque sont limités de même que les moyens pour tester la pureté des composés. On est à la limite de la précision des analyses par combustion des hydrocarbures saturés volatils.

1894. Deux synthèses indépendantes (Bayer, en Allemagne et Haworth/Perkin en Angleterre) de l'hexaméthylène, C_6H_{12}, sont publiées dont Éb 79-79,5 et 77-80 °C respectivement, **mais de 10 °C plus élevé** que celui rapporté par Berthelot pour l'hexahydrobenzène et l'hexanaphthène. **C'est la confusion totale !** Bayer est même porté à conclure que Berthelot avait peut-être vraiment réduit le benzène jusqu'au n-hexane. **Comment expliquer autrement l'écart de 10 °C ?**

1895. Le point d'ébullition de l'hexaméthylène étant maintenant établi, Markovnikov et Murawieff isolent le vrai hexaméthylène (Éb 78-80 °C) (cyclohexane) du pétrole. Ils démontrent qu'il est identique à celui obtenu par Bayer et Haworth/Perkin. Il devient donc de plus en plus évident que l'hexahydrobenzène obtenu par la réduction du benzène par HI est différent de l'hexaméthylène (cyclohexane) et qu'on a peut-être affaire à des isomères. Markovnikov et Konovalov obtiennent de la distillation fractionnée du pétrole un composé pur (Éb 71-72 °C) et démontrent qu'il a les mêmes propriétés que celles de l'hexahydrobenzène de Berthelot/Kishner.

On assiste à une **percée majeure** quand Kishner, Markovnikov et Zelinski réalisent, presque tous en même temps, que le Éb de l'hexahydrobenzène pur est non seulement égal à celui du n-hexane (68,5-70 °C), **mais aussi égal à celui du méthylcyclopentane (70-71 °C)**! Ce dernier avait déjà été synthétisé en 1888. Markovnikov et Konovalov développent alors une autre synthèse du méthylcyclopentane, lequel se révèle identique à l'hexahydrobenzène de Berthelot. Il a donc fallu plusieurs années avant de se rendre à l'évidence que l'hexahydrobenzène est en fait du méthylcyclopentane.

Cette découverte met en évidence la possibilité de **réarrangement** à haute température (proposé par Kishner). Les chimistes russes proposent que le benzène est d'abord transformé en iodure de cyclohexyle avant d'être réduit en méthylcyclopentane.

C'est le plus loin que l'on peut aller pour l'époque en ce qui concerne la notion moderne de mécanisme réactionnel. On sait maintenant que ce réarrangement peut être cationique ou radicalaire. La «simple» hydrogénation (par l'hydrogène moléculaire) du benzène en cyclohexane n'a pourtant été réalisée qu'en 1901 (Sabatier et Senderens)!

Voilà un exemple de questionnement qui a duré au-delà de 25 ans (1867-1895), à cause d'un **réarrangement non détecté**, masqué par la **coïncidence des Éb du n-hexane et du méthylcyclopentane**, à cause des **limites expérimentales** de l'époque et des **hypothèses avancées**.

✳

EXERCICES 6

Introduction

6.1 Présentation et aromaticité

1. Nommer deux composés aromatiques utilisés en alimentation et deux autres employés comme solvants.

2. Quel chimiste allemand a précisé l'aromaticité par une règle?

3. Les composés suivants sont-ils aromatiques?

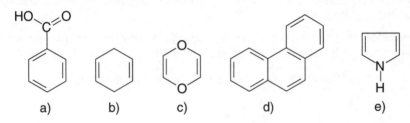

    a)   b)   c)   d)   e)

    f) $CH_2{=}CH{-}CH{=}CH_2$

Réactivité

6.2 La substitution

1. Quel type de réaction les réactifs électrophiles réussissent-ils à effectuer sur le noyau benzénique? Pourquoi en est-il ainsi?

2. Pour chacune des réactions suivantes sur le benzène, indiquer le réactif utilisé et le produit obtenu:
   a) l'alkylation b) la nitration c) l'halogénation
   d) la sulfonation e) l'acylation.

3. Écrire la formule semi-développée des composés benzéniques monosubstitués suivants:
   a) le nitrobenzène   e) l'acide benzènesulfonique
   b) le chlorobenzène   f) l'aniline
   c) le toluène   g) le phénol
   d) le styrène   h) l'acide benzoïque.

4. Décrire le mécanisme de la réaction d'un mélange de 2-chloropropane et de chlorure d'aluminium sur le benzène.

5. Lors d'une substitution électrophile sur un composé benzénique déjà porteur d'un substituant, pourquoi la présence de ce substituant est-elle importante pour prédire la nature du produit que l'on obtiendra?

6. Quels sont les substituants qui activent fortement le cycle benzénique face à l'arrivée d'un réactif électrophile? Quelles sont les conséquences de cet effet?

7. Quels sont les substituants qui désactivent fortement le cycle benzénique face à l'arrivée d'un réactif électrophile? Quelles sont les conséquences de cet effet?

8. Représenter l'hybride de résonance du phénol de manière à mettre en évidence les positions d'entrée favorisées pour un réactif électrophile.

9. Compléter la réaction suivante: toluène + chlorométhane en présence de chlorure d'aluminium.

10. Représenter l'hybride de résonance du benzaldéhyde de manière à mettre en évidence les positions d'entrée favorisées pour un réactif électrophile.

11. Compléter et décrire le mécanisme des réactions suivantes:

a)

nitrobenzène

b)

acétophénone

12. Quel est le produit majeur obtenu lors de la réaction entre le 1,4-diméthylbenzène et le chlore moléculaire en utilisant de la lumière ultraviolette comme catalyseur?

13. Identifier les inconnues A et B.

14. Donner une synthèse de la 2,4-dinitrophénylhydrazine à partir du benzène.

6.3 et 6.4 L'addition d'hydrogène et l'oxydation

1. Vrai ou faux.
   a) Il est très facile d'oxyder la molécule de benzène.
   b) L'addition d'acide chlorhydrique, de chlore ou d'eau sont des réactions très difficiles à réaliser sur la molécule de benzène.

2. Dans quelles conditions expérimentales spéciales est-il possible de transformer le benzène en cyclohexane? S'agit-il d'une réaction ionique?

3. Dans quels cas l'oxydation est-elle intéressante en ce qui concerne les dérivés du benzène?

4. Pourquoi l'addition électrophile sur le noyau benzénique ne se produit pas aux conditions normales?

5. Quel diacide devrait-on obtenir par l'oxydation rigoureuse du composé suivant?

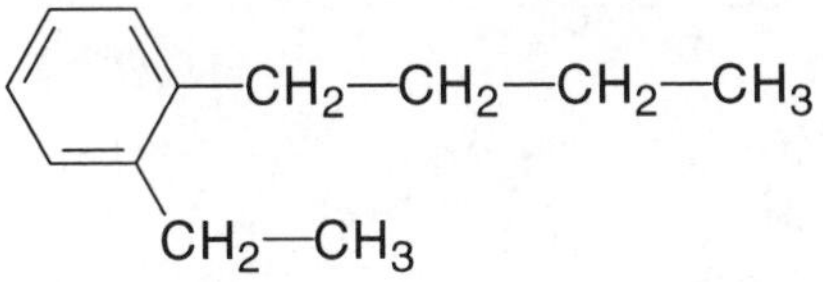

6. Donner une synthèse du cyclohexène à partir du chlorobenzène.

Exercices complémentaires

1. Compléter les réactions suivantes:

a)

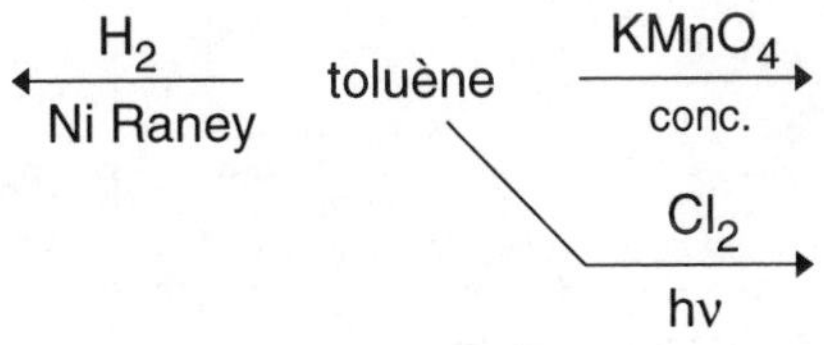

b)

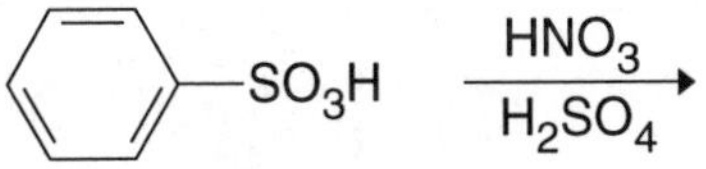

c)

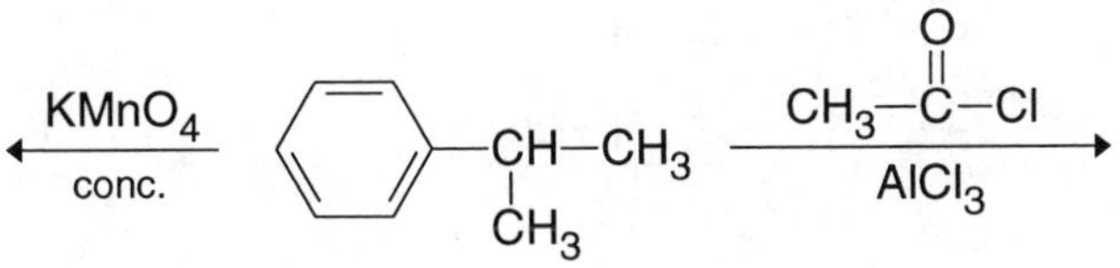

2. Trouver un cheminement pour transformer le benzène en:

a)

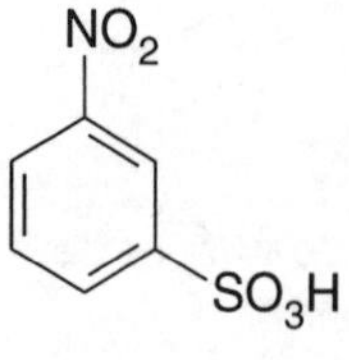

NO_2

SO_3H

b)

CH_3

Cl

c)

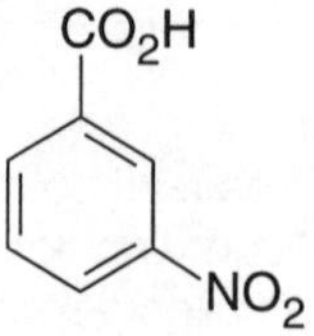

CO_2H

NO_2

3. Décrire le mécanisme des réactions suivantes:

a) 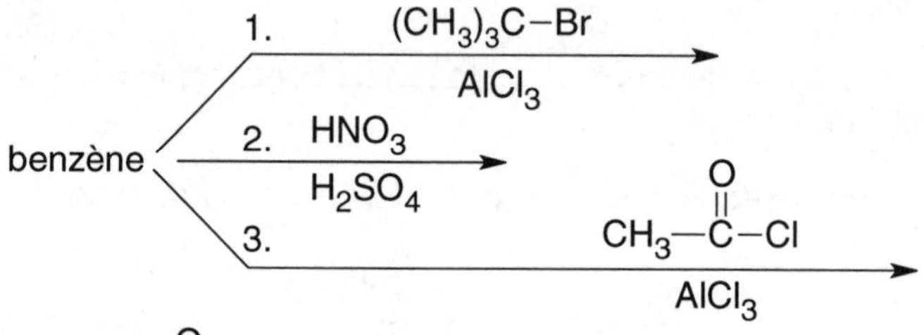   benzène

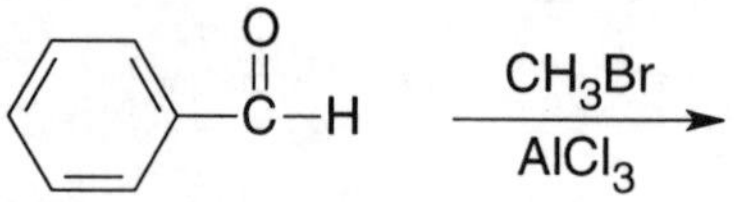

1. $(CH_3)_3C-Br$ $AlCl_3$

2. HNO_3 H_2SO_4

3. $CH_3-\overset{O}{\overset{\|}{C}}-Cl$ $AlCl_3$

b)

$-\overset{O}{\overset{\|}{C}}-H$ $\dfrac{CH_3Br}{AlCl_3}$

c)

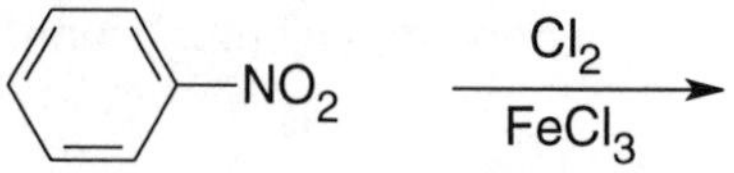

$-NO_2$ $\dfrac{Cl_2}{FeCl_3}$

d)

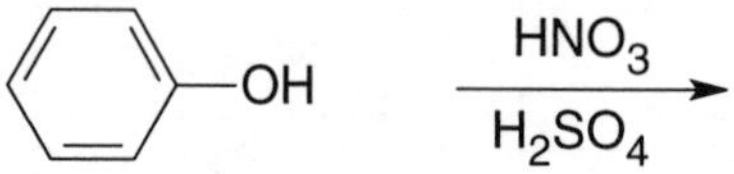

$-OH$ $\dfrac{HNO_3}{H_2SO_4}$

4. Trouver les inconnues du système suivant:

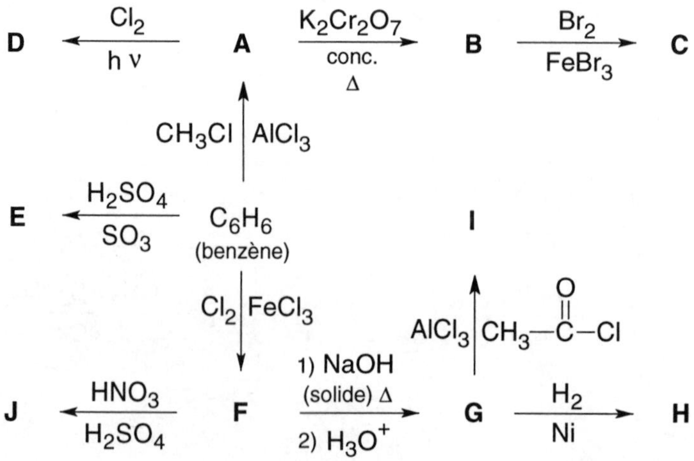

$$D \xleftarrow{\;Cl_2 \; / \; h\nu\;} A \xrightarrow[\text{conc.}\;\Delta]{K_2Cr_2O_7} B \xrightarrow[FeBr_3]{Br_2} C$$

$$CH_3Cl \,\big|\, AlCl_3 \uparrow$$

$$E \xleftarrow[SO_3]{H_2SO_4} \underset{\text{(benzène)}}{C_6H_6} \qquad I$$

$$Cl_2 \,\big|\, FeCl_3 \downarrow \qquad AlCl_3 \,\big|\, CH_3-\overset{O}{\overset{\|}{C}}-Cl \uparrow$$

$$J \xleftarrow[H_2SO_4]{HNO_3} F \xrightarrow[\text{2) } H_3O^+]{\text{1) NaOH (solide) } \Delta} G \xrightarrow[Ni]{H_2} H$$

5. Trouver les inconnues du système suivant:

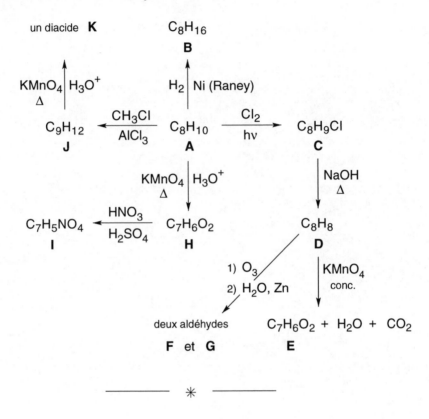

$$\text{un diacide} \quad \mathbf{K}$$

$$C_8H_{16}$$
$$\mathbf{B}$$

$$KMnO_4 \;\big|\; H_3O^+ \quad \Delta$$

$$H_2 \;\big|\; Ni \text{ (Raney)}$$

$$C_9H_{12} \xleftarrow[\text{AlCl}_3]{\text{CH}_3\text{Cl}} C_8H_{10} \xrightarrow[h\nu]{\text{Cl}_2} C_8H_9Cl$$
$$\mathbf{J} \qquad\qquad\qquad \mathbf{A} \qquad\qquad\qquad \mathbf{C}$$

$$KMnO_4 \;\big|\; H_3O^+ \quad \Delta$$

$$NaOH \quad \Delta$$

$$C_7H_5NO_4 \xleftarrow[\text{H}_2\text{SO}_4]{\text{HNO}_3} C_7H_6O_2$$
$$\mathbf{I} \qquad\qquad\qquad \mathbf{H}$$

$$C_8H_8$$
$$\mathbf{D}$$

1) O_3
2) H_2O, Zn

$KMnO_4$ conc.

$$\text{deux aldéhydes} \qquad\qquad C_7H_6O_2 + H_2O + CO_2$$
$$\mathbf{F} \;\text{et}\; \mathbf{G} \qquad\qquad\qquad \mathbf{E}$$

————— ✳ —————

LES COMPOSÉS HALOGÉNÉS

7

Sommaire

Mots / concepts clés

- halogénures d'alkyle, mono, di, polyhalogéné
- halogénures 1°, 2°, 3°
- organochlorés de synthèse
- substrats 1°, 3°
- mécanisme stéréospécifique
- inversion de configuration
- compétition substitution/élimination
- organométallique
- réactif et réaction de Grignard
- éthoxyéthane (l'éther) anhydre
- stabilisation d'un organométallique
- addition nucléophile (Grignard)
- substitution nucléophile (Grignard)

Objectifs spécifiques

Vous devez être capable de ...

- classifier les halogénures d'alkyle selon qu'ils sont 1°, 2° ou 3°;
- prévoir les produits d'une substitution radicalaire sur un hydrocarbure, sur un hydrocarbure aromatique ramifié;
- compléter des réactions d'addition sur des alcènes et sur des alcynes;
- établir une séquence de réactions conduisant à un dérivé halogéné à partir d'un substrat donné;
- nommer les trois types de réactions auxquelles peuvent participer les halogénures;
- prévoir les produits d'une substitution nucléophile sur un halogénure pour chacun des nucléophiles mentionnés au tableau 7.4;
- identifier le type de dérivés halogénés propice à une S_N1, à une S_N2 ;
- détailler les conséquences stéréochimiques d'une substitution nucléophile sur un halogénure possédant un carbone asymétrique;
- déduire le mécanisme (S_N1 ou S_N2) à partir de la variation d'une vitesse de réaction causée par une variation de concentration du réactif;
- connaître les deux types d'élimination;
- identifier les moyens de favoriser une S_N1 ou une S_N2 , une E1 ou une E2;
- prédire l'abondance relative des produits lors d'une réaction de substitution/élimination sur un halogénure;
- écrire la formule semi-développée d'un organométallique à partir d'un halogénure;
- prédire les produits obtenus lors de réactions d'addition avec un organomagnésien;
- décrire le mécanisme d'une réaction d'addition d'un organomagnésien sur un substrat approprié;
- prédire les produits obtenus lors de réactions de substitution nucléophile sur un substrat de type H—A ou R—X au moyen d'un réactif de Grignard;
- décrire une synthèse en plusieurs étapes (le substrat et les réactifs étant connus);
- définir et expliquer les mots / concepts clés.

Introduction

Il est maintenant démontré que l'homme n'est pas le seul à produire des composés organohalogénés. Les plantes, les animaux, les feux de forêts et les volcans en produisent et même davantage dans certains cas. Les composés halogénés fabriqués par l'homme ne sont donc pas si exotiques qu'on le croit. Le trou dans la couche d'ozone...l'homme n'est peut-être le seul coupable!

On croit à tort que l'homme est le seul capable, grâce aux développements de la synthèse organique, de fabriquer de la dioxine, des BPC, des chlorophénols, du chloroforme, de l'iodométhane et des fluorocarbones. En réalité, toutes ces substances toxiques sont déjà fabriquées par des organismes vivants! Jusqu'en 1968, une trentaine de ces substances avaient été décelées dans des organismes vivants. Depuis ce temps, on a réussi à en identifier environ 2 000! Il s'est même tenu, en septembre 1993, aux Pays-Bas, la première Conférence Internationale sur les Organochlorés Produits Naturellement.

Par exemple, le chlorométhane, CH_3Cl , se retrouve dans des algues marines (comme le varech géant), des champignons (les champignons cultivés, ceux du bois pourri, ceux de type *Fomes*), certains cèdres, le cyprès et le phytoplancton. Les feux de forêts, le brûlage de savanes et de végétation, les volcans en produisent de grandes quantités. On évalue à 5 millions de tonnes par an la production de chlorométhane par les biomasses marine et terrestre. L'homme n'en produit qu'environ 26 000 tonnes par an! Le tableau 7.1 montre une liste d'organohalogénés simples présents dans les océans, les algues marines, les plantes et les volcans.

Tableau 7.1 Quelques organohalogénés simples présents dans la biosphère.

CH_3Br	CCl_4	CH_2ClBr	$Cl_2C=CCl_2$	CH_3CH_2Br	$CHFCl_2$	CH_2I_2
$CFCl_3$	CH_3CH_2Br	$Cl_2C=CHCl$	$F_2C=CF_2$	$FClC=CF_2$	CCl_2FCClF_2	

Certaines algues marines comestibles produisent, en très petites quantités, jusqu'à 100 organohalogénés différents beaucoup plus complexes que le chlorométhane. C'est le cas de *Asparagopsis taxiformis,* la préférée de la plupart des Hawaïens. Le tableau 7.2 donne un petit échantillon de ce que cette algue est capable de produire*.

Tableau 7.2 Quelques organohalogénés produits par *Asparagopsis taxiformis* .

* Pour en savoir plus sur les organohalogénés naturels, consulter le texte informatif à la fin du chapitre et l'article suivant: Gribble, Gordon W., *Natural Organohalogens*, Journal of Chemical Education, 1994, Vol. 71, no. 11, p. 907.

7.1 *Généralités*

Les ions halogénure sont bien connus en chimie inorganique (sels minéraux, ex. NaCl). Dans les composés organiques, les halogènes ne se retrouvent pas sous forme d'ions. Ils sont liés par covalence au carbone. Cependant, le fort caractère électronégatif de ces éléments rend les liaisons **C—X** très polaires.

Le chlore est l'halogène le plus répandu chez les composés organiques. Comme chez les minéraux, le fluor est plus rare. Le brome et l'iode s'y retrouvent à un degré moindre.

Pour nommer les composés halogénés, la nomenclature de l'UICPA s'applique simplement en identifiant l'halogène comme préfixe au nom de base avec une terminaison en «**o**» (voir section 2.10). Par exemple,

$$CH_3-\underset{\underset{\textbf{Br}}{|}}{C}H-CH_2-CH_3 \qquad \text{le 2-brom\textbf{o}butane}$$

Toutefois, pour des structures relativement simples, les composés halogénés peuvent être nommés selon l'expression générale *halogénure d'alkyle* (R—X). C'est le cas du composé suivant:

$$CH_3-CH_2-CH_2-\textbf{Cl} \qquad \text{chlor\textbf{ure} de prop\textbf{yle}}$$
$$\text{(ou 1-chloropropane)}$$

Enfin, avant de décrire comment les halogénures sont obtenus et comment ils réagissent, il est bon d'en distinguer trois types, définis par le carbone porteur de l'halogène.

$$CH_3-CH_2-\textbf{X} \qquad CH_3-\underset{\underset{}{|}}{\overset{\overset{CH_3}{|}}{C}}H-\textbf{X} \qquad CH_3-\underset{\underset{CH_3}{|}}{\overset{\overset{CH_3}{|}}{C}}-\textbf{X}$$

halogénure **primaire**   halogénure **secondaire**   halogénure **tertiaire**

Cette précision sera utile dans l'étude de la réactivité des halogénures.

La nature a inventé les molécules organiques; l'homme l'a imitée. Mais il a fabriqué les mêmes molécules en quantités telles qu'il a maintenant de la difficulté à se débarrasser ou à recycler celles qui sont difficilement biodégradables. Par exemple, on retrouve de nombreux organochlorés de synthèse dans plusieurs domaines industriels. Le tableau 7.3 en montre un faible échantillonnage.

Tableau 7.3 Quelques composés halogénés d'usage courant.

Nom commercial	Nom scientifique	Structure	Éb (°C)	Utilisation	Autres propriétés
Tétrachlorure de carbone	tétrachlorométhane	CCl_4	77	solvant	ininflammable, masse volumique élevée, cancérigène
Chloroforme	trichlorométhane	$CHCl_3$	62	solvant (ancien anesthésique)	masse volumique élevée, insoluble dans l'eau
Chlorure de méthylène	dichlorométhane	CH_2Cl_2	40	solvant	masse volumique élevée
Bromure de méthyle	bromométhane	CH_3Br	4	fumigation	gaz
Fréon 12*	dichlorodifluorométhane	CCl_2F_2	-28	liquides réfrigérants et agents de propulsion dans les bonbonnes aérosols	ils détruisent la couche d'ozone
Fréon 13	chlorotrifluorométhane	$CClF_3$	-81		
Fréon 22	chlorodifluorométhane	$CHClF_2$	-41		
Téflon	téflon	$(\!-\!CF_2\!-\!CF_2\!-\!)_n$		revêtements de toutes sortes	polymères d'une grande stabilité thermique et chimique
Perlux	tétrachloroéthylène	$Cl_2C\!=\!CCl_2$	121	nettoyage à sec	masse volumique élevée
Halothane	2-bromo-2-chloro-1,1,1-trifluoroéthane	$CF_3\!-\!CHClBr$	50	anesthésique	
DDT	dichlorodiphényltrichloroéthane			insecticide	difficilement biodégradable

* Le Protocole de Montréal, adopté en 1987 et entré en vigueur le 1er janvier 1989, est une convention internationale (environ 40 pays) visant la protection de la couche d'ozone. Cette entente conduira à réduire de façon importante la production mondiale des chlorofluorocarbones (CFC), ces produits chimiques organiques de synthèse utilisés comme réfrigérants, agents de gonflement ou propulseurs d'aérosols.

Tableau 7.3 (suite)

Nom commercial	Nom scientifique	Structure	Utilisation	Autres propriétés
Chlordane			insecticide	
2,4-D	acide 2,4-dichlorophénoxyacétique		herbicide	
PCP ou Penta	pentachlorophénol		préservatif pour le bois	
Para-dichlorobenzène	1,4-dichlorobenzène		désinfectant	composé qui se sublime avec une odeur forte
BPC	2,2',4,4',6,6'-hexachlorobiphényle (il en existe environ 210)	(un exemple de BPC)	solvant, isolant électrique	difficilement biodégradables; contiennent des résidus toxiques

Synthèse des composés halogénés

Les dérivés halogénés sont principalement obtenus par des réactions de substitution ou d'addition sur des substrats appropriés.

7.2 *Par réaction de substitution*
(radicalaire, électrophile ou nucléophile)

• *Sur un hydrocarbure* (substitution radicalaire ou substitution électrophile)

Cette méthode, étudiée à la section 5.9.2 (hydrocarbures saturés), implique une réaction radicalaire et les résultats sont plus ou moins intéressants parce qu'il y a production d'un mélange de produits. Par contre, la synthèse est plus intéressante sur les hydrocarbures benzéniques qui peuvent acquérir un halogène sur le cycle (section 6.2.1) ou sur un substituant hydrocarboné (section 6.2.3), selon les conditions expérimentales. En voici un rappel au moyen de quelques exemples:

a) *Substitution radicalaire sur un alcane:*

$$CH_3-CH_2-H \ + \ Cl_2 \ \xrightarrow{\text{lumière}} \ CH_3-CH_2-Cl \ + \ HCl$$

(et plusieurs autres produits)

b) *Substitution électrophile ou radicalaire sur un hydrocarbure aromatique:*

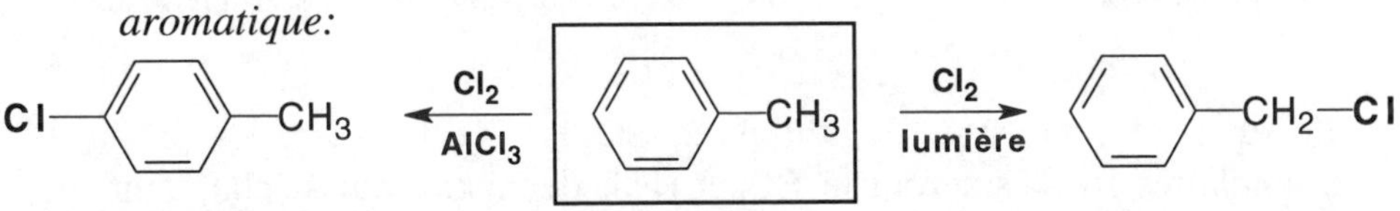

S_E en *ortho* et *para*   toluène S_R sur le substituant
(surtout en *para*)   hydrocarboné

• *Sur un alcool* (substitution nucléophile)

Même si le groupement **OH** des alcools est difficile à déplacer, un milieu réactionnel **acide** rend la substitution plus accessible. Il y a alors protonation lors d'une étape précédant la substitution et un groupement amovible, H_2O, prend forme.

$$R-OH \ + \ HX \ \longrightarrow \ R-X \ + \ H_2O$$

composé
halogéné

Faisant suite à la protonation, la réaction se poursuit par un mécanisme S_N1 ou S_N2 , selon le cas*. (L'alcool tertiaire favorise S_N1 parce que ce mécanisme passe par un carbocation). La substitution sur le propan-2-ol en est un exemple.

$$CH_3-CH-\overset{..}{\underset{..}{O}}H \xrightarrow[\text{(étape préliminaire)}]{\text{protonation}} CH_3-CH-\overset{+}{O}H \xrightarrow[S_N1 \text{ ou } S_N2]{Cl^-} CH_3-CH-Cl + H_2O$$

propan-2-ol

(molécule d'eau *en puissance*
qui ne *demande* qu'à quitter)

2-chloropropane

> **1** Décrire le mécanisme le plus probable de la réaction de l'acide bromhydrique sur le 2-méthylpropan-2-ol.

D'autres réactifs fortement halogénés, comme PCl_3 ou $SOCl_2$, servent également pour la substitution des alcools. Par exemple,

$$3 \langle \rangle\text{-OH} + PCl_3 \longrightarrow 3 \langle \rangle\text{-Cl} + H_3PO_3$$

cyclohexanol   chlorocyclohexane   acide phosporeux

Lorsque le chlorure de thionyle, $SOCl_2$, est utilisé, les produits secondaires formés seront le SO_2 et HCl, deux gaz qui s'échappent du mélange. Il arrive, dans certains cas, qu'on ajoute de la pyridine (une base), C_5H_5N , pour neutraliser l'acide chlorhydrique. En voici un exemple, avec le butan-2-ol.

$$CH_3-CH_2-CH-CH_3 \xrightarrow[C_5H_5N]{SOCl_2} CH_3-CH_2-CH-CH_3 + \langle \rangle + SO_2$$

butan-2-ol   pyridine   2-chlorobutane

sel de pyridinium qui évite le
dégagement de HCl

---

*Les deux mécanismes, en une ou deux étapes, sont présentés à la section 7.4.

7.3 *Par réaction d'addition*

• *Addition sur un alcène*

Il est notoire que les électrons π d'une liaison multiple sont très mobiles et disponibles et qu'ils permettent l'addition d'éléments nouveaux tels les halogènes. Cette réaction a été analysée en détail à la section 5.10. Rappelons seulement qu'il est facile d'obtenir un composé mono ou dihalogéné par l'addition de **HX** ou **X₂** sur un alcène. Par exemple,

Note: Pour l'addition de HX, appliquer la règle de Markovnikov.

• *Addition sur un alcyne*

Comme chez les alcènes, les électrons π des alcynes sont très disponibles et ils permettent de réaliser des additions doubles de **X₂** ou **HX** (section 5.11.1).

L'addition double de HX conduit au dihalogénure **géminal** (règle de Markovnikov). La préparation du 2,2-dichloropropane et du 1,1,2,2-tétrachloropropane en sont des exemples.

2,2-dichloropropane
un dihalogénure **géminal**

1,1,2,2-tétrachloropropane

• *Addition sur un carbonyle*

Les aldéhydes et les cétones peuvent être transformés en composés dihalogénés par une simple addition grâce au **PCl₅** . Ces dihalogénures peuvent ensuite servir de précurseurs aux alcynes. Par exemple, l'obtention du propyne à partir de l'acétone.

$$CH_3-\overset{\overset{\displaystyle O}{\|}}{C}-CH_3 \xrightarrow{PCl_5} CH_3-\overset{\overset{\displaystyle Cl}{|}}{\underset{\underset{\displaystyle Cl}{|}}{C}}-CH_3 \xrightarrow{KOH} CH_3-C\equiv CH$$

acétone   dihalogénure **géminal**   propyne

$$+\ 2\ KCl\ +\ 2\ H_2O$$

---

② Compléter les réactions suivantes:

a) [cyclopentène]—CH$_3$ $\xrightarrow{HBr}$

b) [phényle]—CH=CH$_2$ $\xrightarrow{Br_2}$

Les BPC

Il existe environ deux cent dix biphényles polychlorés, tous présents dans l'environnement en concentrations variables. Ils sont tous de dix à cent mille fois plus solubles dans les matières grasses que dans l'eau.

Des exemples de BPC: Cl—[biphényle]—Cl

Ce sont des substances huileuses. Elles sont utilisées comme caloporteur (pour transporter de la chaleur d'un point à un autre) dans diverses installations industrielles. On les utilise en particulier dans des transformateurs électriques. Leur principal avantage est le fait que ces substances sont stables jusqu'à environ 400°C sous des pressions pouvant aller jusqu'à 10 fois la pression atmosphérique.

Saviez-vous que...?

- Sans combustion, il n'y a aucune raison véritable de craindre les BPC.
- Le danger majeur des biphényles polychlorés réside dans leur combustion qui dégage des dioxines (composés parmi les plus toxiques, mais juste devant la nicotine!).
- Il n'y a donc rien à craindre, en principe, d'un entreposage sécuritaire qui évite tout danger d'incendie ou de déversement.
- Dans le cas d'un déversement, les BPC ne peuvent pas migrer facilement d'un endroit à un autre. Ils ne pénètrent pas tellement dans le sol, étant non solubles dans l'eau.
- La seule façon qu'a l'organisme vivant d'entrer en contact avec les BPC, c'est par la chaîne alimentaire, puisque qu'ils sont solubles dans les graisses.
- Nous avons tous dans notre organisme une ou deux parties par million (ppm) de BPC. Cette intoxication tend à se résorber depuis que les déversements dans les fleuves et les rivières sont interdits. Dans 50 ans, on n'en aura plus de trace. Cela a été le cas du puissant DDT il y a 25 ans. Peu de gens en portent aujourd'hui des traces dans leur organisme. Ce dernier est cependant encore utilisé dans certains pays tropicaux pour combattre la malaria.

Réactivité des composés halogénés

L'halogène d'un halogénure (mis à part le fluor) est un gros atome jouissant d'une forte électronégativité le rendant susceptible de jouer le rôle de groupement amovible. En effet, la polarité de la liaison carbone-halogène favorise le départ de ce dernier:

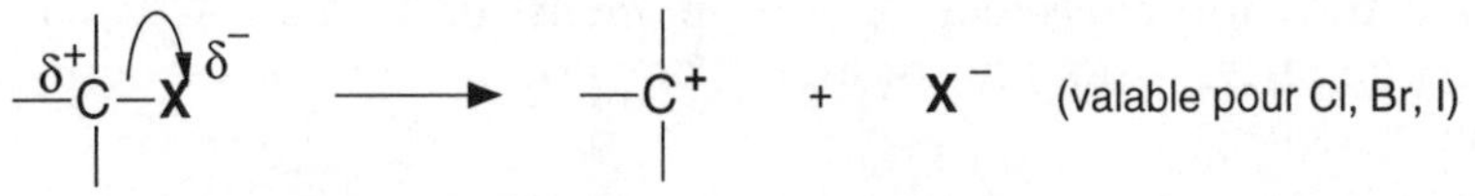

$$\overset{\delta^+}{\underset{|}{\overset{|}{C}}}\!-\!\overset{\delta^-}{X} \longrightarrow \overset{|}{\underset{|}{C}}{}^+ \;+\; X^- \quad \text{(valable pour Cl, Br, I)}$$

Bien que le départ de l'halogène ne génère pas toujours un carbocation ni ne se fait pas toujours instantanément, cet élément très électronégatif est déjà prédisposé à partir, qu'on l'y force (avec un nucléophile) ou non.

En général, les dérivés halogénés réagissent bien en présence d'un nucléophile pour provoquer des réactions de **substitution**, **d'élimination** et, souvent, les deux ensemble.

7.4 *La substitution*

Les halogénés peuvent participer à deux types de réaction de substitution: la substitution radicalaire et la substitution nucléophile.

1. La substitution radicalaire

Comme il en a été question à la section 5.5, il est possible de remplacer l'halogène d'un halogénure par réaction homolytique si le réactif est neutre. En voici deux exemples:

a) $CH_3-CH_2-\mathbf{Br} \xrightarrow[\text{Pd}]{H_2} CH_3-CH_3 \;+\; HBr$

b) Réaction de Wurtz: $2\,CH_3-\mathbf{Cl} \xrightarrow{2\,Na} CH_3-CH_3 \;+\; 2\,NaCl$

3 a) Compléter les réactions suivantes sur le chlorocyclohexane:

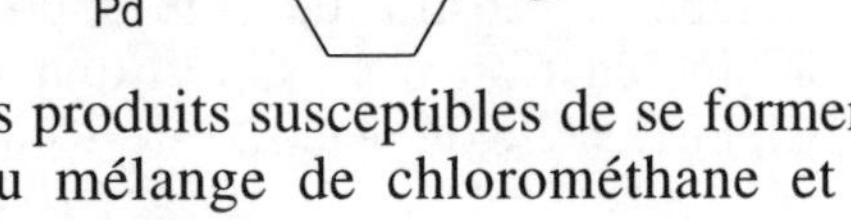

$$\xleftarrow[\text{Pd}]{H_2} \;\; \text{[cyclohexane]}\!-\!Cl \xrightarrow{2\,Na}$$

b) Indiquer tous les produits susceptibles de se former, si l'on ajoute du chloroéthane au mélange de chlorométhane et de sodium en b ci-dessus (réaction de Wurtz).

2. La substitution nucléophile

Le mécanisme de la substitution nucléophile doit être détaillé ici pour une meilleure compréhension de la synthèse et de la réactivité des halogénures.

Réaction globale: $R—A + Nu \longrightarrow R—Nu + A^-$

Le substrat doit posséder un groupement amovible, A, à caractère électronégatif. Les halogènes et l'oxygène possèdent cette caractéristique.

Lorsque le substrat est tertiaire, on obtient les meilleurs résultats avec des nucléophiles faibles comme H_2O , NH_3 et ROH . Si le substrat est primaire, des nucléophiles plus forts comme HO^- et RO^- sont préférables. Les ions cyanure, iodure et carboxylate provoquent aussi des substitutions nucléophiles intéressantes.

Mécanisme de la substitution nucléophile

Un peu comme l'élimination, la substitution nucléophile peut se dérouler par un mécanisme en une ou deux étapes.

a) Mécanisme en **une étape**, S_N2 :

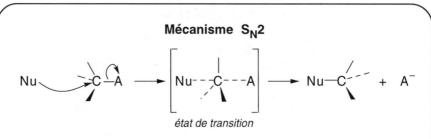

Mécanisme S_N2

état de transition

- Mécanisme en **une** seule étape dans lequel le nucléophile attaque du côté opposé à la position du groupement amovible.
- Vitesse de réaction = k [substrat]^{1}x [réactif]^1. (Réaction d'ordre 2.)

Ce type de mécanisme est favorisé par un substrat **primaire**. Remarquer que le nucléophile attaque le substrat du côté opposé au groupement amovible. La vitesse de réaction est proportionnelle à la fois à la concentration du substrat et à celle du réactif.

Exemple

$$CH_3-CH_2-CH_2-Br \quad + \quad Na^+ OH^- \longrightarrow CH_3-CH_2-CH_2-OH + NaBr$$

Les substrats primaires, étant moins encombrés, l'attaque du côté opposé au groupe amovible est ainsi facilitée. Dans le cas des substrats secondaires ou tertiaires, la réaction passe de préférence par la formation préliminaire d'un carbocation. Mais attention! Dans ces deux derniers cas, il faut utiliser des nucléophiles à caractère basique faible (l'ion cyanure, par exemple) pour éviter les réactions d'élimination (voir section 7.6).

b) Mécanisme en **deux étapes**, $S_N 1$:

première étape
(lente)
$$-\overset{|}{\underset{|}{C}}-A \xrightarrow[\text{carbocation}]{\text{formation d'un}} \overset{+}{\underset{\diagdown}{C}} + A^-$$
plan

deuxième étape
(rapide)
$$\overset{+}{\underset{\diagdown}{C}} \quad Nu \longrightarrow -\overset{|}{\underset{|}{C}}-Nu$$

• Mécanisme en **deux** étapes.
• Vitesse = k [substrat].¹ (Réaction d'ordre 1.)

Dans ce mécanisme, la vitesse de réaction est proportionnelle à la concentration du substrat seulement, puisque le réactif n'intervient que dans l'étape la plus rapide de la réaction.

Cette réaction passe donc par un carbocation. Elle est plus rapide si le substrat est **tertiaire**. La vitesse de réaction diminue si le substrat est primaire. La facilité avec laquelle le substrat forme un carbocation favorise ce mécanisme de réaction. En plus, la présence d'un solvant polaire (comme l'eau et l'éthanol) favorise le mécanisme $S_N 1$, dont voici un exemple:

$$CH_3-\overset{\overset{\displaystyle CH_3}{|}}{\underset{\underset{\displaystyle CH_3}{|}}{C}}-I \quad + \quad \underset{\text{(aqueux)}}{NaCN} \longrightarrow CH_3-\overset{\overset{\displaystyle CH_3}{|}}{\underset{\underset{\displaystyle CH_3}{|}}{C}}-CN \quad + \quad NaI$$

$$\xrightarrow{\text{lent}} CH_3-\overset{\overset{\displaystyle CH_3}{|}}{\underset{\underset{\displaystyle CH_3}{|}}{\overset{+}{C}}} \quad \overset{CN^-}{\underset{\text{rapide}}{}}$$

Le substrat tertiaire utilisé et le milieu réactionnel fortement ionisant (l'eau est très polaire) ont favorisé le mécanisme S_N1.

En résumé, le mécanisme est favorisé par:

- *un substrat tertiaire,*
- *un carbocation stable,*
- *un solvant polaire (ionisant) qui favorise la dissociation.*

Attention!

Les réactions d'élimination et de substitution nucléophiles impliquent souvent des substrats et des réactifs semblables; une certaine compétition est donc prévisible entre ces deux mécanismes. Cette compétition sera examinée à la section 7.6.

En résumé, comme pour les réactions d'élimination, les substitutions nucléophiles peuvent évoluer selon un mécanisme en une étape ou en deux étapes, correspondant respectivement à S_N2 ou S_N1.

Caractéristiques de ces deux mécanismes:

Mécanisme S_N2	Mécanisme S_N1
• S'effectue en une seule étape.	• S'effectue en deux étapes et passe par la formation d'un carbocation.
• La vitesse de la réaction est proportionnelle à la concentration du substrat et du réactif; c'est une réaction d'ordre 2.	• La vitesse est proportionnelle à la concentration du substrat seulement; c'est une réaction d'ordre 1.

Il existe une longue liste de nucléophiles qui peuvent être utilisés (section 4.5); pour ce cours, limitons-nous à ceux du tableau 7.4.

Tableau 7.4 Principaux nucléophiles.

Nucléophile	Produit formé	
HO^- ou H_2O	$R-OH$	(alcool)
$R'O^-$ ou ROH	$R-OR'$	(éther)
NH_2^- ou NH_3	$R-NH_2$	(amine)
CN^-	$R-CN$	(nitrile)
$R'CO_2^-$	$R-O_2CR'$	(ester)
X^-	$R-X$	(halogénure)
$R'-C\equiv C^-$	$R-C\equiv C-R'$	(alcyne disubstitué)

Attention, les bases fortes HO^-, $R'O^-$ et NH_2^- provoquent souvent des réactions compétitives **d'élimination** (voir section 7.6).

Exemples de substitution nucléophile:

> L'utilisation de l'ion amidure, NH_2^-, au lieu de l'ammoniac, produirait une **élimination** conduisant au cyclohexène.

chlorocyclohexane $+ NH_3 \xrightarrow{S_N1 \text{ ou } S_N2}$ cyclohexanamine (une amine) $+ HCl$

$$\text{C}_6\text{H}_5\text{-}\underset{\underset{Cl}{|}}{\overset{\overset{CH_3}{|}}{C}}\text{-CH}_2\text{-CH}_3 \xrightarrow[S_N1]{Na^+ CN^-} \text{C}_6\text{H}_5\text{-}\underset{\underset{CN}{|}}{\overset{\overset{CH_3}{|}}{C}}\text{-CH}_2\text{-CH}_3 + NaCl$$

---

1. À partir de l'exemple précédent, suggérer un mécanisme pour le cas où, en doublant la concentration de l'ammoniac, on observe que la vitesse de réaction n'augmente pas.

2. Compléter et décrire le mécanisme le plus probable pour les deux réactions suivantes:

   a) 1-chloro-2-méthylpropane $+$ $CH_3\bar{O} Na^+ \longrightarrow$

   b) 2-chloro-2-méthylpropane $+$ éthanol $\longrightarrow$

Le choix du nucléophile dépend de la fonction désirée, mais on doit aussi tenir compte de la force du nucléophile et du type d'halogénure-substrat (1°, 2°, ou 3°) à cause de la compétition possible avec l'élimination. Par exemple, les réactions suivantes favorisent toutes la substitution nucléophile.

aucune réaction $\xleftarrow[\substack{\text{nucléophile} \\ \textbf{faible}}]{CH_3OH}$ $\boxed{CH_3\text{-}CH_2\text{-}Cl}$ $\xrightarrow[\substack{\text{nucléophile} \\ \textbf{fort}}]{CH_3\bar{O} Na^+}$ $CH_3\text{-}CH_2\text{-}\textbf{OCH}_3$

halogénure **primaire**

$$CH_3\text{-}\underset{\underset{CH_3}{|}}{\overset{\overset{CH_3}{|}}{C}}\text{-}\textbf{Cl} \xrightarrow[\substack{\text{nucléophile} \\ \textbf{faible}}]{CH_3OH} CH_3\text{-}\underset{\underset{CH_3}{|}}{\overset{\overset{CH_3}{|}}{C}}\text{-}\textbf{OCH}_3$$

halogénure **tertiaire**

> **Conclusion importante:**
> Ces quelques exemples montrent que, pour obtenir de bons résultats de
> **substitution** nucléophile sur un halogénure primaire, il faut un
> nucléophile fort; pour un halogénure tertiaire, un nucléophile faible fait
> l'affaire et, s'il est secondaire, un nucléophile de force intermédiaire
> convient très bien.

L'halogénure tertiaire, pouvant fournir un carbocation relativement
stable, favorise le mécanisme S_N1. Pour les halogénures primaires, la
réaction se déroule plus souvent selon un mécanisme S_N2.

Dans le cas d'un halogénure secondaire (surtout), le type de mécanisme
que suivra la réaction peut largement être influencé par le milieu
réactionnel. En effet, si le solvant est très polaire et favorise l'ionisation
(dissociation) du substrat, le mécanisme sera S_N1, sinon il sera S_N2.

Par exemple, dans une réaction de substitution sur un halogénure
secondaire, un mélange acétone-eau (95:5) favorise S_N2 alors que des
proportions 50:50 favorisent S_N1.

 Que donnerait une solution aqueuse de NaCN avec le
3-chloro-3-méthylhexane? Décrire le mécanisme le plus probable de cette
réaction.

Remarque

> L'halogénure d'alkyle est un substrat idéal pour ce genre de réaction, mais les alcools
> peuvent aussi subir une substitution en milieu acide. Par exemple,
>
> $$CH_3\text{—}CH\text{—}Br \;+\; CH_3\text{—}OH \longrightarrow CH_3\text{—}CH\text{—}OCH_3 \;+\; HBr$$
> $$\quad\;\; CH_3 \qquad\qquad\qquad\qquad\qquad CH_3$$
> 2-bromopropane
>
> $$CH_3\text{—}CH_2\text{—}OH \;+\; HCl \longrightarrow CH_3\text{—}CH_2\text{—}Cl \;+\; H_2O$$
> éthanol

La compétition de mécanisme S_N1 / S_N2 nous amène à poser la question
suivante: quand l'halogène porté par le substrat est fixé sur un carbone
asymétrique, qu'advient-il des produits formés selon que la réaction passe
par un mécanisme S_N1 ou par un mécanisme S_N2 ?

Stéréoisomérie des substitutions nucléophiles

Pour connaître la nature des produits formés à partir d'un substrat avec carbone asymétrique, examinons en détail les deux mécanismes possibles dans l'exemple suivant:

$$C_6H_5-\overset{\overset{\text{H}}{|}}{\underset{\underset{\text{Cl}}{|}}{C^*}}-CH_2-CH_3 \xrightarrow[\text{(aqueux)}]{Na^+I^-} C_6H_5-\overset{\overset{\text{H}}{|}}{\underset{\underset{\text{I}}{|}}{C^*}}-CH_2-CH_3 \quad + \quad NaCl$$

Cette équation chimique révèle que la substitution du chlore par l'iode s'effectue sur un **carbone asymétrique (C*)**.

a) Si le mécanisme est de type S$_N$1:

L'attaque du nucléophile est équivalente d'un côté ou de l'autre du plan.

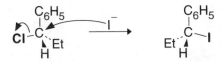

carbocation **plan**   **mélange racémique**

b) Si le mécanisme est de type S$_N$2:

Attaque du nucléophile du côté **opposé** au groupement amovible.   **Inversion de configuration.**

Le mécanisme S$_N$1 **n'est pas stéréospécifique**, puisqu'il produit un mélange racémique. Ceci est le résultat du fait que le carbocation, ayant une géométrie plane, peut être attaqué par le nucléophile, aussi bien d'un côté comme de l'autre.

Le mécanisme S$_N$2 est dit **stéréospécifique** parce qu'il ne forme qu'un seul isomère; il y a **inversion de configuration**. Ce phénomène s'explique par le fait que le nucléophile doit attaquer le carbone asymétrique du côté opposé au groupement amovible (encombrement stérique).

Dans l'exemple précédent, il est logique que le mécanisme S_N1 soit préféré puisque la réaction a lieu dans un milieu polaire ionisant. (NaI et eau). La molécule d'eau sert alors à stabiliser le cation nouvellement formé.

Le mécanisme d'une substitution sur carbone asymétrique peut être étayé par la mesure du pouvoir rotatoire des produits formés. Ainsi, une réaction dont le pouvoir rotatoire global des produits formés devient zéro signifie qu'elle s'est déroulée selon un mécanisme S_N1. S'il est passé de dextrogyre à lévogyre ou vice-versa, le mécanisme est S_N2 (inversion de configuration).

 Examiner la stéréoisomérie de la réaction présentée au «problème du prof.» n° 5. Que prévoyez-vous quant au pouvoir rotatoire des produits formés?

La nature est stéréosélective...

• Notre système gustatif est stéréospécifique. Par exemple, les deux énantiomères de la leucine, un aminoacide, n'ont pas le même goût. La D-leucine a un goût sucré tandis que la L-leucine a un goût amer. La D-leucine est fabriquée en laboratoire. Tous les aminoacides naturels sont de la série L.

$$\begin{array}{ccc}
& CO_2H & & CO_2H \\
H- & | -NH_2 & \quad H_2N- & | -H \\
& CH_2 & & CH_2 \\
& CH(CH_3)_2 & & CH(CH_3)_2 \\
& \text{D-leucine} & & \text{L-leucine}
\end{array}$$

• Notre système olfactif est tout autant sélectif. Les deux énantiomères du limonène sont perçus différemment: l'un sent l'orange, l'autre le citron.

odeur de citron   odeur d'orange

• Le processus de la vision noir et blanc est basé sur le changement cyclique où, dans l'obscurité, le 11-*cis*- rétinal se lie à l'opsine, au niveau de la rétine:

     11-cis-rétinal—opsine $\rightleftharpoons$ 11-*trans*-rétinal + opsine + influx nerveux

• Dans les muscles, un seul stéréoisomère de l'acide lactique, l'acide S-(+)-lactique, est produit lorsque l'acide pyruvique est réduit par la déshydrogénase lactique.

• Lors de la photosynthèse du glucose à partir du dioxyde de carbone et de l'eau, seul l'énantiomère D est obtenu, ce qui implique une étonnante stéréospécificité au niveau de chacun des quatre carbones asymétriques. Noter que l'énantiomère L n'est pas naturel. Il ne peut même pas être métabolisé par les animaux.

7.5 L'élimination

Le départ d'un halogène peut conduire à la formation d'une liaison multiple. Cette réaction a été expliquée en détail au chapitre sur les hydrocarbures (sections 5.6 et 5.7). Il s'agit là d'une excellente méthode de préparation des alcènes et des alcynes. Par exemple,

Rappelons que l'élimination a lieu le plus facilement avec une base forte et peut s'effectuer selon un mécanisme E1 ou E2. Ces réactions sont soumises à la règle de Saytzev.

7.6 La compétition substitution / élimination

Dans les deux sections précédentes, nous venons de confronter les halogénures aux nucléophiles et nous en avons commenté séparément deux réactions possibles: **la substitution et l'élimination.** Cela va de soi qu'il puisse exister une *compétition* entre ces deux réactions. Dans les faits, de telles différences de comportements réactionnels ne peuvent faire autrement que de former simultanément plusieurs produits (de substitution nucléophile **et** d'élimination). La réaction entre le NaOH et le 2-chloropropane illustre ce comportement:

La force du nucléophile influence énormément la nature des produits formés. En effet, considérant que les réactions de substitution et d'élimination s'effectuent avec les mêmes substrats et les mêmes réactifs, il faut s'attendre à une forte **compétition** entre la substitution et l'élimination. L'influence du substrat se situe au niveau du mécanisme de la réaction (ordre 1 ou ordre 2), tandis que l'influence du réactif se fait sentir au niveau de la proportion des produits de substitution/élimination. Le tableau 7.5 illustre ce genre de compétition.

Tableau 7.5 Compétition substitution /élimination.

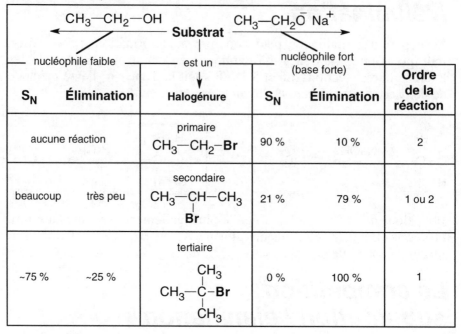

CH₃—CH₂—OH ← Substrat → CH₃—CH₂Ō Na⁺					
nucléophile faible — est un — nucléophile fort (base forte)					**Ordre de la réaction**
S_N	Élimination	Halogénure	S_N	Élimination	
aucune réaction		primaire CH_3-CH_2-Br	90 %	10 %	2
beaucoup	très peu	secondaire $CH_3-CH-CH_3$ Br	21 %	79 %	1 ou 2
~75 %	~25 %	tertiaire $CH_3-\overset{CH_3}{\underset{CH_3}{C}}-Br$	0 %	100 %	1

Ce tableau démontre clairement que la réaction d'un halogénure avec un nucléophile (base) conduit à la formation presque inévitable de plusieurs produits à cause de la compétition S_N/E.

 Donner la structure des produits formés dans chaque réaction du tableau 7.5.

Peut-on tirer quelques règles générales qui permettent de prédire si l'une ou l'autre des réactions sera favorisée? Oui, mais il faut considérer plusieurs variables:

> *1. le type d'halogénure de départ (1°, 2° ou 3°),*
>
> *2. la force du nucléophile (base),*
>
> *3. la polarité du solvant,*
>
> *4. les conditions expérimentales (température, durée, etc.).*

Ce serait sortir du cadre de ce cours que d'analyser toutes ces variables à fond. Il est tout de même pertinent d'en dire quelques mots.

Premièrement, rappelons que le type d'halogénure et la polarité du solvant influencent le mécanisme de la réaction. De ce fait, une S_N1 sera en compétition avec E1 et S_N2 avec E2.

Deuxièmement, quant à la force du nucléophile (base) et à la température, ils influencent surtout la **proportion** des produits de substitution et d'élimination.

• *Premier cas: compétition* S_N1 *et* E1

Le cas type: un halogénure 3° ou 2° avec un solvant polaire (tableau 7.5). Ces deux réactions passent par l'intermédiaire d'un carbocation relativement stable. Ce dernier se prête bien à l'attaque d'un nucléophile faible sur le carbone positif pour conduire à la substitution nucléophile. Une **base** forte peut, quant à elle, s'attaquer à un hydrogène d'un carbone voisin pour produire l'élimination.

En bref,

• **nucléophile faible donne** S_N

• **nucléophile fort (base forte) donne E.**

Exemples

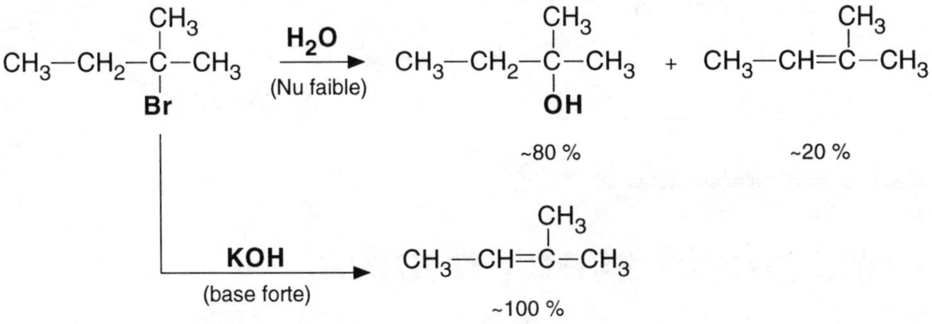

• *Deuxième cas: compétition* S_N2 *et* E2

D'après le tableau 7.5, l'halogénure primaire constitue un autre exemple type. Ces mécanismes se déroulent en une seule étape. La substitution nucléophile est favorisée par un nucléophile fort. L'élimination est toujours possible et peut même devenir prédominante si la base est concentrée, le solvant peu polaire et la température élevée.

Donc, l'élimination est favorisée par une base très forte et des conditions expérimentales rigoureuses, alors que la substitution dépend beaucoup de la nature du substrat. Le nucléophile faible est inefficace dans une S_N2. Pour produire la substitution, le nucléophile faible **doit** agir sur un carbocation, le mécanisme doit donc être unimoléculaire. Le tableau 7.6 résume la théorie sur la compétition substitution/élimination.

Tableau 7.6   Combinaisons idéales substrats / réactifs.

Pour obtenir un mécanisme	et un Nucléophile	R—X	et une Base	Pour obtenir un mécanisme
S_N2	fort	1°	forte conc. $\xrightarrow{\Delta}$	E2
S_N1 ou S_N2	faible	2°	forte	E1 ou E2
S_N1	faible	3°	forte	E1

8⟩ Compléter les réactions suivantes en indiquant tous les produits possibles et en précisant lequel sera le plus abondant.

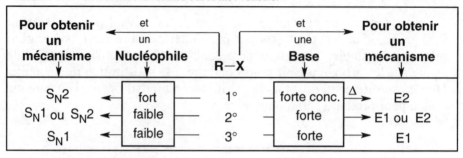

1. $\xleftarrow[\text{conc., } \Delta]{\text{NaNH}_2}$ $\underset{\text{CH}_3}{\overset{\text{CH}_3}{\text{CH}_3-\text{CH}-\text{CH}_2-\text{Br}}}$ $\xrightarrow{\text{NH}_3}$

2. $\xleftarrow{\text{H}_2\text{O}}$ (cyclohexane avec Br et CH₃) $\xrightarrow{\text{NaOH}}$

7.7 *Réactivité avec un métal*

Les halogénures réagissent très bien avec les métaux alcalins, Li, Na, K et avec le magnésium. Les substances ainsi obtenues sont appelées **organométalliques** (le métal se lie **directement au carbone**). En voici un exemple avec le lithium:

$$\text{CH}_3-\text{CH}_2-\text{Br} \ + \ 2 \ \text{Li} \ \longrightarrow \ \underset{\text{éthyllithium}}{\text{CH}_3-\text{CH}_2-\text{Li}} \ + \ \text{LiBr}$$

Dans le cas du magnésium, le produit obtenu est un organomagnésien que l'on surnomme communément **réactif de Grignard***.

$$\text{R}-\text{X} \ + \ \textbf{Mg} \ \xrightarrow{\text{éther}} \ \underset{\text{réactif de Grignard}}{\text{R}-\textbf{Mg}-\text{X}}$$

* En l'honneur du chimiste français, Victor Grignard, prix Nobel 1912 pour ses travaux avec les organométalliques.

Le réactif de Grignard se prépare ordinairement dans l'éthoxyéthane (l'éther) anhydre*. Cette molécule stabilise l'organométallique en neutralisant le caractère positif du magnésium par les doublets de ses oxygènes. Un exemple à partir du bromobenzène:

$$Et-\overset{..}{\underset{..}{O}}-Et$$
$$\downarrow$$
$$\overset{\delta^-}{R}-\overset{\delta^+}{Mg}-\overset{\delta^-}{X}$$
$$\uparrow$$
$$Et-\overset{..}{\underset{..}{O}}-Et$$

—Br + **Mg** $\xrightarrow[\text{anhydre}]{\text{éther}}$ —Mg—Br

bromobenzène   bromure de phénylmagnésium

En laboratoire, ces réactions avec le magnésium sont très capricieuses et la présence de traces d'humidité peut même aller jusqu'à inhiber toute réaction. (Les molécules d'eau cherchent à déplacer les molécules d'éthoxyéthane).

Réactivité des organomagnésiens

Le caractère nucléophile du groupe R chez les organomagnésiens leur procure une grande réactivité face:

a) aux composés carbonylés, pour une **addition nucléophile** (précédée d'une substitution, dans certains cas),

b) aux substances à caractère acide, pour une **substitution nucléophile**.

C'est la réaction d'addition qui offre le plus d'intérêt, surtout pour la préparation d'alcools substitués.

7.8 Réactions d'addition nucléophile à l'aide d'un Grignard

L'addition d'un groupe provenant d'un réactif de Grignard s'effectue surtout sur des carbones polarisés positivement, mais dont l'ensemble du substrat n'a pas de caractère acide. Le tableau 7.7 donne la liste de ces principaux substrats.

---

* L'éthoxyéthane (l'éther) anhydre est obtenu en mettant ce solvant en contact avec du sodium métallique (habituellement sous forme de fil pour augmenter la surface de contact): $2\,H_2O \ + \ 2\,Na \longrightarrow 2\,NaOH \ + \ H_2\uparrow$
                                                  (dégagement de gaz)

Tableau 7.7 Les principaux substrats qui peuvent subir l'addition d'un réactif de Grignard.

Substrat	Produit		Substrat	Produit
aldéhyde	alcool		nitrile	cétone
cétone	alcool		dioxyde de carbone	acide
ester	alcool	substitution + addition	oxyde d'éthylène (oxirane) CH_2-CH_2 avec O en pont	alcool (possède deux C de plus que le substrat)
chlorure d'acide	alcool			
anhydride	alcool			

Le mécanisme d'addition se déroule en deux étapes: 1) addition du réactif de Grignard, 2) hydrolyse du complexe organomagnésien.

Mécanisme de la réaction d'addition nucléophile

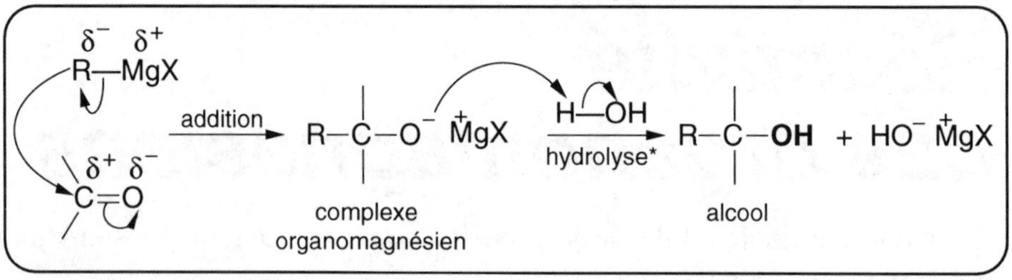

Voyons maintenant les applications de ce mécanisme à partir des différents substrats listés au tableau 7.7.

A. Pour les **aldéhydes** et les **cétones**, le mécanisme général s'applique intégralement. Il y a formation d'un alcool secondaire ou tertiaire selon que l'addition s'effectue sur un aldéhyde ou une cétone. En voici un exemple:

• **Première étape: l'addition**

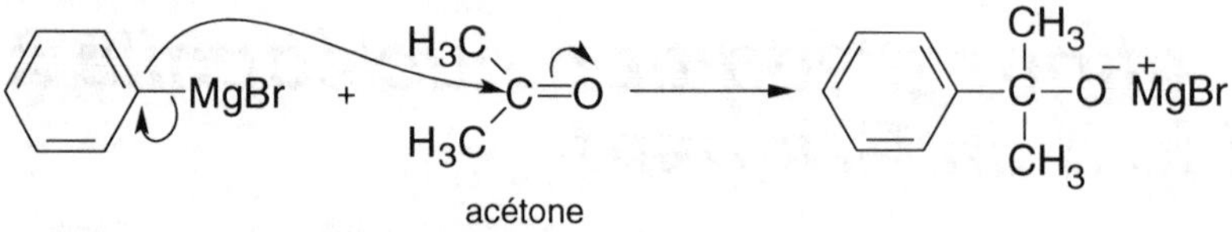

acétone

• **Deuxième étape: l'hydrolyse**

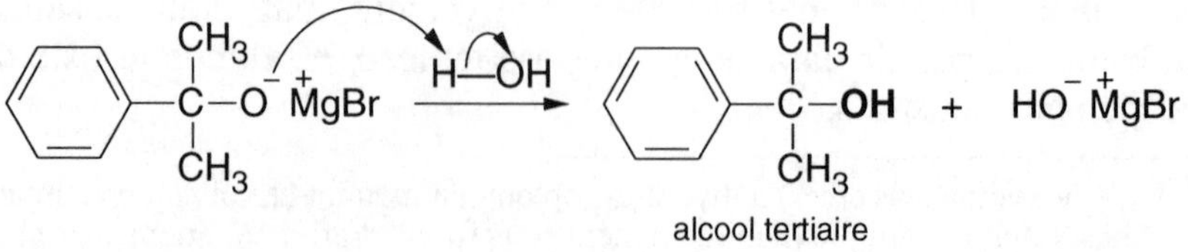

alcool tertiaire

---

* L'hydrolyse est souvent réalisée en milieu acide, surtout si l'anion du complexe organomagnésien est une base faible (cas de l'addition de dioxyde de carbone).

9   Décrire le mécanisme de la réaction du bromure de phénylmagnésium sur le benzaldéhyde.

B. Avec le dioxyde de carbone, CO_2 , ou l'oxyde d'éthylène, C_2H_4O, la formation respective d'un acide ou d'un alcool primaire se déroule de la même façon. L'addition sur le CO_2 est utile pour produire des acides carboxyliques possédant un carbone de plus que le Grignard de départ. L'oxyde d'éthylène permet d'allonger la chaîne carbonée du réactif de Grignard de deux carbones. Par exemple,

$$CH_3\!-\!CH_2\!-\!MgBr$$

bromure
d'éthylmagnésium

1) $CH_2\!-\!CH_2$ (oxyde d'éthylène)
2) H_2O
$\longrightarrow$ $CH_3\!-\!CH_2\!-\!CH_2\!-\!CH_2\!-\!OH$
un alcool primaire

1) CO_2
2) H_3O^+
$\longrightarrow$ $CH_3\!-\!CH_2\!-\!CO_2H$
un acide

10   Suggérer un procédé pour transformer le benzène en styrène, $\langle\!\!\bigcirc\!\!\rangle\!-\!CH\!=\!CH_2$.

C. Dans le cas des **esters**, des **chlorures d'acide** et des **anhydrides**,

$$\underset{\text{esters}}{R\!-\!\overset{\overset{O}{\|}}{C}\!-\!(OR)}\qquad \underset{\text{chlorures d'acide}}{R\!-\!\overset{\overset{O}{\|}}{C}\!-\!(Cl)}\qquad \underset{\text{anhydrides}}{R\!-\!\overset{\overset{O}{\|}}{C}\!-\!O\!-\!\overset{\overset{O}{\|}}{C}\!-\!R}$$

l'action d'un réactif de Grignard est **double** et se déroule en deux étapes. L'équation chimique globale de l'addition d'un réactif de Grignard (incluant l'hydrolyse) sur l'une de ces trois fonctions s'écrit comme suit:

$$2\,R\!-\!MgX \;+\; \underset{A}{\overset{R'}{\diagdown}}C\!=\!O \;\xrightarrow[\text{2) } H_2O]{} \; R\!-\!\overset{R'}{\underset{R}{C}}\!-\!OH \;+\; A^-\ M\overset{+}{g}X \;+\; HO^-\ M\overset{+}{g}X$$

Un alcool tertiaire contenant **deux fois** le
groupe alkyle du réactif de Grignard.

---

* **A** représente le groupement amovible: **OR** pour les esters, **Cl** pour les chlorures

d'acide et $O\!-\!\overset{\overset{O}{\|}}{C}\!-\!R$ pour les anhydrides.

Dans une première étape, le réactif de Grignard attaque le substrat, lequel perd le groupement amovible **A** et forme temporairement une cétone. C'est l'étape de la **substitution**.

$$R{-}MgX \ + \quad \begin{matrix} R' \\ | \\ C{=}O \\ | \\ \mathbf{A} \end{matrix} \quad \longrightarrow \quad R{-}\overset{R'}{\underset{\mathbf{A}}{\overset{|}{C}}}{-}\overset{-}{O}\ \overset{+}{MgX} \quad \longrightarrow \quad \begin{matrix} R' \\ \diagdown \\ C{=}O \\ \diagup \\ R \end{matrix} \ + \ \overset{-}{A}\ \overset{+}{MgX}$$

étape de la substitution nucléophile de **A**   une cétone

La deuxième étape se poursuit automatiquement sur la cétone par une réaction **d'addition** avec une deuxième molécule de réactif de Grignard. Une hydrolyse termine habituellement la réaction.

$$R{-}MgX \ + \quad \begin{matrix} R' \\ \diagdown \\ C{=}O \\ \diagup \\ R \end{matrix} \quad \longrightarrow \quad R{-}\overset{R'}{\underset{R}{\overset{|}{C}}}{-}\overset{-}{O}\ \overset{+}{MgX} \quad \xrightarrow[\text{l'hydrolyse}]{\text{étape de}}$$

H$-$OH

étape de l'addition nucléophile

$$HO^-\ \overset{+}{MgX} \ + \ R{-}\overset{R'}{\underset{R}{\overset{|}{C}}}{-}OH$$

un alcool **tertiaire**

D. Avec les **nitriles, R—CN**, l'addition conduit à la formation d'une cétone en passant par un composé instable, une imine. En voici les trois étapes:

a) addition du réactif de Grignard et formation d'un complexe organomagnésien:

$$\mathbf{R}{-}MgX \ + \ R'{-}C{\equiv}N \quad \xrightarrow[\text{nucléophile}]{\text{addition}} \quad \begin{matrix} R' \\ \diagdown \\ C{=}N\ \overset{+}{MgX} \\ \diagup \\ \mathbf{R} \end{matrix}\ ^{-}$$

complexe organomagnésien

b) hydrolyse du complexe et formation d'une imine instable:

$$\begin{matrix} R' \\ \diagdown \\ C{=}N\ \overset{+}{MgX} \\ \diagup \\ \mathbf{R} \end{matrix}\ ^{-} \quad \xrightarrow{\text{H}-\text{OH}} \quad \begin{matrix} R' \\ \diagdown \\ C{=}N{-}H \\ \diagup \\ \mathbf{R} \end{matrix} \ + \ HO^-\ \overset{+}{MgX}$$

une imine
(instable)

c) hydrolyse de l'imine et formation d'une cétone:

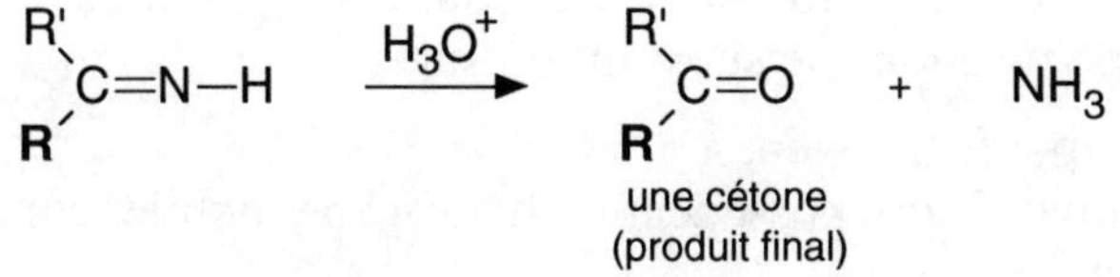

$$\underset{R}{\overset{R'}{>}}C=N-H \quad \xrightarrow{H_3O^+} \quad \underset{R}{\overset{R'}{>}}C=O \quad + \quad NH_3$$

une cétone
(produit final)

⟨11⟩ 1. Compléter les réactions suivantes:

a)

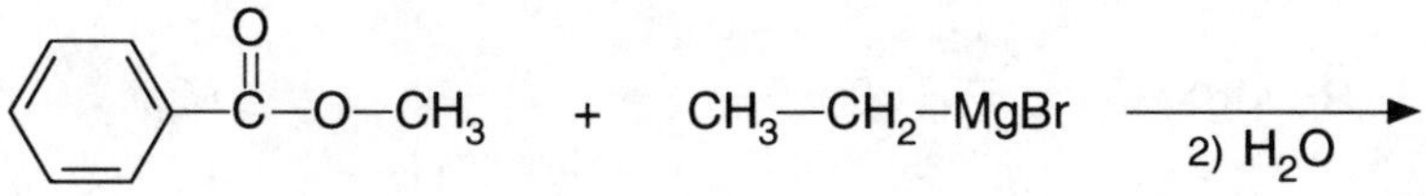

Ph–C(=O)–O–CH$_3$ + CH$_3$–CH$_2$–MgBr $\xrightarrow{\text{2) } H_2O}$

b)

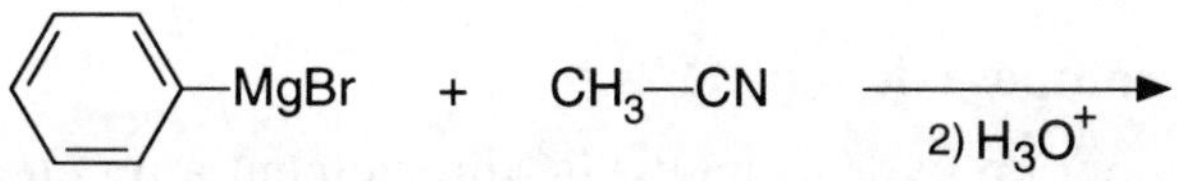

Ph–MgBr + CH$_3$–CN $\xrightarrow{\text{2) } H_3O^+}$

c) CH$_3$–MgBr + CH$_3$–C(=O)–Cl $\xrightarrow{\text{2) } H_2O}$

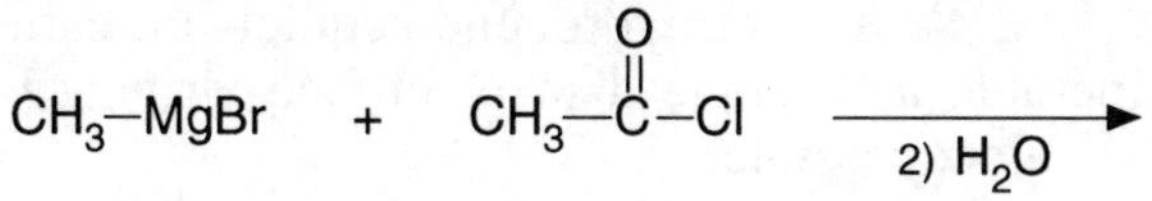

d) 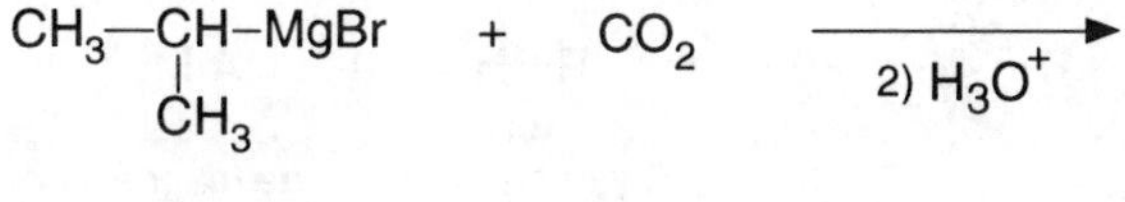 CH$_3$–CH(CH$_3$)–MgBr + CO$_2$ $\xrightarrow{\text{2) } H_3O^+}$

2. Trouver les inconnues:

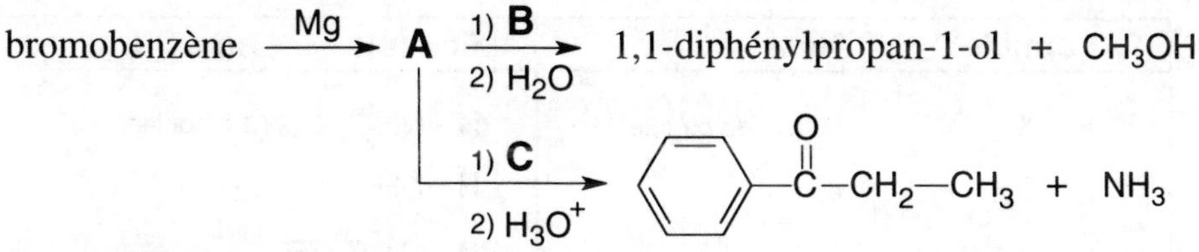

bromobenzène $\xrightarrow{Mg}$ **A** $\xrightarrow[\text{2) } H_2O]{\text{1) } \textbf{B}}$ 1,1-diphénylpropan-1-ol + CH$_3$OH

A $\xrightarrow[\text{2) } H_3O^+]{\text{1) } \textbf{C}}$ Ph–C(=O)–CH$_2$–CH$_3$ + NH$_3$

7.9 Réactions de substitution nucléophile à l'aide d'un Grignard

Les réactifs de Grignard sont de bons nucléophiles et produisent facilement des réactions de substitution sur:

a) les composés halogénés,
b) les composés qui possèdent un hydrogène mobile, comme ceux du tableau 7.8.

a) Substitution sur des halogénés, R—X

Le caractère fortement électronégatif des halogènes crée un déficit en électrons sur la chaîne carbonée et permet l'attaque du réactif de Grignard pour la substitution nucléophile.

$$\mathbf{R}{-}MgX \quad + \quad \overset{\delta^+ \ \delta^-}{\mathbf{R'}{-}X} \quad \longrightarrow \quad \mathbf{R}{-}\mathbf{R'} \quad + \quad MgX_2$$
un hydrocarbure

Cette réaction est utile pour **allonger** des chaînes carbonées.

b) Réaction sur un composé de type H —A

Pour les substances dont un hydrogène est lié directement à un élément plus électronégatif (ex.: O, N, X), cet hydrogène acquiert un caractère positif et devient vulnérable à l'attaque d'un réactif de Grignard. La réaction suivante devient alors possible:

$$\mathbf{R}{-}MgX \quad + \quad \overset{\delta^+ \ \delta^-}{\mathbf{H}{-}A} \quad \longrightarrow \quad \mathbf{R}{-}\mathbf{H} \quad + \quad \overset{-}{A}\,\overset{+}{Mg}X$$
un hydrocarbure — sel de magnésium

Le tableau 7.8 dresse une liste des principaux substrats du type H—A.

Tableau 7.8 Principaux substrats du type H—A.

Formule	Nom	Formule	Nom
$H{-}X$	hydracide ou oxacide	$H{-}NH_2$	ammoniac
$H{-}OH$	eau	$H{-}NH{-}R$	amine
$H{-}O{-}R$	alcool	$H{-}C{\equiv}C{-}R$	alcyne vrai
$H{-}O{-}\overset{\displaystyle O}{\overset{\|}{C}}{-}R$	acide carboxylique*	$H{-}C{\equiv}N$	acide cyanhydrique

* Attention! Avec un acide carboxylique, la substitution nucléophile est plus efficace que l'addition qui pourrait avoir lieu sur le carbonyle.

L'exemple suivant montre comment ce type de réaction n'est pas toujours rentable.

$$CH_3-CH_2-CH_2-MgBr \;+\; H-O-CH_2-CH_3 \longrightarrow CH_3-CH_2-CH_3$$
propane

$$+ \; CH_3-CH_2-\overset{-}{O} \; \overset{+}{M}gBr$$

Façon compliquée et coûteuse de préparer du propane, n'est-ce pas ? Ce genre de réaction peut même devenir néfaste dans l'application des réactions d'addition lorsque celles-ci sont effectuées en présence d'humidité; le réactif de Grignard est alors détruit par la réaction avec l'eau. Par exemple, la synthèse de l'acide benzoïque à partir du bromobenzène et du dioxyde de carbone sera fortement altérée si les conditions expérimentales ne sont pas totalement anhydres.

1. Illustrer, par des équations chimiques, la synthèse de l'acide benzoïque à partir du bromobenzène et la réaction compétitive avec l'eau selon le mécanisme décrit plus haut.

2. Décrire le mécanisme des réactions du bromure de phénylmagnésium avec:

   a) le 2-bromopropane

   b) l'aniline

   c) l'acide acétique, CH_3-CO_2H

Il ne faut cependant pas croire que toutes ces réactions de substitution sont inutiles. Plusieurs peuvent rendre de grands services, par exemple, en servant à éliminer un halogène lors d'une synthèse à plusieurs étapes. Dans la synthèse du 1,3,5-trinitrobenzène, la réaction devant passer par le 2,4,6-trinitrobromobenzène, c'est par l'hydrolyse de l'organomagnésien correspondant que l'on parvient à se débarrasser du brome.

Les réactifs de Grignard sont souvent comme certaines voitures: capricieux, rebelles au démarrage, ils ne font pas bon ménage avec l'humidité. Mais ils sont d'une telle utilité qu'on ne peut plus s'en passer.

___ *Les fréons...* _____

Les fréons sont utilisés:
- dans divers systèmes de réfrigération domestiques ou industriels,
- pour réduire la pression dans les bonbonnes aérosols,
- comme gaz d'expansion lors de la fabrication de mousses de polymères (polyuréthane, polystyrène, etc.).

Formule	Nom commercial	Éb (°C)
CCl_2F_2	Fréon 12	- 30
CCl_3F	Fréon 11	24
$CClF_3$	Fréon 13	- 81
$CHClF_2$	Fréon 22	- 41
$HCCl_2F$	Fréon 21	–
$Cl_2CFCFCl_2$	Fréon 112	93
$ClCF_2CF_2Cl$	Fréon 114	3,8

N.B. Le nombre qui suit le mot Fréon est le moyen que l'industrie s'est donné pour éviter toute confusion. Il est le plus souvent constitué de deux ou trois chiffres. Pour un gaz XYZ, Z indique le nombre d'atomes de fluor; Y indique le nombre d'atomes H plus 1; X indique le nombre d'atomes C moins 1. (Si on obtient zéro pour X, XYZ devient YZ). Les autres atomes sont des chlores. Les fluors sont toujours distribués de la façon la plus symétrique possible sur la molécule.

Les fréons sont très inertes et sécuritaires pour l'homme. Cette inertie chimique dépend de leur très grande stabilité. C'est d'ailleurs pour cette raison qu'ils persistent longtemps dans l'environnement.

Tant qu'ils demeurent dans la partie basse de l'atmosphère terrestre ils ne causent pas trop de problèmes. Mais on s'est rendu compte que s'ils parviennent à la stratosphère, ils peuvent être décomposés par la lumière ultraviolette du soleil et peuvent libérer des radicaux chlore. Ces derniers sont alors impliqués dans une série de réactions qui ont pour effet de faire diminuer périodiquement la quantité d'ozone présente dans l'atmosphère.

Plusieurs fréons n'étant pas biodégradables et très stables (à l'instar des DDT, lindane, chlordane, 2,4-D, par exemple), il n'est donc pas surprenant que la grande quantité relâchée dans l'environnement soit devenue un problème.

Il n'y a pas si longtemps, l'une des principales utilisations était comme propulseurs dans les bouteilles pressurisées (fixatifs pour cheveux, désodorisants, etc.).

Déjà en 1978, les États-Unis interdisaient leur utilisation. En janvier 1989, les signataires du Protocole de Montréal s'engageaient à réduire la consommation de CFC de 50 % sur 10 ans.

— Les « fréons » de remplacement —

Déjà en 1989, les compagnies productrices de fréons se sont mises à rechercher des composés plus sûrs pour la couche d'ozone. Le tableau suivant donne une liste de candidats possibles.

Composé	Utilisation	Persistance dans l'atmosphère (années)	Potentiel de destruction de l'ozone*	Situation actuelle
CH_2FCF_3 (HFC-134a)	remplace le Fréon 12 dans la réfrigération et les climatiseurs d'automobiles	21	0	production commerciale annoncée par Du Pont
$CHCl_2CF_3$ (HCFC-123)	remplace le Fréon 11 dans les mousses de plastiques	1,9	0,016	
CH_3CCl_2F (HCFC-141b)	remplace le Fréon 11 dans les mousses de plastiques	8,9	0,081	
$CHClF_2$ (HCFC-22)	climatiseurs domestiques, contenants mousse pour nourriture	20	0,053	déjà utilisé

* Valeur calculée par rapport au Fréon 11 auquel on assigne la valeur de 1,0.
  Source: Chemical and Engineering News, 9 oct., 1989.

Ces candidats de remplacement des CFC n'ont pas montré de toxicité significative dans les tests à court terme. Cependant, ces composés doivent subir deux ans de tests d'inhalation pour établir s'ils peuvent causer des cancers.
Ces composés contiennent tous de l'hydrogène, contrairement à la majorité des CFC utilisés jusqu'à maintenant. La présence d'hydrogène rend ces composés plus susceptibles à l'oxydation dans la partie basse de l'atmosphère, avant qu'ils ne puissent transporter du chlore dans la stratosphère.

On prévoit que le HFC-134a va remplacer le Fréon 12 dans les climatiseurs d'automobiles et dans les réfrigérateurs. Le HCFC-123 et le HCFC-141b vont remplacer le Fréon 11 dans les procédés de fabrication de mousses à base de plastiques. La production de ces nouveaux composés industriels a commencée en 1991 dans cinq usines (une en Angleterre, trois aux États-Unis et une en Ontario). En France, on semble miser sur le butane et le propane pour remplacer les CFC.

Dans un éditorial du journal Le Soleil, datée du 4 juillet 1990, Raymond Giroux tenait, sans le citer textuellement, les propos suivants:
«Peut-être qu'un usage trop massif des ces nouveaux HCFC augmentera la pression sur l'effet de serre, et il faudra les réglementer dans une prochaine étape. La terre forme un bloc où toutes les composantes se trouvent interreliées, où les décisions isolées n'ont plus aucun sens. Les intérêts nationaux aux tables de négociations diffèrent certes de ceux sur le désarmement, mais l'objectif final demeure le même: la survie du genre humain. Pourquoi alors ne pas investir autant d'énergie et d'argent dans la protection de la nature et dans la recherche d'un développement équilibré que dans la quincaillerie militaire ?

--- *Les « fréons » de remplacement (suite)* ---

La crise, ne l'oublions pas, a débuté dans les locaux de la compagnie Frigidaire, une filiale de General Motors, en 1930. Le monde industrialisé a réalisé des milliards de dollars de profits grâce à la réfrigération, sans oublier un confort quotidien qui échappe au Tiers-Monde. Il ne peut décemment se laver les mains et interdire aux autres ce qu'il a fait impunément pendant des décennies.

Les solutions de remplacement coûtent parfois cher. Les prix iront jusqu'à sextupler. Elles provoqueront également des retombées économiques et écologiques majeures qui aiguiseront les débats sur le développement durable.

Déjà, l'on peut prévoir que l'abandon de certains produits se traduira par une augmentation de la consommation de l'électricité. Il faudra alors choisir, outre les mesures de conservation, quelle source d'énergie causera le moins de dommage à l'environnement. »

halothane

Gaz anesthésiant utilisé depuis 1956. Il a remplacé l'éther diéthylique et le cyclopropane, très inflammables donc dangereux. L'halothane est inerte et sécuritaire mais son usage a été remis en question en 1963.

bromotrifluorométhane

Retardateur de flamme. Peut rendre incombustible un matériau combustible lorsqu'on l'ajoute à ce matériau.

D'autres composés, appelés halons, étaient utilisés jusqu'à maintenant dans plusieurs systèmes d'extincteurs commerciaux, industriels et institutionnels. Le FE-1301 est surtout utilisé dans les systèmes extincteurs des avions, navires, salles d'ordinateurs, musées, hôpitaux et sur les plates-formes pétrolières. Le FE-1211 est largement présent dans tous les extincteurs portables. Deux nouveaux gaz, le FE-25 et le FE-232 sont destinés à remplacer les deux halons précédents. Le premier, déjà mis à la disposition des utilisateurs pour essais, n'a aucun impact sur l'ozone. Quant à l'impact du second, disponible depuis 1991, il est moins du centième de celui du halon 1211, selon la firme américaine Du Pont dans un communiqué de juin 1990. La firme rappelle que le pouvoir de destruction de l'ozone (Ozone Depletion Potential, ODP) des halons est de trois à dix fois supérieur à celui des fameux CFC dont l'utilisation est désormais limitée dans le cadre de la Convention de Montréal. Celle-ci a également prévu le gel de la production des halons à partir de 1992 avec comme objectif leur interdiction totale autour de l'an 2000. La production de ces deux substituts coûtera sans doute plus cher que celle des halons. En 1989, 20 000 tonnes de halons ont été produites dans le monde, le halon 1211 représentant 60 % du total.

Deux autres produits s'ajoutent aux CFC et aux halons déjà régis par la Convention de Montréal depuis trois ans. Le CH_3CCl_3 (appelé méthylchloroforme) et le tétrachlorure de carbone. Les deux sont utilisés comme solvants pour nettoyer le métal et sont facilement remplaçables par des produits à base d'eau. Le second coûte beaucoup moins cher mais il est beaucoup plus toxique. Leur utilisation devrait disparaître respectivement en 2005 et 2000. Cette mesure s'imposait. Toucher aux seuls CFC et halons limitait l'accroissement des dégâts sans rien corriger. (R. Giroux, Le Soleil, 90 07 04)

Les fréons d'origine naturelle...

Les volcans produisent jusqu'à 3 millions de tonnes par an de HCl et jusqu'à 11 millions de tonnes par an de HF. On suppose que ces deux réactifs réagissent avec des composés organiques pour produire ces CFC. Voici quelques exemples de CFC détectés dans les gaz des volcans Santiaguito (Guatemala) et Kamchatka (Sibérie).

$CFCl_3$ CF_2Cl_2 CCl_2FCClF_2 CHF_2Cl $CHFCl_2$

fréon 11   fréon 12   fréon 113

CH_3CCl_3 $F_2C{=}CF_2$ $FClC{=}CF_2$ $Cl_2C{=}CCl_2$ $Cl_2C{=}CHCl$

Organohalogénés d'origine naturelle...

On a isolé et identifié des centaines de terpènes chlorés et bromés comme ceux tirés des algues rouges *Laurencia* et *Plocamium*.

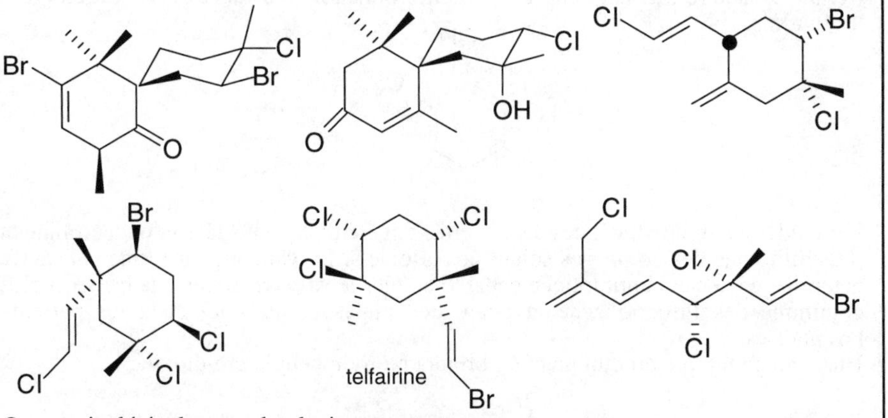

telfairine

On en a isolé également de plusieurs coraux mous.

Les algues bleu-vert *Nostoc* sont une menace pour la santé humaine lorsqu'elle infestent les sources d'eau potable. Par exemple, *Nostoc Linckia* produit, entre autres, des paracyclophanes dont le nostocyclophane est un exemple.

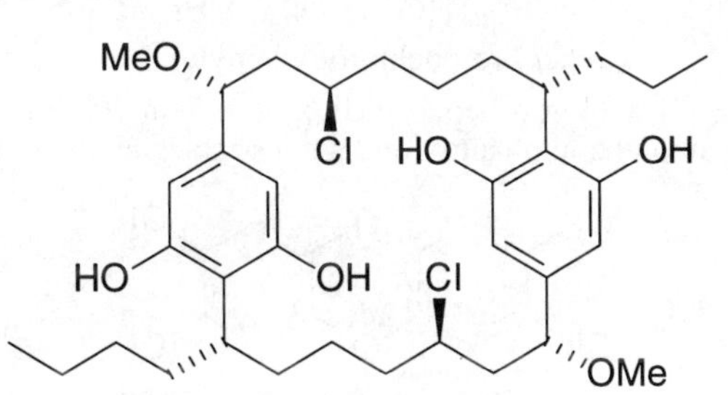

nostocyclophane

Organohalogénés d'origine naturelle...(suite)

Les chlorophénols, utilisés industriellement à grande échelle, sont des polluants dangereux issus de l'activité humaine. Ô surprise! L'homme n'est pas le seul à en produire. Par exemple, le champignon de sol *Penicillium sp.* produit le 2,4-dichlorophénol.

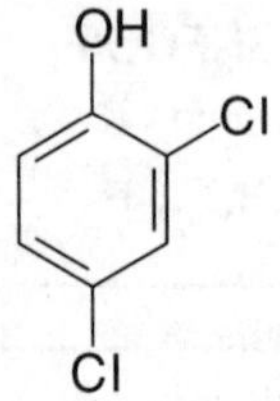

Certaines sauterelles secrètent le 2,5-dichlorophénol, substance servant à éloigner les fourmis.

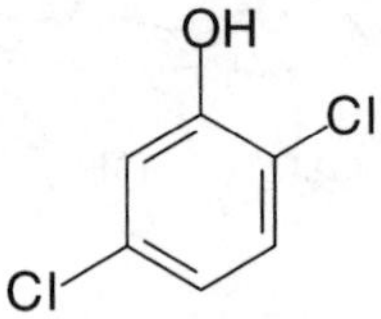

Les études ayant conduit à ces découvertes ont été bien contrôlées et on a éliminé la possibilité que ces composés soient des artefacts. La vancomycine, une substance naturelle, est le seul antibiotique capable de tuer le *staphylococcus*, la cause la plus commune des infections de la peau, des plaies et du sang chez les patients hospitalisés.

Une éponge marine produit un éther bromochlorodiphényle pré-dioxine.

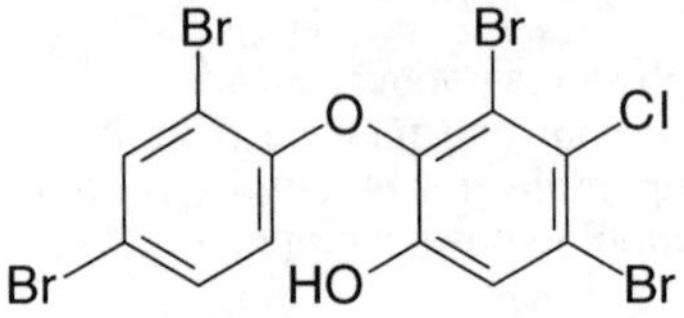

éther bromochlorodiphényle

La dioxine 2,3,7,8-tétrachlorodibenzo-*p*-dioxine a déjà été considérée comme le composé d'origine humaine le plus toxique jamais fabriqué: cent mille fois plus que le cyanure de sodium.

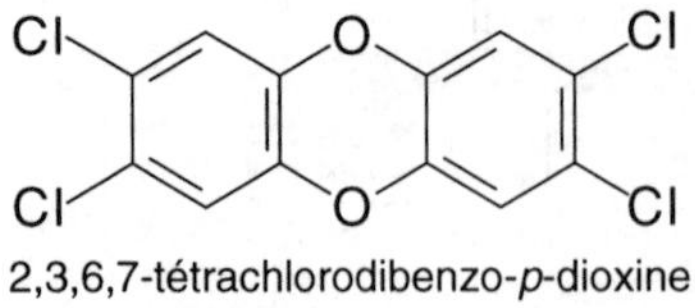

2,3,6,7-tétrachlorodibenzo-*p*-dioxine

Or on retrouve des substances du même ordre d'extrême toxicité produites par des animaux: des dioxines polychlorées et des composés apparentés comme les dibenzofuranes polychlorés.

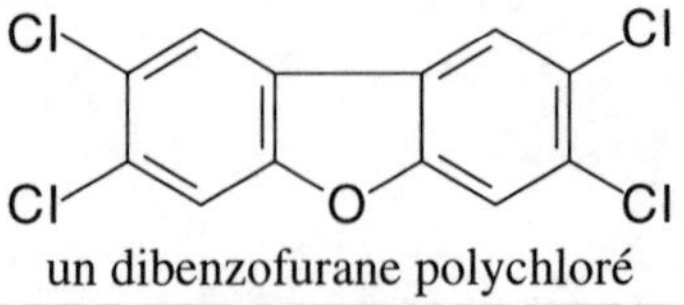

un dibenzofurane polychloré

___ *Organohalogénés d'origine naturelle...(suite)* ___

Ces substances d'une extrême toxicité sont maintenant considérées commme des produits naturels présents partout dans notre environnement.

Il s'en forme lors de la combustion du bois (en ppb) et, en particulier, lors de la combustion incomplète de bois et de végétaux humides en présence de concentrations élevées d'ions chlorures (le bois peut en contenir jusqu'à 2 100 ppm). Les feux de forêts et de brousse sont donc les sources majeures de ces composés.

On évalue à 58 kg la génération de dioxines polychlorées par an par les feux de forêts au Canada seulement. Puisqu'il y a 200 000 feux de forêts par année sur toute la Planète, qui brûlent 27 000 milles carrés de forêts, il est logique de penser que ces dioxines polychlorées font partie de notre environnement depuis des siècles. On en a d'ailleurs détecté dans un échantillon de sol datant de 1877.

Une autre observation importante est la conversion enzymatique de chlorophénols en dioxines polychlorées et en dibenzofuranes polychlorés (en ppm) par l'enzyme peroxydase du raifort ou radis noir. Cette découverte étonnante ouvre la porte à la supposition suivante: les microbes de l'eau et du sol participent à la formation naturelle complète de dioxines polychlorées et de dibenzofuranes polychlorés à partir de chlorophénols, eux-mêmes d'origine naturelle.

Il semble même que les mécanismes de biohalogénation fassent partie intégrante de notre système immunologique. En effet, le système biochimique halogénure/peroxydase/peroxyde d'hydrogène chez l'humain et d'autres mammifères est capable de fabriquer de l'hypochlorite d'hydrogène (HOCl) et de l'hypobromite d'hydrogène (HOBr) pour détruire des microorganismes agresseurs. Ces composés peuvent même tuer des cellules cancéreuses.

Les quantités produites...

Il a été démontré que CH_3Cl est d'origine principalement biologique. Qu'en est-il des autres organochlorés et organohalogénés par rapport à la production humaine de 20 millions de tonnes par an des 150 organochlorés industriels utilisés mondialement?

Dans la région d'Okinawa, au Japon, on estime à 42 kg **par jour** la production d'organohalogénés (surtout des bromophénols) par une population de 64 millions de vers glanduleux *Ptychodera flava* retrouvés dans leurs matières fécales sur 1 kilomètre carré.

Plusieurs études ont démontré également que la production naturelle de phénols chlorés et d'anisoles chlorés dépasse celle de l'industrie humaine.

Qui plus est, un nombre relativement petit d'organismes marins a été étudié pour évaluer leur contenu ou leur production de substances chimiques. Par exemple, on a isolé 12 000 produits naturels de toutes sortes des plantes terrestres alors qu'on en a isolé que 500 à partir de plantes marines (algues) jusqu'en 1987. Il faut mentionner que l'on connaît 500 000 espèces d'animaux marins, plantes et bactéries. Par exemple, il existe 80 000 espèces de mollusques, 5 000 espèces d'éponges et 4 000 espèces de bryozoaires (mousses), alors qu'on a étudié seulement 6 espèces de ces derniers.

— *Organohalogénés d'origine naturelle...(suite)* —

Pourquoi tous ces organohalogénés naturels ?
Plusieurs organismes terrestres et marins utilisent des organochlorés comme agents chimiques de défense, d'irritants ou comme pesticides ou pour la cueillette d'aliments. Par exemple, les poissons et les requins, entre autres, ne mangent pas le «lièvre de mer» *Aplysia brasiliana*, cela à cause, en partie, de son contenu en panacène, un allène bromée.
Le métabolite telfairine,

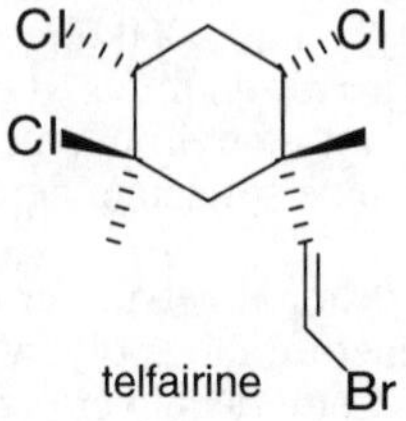

telfairine

tiré d'algues, tue 100 % des larves de moustiques à des concentrations de 10 ppm.
On a découvert récemment que la coquerelle allemande (*Blattella germanica*) utilise deux stéroïdes glycosidiques chlorés comme phéromones (substances chimiques servant d'attraction pour l'accouplement).

On retrouve rarement des stéroïdes ou des alcaloïdes halogénés chez les plantes terrestres. Le stéroïde halogéné jaborochlorodiol est un exemple de ce que l'on peut trouver chez la plante *Jaborosa magellanica*.

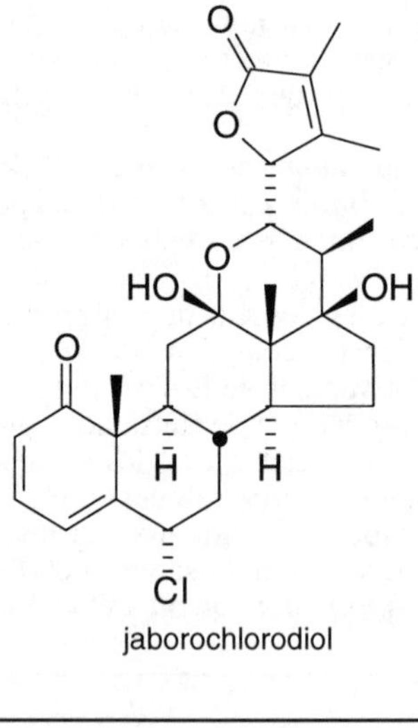

jaborochlorodiol

— *Organohalogénés d'origine naturelle...(suite)* —

On savait depuis plusieurs années qu'il existait à l'état naturel de l'acide fluoroacétique et des acides gras fluorés chez certaines plantes terrestres. Ce n'est que récemment que des acides gras chlorés ont été découverts.

On a même isolé et identifié des prostaglandines chlorés dont certaines présentent une activité anticancéreuse potentielle. C'est le cas de la punaglandine.

punaglandine

Pour en savoir plus: Gribble, Gordon W., Natural Organohalogens, J. Chem. Ed., 1994, Vol. 71, no. 11, p. 907.

Tableau 7.9 Synthèses et transformations des composés halogénés.

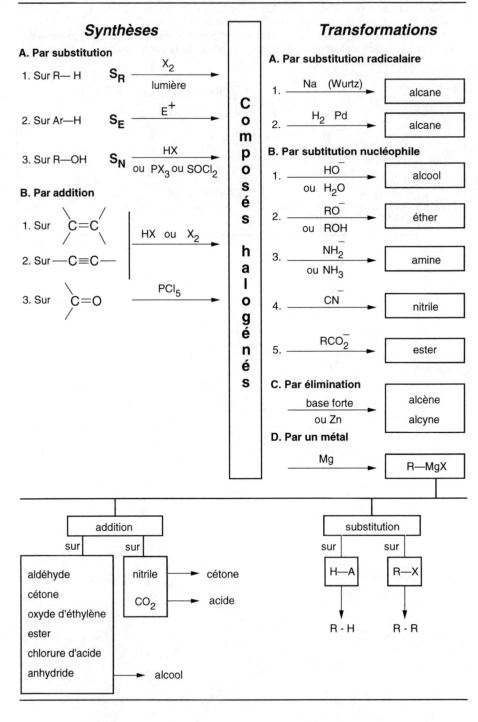

Tableau 7.10 Des choix déchirants pour un halogénure...

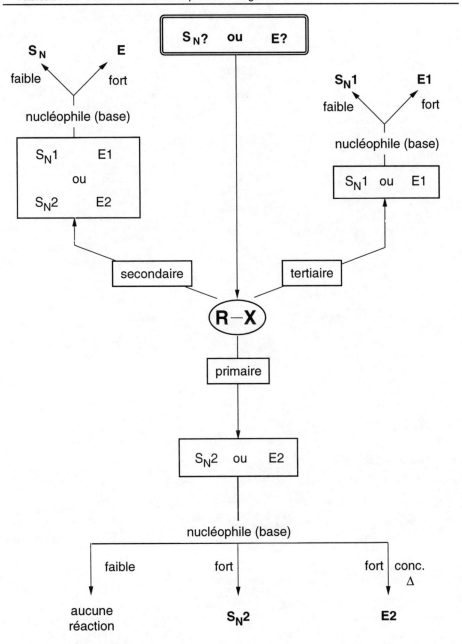

EXERCICES 7

1. Pourquoi les halogènes sont-ils liés par covalence au carbone dans les composés organiques?

2. Retrouve-t-on des composés halogénés organiques dans les plantes et les animaux?

3. Peut-on dire que tous les composés halogénés organiques ont été inventés de toutes pièces par l'homme?

4. Parmi les composés du tableau 7.3, quels sont ceux qui ont déjà commencé à détruire la couche d'ozone qui nous protège des dangereux rayons ultraviolets en provenance du soleil?

5. Classer les composés suivants selon qu'ils sont halogénures 1°, 2° ou 3°:
a) 2-bromopropane b) 2-chloro-2-méthylpropane c) 1-iodopentane.

Synthèse des composés halogénés

7.2 Par réaction de substitution

1. Nommer les deux principaux types de substrats qui, par une réaction de substitution, peuvent servir à la préparation de dérivés halogénés.

2. Pourquoi dit-on qu'une réaction de substitution radicalaire effectuée sur un hydrocarbure est peu intéressante (ou peu rentable) pour la production de dérivés halogénés?

3. Pourquoi la substitution radicalaire sur un hydrocarbure aromatique ramifié est-elle plus intéressante?

4. La fonction OH portée par un alcool est-elle facile à détacher de la chaîne carbonée qui la porte? Pourquoi en est-il ainsi?

5. Quel est le rôle de la protonation lors d'une réaction entre, par exemple, un alcool et HCl?

6. Compléter les réactions suivantes et préciser s'il s'agit d'une réaction homolytique ou hétérolytique:

a) $CH_3\!-\!CH_3$ $\xrightarrow[h\nu]{Cl_2}$

b) 1-méthylcyclohexan-1-ol + HBr $\longrightarrow$ (Décrire le mécanisme de la réaction.)

c) toluène $\xrightarrow[h\nu]{Cl_2}$

d) butan-1-ol $\xrightarrow{PCl_3}$

e) phénol $\xrightarrow[AlCl_3]{Cl_2}$

7.3 Par réaction d'addition

1. Quelles fonctions peut-on choisir comme point de départ pour la préparation de dérivés halogénés par réaction d'addition?

2. Écrire l'équation de chacune des réactions suivantes:

a) $CH_3\!-\!CH\!=\!CH\!-\!CH_3$ + HCl

b) cyclopentène + I_2

c) propyne + HBr

d) but-2-yne + Br_2

e) benzaldéhyde + PCl_5

3. Proposer une méthode de préparation du 2,3-dibromohexane à partir d'un alcyne à six carbones.

4. Proposer une façon de transformer la cyclohexanone en 1,1-dichlorocyclohexane.

Réactivité des composés halogénés

7.4 La substitution

1. Pourquoi affirme-t-on, en général, que les dérivés halogénés réagissent bien en présence d'un nucléophile dans des réactions de substitution et d'élimination?

2. Donner le nom et la formule de cinq nucléophiles oxygénés pouvant être utilisés pour une substitution nucléophile sur le 2-bromopropane. Faire un schéma résumant ces cinq situations et indiquer le produit obtenu dans chaque cas.

3. Donner le nom et la formule de deux nucléophiles azotés pouvant être utilisés pour une substitution nucléophile sur le 2-bromo-2-méthylpropane. Faire un schéma résumant ces deux situations et indiquer le produit obtenu dans chaque cas.

4. Quels sont les deux facteurs à considérer lors d'une réaction de substitution nucléophile sur un dérivé halogéné?

5. Dresser un tableau des conditions à respecter pour obtenir un bon rendement lors d'une substitution nucléophile selon le type (1°, 2° ou 3°) de dérivé halogéné.

6. Lors d'une réaction de substitution nucléophile sur un dérivé halogéné dont le groupement amovible est fixé sur un carbone asymétrique, en quoi la situation est-elle différente de celle où il n'y a pas ce carbone asymétrique?

7. Dans quel type de mécanisme, S_N1 ou S_N2 , obtient-on un mélange racémique? Une inversion de configuration?

8. Dessiner le carbocation plan issu d'une S_N1 sur le

   2-cyclohexyl-2-bromobutane et y illustrer l'attaque d'un ion cyanure.

9. a) Représenter l'approche du nucléophile $\overline{CN}$ dans une S_N2 sur le

   3-chloro-2-méthylpentane.

   b) Si l'halogénure de départ a un pouvoir rotatoire de +15°, que peut-on prévoir pour le nitrile formé?

10. Décrire le mécanisme le plus probable de la réaction suivante si on constate qu'elle se déroule deux fois plus rapidement lorsque la concentration de NaI est doublée.

$$CH_3-\underset{\underset{Cl}{|}}{CH}-CH_2-CH_3 \quad + \quad NaI \quad \longrightarrow$$

7.5 L'élimination

---

1. Quels sont les deux mécanismes d'élimination possibles lors d'une réaction d'élimination sur un dérivé halogéné?

2. Laquelle de l'élimination ou de la substitution est favorisée par l'utilisation d'un nucléophile fort (base forte)?

3. Indiquer le produit obtenu par l'action du KOH sur le 2,3-dibromobutane.

4. Commenter le résultat des deux réactions suivantes:

   a) *méso* -2,3-dichlorobutane + Zn $\longrightarrow$

   b) *thréo* -2,3-dichlorobutane + Zn $\longrightarrow$

7.6 La compétition substitution / élimination

1. Pourquoi y a-t-il compétition entre ces deux réactions?

2. Comment peut-on favoriser une S_N1 ?

3. Comment peut-on favoriser une élimination?

4. Si le 2-bromo-2-méthylpentane est mis en présence des réactifs suivants, laquelle de la substitution ou de l'élimination sera favorisée? Justifier la réponse.

   a) $CH_3CH_2O^-$ b) H_2O c) NH_2^- d) CN^-

5. Compléter les réactions suivantes en indiquant tous les produits possibles et en précisant lequel sera le plus abondant.

a) $\xleftarrow{\quad CH_3OH \quad}$ $CH_3CH_2-\underset{\underset{Br}{|}}{\overset{\overset{\displaystyle CH_3}{|}}{C}}-\underset{\underset{CH_3}{|}}{CH}-CH_3$ $\xrightarrow{\quad NaNH_2 \quad}$

b) $\xleftarrow{\quad CH_3\bar{O}\,Na^+ \quad}$ ⬡$-CH_2-CH_2-Br$ $\begin{array}{l} \xrightarrow{\text{NaOH conc.}} \\ \xrightarrow{\Delta} \\ \xrightarrow{\text{NaCN}} \end{array}$

7.7 Réactivité avec un métal

1. Donner un exemple de composé organométallique à base de
   a) lithium b) magnésium, tous deux obtenus à partir du bromoéthane.

2. Écrire la formule des organomagnésiens obtenus à partir de chacun des dérivés halogénés suivants:
   a) 1-bromopropane b) bromocyclopentane c) 2-bromopropane.

3. Le bromométhane peut réagir avec le lithium ou le magnésium pour produire un organométallique,
   a) donner la formule et le nom des deux composés formés;
   b) pourquoi l'organolithien ne contient-il pas d'atome de brome?

4. Quelles sont les conditions expérimentales requises lors de la préparation du bromure d'éthylmagnésium?

Réactivité des organomagnésiens

7.8 Réactions d'addition nucléophile à l'aide d'un Grignard

1. Quels sont les substrats qui conduisent à un alcool par réaction avec un organomagnésien?

2. Quel substrat conduit à une cétone? À un acide?

3. Décrire le mécanisme lors de la réaction entre:
   a) le bromure de propylmagnésium et l'acétone
   b) le bromure d'éthylmagnésium et le dioxyde de carbone
   c) le bromure de méthylmagnésium et l'oxyde d'éthylène.

4. Décrire le mécanisme de la réaction entre l'acétate d'éthyle et le bromure de phénylmagnésium:

   $$CH_3CO_2CH_2CH_3 \quad + \quad C_6H_5MgBr \quad \longrightarrow$$
   acétate d'éthyle

5. Décrire le mécanisme réactionnel montrant l'action du bromure de méthylmagnésium sur le propanenitrile:

   $$CH_3CH_2-CN \quad + \quad CH_3MgBr \quad \longrightarrow$$
   propanenitrile

7.9 Réactions de substitution nucléophile à l'aide d'un Grignard

1. Donner deux types généraux de substrats qui permettent la substitution nucléophile au moyen d'un réactif de Grignard.

2. Donner sept exemples de substrats du type HA.

3. Pourquoi l'atome d'hydrogène constitue-t-il le point d'attaque idéal pour un réactif de Grignard?

4. Comment s'y prendrait-on pour ajouter un groupe méthyle au bromoéthane?

5. Effectuer les réactions suivantes (sans faire l'hydrolyse finale):
   a) méthanol + bromure d'éthylmagnésium
   b) acide acétique + bromure de méthylmagnésium
   c) ammoniac + bromure de phénylmagnésium
   d) bromure de propylmagnésium + eau.

6. Au cours de la synthèse complexe d'un nouveau composé organique, on isole l'intermédiaire 1-bromo-3-isopropyl-4-méthylcyclopentane dont on veut absolument enlever l'atome de brome. Comment devrait-on s'y prendre?

Exercices complémentaires

1. Compléter les réactions suivantes et décrire le mécanisme pour les réactions précédées de (*):

* a) 1-bromobutane + KOH dilué

   b) 1-bromométhylcyclohexane   + $CH_3\bar{O}\,Na^+$

* c) 1-bromométhylcyclohexane   + CH_3OH

* d) butan-2-ol + HBr

   e) 2-bromo-2-méthylpropane + éthanol

   f) éthylbenzène + chlore + lumière

* g) toluène + Cl_2 + $FeCl_3$

   h) éthanol + PCl_3

* i) 1-bromo-1-phényléthane + NaCN

* j) 2-bromo-2-phénylbutane + NH_3 (représenter la stéréoisomérie de cette réaction par des structures en perspective).

2. Que donnerait le bromure de phénylmagnésium avec les substances suivantes: (indiquer le produit final après hydrolyse)

   a) 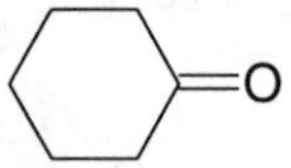 =O   (décrire le mécanisme)

   b) $CH_3-\overset{\overset{\displaystyle O}{\|}}{C}-O-CH_3$ (décrire le mécanisme)

   c) 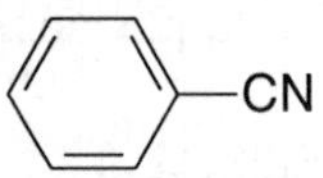 —CN

   d) phénol

   e) bromoéthane   (décrire le mécanisme)

   f) acide acétique   (décrire le mécanisme)

   g) benzaldéhyde   (décrire le mécanisme)

   h) $CH_3-\overset{\overset{\displaystyle O}{\|}}{C}-O-\overset{\overset{\displaystyle O}{\|}}{C}-CH_3$

3. À partir du benzène, décrire les étapes pour obtenir les substances suivantes:

a) acide benzoïque

b) 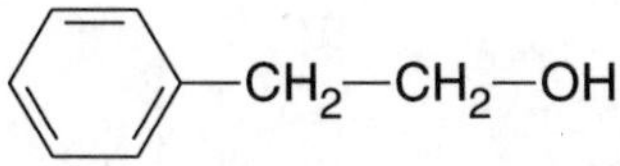 ⬡—CH_2—CH_2—OH

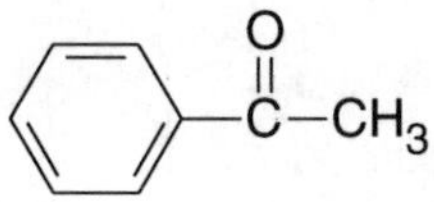

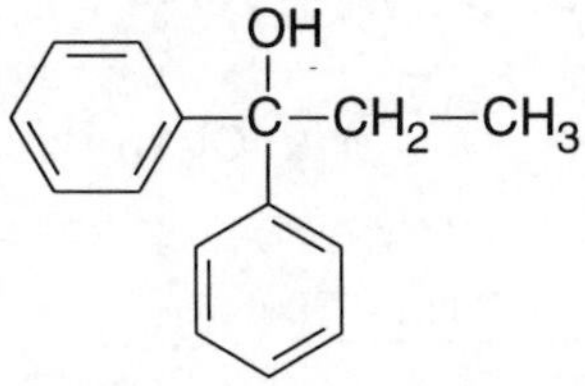

f) 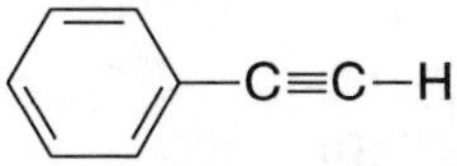 ⬡—C≡C—H

c) ⬡—$\overset{O}{\overset{\|}{C}}$—$CH_3$

g) 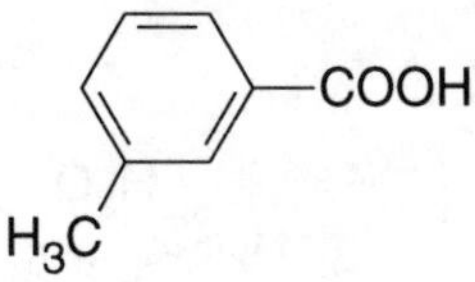 (benzène avec) —COOH et H_3C

d) ⬡—$\underset{Cl}{\overset{}{CH}}$—$CH_3$

e) ⬡—$\overset{OH}{\overset{}{C}}$—$CH_2$—$CH_3$ (avec second cycle benzénique)

4. Identifier les inconnues du système suivant:

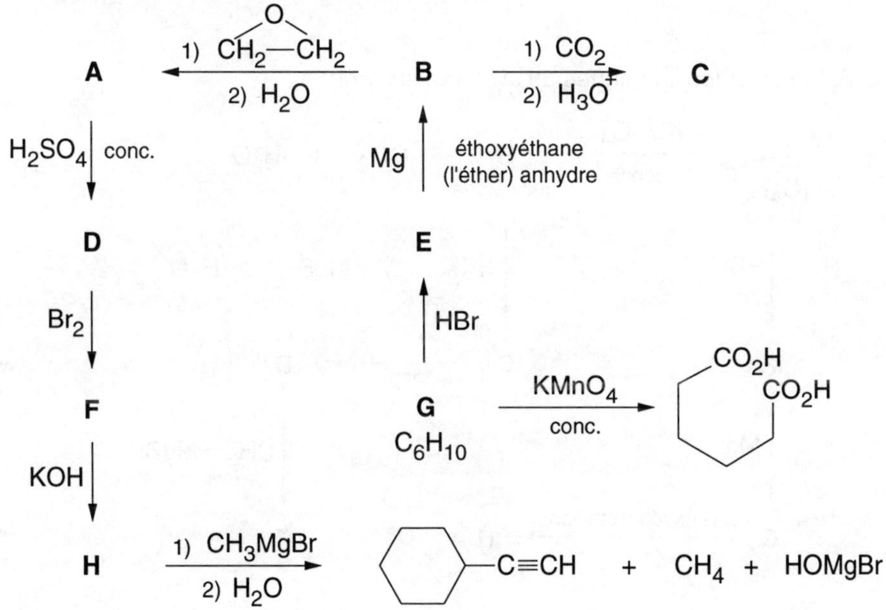

A ⟵ 1) CH_2—CH_2 (époxyde O) / 2) H_2O ⟵ **B** ⟶ 1) CO_2 / 2) H_3O^+ ⟶ **C**

H_2SO_4 conc. ↓ (de A vers D)

Mg ↑ éthoxyéthane (l'éther) anhydre (de E vers B)

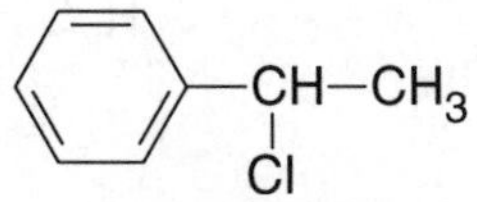

D

E

Br_2 ↓ (de D vers F)

HBr ↑ (de G vers E)

F

G C_6H_{10} ⟶ $KMnO_4$ conc. ⟶ (structure avec CO_2H et CO_2H)

KOH ↓ (de F vers H)

H ⟶ 1) CH_3MgBr / 2) H_2O ⟶ (cyclohexane)—C≡CH + CH_4 + HOMgBr

5. Identifier les inconnues du système suivant:

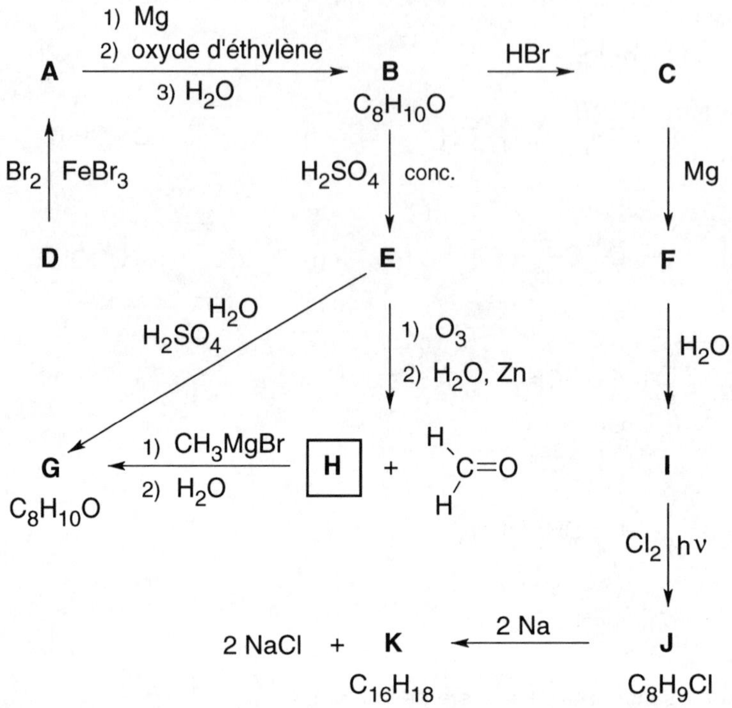

6. Identifier les inconnues du système suivant:

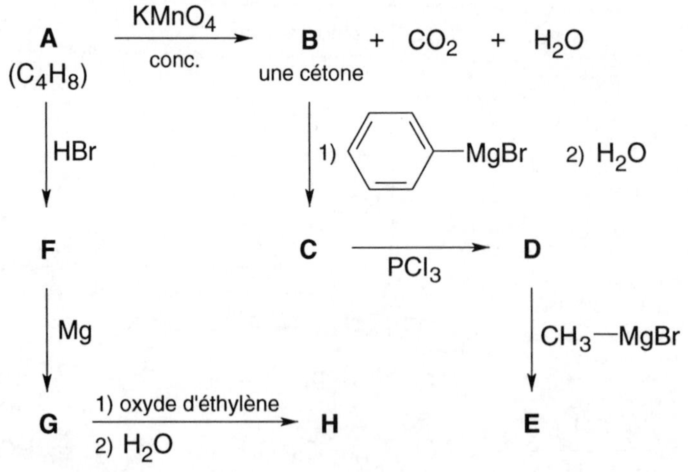

7. Identifier les inconnues du système suivant:

LES COMPOSÉS OXYGÉNÉS SATURÉS

8

ALCOOLS et ÉTHERS

Sommaire

Mots / concepts clés

- alcool, éther
- hydrolyse
- hydroboration
- phénol
- fusion alcaline
- oxydation, réduction
- déshydratation
- déshydrogénation

Objectifs spécifiques

Vous devez être capable de ...

- commenter les propriétés physiques des alcools et des éthers;
- nommer les alcools et les éthers de plusieurs manières;
- décrire les méthodes de synthèse des alcools et des éthers;
- donner une méthode industrielle de préparation du méthanol, de l'éthanol et de l'éthoxyéthane;
- commenter l'acidité du phénol;
- décrire au moins deux synthèses du phénol;
- décrire les modes de rupture des alcools et des éthers;
- écrire les produits d'oxydation des alcools;
- relier, par des réactions chimiques, les alcools et les éthers aux autres fonctions déjà étudiées;
- définir et expliquer les mots / concepts clés.

8.1 Généralités

Qu'entend-on par composés organiques oxygénés saturés? Essentiellement, ce sont des composés où l'on rencontre des liaisons simples C—O. Ils sont regroupés en deux catégories:

> • **les alcools**　　R—O—H
>
> • **les éthers**　　R—O—R

Noter la similitude avec la molécule d'eau, H—O—H.

• Les alcools

La structure des **alcools** est en effet très proche de celle de l'eau. Il est donc normal que leurs propriétés physiques soient semblables (polarité, solubilité, liaisons intermoléculaires, etc.). Plusieurs alcools sont bien connus et très utiles dans la vie de tous le jours. Le tableau 8.1 en donne quelques exemples:

Tableau 8.1　Quelques alcools fréquemment utilisés.

Formule	Nom	Éb (°C)	Usage
CH_3OH	méthanol	65,1	liquide pour lave-glace (mélange eau-méthanol)
CH_3CH_2OH	éthanol	78,5	alcool contenu dans les boissons alcoolisées
CH_3—CH—CH_3 $\quad\ \ $ | $\quad\ $ OH	propan-2-ol (alcool isopropylique)	82,4	alcool à friction
CH_2—CH_2 $\ $ |$\qquad$| OH$\quad$OH	éthane-1,2-diol (éthylèneglycol)	198	antigel (dans les radiateurs d'automobiles)
CH_2—CH—CH_2 $\ $ |$\qquad$|$\qquad$| OH$\quad$OH$\quad$OH	propane-1,2,3-triol (glycérol)	290d	alimentation, médicaments et radiateurs d'automobiles

• Les éthers

Les **éthers** sont plus volatils et moins solubles dans l'eau que les alcools. Le plus commun est l'éther diéthylique, mieux connu sous la simple appellation *éther* dont en voici quelques caractéristiques:

- Formule: CH_3—CH_2—O—CH_2—CH_3
- Noms: éthoxyéthane, oxyde de diéthyle, éther, éther diéthylique, éther sulfurique,
- Température d'ébullition: 34,5°C
- Masse volumique: 0,7138 g / mL
- Solubilité dans l'eau: 7,5 g / 100 mL

> • Utilité: anciennement, l'éthoxyéthane servait dans le domaine médical comme anesthésique; aujourd'hui, il sert surtout comme solvant dans divers domaines.

Il existe des éthers cycliques appelés oxiranes. Ces substances ne sont que mentionnées en passant. En voici quelques exemples:

oxyde d'éthylène	furane	dioxane
Éb 13,2°C	Éb 31,4°C	Éb 101,1°C

Il est intéressant de comparer les températures d'ébullition des alcools et des éthers avec ceux d'autres types de molécules ayant des fonctions différentes (tableau 8.2).

Tableau 8.2 État physique comparé de quelques substances.

Nom	Éb (°C)	État physique à 25°C
méthane	-164	gaz
méthanol	65,1	liquide
éthane	-88,6	gaz
éthanol	78,5	liquide
méthoxyméthane	-25	gaz
éthoxyéthane	34,5	liquide
eau	100	liquide

Les petits alcools et l'eau ont des températures d'ébullition élevées (65,1°C, 78,5°C, 100°C) si on considère leur faible masse molaire. La principale explication est que ces molécules offrent toutes la possibilité de former des **ponts hydrogène** entre elles, l'eau plus efficacement que les autres.

eau	méthanol
Éb 100°C	Éb 65,1°C

Quant aux éthers, ils ne forment pas de ponts hydrogène entre eux. Leur température d'ébullition s'en trouve abaissée. Comparons sous cet aspect le méthoxyméthane et le méthanol.

$$CH_3-O-CH_3 \qquad\qquad CH_3-O-H$$

méthoxyméthane	méthanol
Éb -25°C	Éb 65,1°C
un éther	un alcool
(gaz)	(liquide)
M: 46 g / mol	M: 32 g / mol

La solubilité des alcools et des éthers dans l'eau est aussi très influencée par la présence de ponts hydrogène (meilleure solvatation) et par la structure moléculaire. Le tableau 8.3 illustre ces notions.

Tableau 8.3   Comparaison de la solubilité dans l'eau de quelques substances.

Substance	Solubilité dans l'eau (g / 100 mL d'eau)
méthanol	en toutes proportions
éthanol	en toutes proportions
propan-1-ol	en toutes proportions
butan-1-ol	7,4
pentan-1-ol	2,7
hexan-1-ol	0,6
éthoxyéthane	7,5

Les données du tableau 8.3 confirment que les petits alcools sont très solubles dans l'eau alors que leurs homologues supérieurs le sont beaucoup moins. Quant à l'éthoxyéthane, sa faible solubilité dans l'eau s'explique, en partie, par le fait qu'il forme peu de ponts hydrogène avec l'eau.

La **nomenclature** de l'UICPA s'applique évidemment aux alcools et aux éthers (cf. section 2.12). Pour les alcools, la terminaison **ol** s'ajoute au nom de base avec priorité sur alcyne, alcène et amine. Voici deux exemples où ces règles sont appliquées:

$$CH_3-CH-CH_2-CH_2-OH \qquad\qquad CH_3-CH=CH-CH_2-OH$$
$$\,\,|$$
$$CH_3$$

3-méthylbutan-1-ol   but-2-én-1-ol

Toutefois, pour des structures relativement simples, le nom de l'alcool peut prendre la forme d'alcool **alkylique.** Par exemple, l'éthanol et le propan-2-ol deviennent

$$CH_3-CH_2-OH$$

alcool éthylique

$$CH_3-CH-CH_3$$
$$|$$
$$OH$$

alcool isopropylique

Il y a aussi des composés aromatiques hydroxylés qui ont un nom d'usage courant, en voici trois cas:

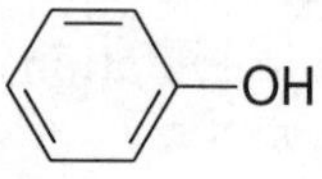

phénol 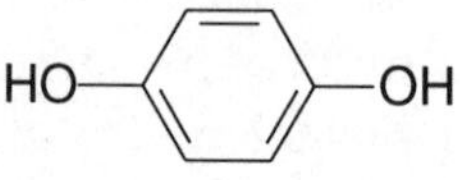   *p*-hydroquinone 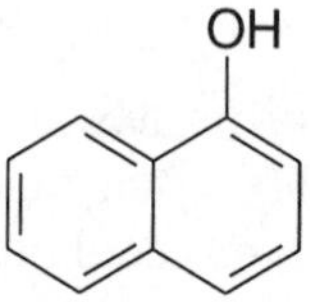   α-naphtol

Dans le cas d'un **éther**, l'UICPA l'identifie comme préfixe au nom de base avec la terminaison **oxy** au groupe correspondant. Par exemple,

$$CH_3-CH-CH_2-CH_3$$
$$|$$
$$O$$
$$\quad CH_3$$

2-méthoxybutane

Lorsque des groupes simples entourent l'oxygène, les éthers peuvent être nommés à la manière des **oxydes**:

$$CH_3-O-CH_2-CH_3$$

oxyde d'éthyle et de méthyle

$$CH_3-O-CH_3$$

oxyde de diméthyle

---

① Nommer les composés suivants (de deux façons différentes, si possible).

a) $(CH_3)_3C-O-CH_2-CH_3$

b) $CH_2{=}CH-CH_2-CH_2-OH$

c) 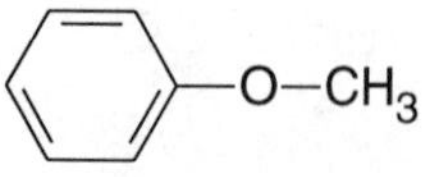 $-O-CH_3$

d) $CH_3-O-CH_2-CH_2-O-CH_3$

e)  H_3C- $-OH$

f) $(CH_3)_3C-OH$

Synthèse des alcools et des éthers

8.2 Par réaction de substitution nucléophile

Les alcools et les éthers peuvent être obtenus par des réactions de substitution nucléophile sur des halogénures d'alkyle. Cette réaction a été commentée à la section 7.4 des halogénés. Le tableau 8.4 résume la situation.

Tableau 8.4 Substitution nucléophile sur R—X.

R—X $\xrightarrow{\text{Nu}}$ R—Nu		
R—X de préférence...	**Nu**	**Produit formé**
primaire	HO^- (fort)	alcool
tertiaire	H_2O (faible)	alcool
primaire	RO^- (fort)	éther*
tertiaire	ROH (faible)	éther

Donc, pour favoriser la substitution nucléophile, il faut utiliser un halogénure primaire avec un nucléophile fort ou un halogénure tertiaire avec un nucléophile faible.

Toutes ces réactions se déroulent par un mécanisme S_N1 ou S_N2 selon le cas; mais attention à la compétition avec E1 et E2. Les exemples suivants favorisent le substitution.

$$CH_3-CH_2-O-CH_3 \xleftarrow{CH_3O^- Na^+} \boxed{CH_3-CH_2-Cl} \xrightarrow{Na^+ OH^-} CH_3-CH_2-OH$$

un éther — primaire — un alcool

$$CH_3-\underset{\underset{CH_3}{|}}{\overset{\overset{CH_3}{|}}{C}}-O-CH_3 \xleftarrow{CH_3OH} \boxed{CH_3-\underset{\underset{CH_3}{|}}{\overset{\overset{CH_3}{|}}{C}}-Cl} \xrightarrow{H_2O} CH_3-\underset{\underset{CH_3}{|}}{\overset{\overset{CH_3}{|}}{C}}-OH$$

un éther — tertiaire — un alcool

*Cette réaction d'un halogénure avec un alcoolate est appelée **synthèse de Williamson.** Les alcoolates sont obtenus par la réaction du sodium métallique sur l'alcool (voir p. 342).

1. Dans les exemples précédents, décrire le mécanisme le plus probable pour:

a) la réaction avec: $CH_3\bar{O}\ Na^+$ b) la réaction avec: CH_3OH

2. En n'utilisant que l'éthanol et le 1-méthylcyclohexan-1-ol comme substances organiques, suggérer deux méthodes pour obtenir le 1-éthoxyméthylcyclohexane.

La réaction de substitution nucléophile s'applique aussi aux esters* (hydrolyse, saponification). Ils peuvent être transformés en alcools (entre autres) par hydrolyse. Cette réaction peut se dérouler en milieu acide ou basique, mais la formation de l'alcool demeure toujours la même. Lorsque la réaction a lieu en milieu acide, elle s'appelle **hydrolyse**; lorsqu'elle a lieu en milieu basique, elle se nomme **saponification**.

$$CH_3-\overset{\overset{\textstyle O}{\|}}{C}-O-CH_3$$

acétate de méthyle

(un ester)

$$\xrightarrow{H_3O^+} \quad CH_3-\overset{\overset{\textstyle O}{\|}}{C}-OH \ + \ CH_3OH$$

hydrolyse   acide   **méthanol**
en milieu acide

$$\xrightarrow[NaOH]{H_2O} \quad CH_3-\overset{\overset{\textstyle O}{\|}}{C}-\bar{O}\ Na^+ \ + \ CH_3OH$$

sel d'acide   **méthanol**
hydrolyse
en milieu basique
(réaction de **saponification**)

Remarquer, qu'en plus de l'alcool, il y a formation d'un acide ou de son sel, selon que le milieu est acide ou basique.

8.3 *Par réaction d'addition*

Les alcools se préparent par l'addition d'eau sur un alcène ou par l'addition d'une grande variété de nucléophiles (réactifs de Grignard ou ions hydrure) sur des composés carbonylés.

8.3.1 *Sur un alcène*

a) L'hydratation des alcènes en milieu acide a été détaillée dans le cas des hydrocarbures à la section 5.10. Rappelons que cette réaction d'addition passe par un carbocation et suit la règle de Markovnikov, comme le montre l'exemple suivant:

*Cette réaction est précisée à la section 11.4.

$$CH_3-CH=CH_2 \xrightarrow{\ H^+\ } CH_3-\overset{+}{C}H-CH_3 \quad \text{(H-\ddot{O}-H)}$$

carbocation
le plus stable

$$H^+ + CH_3-\overset{\overset{\displaystyle OH}{|}}{C}H-CH_3 \xleftarrow{\ -H^+\ } CH_3-\overset{\overset{\displaystyle \overset{+}{O}}{|}}{C}H-CH_3$$

un alcool, le propan-2-ol

Il est bon de se rappeler aussi que l'oxydation douce d'un alcène, par le permanganate dilué, produit **l'addition de deux OH**, en formant un diol.

b) L'hydroboration* permet aussi d'obtenir un alcool par addition à partir d'un alcène.

$$R-CH=CH_2 + \overset{\delta^-}{H}-\overset{\delta^+}{B}\overset{H}{<}_H \longrightarrow R-CH_2-CH_2-B\overset{H}{<}_H$$

borane

On constate, dans cet exemple, que le bore se fixe sur le carbone le moins substitué de la liaison double. L'explication de ce comportement réside dans le fait que la liaison $H-B<$ est polarisée dans le sens $\overset{\delta^-}{H}-\overset{\delta^+}{B}$ où l'hydrogène n'a plus le caractère positif comme dans les additions Markovnikov. Ceci permet l'attaque des électrons π de l'alcène sur l'atome de bore. La formation du carbocation le plus stable favorise la fixation du bore sur le carbone le moins substitué.

$$3\ CH_3-CH=CH_2 + BH_3 \longrightarrow CH_3CH_2CH_2-B\overset{CH_2CH_2CH_3}{\underset{CH_2CH_2CH_3}{<}}$$

propène   borane   tripropylborane
(un trialkylborane)

Habituellement, le trialkylborane formé est traité *in situ* par l'eau oxygénée (peroxyde d'hydrogène) en milieu basique pour conduire au produit final recherché, comme le montre la suite de la réaction:

$$(CH_3CH_2CH_2)_3B + 3\ H_2O_2 + 3\ NaOH \longrightarrow 3\ CH_3CH_2CH_2OH$$

tripropylborane $+\ Na_3BO_3 + 3\ H_2O$

---

*Cette réaction avec le borane fut découverte par l'américain H.C. Brown et lui valut le prix Nobel de 1979.

L'avantage de cette méthode est de permettre la synthèse d'alcools autrement inaccessibles par l'addition d'eau en milieu acide sur des alcènes.

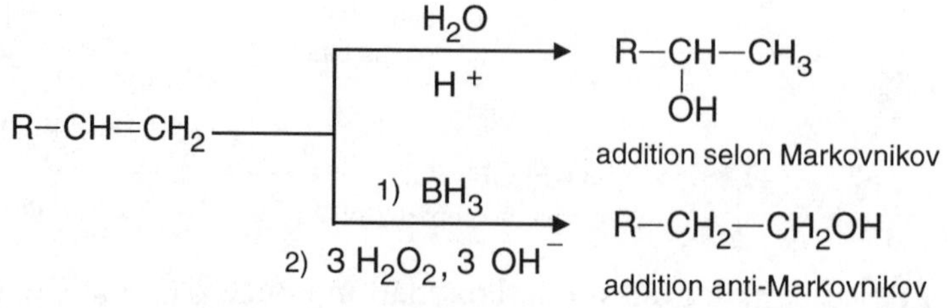

R—CH=CH$_2$

H_2O / H^+ → R—CH—CH$_3$ avec OH — addition selon Markovnikov

1) BH$_3$ / 2) 3 H$_2$O$_2$, 3 OH$^-$ → R—CH$_2$—CH$_2$OH — addition anti-Markovnikov

---

③ 1. Quel est l'alcool accessible par la suite de réactions suivante:

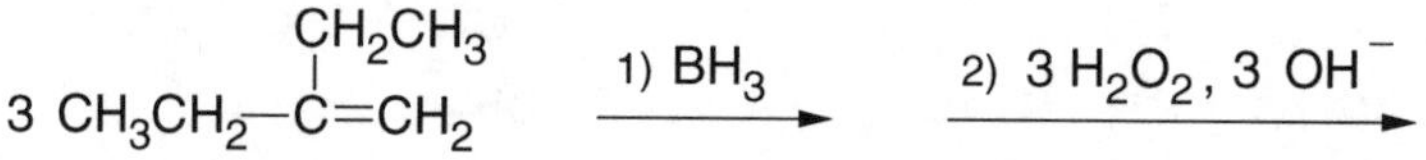

$$3\ CH_3CH_2—\underset{\underset{\displaystyle CH_2CH_3}{|}}{C}=CH_2 \quad \xrightarrow{\text{1) BH}_3} \quad \xrightarrow{\text{2) 3 H}_2O_2,\ 3\ OH^-}$$

2. Quel alcène donnera l'alcool suivant par la réaction d'hydroboration suivie d'une oxydation par le peroxyde d'hydrogène en milieu basique?

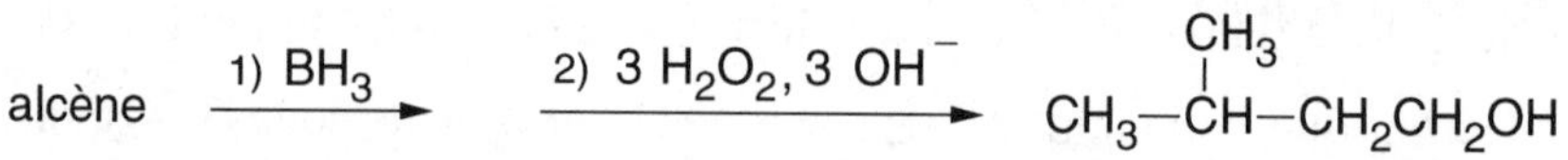

$$\text{alcène} \quad \xrightarrow{\text{1) BH}_3} \quad \xrightarrow{\text{2) 3 H}_2O_2,\ 3\ OH^-} \quad CH_3—\underset{\underset{\displaystyle CH_3}{|}}{CH}—CH_2CH_2OH$$

8.3.2 Sur un composé carbonylé

a) Au moyen d'un réactif de Grignard

Cette synthèse a été étudiée dans le cadre des halogénés à la section 7.8. Il s'agit là d'un excellent moyen d'obtenir des alcools secondaires ou tertiaires dont le nombre d'atomes de carbone est plus élevé que dans la substance carbonylée de départ. Par exemple,

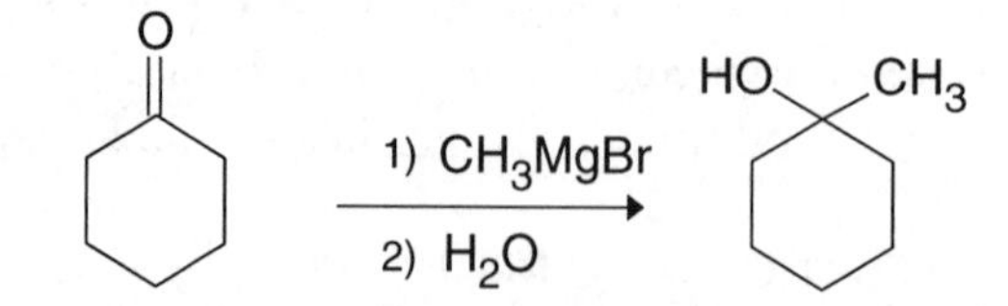

cyclohexanone

1) CH$_3$MgBr / 2) H$_2$O →

un alcool tertiaire

Avec les esters, les chlorures d'acide et les anhydrides, l'addition conduit exclusivement aux alcools tertiaires.

b) Au moyen d'un réducteur

Les hydrures de métaux comme $LiAlH_4$ et $NaBH_4$ réduisent facilement les **aldéhydes** et les **cétones** pour donner respectivement des alcools primaires et secondaires.

$$Li^+ \begin{bmatrix} H \\ | \\ H-Al-H \\ | \\ H \end{bmatrix}^- \qquad Na^+ \begin{bmatrix} H \\ | \\ H-B-H \\ | \\ H \end{bmatrix}^-$$

$$LiAlH_4 \qquad\qquad NaBH_4$$

Ces réducteurs sont des sources **d'ions hydrure, H^-**. Ces derniers provoquent des réactions d'addition nucléophile qui se déroulent selon un mécanisme complexe. Les réactions se terminent toutes par une hydrolyse en milieu acide. La réduction du benzaldéhyde et celle de la cyclohexanone en sont des exemples.

benzaldéhyde

alcool benzylique
(un alcool primaire)

cyclohexanone

cyclohexanol

Une telle réduction peut aussi se faire sur les **esters**, mais il faut utiliser $LiAlH_4$ pour obtenir les meilleurs résultats. Cette réduction conduit à deux alcools qu'il faut séparer. (La séparation est plus facile lorsque les deux alcools formés sont très différents).

benzoate de méthyle

alcool benzylique

méthanol

Avec le $NaBH_4$, les esters résistent à la réduction. Il est donc possible de réduire **sélectivement** les carbonyles.

Réduction de la fonction
cétone sans affecter l'ester.

Les réductions par hydrogénation catalytique peuvent aussi être utilisées; mais le caractère neutre de ce réactif face aux liaisons polaires des composés carbonylés rend ces réductions moins efficaces.

Dans ce dernier exemple, quels produits aurait-on obtenus avec $LiAlH_4$ au lieu de $NaBH_4$?

— Saviez-vous que... ——————————————————

• les liquides pour lave-glace contiennent 47 à 58% de méthanol ce qui donne un point de congélation du mélange eau-méthanol aux environs de -40 °C. Ces liquides sont colorés en bleu pour l'aspect esthétique et aussi pour une question de sécurité. Confondre ces liquides avec l'eau serait mortel à cause du méthanol. C'est un poison qui rend aveugle et peut causer la mort.

— Les arômes du vin*... ——————————————————

Le vin est le résultat d'un processus très subtil de fermentation du raisin. Bien que l'éthanol soit le constituant le plus remarqué dans le vin (il en contient de 10 à 14 %), ce n'est pas cet alcool qui caractérise vraiment le type ou la qualité du vin.

Les divers arômes du vin proviennent d'une foule de substances organiques comme les esters, les aldéhydes, divers alcools, etc.

Chaque cépage (variété de vigne) possède un arôme particulier produit par un ensemble de substances. Ainsi, le géraniol est responsable de l'arôme du cépage du muscat, l'octanol et le 2-isobutyl-3-méthoxypyrazine pour le cabernet sauvignon. L'arôme du cépage, celui à caractère fruité provenant des raisins, c'est l'arôme **primaire.**

Les arômes **secondaires** sont associés aux produits de la fermentation et de l'élevage des vins en fûts.

Il existe des arômes dits **tertiaires** qui se concrétisent lors du vieillissement en bouteille, c'est le bouquet de maturation.

La chimie de l'arôme du vin est assez complexe à cause de la grande variété de substances mises en jeu et aussi des conditions environnementales difficiles à contrôler. (Température, temps de vieillissement, qualité des ingrédients, récipients, etc.).

L'oenologie, c'est tout un art!

*****Le chimiste**, volume 4, numéro 4, (novembre 1989), publié par l'Ordre des Chimistes du Québec.

8.4 Synthèse des phénols

Les phénols ne sont pas obtenus par les mêmes réactions que nous venons de décrire pour les alcools. Industriellement, c'est à partir du cumène (ou isopropylbenzène) que le phénol est préparé. En laboratoire ce sont le chlorobenzène, l'aniline et l'acide benzènesulfonique qui sont les principaux précurseurs des phénols. Le tableau 8.5 présente certaines synthèses importantes du phénol.

Tableau 8.5　Quelques exemples de synthèses du phénol.

Les réactions **b** et **c** du tableau 8.5 sont appelées **fusions alcalines** et sont réalisées dans des conditions expérimentales très agressives. Au contraire, le remplacement du NH_2 de l'aniline s'effectue à froid en passant par le sel de diazonium qui se décompose ensuite facilement en libérant de l'azote moléculaire.

⑤ Suggérer un procédé pour transformer le benzène en *p* -méthylphénol.

— La bière, d'où ça sort? —

Certains diront que ça sort de l'épicerie, mais la bière vient, plus sérieusement, de la fermentation de céréales. En effet, pour obtenir de la bière, il faut mélanger du grain, de l'eau et de la levure.

Bien qu'on utilise parfois du maïs ou du riz, c'est l'orge qui est le grain le plus utilisé dans la fabrication de la bière. **L'orge** doit être malté, c'est-à-dire qu'il doit subir une germination contrôlée, pour ensuite être nettoyé, moulu, puis mélangé à de l'eau chaude. Après quelques opérations techniques, la pâte de malt est filtrée et le filtrat (appelé le moût) est porté à ébullition dans une cuve à brassage. Le houblon est alors ajouté et après le brassage une nouvelle filtration procure le liquide qui est soumis à la fermentation par l'addition de la levure. La fermentation se produit à 15 ou 20 °C pour les bières de type **Ale** et entre 9 et 15 °C pour celles de type **Lager.** Pour les lagers, le temps de fermentation est prolongé et les levures se déposent au fond du mélange.

La bière produite par l'une ou l'autre des méthodes contient autour de 5% d'éthanol.

À la bonne vôtre!

— Des céréales dans les wiskies ... —

Le maïs, le seigle et l'orge maltés produisent les wiskies par un procédé de fermentation suivi d'une distillation.

L'éthanol est obtenu ici par la fermentation des céréales et le mélange est porté à ébullition pour l'extraire. Le distillat obtenu contient une haute teneur en alcool (autour de 70 à 80%) et devra vieillir pendant plusieurs années (3 à 12 ans) en fûts de chêne pour acquérir sa coloration et son arôme particuliers. Après ces années, la qualité du produit est vérifiée, la solution diluée pour ramener la concentration d'éthanol autour de 40% et le produit final est embouteillé.

— Un triol bien utile... —

Propane-1,2,3-triol
(glycérol)
(glycérine)
Éb 290°C (déc.)

Le glycérol, propane-1,2,3-triol ou glycérine est un liquide sirupeux incolore et légèrement sucré (0,6 fois le goût sucré du saccharose). Il est obtenu comme sous-produit de la synthèse des savons par saponification des huiles ou des graisses animales et végétales. Soluble dans l'eau, l'alcool et plusieurs autres solvants, le glycérol est utilisé dans plusieurs domaines industriels et de la vie courante. Leffingwell et Lesser en ont dressé une liste de 1583 usages dans leur publication intitulée *Glycerin* (Brooklin, 1945). Le glycérol est utilisé dans le domaine de l'alimentation, pharmaceutique, des plastiques, des encres, des colles et sert à la synthèse de la nitroglycérine (un constituant de la dynamite).

8.5 Synthèse d'autres composés oxygénés importants

a) Le méthanol

Le méthanol, aussi appelé alcool de bois, était autrefois préparé par la distillation sèche du bois. Ce procédé est remplacé aujourd'hui par l'hydrogénation catalytique du monoxyde de carbone dans des conditions très rigoureuses:

$$CO \quad + \quad 2\,H_2 \quad \xrightarrow[\substack{400°C \\ (environ\ 1,5\ x\ 10^4\ kPa)}]{ZnO\,/\,Cr_2O_3} \quad CH_3OH$$
$$\text{méthanol}$$

b) L'éthanol

Le sucre (saccharose) est la matière première pour la fabrication de l'éthanol. Ce substrat provenant de raisins, de la canne à sucre ou de céréales, est transformé en éthanol par **fermentation**.

$$\underset{\text{saccharose}}{C_{12}H_{22}O_{11}} \quad + \quad H_2O \quad \xrightarrow{\text{levures}} \quad 4\,\underset{\text{éthanol}}{CH_3CH_2OH} \quad + \quad 4\,CO_2$$

c) L'éthoxyéthane (l'éther)

L'*éther* commun est obtenu industriellement par chauffage de l'éthanol avec l'acide sulfurique; de là son ancien nom d'*éther sulfurique*. Toutefois, cette réaction de substitution est en compétition directe avec la déshydratation et il se forme beaucoup d'éthylène par ce procédé.

$$2\,CH_3CH_2OH \quad \xrightarrow[\Delta]{H_2SO_4} \quad \underset{\text{éthoxyéthane}}{CH_3CH_2-O-CH_2CH_3} \quad + \quad H_2O \quad + \quad \underset{\substack{\text{éthylène} \\ \text{(produit de déshydratation)}}}{CH_2=CH_2}$$

1. Décrire le mécanisme de la réaction entre l'éthanol et l'acide sulfurique.

2. Suggérer un procédé pour transformer du sucre de table en liquide antigel pour automobile (éthane-1,2-diol ou éthylèneglycol).

─── **L'éthanol, c'est dangereux ou non?** ───

L'éthanol, c'est l'alcool contenu dans les boissons. La bière canadienne en contient environ 5%, le vin 10 à 14% et les boissons fortes autour de 40%.

Le foie métabolise 90% de l'éthanol au rythme moyen de 200 à 250 g par jour. À ce rythme, le taux d'alcool d'une personne peut baisser de 10 à 20 mg/dL de sang à chaque heure (1dL = 100 mL).

Les différents taux d'éthanolémie nous informent sur les dangers de l'éthanol dans le corps humain.

Limite légale: 80 mg/dL

Intoxication légère: 50 à 150 mg/dL

    "   modérée: 150 à 300   "

    "   grave: 300 à 400   "

Coma: 400 à 500   "

À vous de juger!

─── **L'alcootest*, c'est l'alcool qui tourne au vinaigre...** ───

Au Québec, c'est depuis 1969 que l'alcootest Breathalyser® de Borkenstein est utilisé pour la détermination de l'alcoolémie par l'haleine.

Cet appareil d'origine américaine, conçu et développé par le Dr. Robert F. Borkenstein de l'université de l'Indiana, utilise comme principe de base le changement de coloration d'une solution de dichromate de potassium lorsqu'elle oxyde l'éthanol contenu dans l'haleine. C'est la réaction d'oxydoréduction suivante qui est mise en jeu:

$$3 \ CH_3CH_2OH \quad + \quad 2 \ K_2Cr_2O_7 \quad + \quad 8 \ H_2SO_4$$

        éthanol   **jaune**

$$AgNO_3 \ | \ (catalyseur)$$

$$3 \ CH_3CO_2H \quad + \quad 2 \ Cr_2(SO_4)_3 \quad + \quad 2 \ K_2SO_4 \quad + \quad 11 \ H_2O$$

  acide acétique   **vert**

L'éthanol est oxydé en acide acétique et la solution jaune de l'ion dichromate $Cr_2O_7^{2-}$ (contient du Cr^{6+}) passe au vert par la formation de l'ion Cr^{3+}. L'acide sulfurique permet de capter et de retenir les vapeurs d'alcool contenues dans l'échantillon d'haleine. Le nitrate d'argent est un catalyseur qui accélère la réaction et permet l'oxydation complète de l'éthanol en 90 secondes.

La décoloration de la solution de dichromate est analysée par un système photoélectrique qui aboutit à un galvanomètre pour finalement apparaître sur un pointeur qui se déplace sur une échelle graduée en unités d'alcoolémie (mg d'alcool par cent (100) mL de sang ou 1,00 dL).

Alors, attention! La chimie vous suit partout et souvenez-vous que: «La modération a bien meilleur goût».

***Le chimiste**, novembre 1989, publié par l'Ordre des Chimistes du Québec.

Réactivité des alcools et des éthers

Un simple examen de la polarité des liaisons sur les alcools permet de localiser les deux *points faibles* des alcools: la liaison **O–H** et la liaison **C–O**. C'est donc en ces endroits que les ruptures sont à prévoir.

$$\overset{\delta^+}{R}\text{---}\overset{\delta^-}{O}\underset{\overset{\displaystyle H}{\delta^+}}{\quad}$$

Différences d'électronégativité:

C—O	(0,89)
O—H	(1,24)

8.6 Rupture de la liaison O—H

Les alcools ont-ils un caractère acide?

Le tableau 8.6 peut nous aider à répondre à cette question.

Tableau 8.6 Acidité de certains alcools comparée à celle de l'eau.

Nom	Formule	pK_a
eau	H—O—H	15,7
méthanol	CH_3—O—H	15,5
éthanol	CH_3—CH_2—O—H	15,9
2-méthylpropan-2-ol (un alcool tertiaire)	CH_3—$\overset{\displaystyle CH_3}{\underset{\displaystyle CH_3}{C}}$—O—H	18
phénol	⬡—O—H	10,0

Avec des valeurs aussi élevées du pK_a* , les alcools sont très peu acides**, sauf dans le cas du phénol. Les alcools restent donc inertes, même en présence d'une base forte comme l'hydroxyde de sodium.

$$R\text{---}O\text{---}H \quad + \quad NaOH \quad \longrightarrow \quad \text{aucune réaction}$$

---

* $pK_a = -\log K_a$. Plus la valeur de K_a est faible (acidité faible), plus la valeur de pK_a est élevée.

**Ne jamais écrire: $CH_3OH \longrightarrow CH_3O^- + H^+$

Les alcools ne se dissocient pas!

Cependant, avec le **phénol**, cette réaction est possible à cause de la plus grande disponibilité de l'hydrogène. Le cycle benzénique permet une délocalisation des électrons par résonance, ce qui affaiblit d'autant la liaison O—H.

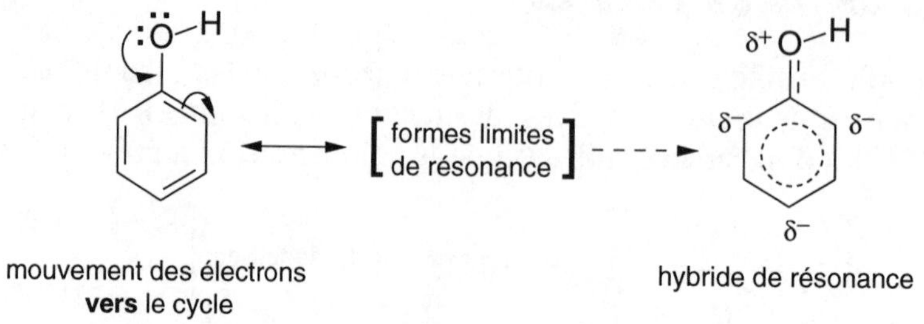

mouvement des électrons
vers le cycle

hybride de résonance

Ainsi, à l'aide d'une base forte comme NaOH, le phénol se transforme en sel.

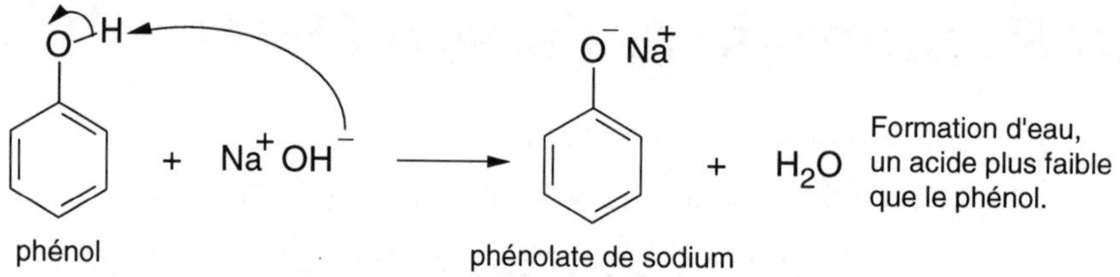

+ Na^+ OH^- ⟶ + H_2O Formation d'eau,
un acide plus faible
que le phénol.

phénol   phénolate de sodium

L'ion phénolate obtenu est stabilisé par résonance:

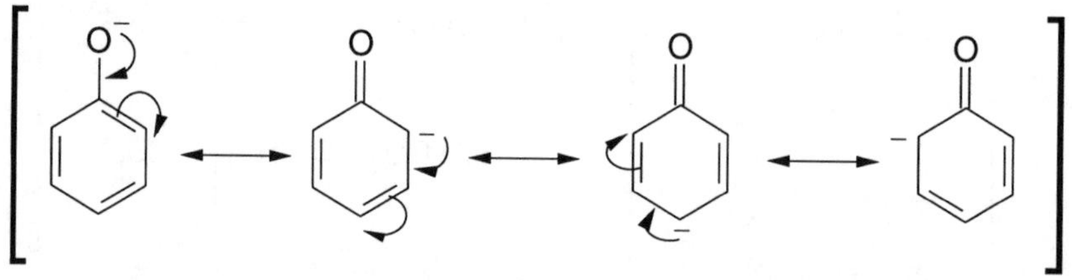

Pour compléter cette discussion sur le phénol, ajoutons que l'ion phénolate peut récupérer un proton, H^+, par l'addition d'acide et ainsi redonner le phénol original.

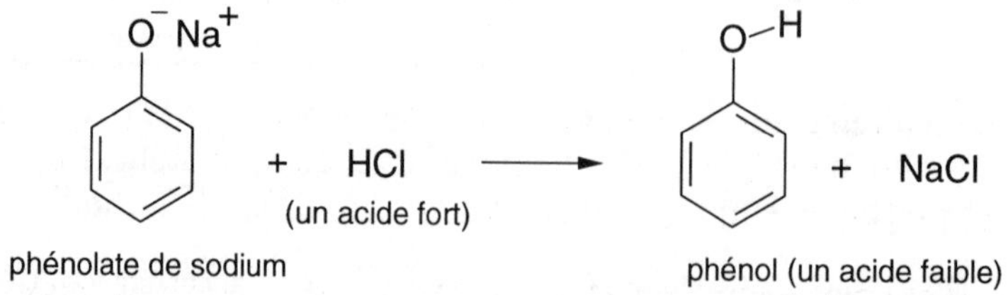

+ HCl ⟶ + NaCl

(un acide fort)

phénolate de sodium   phénol (un acide faible)

L'ion phénolate est un bon nucléophile. Il peut facilement fournir des éthers par substitution nucléophile sur un halogénure. Avec le sulfate de diméthyle, les phénols, en milieu basique, forment des éthers méthyliques souvent utilisées pour protéger les phénols.

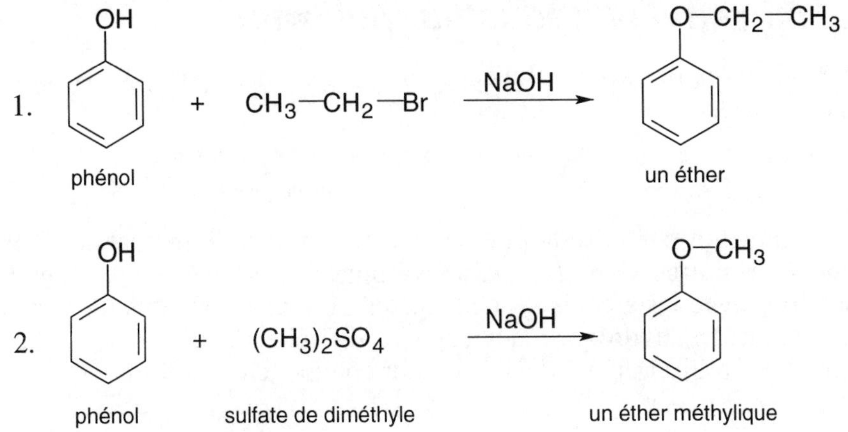

1.

phénol + CH$_3$—CH$_2$—Br $\xrightarrow{\text{NaOH}}$ un éther

2.

phénol + (CH$_3$)$_2$SO$_4$ $\xrightarrow{\text{NaOH}}$ un éther méthylique

sulfate de diméthyle

⟨7⟩ Décrire le mécanisme de la réaction 1, ci-dessus et nommer le produit formé.

Des chlorophénols produisent des herbicides...

Par l'éthérification du 2,4-dichlorophénol ou de son analogue, le 2,4,5-trichlorophénol, par l'acide chloroacétique, il se forme respectivement le 2,4-D et le 2,4,5-T, deux célèbres herbicides.

Le 2,4,5-T a été utilisé par millions de litres comme défoliant pendant la guerre du Vietnam. Le 2,4-D est encore très utilisé comme herbicide commun sur nos pelouses. Ces substances sont très toxiques et le 2,4,5-T forme une dioxine pendant sa synthèse ou par chauffage à 500°-660°C. La toxicité de la dioxine formée est plus de 100 000 fois celle du cyanure de sodium.

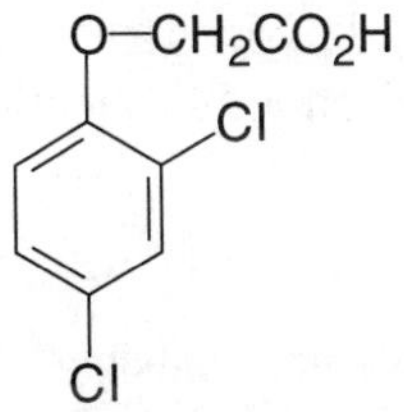

acide 2,4-dichlorophénoxyacétique
(2,4-D)

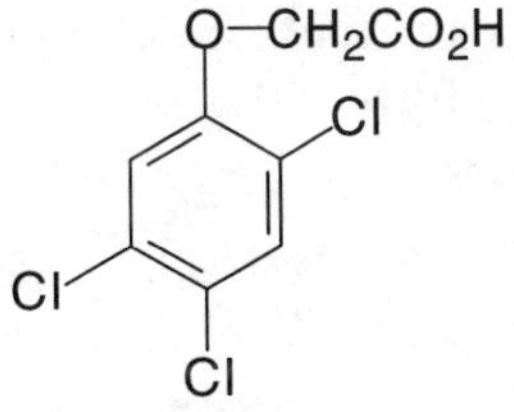

acide 2,4,5-trichlorophénoxyacétique
(2,4,5-T)

Revenons maintenant aux alcools pour voir comment il est possible de leur arracher, eux aussi, un proton. Cela peut se faire de trois façons:
- au moyen d'un réducteur puissant,
- au moyen d'un organométallique,
- au moyen d'un acide carboxylique (avec catalyseur acide).

• *Au moyen d'un réducteur puissant*

En général, les métaux alcalins peuvent rompre la liaison O—H pour donner des alcoolates. Par exemple,

$$CH_3-CH_2-O-H \ + \ Na \longrightarrow CH_3-CH_2-O^- \ Na^+ \ + \ 1/2 \ H_2$$

éthanolate de sodium

Cette réduction par le sodium est très efficace avec le méthanol et les alcools primaires dont la chaîne carbonée n'est pas trop longue. Toutefois, avec les alcools secondaires et, surtout les alcools tertiaires, l'extraction de l'hydrogène devient très difficile. Dans ce cas, il est préférable d'utiliser un meilleur réducteur comme le potassium:

$$CH_3-\underset{\underset{CH_3}{|}}{\overset{\overset{CH_3}{|}}{C}}-O-H \ + \ K \longrightarrow CH_3-\underset{\underset{CH_3}{|}}{\overset{\overset{CH_3}{|}}{C}}-O^- \ K^+ \ + \ 1/2 \ H_2$$

Énergie
d'ionisation plus
faible que celle
du sodium.

tert-butanolate de potassium

Ce sont les effets répulsifs des groupes alkyles qui nuisent à la rupture de la liaison O—H. Cette réaction est analogue à celle qui sert à enlever l'eau dans de l'éthoxyéthane pour le rendre anhydre (voir réaction de Grignard): $\quad 2 \ H_2O \ + \ 2 \ Na \longrightarrow 2 \ NaOH \ + \ H_2$

Les alcoolates tertiaires sont des bases très fortes, mais de pauvres nucléophiles à cause de leur encombrement stérique.

• *Au moyen d'un organométallique*

Les réactifs de Grignard peuvent déplacer l'hydrogène des alcools pour en former des sels et des hydrocarbures (il en a été question à la section 7.9).

$$R-MgX \quad H-O-R' \longrightarrow RH \ + \ R'O^- \ \overset{+}{M}gX$$

hydrocarbure   sel

• *Au moyen d'un acide carboxylique*
et d'un catalyseur

Cette possibilité de réaction peut sembler bizarre, mais l'emploi de catalyseurs comme certains acides minéraux anhydres, H_2SO_4, H_3PO_4, la rend possible. Ces catalyseurs permettent la rupture de la liaison O—H des alcools pour produire des **esters**. Cette réaction atteint toutefois un équilibre:

$$\boxed{\text{acide} \ + \ \text{alcool} \ \overset{\text{catalyseur}}{\rightleftharpoons} \ \text{ester} \ + \ \text{eau}}$$

Exemple

$$CH_3-\overset{\overset{\displaystyle O}{\|}}{C}\boxed{-O-H} \quad \boxed{H-}O-CH_3 \overset{H^+}{\rightleftharpoons} CH_3-\overset{\overset{\displaystyle O}{\|}}{C}-O-CH_3 \ + \ H_2O$$

acide acétique　　　méthanol　　　　　　　acétate de méthyle

N.B.: Le mécanisme de cette réaction relève de l'étude des composés carbonylés; il n'est donc pas précisé ici (voir section 11.6.2).

8.7 *Rupture de la liaison C—O*

À première vue, la liaison polaire $\overset{\delta^+}{C}—\overset{\delta^-}{O}$ peut paraître facile à briser, mais en réalité, elle est assez résistante*. Pour favoriser cette rupture, des **catalyseurs acides** sont souvent utilisés. Ils favorisent des réactions de substitution nucléophile ou des éliminations.

• *La substitution nucléophile*

Tel qu'il en a été discuté à la section 7.2, la liaison C—O des alcools peut subir une substitution nucléophile et conduire à un composé halogéné. Par exemple,

$$CH_3-\overset{\overset{\displaystyle CH_3}{|}}{\underset{\underset{\displaystyle CH_3}{|}}{C}}-OH \xrightarrow[\substack{ou\ PCl_3 \\ ou\ SOCl_2}]{HCl} CH_3-\overset{\overset{\displaystyle CH_3}{|}}{\underset{\underset{\displaystyle CH_3}{|}}{C}}-Cl \ + \ H_2O$$

2-méthylpropan-2-ol　　　　　　　　2-chloro-2-méthylpropane

Cette réaction peut servir de méthode d'analyse pour différencier les alcools primaires, secondaires ou tertiaires. Pour ce faire, il suffit d'utiliser un milieu qui favorise la formation de carbocations (par un mécanisme S_N1) pour permettre aux carbocations les plus stables (tertiaires) de se former plus rapidement. Un mélange de HCl et de $ZnCl_2$ réunit ces conditions. Ce réactif, appelé **réactif de Lucas**, réagit rapidement avec les alcools tertiaires, assez lentement avec les alcools secondaires et très lentement avec les alcools primaires.

Réaction **rapide** puisque l'alcool est tertiaire; S_N1 est favorisée.

---

* Ne jamais écrire: $CH_3OH \longrightarrow {}^+CH_3 \ + \ {}^-OH$

Les alcools ne sont pas des bases; ils ne sont que de faibles nucléophiles à cause de la présence des doublets libres de l'oxygène.

8 Commenter le test de Lucas dans le cas de l'éthanol et de l'alcool isopropylique (propan-2-ol).

La substitution* nucléophile sur les alcools en milieu acide peut aussi provoquer la formation d'éthers. Cette réaction est d'ailleurs fort utile pour la synthèse industrielle d'éthers symétriques et, en particulier, l'éthoxyéthane. C'est souvent l'acide sulfurique qui sert de catalyseur dans cette réaction; en voici le mécanisme (c'est une S_N2 parce que l'alcool est primaire):

$$CH_3-CH_2-\overset{..}{\underset{..}{O}}H \quad + \quad H^+HSO_4^- \longrightarrow CH_3-CH_2-\overset{+}{O}-H$$

protonation

$$CH_3-CH_2-\overset{..}{\underset{..}{O}}H$$

$$H_3O^+ + CH_3-CH_2-O-CH_2-CH_3 \longleftarrow CH_3-CH_2-\overset{+}{\underset{H}{O}}-CH_2-CH_3 + H_2O$$

éthoxyéthane

$$H_2\overset{..}{\underset{..}{O}}:$$

• **Rupture des éthers**

À leur tour, les éthers peuvent subir la rupture de leur liaison C—O s'ils sont mis en présence d'hydracides comme HBr et HI. Cette **rupture d'éther** est une simple substitution nucléophile qui produit un ou des halogénures. La réaction fournit habituellement l'halogénure qui provient du carbocation le plus stable, puisque le mécanisme est souvent de type unimoléculaire. La réaction se déroule comme suit:

a) Formation du carbocation le plus stable.

$$R-\overset{..}{\underset{..}{O}}-R' + H-I \longrightarrow R-\overset{+}{\underset{H}{O}}-R' \longrightarrow R^+ + H-O-R'$$

b) La réaction se poursuit avec le carbocation:

$$R^+ + I^- \longrightarrow R-I$$

halogénure

c) La réaction se poursuit avec l'alcool formé en (a):

$$H-\overset{..}{\underset{..}{O}}-R' + H-I \longrightarrow H-\overset{+}{\underset{H}{O}}-R' \xrightarrow{-H_2O} R'^+ \xrightarrow{I^-} R'-I$$

halogénure

*Cette réaction est compétitive avec l'élimination (voir p.346).

d) Réaction globale:

$$R-O-R' \; + \; 2 \; H-I \; \longrightarrow \; R-I \; + \; R'-I \; + \; H_2O$$

Si R ou R' est un cycle benzénique, la liaison C—O du côté du cycle résiste à la rupture parce qu'il est impossible d'y former un carbocation assez stable. Ce type d'éther produit donc toujours un phénol et un halogénure par réaction avec HBr ou HI.

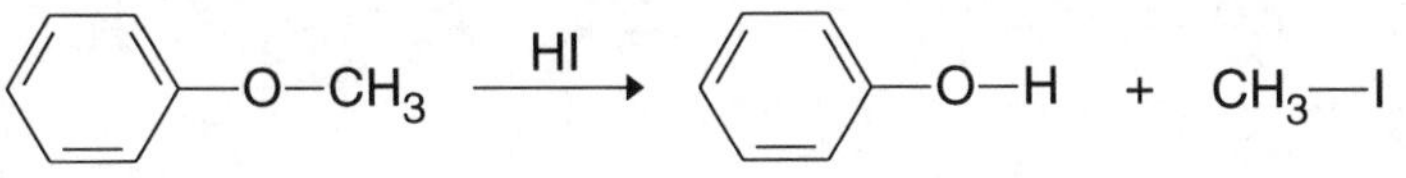

phénol   iodométhane

Dans le cas d'un éther acyclique, la réaction s'effectue en deux étapes.

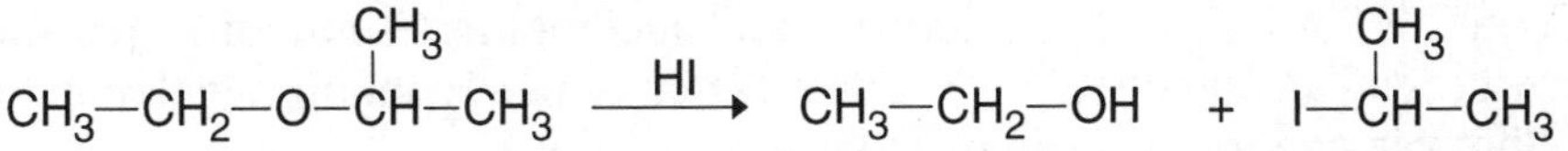

halogénure provenant du
carbocation le plus stable

L'éthanol formé peut ensuite se transformer facilement *in situ* en dérivé halogéné.

$$CH_3-CH_2-OH \; \xrightarrow{\; HI \;} \; CH_3-CH_2-I \; + \; H_2O$$

---

9 Compléter les réactions suivantes:

1. *p*-diméthoxybenzène   +   HBr $\longrightarrow$

2. 2-méthoxybutane   +   HI $\longrightarrow$

Les éthers cycliques (oxiranes ou époxydes) contiennent également des liaisons C–O susceptibles d'être rompues. La rupture de ces cycles s'effectue facilement en solution aqueuse acide pour donner des diols ou en solution eau/méthanol pour donner de nouveaux éthers.

Exemples

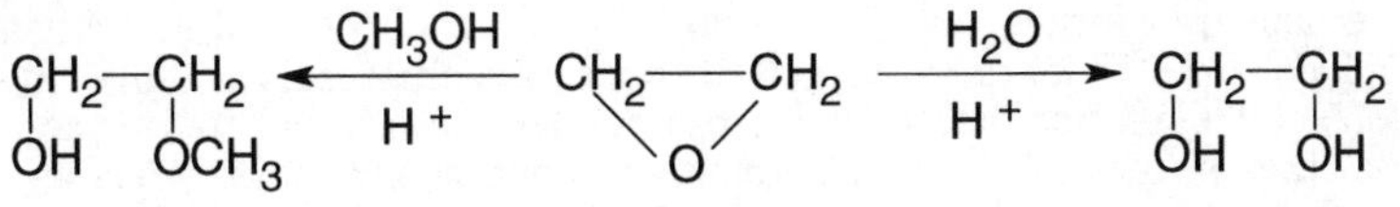

2-méthoxyéthanol   oxyde d'éthylène   éthane-1,2-diol
(éthylèneglycol)

• *L'élimination*

Comme nous l'avons vu à la section 5.6 (hydrocarbures), la déshydratation des alcools s'effectue facilement en présence d'acide sulfurique concentré. Le mécanisme est soit E1 ou E2, selon la nature de l'alcool (1°, 2° ou 3°). Par exemple, avec l'éthanol, un alcool primaire, le mécanisme est probablement E2.

protonation: $CH_3-CH_2-\overset{..}{\underset{..}{O}}H \xrightarrow{H^+HSO_4^-} CH_3-CH_2-\overset{+}{\underset{\underset{H}{|}}{O}}-H$

éthanol

élimination: $CH_2-CH_2-\overset{+}{\underset{\underset{H}{|}}{O}}-H \longrightarrow CH_2{=}CH_2 + H_3O^+$

éthylène

La déshydratation des alcools conduit habituellement à l'alcène. Toutefois, la compétition substitution nucléophile/élimination produit aussi bien l'alcène que l'éther. Donc l'éthanol peut conduire également à l'éthoxyéthane (voir début de la présente section).

Un petit éther qu'il ne faut pas sous-estimer...

L'oxyde d'éthylène est un gaz dont la température d'ébullition est de 13,2 °C. Il est obtenu par oxydation de l'éthylène à l'air. 60% de sa production est transformé en éthylèneglycol, 10% en éthoxylates et 10% en divers éthers du glycol.

L'oxyde d'éthylène est très utilisé pour la fumigation des aliments et des textiles et sert aussi à la stérélisation des instruments chirurgicaux. La fabrication de l'antigel (éthylèneglycol) en utilise 25% et celle de fibres polyesters et films en prend 30%.

En 1981 sa production avait une valeur commerciale de 2,5 milliards de dollars.

Remplacer le pétrole par des arbres ...

(Rassurez-vous l'arbre à came de votre voiture ne sera pas déraciné pour être transplanté dans le réservoir de votre auto). Il s'agit bel et bien des arbres de nos forêts qui pourraient devenir le carburant du futur pour faire fonctionner les moteurs d'automobile.

La distillation sèche du bois est un procédé ancien qui permet d'obtenir le méthanol; on l'appelle aussi alcool de bois. Le **méthanol** est un carburant efficace, propre et très pratique et peut remplacer en tout ou en partie les carburants traditionnels pour les autos. De ce fait, les sources de méthanol deviennent de plus en plus intéressantes à développer. Les recherches s'intensifient chaque année pour améliorer la production de méthanol.

Le Dr Christian Roy, à l'Université de Sherbrooke, a réussi à développer un procédé efficace pour transformer la cellulose du bois en alcool (éthanol et méthanol). Ce procédé consiste à dégrader la cellulose par pyrolyse suivie d'une hydrolyse chimique et d'une fermentation du glucose par des levures pour fournir de l'éthanol ou du méthanol. Les fabricants d'automobiles sont bien conscients que les sources de pétrole ne sont pas éternelles et ils ont déjà modifié les moteurs pour qu'ils puissent fonctionner convenablement à l'alcool ou avec un mélange essence-alcool. Cependant, n'importe quelle auto peut déjà utiliser un mélange contenant jusqu'à 10 % d'éthanol.

8.8 *Réactions d'oxydation des alcools*

Les alcools s'oxydent facilement, même à basse température. Qui n'a pas ouvert un jour une bouteille de vin vinaigré? Voilà un bel exemple d'oxydation des alcools. Dans ce cas, c'est l'éthanol qui s'est oxydé en acide acétique (par la présence d'O_2 dans la bouteille).

Il faut cependant préciser que les alcools ne s'oxydent pas tous de la même façon. Les alcools primaires s'oxydent d'abord en aldéhydes qui deviennent, par la suite, des acides carboxyliques. Les alcools secondaires forment des cétones relativement stables et ne s'oxydent pas davantage, sauf dans des conditions très rigoureuses.

$$\underset{\text{alcool \textbf{primaire}}}{R-\overset{\displaystyle H}{\underset{\displaystyle H}{C}}-OH} \xrightarrow{\text{[O]}} \underset{\text{aldéhyde}}{R-\overset{\displaystyle H}{C}=O} \xrightarrow{\text{[O]}} \underset{\text{acide carboxylique}}{R-\overset{\displaystyle OH}{C}=O}$$

$$\underset{\text{alcool \textbf{secondaire}}}{R-\overset{\displaystyle H}{\underset{\displaystyle R'}{C}}-OH} \xrightarrow{\text{[O]}} \underset{\text{cétone}}{\overset{\displaystyle R}{\underset{\displaystyle R'}{C}}=O}$$

Les alcools tertiaires ne s'oxydent que dans des conditions rigoureuses. Dans ce cas, la réaction débute par une déshydratation et se poursuit par une oxydation de liaison double formée. Cela conduit à la rupture de liaison carbone-carbone.

Les **oxydants** utilisés pour ce genre de réaction, sont le plus souvent:
• le permanganate de potassium, $KMnO_4$;
• des réactifs contenant du chrome (VI) comme dans $K_2Cr_2O_7$, CrO_3 ou l'acide chromique, H_2CrO_4, ce dernier étant obtenu par le mélange d'un dichromate avec l'acide sulfurique.

Les oxydations au permanganate sont surtout utilisées pour produire des acides carboxyliques à partir des alcools primaires. Avec le Cr (VI) comme oxydant, les cétones sont préparées avec de bons rendements à partir d'alcools secondaires, alors qu'avec les alcools primaires, deux situations peuvent se présenter:

1. l'oxydation au Cr (VI) est réalisée dans l'eau. Dans ce cas, l'aldéhyde formé au début s'oxyde en présence de l'eau et la réaction conduit à l'acide carboxylique, comme avec le permanganate.

2. en absence d'eau et en présence de pyridine, l'alcool primaire s'oxyde sélectivement en aldéhyde, il n'y a pas de suroxydation. Dans ces circonstances, le Cr (VI) est sous la forme d'un complexe trioxyde de chrome-pyridine obtenu par un mélange de CrO_3, d'acide chlorhydrique et de pyridine. Le dichlorométhane est un bon solvant pour ce genre de réaction.

Voici quelques exemples d'oxydations d'alcools:

1.

$$\text{—CH}_2\text{OH} \xrightarrow[\substack{\text{conc.} \\ \Delta}]{KMnO_4} \text{—CO}_2H$$

un alcool primaire · · · · · acide benzoïque

2.

OH

$$\xrightarrow[\substack{H_2SO_4 \\ H_2O}]{Na_2Cr_2O_7}$$

O

cyclohexanol · · · · · cyclohexanone

3.

$$\xleftarrow[\substack{H_2SO_4 \\ H_2O}]{Na_2Cr_2O_7} CH_3\text{—}CH_2\text{—}CH_2\text{—}CH_2OH \xrightarrow[\substack{\text{pyridine et HCl} \\ CH_2Cl_2}]{CrO_3}$$

butan-1-ol
un alcool primaire

$$CH_3\text{—}CH_2\text{—}CH_2\text{—}CO_2H$$

acide butanoïque

$$CH_3\text{—}CH_2\text{—}CH_2\text{—}\overset{\overset{\textstyle O}{\|}}{C}\text{—H}$$

butanal

Voir aussi l'exemple de l'alcootest, une oxydation de l'éthanol au Cr (VI), page 338.

Les alcools primaires et secondaires peuvent aussi subir une sorte d'oxydation contrôlée par le cuivre à haute température. Cette réaction, une déshydrogénation, permet aux alcools primaires de se transformer en aldéhyde sans aller jusqu'à l'acide. Ce genre de réaction s'effectue en phase gazeuse en présence d'oxygène. Le cuivre sert de catalyseur. Par exemple,

$$\substack{H_3C \\ \\ H_3C} CH\text{—}OH \xrightarrow[300°C]{Cu} \substack{H_3C \\ \\ H_3C} C=O \ + \ H_2$$

propan-2-ol · · · · · acétone

C'est par ce genre de réaction, mais avec l'argent comme catalyseur, que le formaldéhyde (méthanal), est préparé en industrie à partir du méthanol.

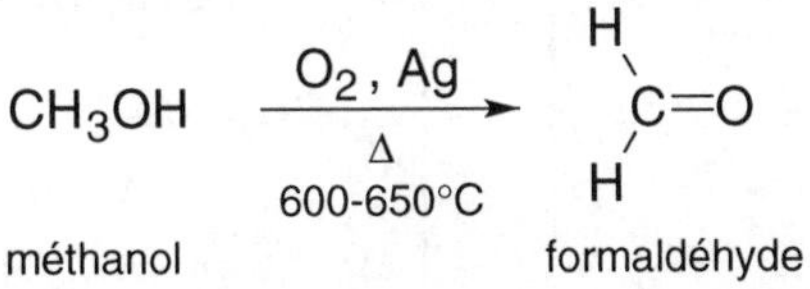

$$CH_3OH \xrightarrow[\substack{\Delta \\ 600-650°C}]{O_2,\ Ag} \quad \underset{H}{\overset{H}{\diagdown}}C=O$$

méthanol   formaldéhyde

Le formol est une solution aqueuse de formaldéhyde. Cette solution est très utilisée comme désinfectant, germicide, fongicide et comme milieu de conservation de spécimens biologiques.

⟨10⟩ 1. Écrire les réactions impliquées dans l'oxydation de l'éthanol (du vin) en vinaigre (CH_3CO_2H).

2. Compléter:

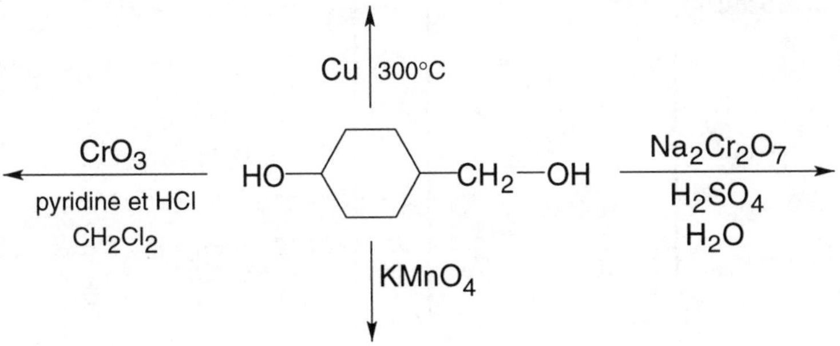

$$\xleftarrow[\substack{\text{pyridine et HCl} \\ CH_2Cl_2}]{CrO_3} \quad HO-\bigcirc-CH_2-OH \quad \xrightarrow[\substack{H_2SO_4 \\ H_2O}]{Na_2Cr_2O_7}$$

avec $Cu \mid 300°C$ (vers le haut) et $KMnO_4$ (vers le bas)

3. Donner une synthèse du benzoate d'éthyle, $\bigcirc-\overset{\overset{O}{\|}}{C}-O-CH_2-CH_3$, à partir du benzène et de l'éthane.

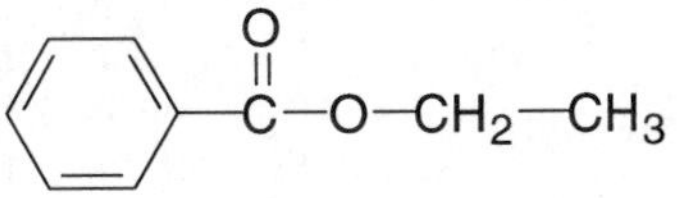

✳

Tableau 8.7 Synthèses et transformations des alcools.

Synthèses	*Transformations*

Synthèses

A. Par substitution nucléophile

1. sur $R-X$ $\xrightarrow[\text{ou HO}^-]{H_2O}$

2. sur $R-\overset{\overset{\displaystyle O}{\|}}{C}-OR$ $\xrightarrow[H^+]{H_2O}$ acide + ...

$\xrightarrow[\text{NaOH}]{H_2O}$ sel + ...

B. Par addition

1. sur $\overset{}{C}=\overset{}{C}$

$\xrightarrow[H^+]{H_2O}$

$\xrightarrow{\text{1) } 3\,BH_3}$
$\text{2) } 3\,H_2O_2,\ HO^-$

2. sur $\overset{}{C}=O$

a) $\xrightarrow[\text{ou NaBH}_4]{LiAlH_4}$

b) $\xrightarrow[Ni]{H_2}$

c) $\xrightarrow{R-MgX}$

A l c o o l s

A l c o o l s

Transformations

A. Rupture O—H

1. $\xrightarrow{\text{NaOH}}$ pas de réaction (sauf avec le phénol)

2. $\xrightarrow{\text{Na}}$ $RO^-\,Na^+ \ + \ H_2$

3. $\xrightarrow{R-MgX}$ $R-H$

4. $\underset{H^+}{\overset{RCO_2H}{\rightleftharpoons}}$ $RCO_2R \ + \ H_2O$

B. Rupture C—O

1. Substitution nucléophile

a) $\xrightarrow[\text{ou PX}_3\text{ ou SOX}_2]{HX}$ $R-X$

b) $\underset{R-OH}{\overset{H^+}{\xrightarrow{\hspace{1cm}}}}$ $R-O-R \ + \ H_2O$

$\downarrow 2\,HI$

$2\,RI \ + \ H_2O$

2. Élimination

$\xrightarrow[\text{anhydre}]{H^+}$ $\overset{}{C}=\overset{}{C}$ $+ \ H_2O$

C. Oxydation

alcool primaire $\longrightarrow$ acide ou aldéhyde

alcool secondaire $\longrightarrow$ cétone

alcool tertiaire $\begin{cases} \longrightarrow \text{aucune réaction à froid} \\ \xrightarrow{\Delta} \text{dégradation} \end{cases}$

D. Déshydrogénation

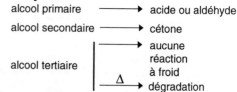

$R-CH_2OH \xrightarrow[\Delta]{Cu} R-CHO$

Tableau 8.8 Synthèses et transformations des phénols.

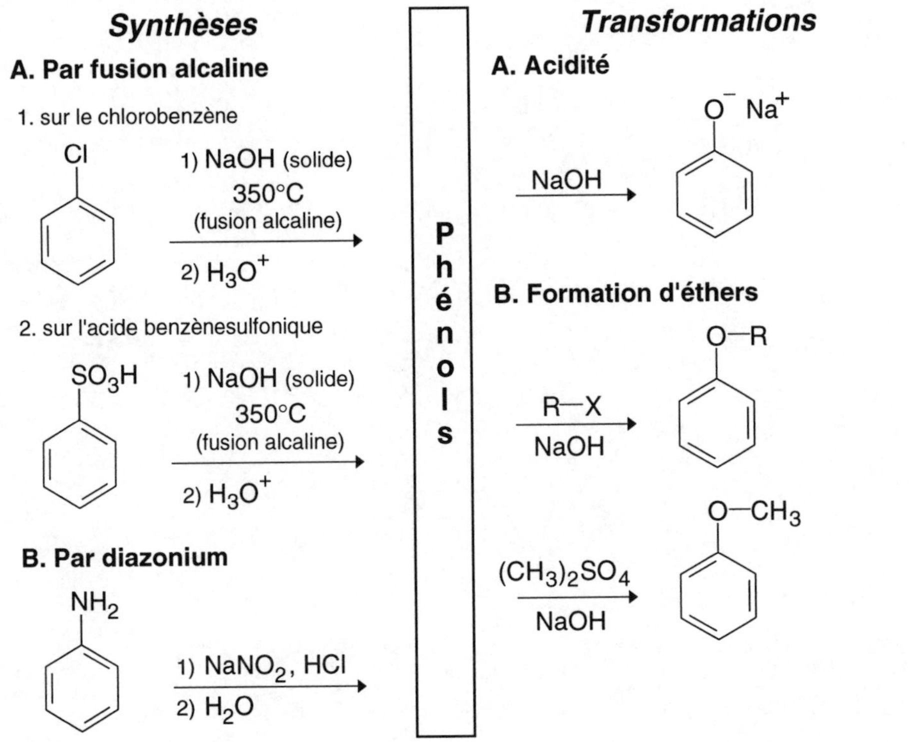

Synthèses		*Transformations*

A. Par fusion alcaline

1. sur le chlorobenzène

Cl
1) NaOH (solide)
350°C
(fusion alcaline)
2) H_3O^+

2. sur l'acide benzènesulfonique

SO_3H
1) NaOH (solide)
350°C
(fusion alcaline)
2) H_3O^+

B. Par diazonium

NH_2
1) $NaNO_2$, HCl
2) H_2O

P h é n o l s

A. Acidité

O^- Na^+

NaOH

B. Formation d'éthers

O—R

R—X
NaOH

O—CH_3

$(CH_3)_2SO_4$
NaOH

Tableau 8.9 Synthèses et transformations des éthers.

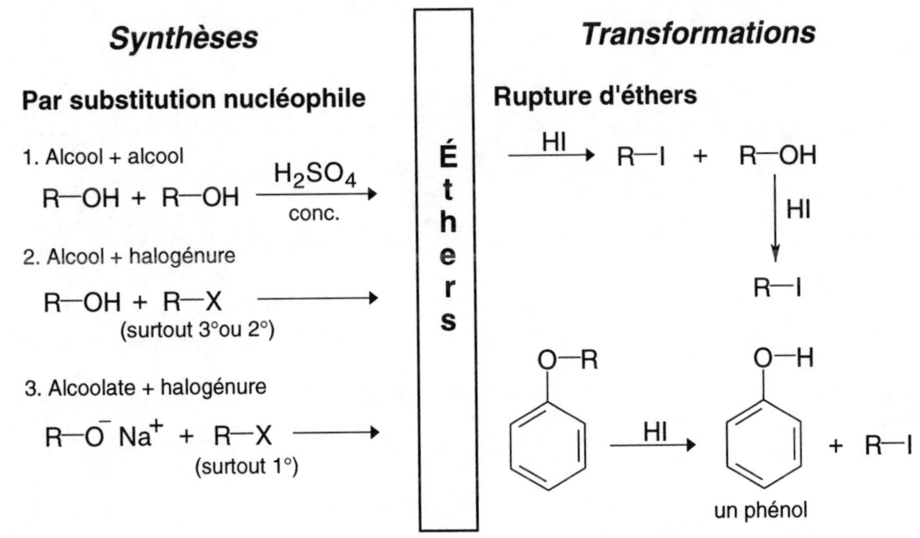

Synthèses		*Transformations*

Par substitution nucléophile

1. Alcool + alcool

R—OH + R—OH $\xrightarrow[\text{conc.}]{H_2SO_4}$

2. Alcool + halogénure

R—OH + R—X $\longrightarrow$
(surtout 3°ou 2°)

3. Alcoolate + halogénure

R—O^- Na^+ + R—X $\longrightarrow$
(surtout 1°)

É t h e r s

Rupture d'éthers

$\xrightarrow{HI}$ R—I + R—OH

HI

R—I

O—R

O—H

$\xrightarrow{HI}$

+ R—I

un phénol

EXERCICES 8

1. Écrire la structure de Lewis de la molécule d'eau en tenant compte de l'angle de liaison H—O—H.

   a) Réécrire ensuite la structure en remplaçant d'abord un puis deux atomes d'hydrogène par le groupe éthyle.

   b) Comment s'appellent les deux classes de composés auxquelles se rattachent ces deux nouvelles molécules?

   c) Nommer ces deux composés.

   d) Lequel est le plus soluble dans l'eau? Pourquoi?

2. Quel autre nom donne-t-on au

   a) éthane-1,2-diol? À quoi sert ce liquide?

   b) propane-1,2,3-triol? Y a-t-il un lien entre cette molécule et le liquide visqueux qu'on appelle glycérine?

3. Sous quel état physique se retrouverait l'éthoxyéthane si on portait sa température à la même température que celle que l'on mesure à l'intérieur d'un corps humain qui ne fait pas de fièvre? Que peut-on conclure quant à la force des liaisons intermoléculaires qui existent entre les molécules de cet éther?

4. Comparer les températures d'ébullition du méthane et du méthanol.

   a) Comment expliquer cette énorme différence de température en termes de liaisons intermoléculaires?

   b) Que dire de l'écart entre les températures d'ébullition de l'éthane et de l'éthanol?

   c) Entre l'eau et le méthanol?

   d) Entre l'éthanol et le méthanol?

5. Les éthers peuvent-ils former des liaisons hydrogène avec l'eau?

6. Expliquer la faible solubilité de l'éthoxyéthane dans l'eau (7,5 g/100 ml).

7. Représenter à l'aide de formules de Lewis la solvatation dans l'eau

    a) d'une molécule de méthanol;

    b) d'une molécule d'éthoxyéthane.

8. Nommer les composés suivants (de deux façons différentes, si possible).

    a) $CH_3-CH-CH_2-OH$
                    |
                    OH

    d) $CH_3-\overset{\displaystyle OCH_3}{\underset{\displaystyle CH_3}{C}}-OCH_3$

    b) $HO-\langle\bigcirc\rangle-OH$

    e)   cyclohexyl $-O-CH-CH_3$
                                     CH_3

    c) $CH_3-CH-CH=CH-CH_2-OH$
                  |
                  CH_3

    f) $CH_3O-\langle\bigcirc\rangle-COOH$ (avec Cl)

Synthèse des alcools et des éthers

8.2 Par réaction de substitution nucléophile

1. Trouver le substrat qui participe à chacune des substitutions nucléophiles suivantes:

    a) substrat + méthanolate de sodium ⟶ méthoxyméthane + NaCl

    b) substrat + eau ⟶ 2-méthylbutan-2-ol + HCl

    c) substrat + méthanol ⟶ 2-méthoxy-2-méthylpentane + HCl

    d) substrat + NaOH ⟶ hexan-1-ol + NaCl

2. La synthèse de Williamson implique une réaction entre un alcoolate et un halogénure d'alkyle. Proposer l'application de cette méthode à la préparation de l'oxyde d'éthyle et d'isopropyle à partir de l'halogénure et de l'alcoolate correspondants.

3. Lorsqu'on fait réagir un alcoolate de sodium sur un halogénure, par exemple le 1-chloropropane, on obtient surtout le produit de substitution nucléophile. Quel est ce produit?

4. Compléter les réactions suivantes:

    a) chlorure de benzyle + KOH ⟶

    b) 2-bromo-2-méthylpropane + eau ⟶

    c) 1-chloropentane + NaOH ⟶

5. Quels sont les produits de
   a) l'hydrolyse en milieu acide du benzoate d'éthyle?

$$C_6H_5-\overset{\overset{\displaystyle O}{\|}}{C}-O-CH_2CH_3 \xrightarrow{\text{hydrolyse en milieu acide}}$$

   b) la saponification de l'acétate de benzyle?

$$CH_3-\overset{\overset{\displaystyle O}{\|}}{C}-O-CH_2-C_6H_5 \xrightarrow{\text{saponification}}$$

6. Si on acidifiait jusqu'à pH 4 le milieu réactionnel de la question 5 b), quels produits retrouverait-on?

8.3 Par réaction d'addition

1. Dresser un tableau (substrat-réactif-produit) résumant les réactions d'addition conduisant aux alcools.

2. Transformer les alcènes suivants en alcools au moyen des réactifs appropriés:
   a) but-2-ène b) 2-méthylbut-2-ène
   c) 2,3-diméthylbut-2-ène d) 1-méthylcyclohex-1-ène.

3. Proposer la synthèse du 2-méthylpropan-2-ol à partir d'une cétone appropriée et au moyen d'un réactif de Grignard.

4. Compléter les réactions suivantes, toutes terminées par une réaction avec l'eau (hydrolyse):

   a) $CH_3-\overset{\overset{\displaystyle O}{\|}}{C}-CH_2-CH_3$ + bromure d'éthyle + Mg $\xrightarrow{\text{(Et)}_2O}$

   b) $\langle\rangle{=}O$ + bromure de benzyle + Mg $\xrightarrow{\text{(Et)}_2O}$

   c) substrat + bromure de propylmagnésium $\xrightarrow{\text{(Et)}_2O}$ 2-méthylpentan-2-ol

   d) substrat + réactif de Grignard $\xrightarrow{\text{(Et)}_2O}$ 1-éthylcyclohexan-1-ol

   e) substrat + réactif de Grignard $\xrightarrow{\text{(Et)}_2O}$ 1,4-diéthylcyclohexane-1,4-diol

5. Compléter les réactions suivantes, toutes suivies d'une dernière partie en milieu aqueux neutre ou acide:

   a) $O{=}\langle\rangle{=}O$ + LiAlH$_4$ $\longrightarrow$

   b) benzaldéhyde + NaBH$_4$ $\longrightarrow$

   c) substrat + LiAlH$_4$ $\longrightarrow$ 3-méthylpentan-2-ol

   d) substrat + LiAlH$_4$ $\longrightarrow$ hexan-1-ol

5. (suite)

　e) substrat　+　LiAlH$_4$　⟶　　　dicyclohexylméthanol

　f) substrat　+　LiAlH$_4$　⟶　　　propan-1-ol + éthanol

6. Quel serait le résultat d'une hydroboration suivie d'un traitement au peroxyde d'hydrogène en milieu basique sur les alcènes suivants:

　a) le oct-2-ène　　b)　⟨benzène⟩—C(CH$_3$)=CH$_2$　　c)　⟨cyclopentène⟩—CH$_2$—CH$_3$

8.4 Synthèse des phénols

1. En industrie, quel produit organique est utilisé pour la synthèse du phénol?

2. Proposer une méthode pour la transformation de:
   l'acide *m*-aminobenzoïque en acide 3-hydroxybenzoïque.

3. Suggérer un enchaînement de réactions pour réaliser les transformations suivantes:

　a) toluène　⟶　acide 4-hydroxybenzoïque

　b) acide benzènesulfonique　⟶　2,4,6-trinitrophénol

　c) *p*-dichlorobenzène　⟶　*p*-dihydroxybenzène (*p*-hydroquinone)

8.5 Synthèse d'autres composés oxygénés importants

1. Lors de la synthèse de l'éthoxyéthane, il se forme de l'éthylène. Pourquoi? Suggérer un mécanisme pour la formation de ce produit secondaire.

2. Nommer des utilisations, dans la vie courante　a) du méthanol,　b) de l'éthanol.

Réactivité des alcools et des éthers

8.6 Rupture de la liaison O—H

1. Compléter les réactions suivantes:

　a) éthanol + NaOH　⟶

　b) éthanol + Na(s)　⟶

　c) alcool benzylique + NaOH　⟶

　d) phénol + Na(s)　⟶

2. Comparer l'acidité du phénol par rapport à celle
   a) du méthanol?　b) de l'acide acétique, dont le　pK_a = 4,8 ?

3. Expliquer pourquoi l'ion phénolate se forme plus facilement que l'ion éthanolate en milieu fortement basique.

4. Lequel des ions alcoolates suivants est le plus facile à former? Le plus difficile à former? Expliquer pourquoi il en est ainsi.
   a) *tert* -butanolate de lithium b) *tert* -butanolate de potassium c) *tert* - butanolate de sodium.

5. Compléter les réactions suivantes:
   a) phénol + bromure d'éthylmagnésium ⟶

   b) CH_3—CH_2—$COOH$ + éthanol + acide sulfurique conc. ⟶

   c) propane-1,2-diol + Na(s) ⟶ A $\xrightarrow{2\ CH_3Br}$

8.7 Rupture de la liaison C—O

1. Compléter les réactions suivantes:
   a) 1-isopropoxypropane + HBr ⟶

   b) isopropoxybenzène + HI ⟶

   c) 2-méthylpropan-2-ol + HCl ⟶

2. Que donne la réaction entre le 1-méthylcyclohexanol et les réactifs suivants:
   a) éthanol en milieu H_2SO_4 concentré? b) HCl en milieu aqueux?

3. Effectuer la réaction entre l'éthoxyéthane et l'acide iodhydrique. Indiquer tous les produits possibles.

4. Trois échantillons d'alcools différents (1°, 2° et 3°) sont placés dans trois éprouvettes. Les alcools possibles sont l'éthanol, le propan-2-ol et le 2-méthylbutan-2-ol. On effectue un test de Lucas de la manière suivante: on ajoute à chaque éprouvette quelques gouttes du réactif de Lucas (HCl $+ZnCl_2$), on agite et on laisse reposer. On note ensuite les observations suivantes: a) dans l'éprouvette 1: une seule phase b) dans l'éprouvette 2: devient laiteux très rapidement c) dans l'éprouvette 3: devient laiteux, mais seulement après plusieurs minutes. Interpréter ces observations et déduire quel alcool se trouve dans chaque éprouvette.

5. Compléter les réactions suivantes:

   a) oxyde d'éthylène + HCl (aq) ⟶

   b) oxyde d'éthylène + éthanol en milieu acide aqueux ⟶

8.8 Réactions d'oxydation des alcools

1. Compléter les réactions suivantes:

   a) éthanol + permanganate de potassium ⟶

   b) propan-2-ol + dichromate de potassium ⟶

1. (suite)

    c) cyclopentanol + acide chromique   ⟶

    d) cyclohexanol + Cu (métal) à 300°C   ⟶

2. Proposer une série de réactions permettant d'obtenir de l'acétone à partir du 2-isopropoxypropane.

3. Effectuer une réaction de déshydrogénation (oxydation) en présence de cuivre métallique à 300°C sur: a) l'éthanol b) le butan-2-ol.

Exercices complémentaires

---

1. Compléter les réactions suivantes. Décrire le mécanisme de celles marquées d'un astérisque (*).

    a) acide benzoïque + propan-2-ol $\xrightarrow{H^+}$

    b) butan-1-ol + NaOH   ⟶

    c) benzaldéhyde + LiAlH$_4$ $\xrightarrow[\text{2) H}_3\text{O}^+]{}$

  * d) 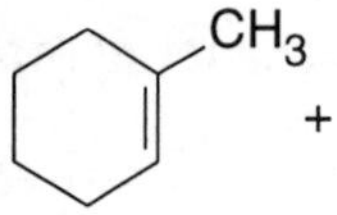   [cyclohexène avec CH$_3$] + H$_2$SO$_4$ dilué ⟶

    e) propan-1-ol $\xrightarrow[\text{300 °C}]{\text{Cu}}$

  * f) 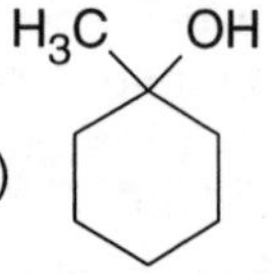   [1-méthylcyclohexanol, H$_3$C OH] + H$_2$SO$_4$ conc. ⟶

    g) alcool isopropylique + KMnO$_4$ ⟶

    h) méthanol + Na ⟶

  * i) 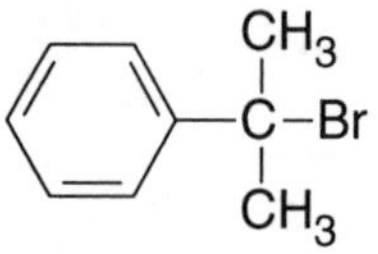   [benzène–C(CH$_3$)$_2$–Br] + H$_2$O ⟶

    j) phénol $\xrightarrow[\text{Pt}]{\text{H}_2}$ A $\xrightarrow{\text{KMnO}_4}$

    k) alcool benzylique + CH$_3$–CH$_2$–COOH $\xrightarrow{H^+}$

    l) 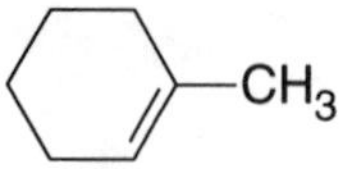   [cyclohexène–CH$_3$] $\xrightarrow[\text{2) 3 H}_2\text{O}_2,\ \text{OH}^-]{\text{1) 3 BH}_3}$

1. (suite)

m) 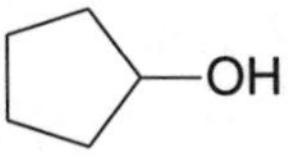 ⬠—OH　　+　　PBr$_3$　　——→

n)　octan-1-ol　$\xrightarrow[\text{ZnCl}_2]{\text{HCl}}$

o) 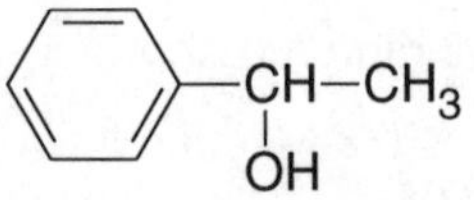　⬡—CH—CH$_3$　+　SOCl$_2$　——→
　　　　　　|
　　　　　　OH

2. Décrire les étapes des synthèses chimiques suivantes:

　a)　CH$_3$—CH$_2$—CH—CH$_2$　à partir de　CH$_3$—CH$_2$—CH$_2$—CH$_2$—OH
　　　　　　　　　　|　　|
　　　　　　　　　Br　　Br

　b) 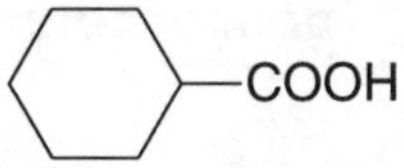　⬡—COOH　　à partir du cyclohexanol

　c) 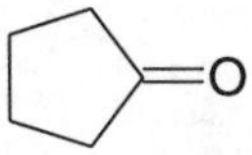　⬠=O　　à partir de　⬠—Br

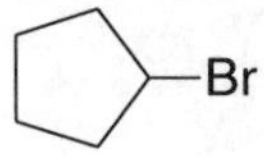

　d)　CH$_3$—C̈—CH$_3$　à partir de　CH$_3$—CH—CH$_3$
　　　　　|CH$_3$　　　　　　　　　　　|
　　　　　OH　　　　　　　　　　　Br

　e) 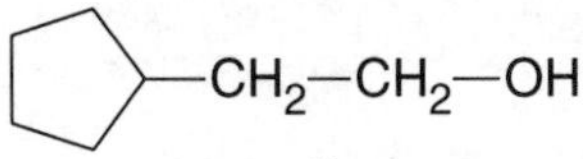　⬠—CH$_2$—CH$_2$—OH　　à partir de　⬠

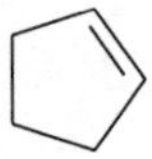

　f)　CH$_3$—CH$_2$—C̈—H　à partir du 1-bromopropane
　　　　　　　　　‖
　　　　　　　　　O

　g)　cyclohexène à partir du benzène via le phénol

　h) 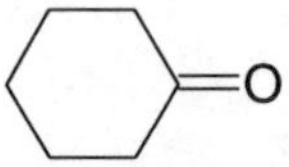　⬡=O　à partir du cyclohexène

　i)　chlorocyclohexane à partir du benzène
　j)　acide benzoïque à partir du benzène

3. Avec les réactifs suivants, que donnerait:　a) le 2-méthylbutan-2-ol?
　b) le phénol?

1.	H$_2$SO$_4$ conc.	6.	CH$_3$CO$_2$H, H$^+$
2.	NaOH	7.	H$_2$, Pt
3.	HBr	8.	K
4.	CH$_3$MgBr	9.	SOCl$_2$
5.	K$_2$Cr$_2$O$_7$	10.	CH$_3$Cl et AlCl$_3$

4. En n'utilisant que l'éthanol comme substance organique, suggérer une suite de réactions pour obtenir les produits suivants:

a) $CH_3-\overset{\overset{\displaystyle O}{\|}}{C}-H$

b) $CH_3-\overset{\overset{\displaystyle O}{\|}}{C}-O-CH_2-CH_3$

c) butane

d) 1,1-dichloroéthane

e) acétylène

f) bromoéthane

g) butan-2-ol

h) 1,2-dibromoéthane

i) $CH_3-\overset{\overset{\displaystyle O}{\|}}{C}-CH_2-CH_3$

j) but-2-yne

5. En n'utilisant que l'éthanol et l'alcool butylique tertiaire comme substances organiques, décrire deux procédés pour obtenir le 2-éthoxy-2-méthylpropane.

6. Identifier les inconnues:

$$\text{une cétone } \mathbf{B} \xleftarrow[\Delta]{Cu} \mathbf{A} \xrightarrow{HBr} \mathbf{C}$$

$$\mathbf{C} \xrightarrow{Mg} \mathbf{D}$$

$$\mathbf{E} \xleftarrow[\text{2) } H_2O]{\text{1) } CO_2} \mathbf{D}$$

$$\mathbf{E} + \mathbf{F} \xrightarrow{H^+} \mathbf{G} \xrightarrow[\text{2) } H_3O^+]{\text{1) } LiAlH_4} CH_3-\underset{\underset{\displaystyle CH_3}{|}}{CH}-CH_2-OH \quad + \quad CH_3OH$$

7. Identifier les inconnues:

$$\mathbf{A} + PCl_3 \longrightarrow \mathbf{B} \xrightarrow[\text{conc.}]{NaOH} \quad \mathbf{C} + NaCl + H_2O$$
$$\Delta$$

$$\mathbf{C} \xrightarrow{HBr} \mathbf{D}$$

$$\text{un seul acide } \mathbf{E} \xleftarrow[\text{conc.}]{KMnO_4}$$

$$\mathbf{D} \xrightarrow{Mg} \mathbf{F}$$

$$CH_3-CH_2-\underset{\underset{\displaystyle CH_2-CH_2-OH}{|}}{CH}-CH_3 \xleftarrow[\text{2) } H_2O]{\text{1) } \overset{\displaystyle O}{\overset{\diagup\diagdown}{CH_2-CH_2}}} \mathbf{F}$$

8. Identifier les inconnues.

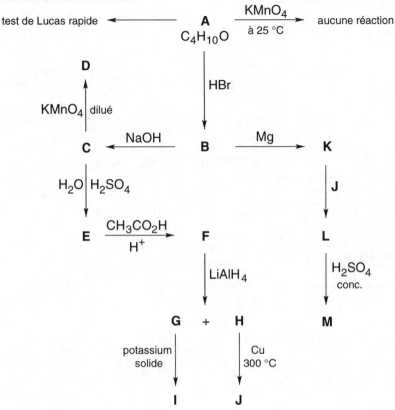

9. Soit les 4 alcools suivants:

Que donnerait chacun avec les réactifs suivants:

a) NaOH ?

b) Na ?

c) HCl, ZnCl$_2$?

10. Identifier les inconnues.

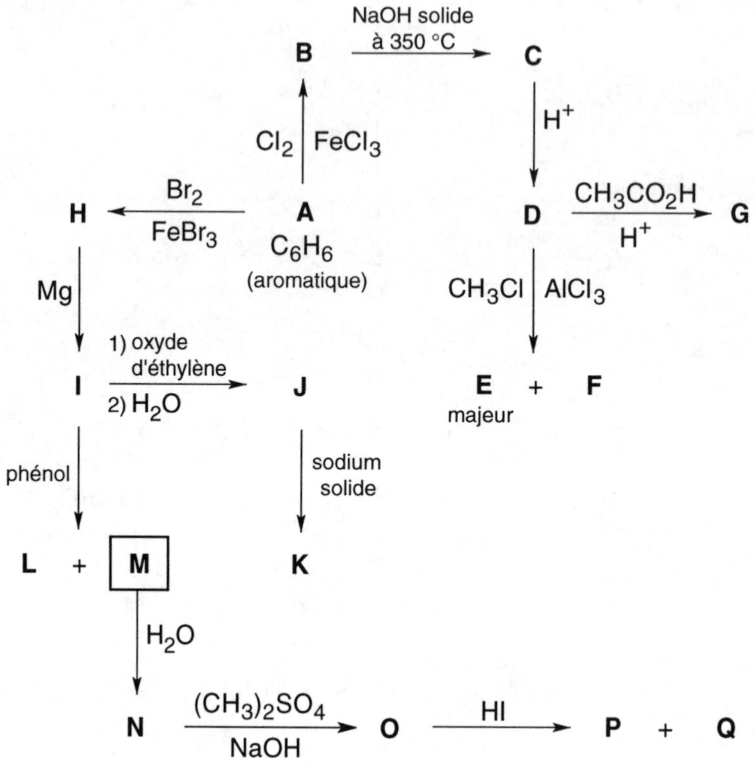

$$B \xrightarrow[\text{à 350 °C}]{\text{NaOH solide}} C$$

$$B \xleftarrow[]{Cl_2 \mid FeCl_3}$$

$$H \xleftarrow[FeBr_3]{Br_2} \quad \begin{array}{c} A \\ C_6H_6 \\ \text{(aromatique)} \end{array}$$

$$C \xrightarrow{H^+} D \xrightarrow[H^+]{CH_3CO_2H} G$$

Mg

$$I \xrightarrow[\text{2) } H_2O]{\text{1) oxyde d'éthylène}} J$$

$$D \xrightarrow[AlCl_3]{CH_3Cl} \quad \begin{array}{c} E \quad + \quad F \\ \text{majeur} \end{array}$$

phénol

$$J \xrightarrow[\text{solide}]{\text{sodium}} K$$

$$L \quad + \quad \boxed{M} \qquad K$$

$$M \xrightarrow{H_2O} N \xrightarrow[NaOH]{(CH_3)_2SO_4} O \xrightarrow{HI} P \quad + \quad Q$$

——— ✳ ———

LES COMPOSÉS OXYGÉNÉS INSATURÉS

9

Aldéhydes et cétones — Acides carboxyliques et dérivés

Sommaire

Mots / concepts clés

- carbonyle, carboxyle
- acide dicarboxylique
- addition nucléophile
- substitution nucléophile
- saponification

- acyle
- cyanure d'alkyle
- cyano, oxo
- lipide
- nylon

Objectifs spécifiques

Vous devez être capable de ...

• écrire et reconnaître les fonctions suivantes:

• aldéhyde	• halogénure d'acide (acyle)
• cétone	• amide
• acide carboxylique	• anhydride
• sel d'acide carboxylique	• nitrile
• ester	

• nommer des composés contenant une ou plusieurs de ces fonctions selon les règles de l'UICPA;
• connaître les rudiments de la nomenclature complémentaire et les appliquer à quelques fonctions;
• expliquer la structure et la réactivité du groupe carbonyle;
• décrire le mécanisme général d'une réaction d'addition et de substitution nucléophile;
• donner quelques exemples de composés carbonylés naturels;
• définir et expliquer les mots / concepts clés.

9.1 *Présentation*

Les composés oxygénés insaturés sont ceux dans lesquels un atome d'oxygène au moins est lié au carbone par liaison double.

Deux séries de composés organiques respectent cette condition:
- les aldéhydes et les cétones,
- les acides carboxyliques et leurs dérivés.

Ces substances constituent le point de départ pour la fabrication d'un grand nombre de composés organiques existant à l'état naturel ou de synthèse. Dans la première série, les **aldéhydes** correspondent à la formule $R—\overset{\displaystyle O}{\overset{\|}{C}}—H$ dont voici quelques exemples:

méthanal (formaldéhyde) Éb - 21°C	éthanal (acétaldéhyde) Éb 21°C	propanal (propionaldéhyde) Éb 49°C	benzaldéhyde Éb 178°C
$H—\overset{O}{\overset{\|}{C}}—H$	$CH_3—\overset{O}{\overset{\|}{C}}—H$	$CH_3—CH_2—\overset{O}{\overset{\|}{C}}—H$	

Les **cétones**, quant à elles, ont pour formule générale $R—\overset{\displaystyle O}{\overset{\|}{C}}—R$. En voici quelques représentants:

propanone (acétone) Éb 56°C	butan-2-one Éb 80°C	acétophénone Éb 202°C
$CH_3—\overset{O}{\overset{\|}{C}}—CH_3$	$CH_3—\overset{O}{\overset{\|}{C}}—CH_2—CH_3$	

On retrouve, dans la deuxième série, une plus grande variété de composés. Les **acides carboxyliques** eux-mêmes en constituent un groupe important. Ils répondent à la formule générale $R—\overset{\displaystyle O}{\overset{\|}{C}}—OH$.

Quelques exemples suffiront ici en guise d'illustration:

acide formique Éb 101°C	acide acétique Éb 118°C	acide stéarique F 71°C	acide benzoïque F 122°C
$H—\overset{O}{\overset{\|}{C}}—OH$	$CH_3—\overset{O}{\overset{\|}{C}}—OH$	$CH_3[CH_2]_{16}COOH$	

Il existe plusieurs types de dérivés des acides carboxyliques. Le tableau 9.1 présente les plus importants.

Tableau 9.1 Principaux dérivés des acides carboxyliques.

Nom de la fonction	Formule générale	Exemple
sel d'acide carboxylique	R—C(=O)—O⁻ métal⁺	CH₃—C(=O)—O⁻ Na⁺ acétate de sodium
ester	R—C(=O)—OR'	CH₃—C(=O)—O—CH₃ acétate de méthyle
halogénure d'acide (d'acyle)	R—C(=O)—X	CH₃—C(=O)—Cl chlorure d'acétyle
amide	R—C(=O)—NH₂	CH₃—C(=O)—NH₂ éthanamide (acétamide)
anhydride d'acide	R—C(=O)—O—C(=O)—R	CH₃—C(=O)—O—C(=O)—CH₃ anhydride acétique

9.2 *Le groupe carbonyle*

La présence du groupe C=O dans tous les composés précédents, constitue un lieu d'attaque potentiel pour de nombreux réactifs. En effet, la polarité de ce groupe, représenté par

$$\begin{array}{c} \backslash^{\delta^+}\ _{\delta^-} \\ C{=}O \\ / \end{array} \qquad \text{ou encore} \qquad \begin{array}{c} R_{\backslash}\ ^{\delta^+}\ _{\delta^-} \\ C{=}O \\ \boxed{\text{substituant}} \end{array}$$

va orienter toute approche d'un réactif à caractère négatif (nucléophile) sur le carbone.

Quant au caractère insaturé du groupe carbonyle, il va influencer le type de réaction nucléophile. En effet, les aldéhydes et les cétones vont participer à des réactions d'addition nucléophile, tandis que les acides et leurs dérivés prendront part à des réactions de substitution nucléophile. C'est le substituant sur le carbonyle (excluant le R— en place) qui dirigera la réaction en substitution ou en addition.

Pour expliquer ce comportement, il faut examiner l'environnement du carbonyle, $C=O$:

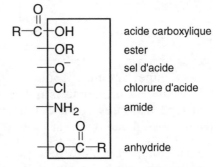

• aldéhydes et cétones:

Les substituants H et R' des aldéhydes et des cétones ne créent pas ou peu de polarité sur le carbonyle. Ceci a pour effet de nuire à leur départ comme groupement amovible. Ils favorisent une réaction **d'addition**.

• acides carboxyliques et dérivés:

acide carboxylique
ester
sel d'acide
chlorure d'acide
amide
anhydride

Par contre, les substituants des acides et dérivés (ci-dessus, encadrés) sont tous rattachés au carbonyle par un élément **plus électronégatif que le carbone**. Ainsi, la liaison de cet élément avec le carbonyle est fortement polaire et favorise le départ du substituant par **substitution** nucléophile, réaction peu probable avec les aldéhydes et les cétones.

• Dans le cas des **aldéhydes** et des **cétones**, la présence du carbonyle conduira exclusivement à des réactions **d'addition nucléophile**, selon le modèle général suivant:

Addition nucléophile sur un carbonyle

L'addition nucléophile transforme donc le groupe $C=O$ en $C-OH$.

• Dans le cas des **acides** et leurs **dérivés**, la présence, sur le carbone du carbonyle, d'un élément plus électronégatif que le carbone, favorisera les réactions de **substitution nucléophile.** Le groupe carbonyle est conservé et le substituant remplacé. La réaction se déroule selon le mécanisme suivant:

Substitution nucléophile sur un carbonyle

(a) produit de **substitution**
(conservation du groupe C=O)

Le groupe d'atomes **A** du substrat doit être rattaché au C du C=O par l'entremise d'un atome plus électronégatif que le carbone. De ce fait, le groupe d'atomes **A** se comporte comme n'importe quel groupement amovible, il part en permettant de régénérer le groupe carbonyle.

Pour compléter l'information au sujet du comportement des acides carboxyliques et leurs dérivés, il est opportun de signaler le caractère basique faible (donc de bons groupements amovibles) des espèces libérées lors des réactions de substitution nucléophile, comme dans les deux exemples suivants:

1. $CH_3-\overset{\overset{O}{\|}}{C}-Cl + H_2O \longrightarrow CH_3-\overset{\overset{O}{\|}}{C}-OH + H^+\boxed{Cl^-}$

2. $CH_3-\overset{\overset{O}{\|}}{C}-O-CH_3 + H_3O^+ \rightleftharpoons CH_3-\overset{\overset{O}{\|}}{C}-OH + \boxed{CH_3OH} + H_2O$

L'ion chlorure dans l'exemple 1 et le méthanol libéré dans l'exemple 2 proviennent tous les deux d'un excellent groupement amovible, puisque les bases formées (encadrées) sont très faibles, c'est-à-dire qu'elles ont peu tendance à rétroagir sur l'acide carboxylique généré. C'est en grande partie ce facteur qui nous informe de la plus ou moins grande efficacité de substitution nucléophile sur le substrat.

En général, les aldéhydes et les cétones sont plus réactifs face à un nucléophile que les dérivés des acides. Ces derniers présentent de la résonance avec le groupement fortement électronégatif relié au carbonyle. La résonance chez les esters peut être représentée comme suit:

La résonance, en répartissant les charges sur plusieurs atomes, a pour effet de diminuer le caractère positif du carbone du carbonyle. Cette propriété est générée par la différence d'électronégativité du carbone par rapport aux éléments voisins.

En résumé, on peut tirer les conclusions suivantes:

a. Le comportement chimique des aldéhydes, des cétones, des acides et leurs dérivés se ressssemble au niveau de l'étape initiale. Dans tous les cas, on assiste à une attaque nucléophile sur le C^{δ^+} du groupe carbonyle. On peut l'expliquer par deux caractéristiques du groupe $C=O$:

1. le groupe $C=O$ est plan, donc assez facile d'approche;

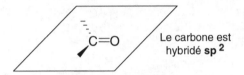

Le carbone est hybridé **sp**^{2}

2. la capacité de l'oxygène (étant plus électronégatif) d'accepter un doublet d'électrons provenant de la liaison π lorsqu'elle est rompue;

b. Leur comportement chimique diffère cependant pour le reste, à partir de l'intermédiaire encadré (a) aux pages 367 et 368.

- Dans le cas des aldéhydes et des cétones, l'intermédiaire (a) accepte un ion H^+ et conduit au produit d'addition.

- Dans le cas des acides et dérivés, l'intermédiaire (a) libère un groupement amovible, et conduit à la régénération du $C=O$ dans le produit de substitution.

9.3 *État naturel*

9.3.1 *Les aldéhydes et les cétones*

Où, dans la nature, retrouve-t-on des aldéhydes et des cétones?

Les produits alimentaires à saveur prononcée et les plantes fortement aromatiques sont des sources intéressantes d'aldéhydes et de cétones. Il faut cependant noter que ces fonctions sont souvent jumelées à d'autres fonctions comme les fonctions alcool, alcène et acide carboxylique. Les glucides, par exemple, contiennent soit une fonction aldéhyde, soit une fonction cétone, combinée à plusieurs fonctions alcool.

Le glucose et le fructose sont des glucides.

glucose   fructose

(Deux glucides qui, lorsque reliés, constituent le saccharose ou sucre de table).

Noter que les fonctions aldéhyde et cétone sur ces deux glucides sont passablement réactives. Sur ces molécules, les deux $C=O$ réagissent chacun avec un OH situé plus loin sur la chaîne carbonée pour conduire à leur forme cyclique, plus abondante (produit d'addition nucléophile). Ce type de composés sera étudié au chapitre 12.

La fonction cétone est aussi présente dans la structure des hormones sexuelles mâles (testostérone) et femelles (progestérone). Ces composés appartiennent à la grande famille des stéroïdes.

testostérone   progestérone

La cortisone est un autre exemple de cétone naturelle. Cette hormone est sécrétée par la glande corticosurrénale. La cortisone est utilisée comme anti-inflammatoire.

cortisone

Le tableau 9.2 présente d'autres aldéhydes et cétones naturels.

Tableau 9.2 Quelques aldéhydes et cétones naturels.

Nom	Formule	Origine
benzaldéhyde		noyaux de cerises
vanilline		fruit du vaniller
cinnamaldéhyde		isolé de bois pourri
citronellal		citrons et mélisse
camphre		camphrier, laurier de l'Asie orientale et de l'Océanie
muscone		glande odorante de certains cervidés
β-irone		rhisomes de l'iris odeur de violette

Le camphre

Il n'y a pas si longtemps, le camphre avait la réputation de protéger les individus de certaines maladies, comme la grippe, pendant la période hivernale. Il est cependant démontré aujourd'hui qu'il n'en est rien et que, sauf son odeur très spéciale qui éloigne peut-être les gens qui ont le rhume, le camphre ne fait pas partie de l'arsenal médicinal.

Substance d'aspect blanchâtre translucide, le camphre fond à 179,5°C et sublime à la température de la pièce. Il est aussi très peu soluble dans l'eau. Il est extrait de camphriers *(cinnamonum camphora),* âgés d'au moins 50 ans, par un procédé d'entraînement à la vapeur d'eau. Le camphrier pousse très bien dans les pays asiatiques comme le Japon, la Chine et Java, de même qu'au Brésil, en Amérique du Sud. Aux États-Unis, 75% du camphre est fabriqué à partir du pinène, un alcène isolé de la térébenthine. L'industrie du plastique l'utilise comme plastifiant efficace des esters et des éthers de la cellulose. Le camphre sert aussi à la fabrication du celluloïd, des laques, des vernis, des explosifs et de plusieurs substances utiles dans les domaines pharmaceutique et cosmétique.

9.3.2 *Les acides carboxyliques et leurs dérivés*

L'acide carboxylique le plus simple, l'acide formique, HCO_2H , a été isolé du corps des fourmis. L'acide acétique, CH_3CO_2H , constituant du vinaigre commercial (solution aqueuse à 5% (v/v)), se forme lors de l'oxydation de l'éthanol du vin. Il peut donc être le produit final de la fermentation du jus de raisin. Cet acide constitue également un maillon important dans le métabolisme des glucides; il est transformé par les organismes vivants pour la fabrication d'autres composés naturels plus complexes tels les acides gras* à longue chaîne carbonée, le caoutchouc naturel et les hormones de type stéroïde. L'acide butanoïque, $C_3H_7CO_2H$, d'une odeur insupportable, se forme lors du rancissement du beurre. Les plus importants constituants de la bile humaine sont des acides sous forme de sels, $RCO_2^-\ Na^+$. Ce sont les acides biliaires. Produite dans le foie, stockée dans la vésicule biliaire puis sécrétée dans l'intestin, la bile sert d'émulsifiant pour favoriser la digestion intestinale des graisses. L'acide cholique en est le principal représentant:

ou

$(COO^-\ Na^+)$

cholate de sodium
(lorsque sous forme de sel)

acide cholique

On ne retrouve pas, dans la nature, de **chlorures d'acides**, RCOCl, ni **d'anhydrides d'acides**, RCO—O—COR . Ce sont des composés de synthèse très réactifs servant uniquement de réactifs spécifiques. Ils s'hydrolysent trop facilement pour exister à l'état naturel.

---

*Les acides gras peuvent contenir de 12 à 24 atomes de carbone et leur chaîne carbonée peut être saturée ou insaturée (voir section 11.11 et Complément A).

Par contre, les **esters** sont très répandus dans la nature. On en trouve dans les graisses et les huiles (**lipides** dérivés d'acides gras et d'un trialcool, le glycérol, du moins pour les lipides simples). Voici la formule générale d'un ester de ce type et d'une réaction possible, la **saponification**:

$$CH_2-O-\overset{\overset{\displaystyle O}{\|}}{C}-R$$
$$CH-O-\overset{\overset{\displaystyle O}{\|}}{C}-R' \xrightarrow[H_2O]{Na^+ OH^-}$$
$$CH_2-O-\overset{\overset{\displaystyle O}{\|}}{C}-R''$$

$$CH_2-OH$$
$$CH-OH \quad + \quad RCOO^- Na^+$$
$$CH_2-OH \qquad\qquad R'COO^- Na^+$$
$$R''COO^- Na^+$$

graisse ou huile   glycérol   (où R, R', R" peuvent être
(selon les insaturations   identiques ou
et le nombre de C dans R)   différents, C11 à C23)

Les sels d'acides obtenus dans la réaction précédente sont les savons naturels que l'on retrouve sur le marché.

Il existe également dans la nature beaucoup d'autres esters de masse molaire plus faible. Ces esters, sous la forme de mélanges complexes, sont souvent responsables de l'arôme des fruits et des fleurs.

$$CH_3-\overset{\overset{\displaystyle CH_3}{|}}{CH}-CH_2-\overset{\overset{\displaystyle O}{\|}}{C}-O-CH_2-CH_3$$

odeur de **pomme**
3-méthylbutanoate d'éthyle
Éb 135 °C

$$CH_3-[CH_2]_6-\overset{\overset{\displaystyle O}{\|}}{C}-O-CH_3$$

odeur **d'ananas**
octanoate de méthyle
Éb 193 °C

$$CH_3-CH_2-CH_2-\overset{\overset{\displaystyle O}{\|}}{C}-O-[CH_2]_4-CH_3$$

odeur **d'abricot**
butanoate de pentyle
Éb 185 °C

$$CH_3-\overset{\overset{\displaystyle O}{\|}}{C}-O-[CH_2]_4-CH_3$$

odeur de **banane**
acétate de pentyle
Éb 149 °C

On retrouve principalement la fonction **amide** dans les protéines, très répandues dans le monde végétal et animal. L'urée, important soluté de l'urine, en est l'exemple le plus simple, alors que l'hémoglobine et l'insuline sont des amides complexes. Depuis la découverte de la composition des protéines, l'homme a fabriqué de toutes pièces des molécules nouvelles appelées polyamides, le nylon-6,6, par exemple.

$$NH_2-CH_2-\overset{\overset{\displaystyle O}{\|}}{C}-NH-\overset{\overset{\displaystyle CH_3}{|}}{CH}-CO_2H$$
un dipeptide, élément de base de la
structure des **protéines**

$$\left(-NH-\overset{\overset{\displaystyle O}{\|}}{C}-[CH_2]_4-\overset{\overset{\displaystyle O}{\|}}{C}-NH-[CH_2]_6-NH-\overset{\overset{\displaystyle O}{\|}}{C}-\right)_n$$
élément de base
du nylon-6,6

374

Les quinones, des substances multicolores.

Les quinones sont des dicétones benzéniques ou aromatiques de la famille du benzène. La plus simple est la benzoquinone, *para* ou *ortho*.

p -benzoquinone
F 115°C
jaune

o -benzoquinone
F 60-70°C déc.
rouge

p -hydroquinone
F 170-171°C
blanc

La benzoquinone est un produit de synthèse utilisé comme agent oxydant en photographie et sert également à la préparation de certaines teintures. L'hydroquinone, un diol, est un solide blanc, mais elle s'oxyde facilement pour redonner la *p*-benzoquinone, de couleur jaune, lorsqu'elle sert de réducteur dans le processus de développement des photographies.

Toutes les quinones sont fortement colorées dans des tons allant du jaune au pourpre foncé. C'est l'ensemble des liaisons doubles à l'intérieur et à l'extérieur du cycle qui est responsable de cette coloration; on parle de l'arrangement quinoïde des liaisons doubles. Plusieurs pigments de produits naturels colorés sont des quinones. Mentionnons par exemple, pour les mycologues, que plusieurs champignons aux coloris intenses contiennent des quinones. C'est le cas de cette masse rouge orangé que présentent certaines espèces de lactaires et de russules parasités par *l'hypomyces lactifluorum* que l'on retrouve dans les forêts de conifères de l'Amérique du Nord. La quinone présente dans ces champignons se nomme la skyrine. Les piquants qui recouvrent les oursins contiennent aussi un pigment de couleur pourpre de la famille des quinones appelées spinochromes.

spinazarine
(structure de base des spinochromes)
F 279°C
orangé

skyrine
F 160-300°C déc.
orangé

$(CH_2CH=CCH_2)_n$—H
(n est souvent égal à 10)

coenzymes Q (ubiquinones)

Les coenzymes Q appartiennent aussi à la grande famille des quinones. Ces coenzymes participent au transfert d'électrons dans les mitochondries et jouent un rôle important dans la chaîne respiratoire.

9.4 Nomenclature des composés carbonylés

9.4.1 Les règles de l'UICPA

Les composés carbonylés ont, dans le passé, été nommés de mille et une façons. Heureusement, avec la venue des règles de nomenclature française de 1989, l'ordre s'est rétabli. Toutefois, il est d'usage de conserver certains noms pour des composés d'utilisation courante; l'acide acétique en est un bon exemple.

Pour nommer les composés carbonylés selon les règles de l'UICPA, il faut tout d'abord se référer aux règles qui ont été présentées au chapitre 2 (sections 2.9, etc.). À partir de là, un nom de base (accompagné d'une terminaison qui identifie la fonction) et une priorité de fonction (au sens de la nomenclature) sont établis. Voici quelques exemples:

1. $\overset{4}{CH_3}-\overset{3}{CH}-\overset{2}{CH_2}-\overset{1}{\underset{\|}{\overset{O}{C}}}-H$ 3-méthylbutan**al**
   $\quad\quad\quad\quad |$
   $\quad\quad\quad CH_3$

2. $\overset{1}{CH_3}-\overset{2}{\underset{\|}{\overset{O}{C}}}-\overset{3}{CH_2}-\overset{4}{CH}-\overset{5}{CH_3}$ 4-hydroxypentan-2-**one**
   $\quad\quad\quad\quad\quad\quad\quad |$ (priorité à la cétone)
   $\quad\quad\quad\quad\quad\quad OH$

3. $\langle\bigcirc\rangle-\underset{\|}{\overset{O}{C}}-O-CH-CH_3$ benz**oate** d'isopropyle
   $\quad\quad\quad\quad\quad\quad\quad\quad |$
   $\quad\quad\quad\quad\quad\quad\quad CH_3$

4. $\overset{4}{CH_2}=\overset{3}{CH}-\overset{2}{CH_2}-\overset{1}{\underset{\|}{\overset{O}{C}}}-H$ but-3-**énal**

5. $\overset{5}{CH_3}-\overset{4}{CH_2}-\overset{3}{CH}-\overset{2}{CH_2}-\overset{1}{\underset{\|}{\overset{O}{C}}}-OH$ acide 3-chloropentano**ïque**
   $\quad\quad\quad\quad\quad\quad | $
   $\quad\quad\quad\quad\quad Cl$

Les noms suivants sont aussi très utilisés:

$CH_3-\underset{\|}{\overset{O}{C}}-CH_3$ $CH_3-CH_2-\underset{\|}{\overset{O}{C}}-CH_3$ $\langle\bigcirc\rangle-\underset{\|}{\overset{O}{C}}-CH_3$ $\langle\bigcirc\rangle-\underset{\|}{\overset{O}{C}}-H$

    acétone   butanone   acétophénone   benzaldéhyde
               (sans indice de position)

Il est très important de localiser la fonction prioritaire et de lui attribuer l'indice de position le plus petit possible. Le tableau 9.3 fait un rappel des terminaisons et des priorités de fonction. Les quelques exemples suivants illustrent l'application des règles de base aux composés carbonylés.

Tableau 9.3 Terminaisons et priorités* (décroissantes) des fonctions.

Nom de la fonction	Terminaison
acide carboxylique	oïque
halogénure d'acide (d'acyle)	oyle
ester	oate
amide	amide
nitrile	nitrile
aldéhyde	al
cétone	one
alcool	ol
amine	amine
alcène**	ène
alcyne**	yne

* Les alcanes, les halogénures, les éthers et les nitros
sont de priorité égale et au plus bas niveau.

** Insaturation plutôt que fonction.

Exemple 1

$$\underset{\underset{1}{}}{\overset{\overset{O}{\|}}{CH_3}}\text{—}CH\text{—}CH\text{—}CH_2\text{—}C\text{—}H$$

$$\underset{CH_3\ \ NO_2}{5\quad 4\quad 3\quad 2}$$

Procédure:

A. fonctions: *aldéhyde et nitro*
B. priorité: *aldéhyde*
C. chaîne carbonée la plus longue portant la fonction aldéhyde:
　5 carbones (encadrés)
D. nom de base: *pentanal*
E. le plus petit indice à la fonction prioritaire: ***l'aldéhyde*** *est en position **1***
F. substituant et fonction secondaire: CH_3 et NO_2
G. et H. ne s'appliquent pas
 I. identification des substituants: *méthyle et nitro*
J. nom global: **4-méthyl-3-nitropentanal**

Exemple 2

$$
\begin{array}{c}
\overset{5}{CH_3}-\overset{O}{\underset{2}{\overset{4}{C}}}-\overset{3}{\underset{3}{\overset{\;\;3}{CH}}}-CH_3 \\
\end{array}
$$

$$
\text{5} \quad \overset{O}{\underset{\;}{\|}} \quad \text{3}
$$
$$
CH_3-\underset{2}{\overset{4}{C}}-\underset{3|2}{CH}-CH_3
$$
$$
\underset{4}{CH}-CH_3
$$
$$
\underset{5}{\overset{|1}{CH_3}}
$$

Procédure:

A. fonction: *cétone*

B. priorité: *cétone*

C. chaîne carbonée la plus longue portant la fonction cétone: *5 carbones (encadrés)*

D. nom de base: *pentanone*

E. le plus petit indice à la fonction prioritaire: **le carbonyle de la cétone** *est en position 2*

F. substituants: deux CH_3

G. et H. ne s'appliquent pas

I. identification des substituants: *deux méthyles*

J. nom global: **3,4-diméthylpentan-2-one**

Exemple 3

$$
CH_2{=}CH\underset{4}{-}CH\underset{3}{-}\overset{O}{\overset{\|}{C}}-CH_2\overset{2}{-}\overset{O}{\overset{\|}{\underset{1}{C}}}{-}H
$$
$$
\underset{6\quad\;5}{CH_2-CH_2-CH_3}
$$

Procédure:

A. fonctions et insaturation: *cétone, aldéhyde et alcène*

B. priorité: *aldéhyde*

C. chaîne carbonée la plus longue portant la fonction aldéhyde et le maximum d'insaturations: *6 carbones (encadrés)*

D. nom de base: *hexénal*

E. le plus petit indice à la fonction prioritaire: **l'aldéhyde** *est en position 1*

F. substituant et fonction secondaire: $CH_2{-}CH_2{-}CH_3$ et $-\overset{O}{\overset{\|}{C}}-$

G. et H. ne s'appliquent pas

I. identification du substituant et de la fonction secondaire: *propyle* et *oxo*

J. nom global: **3-oxo-4-propylhex-5-énal**

Remarquer: a) l'usage de **oxo** comme préfixe pour identifier la cétone;

b) le choix de la chaîne carbonée la plus longue contenant le maximum d'insaturations.

Exemple 4

$$\underset{6}{CH_3}-\underset{5}{\overset{\overset{\displaystyle 1\quad 2}{}}{CH}}-\underset{}{\overset{\overset{\displaystyle O}{\|}}{\underset{3}{C}}}-\underset{3}{CH_2}-\underset{}{\overset{\overset{\displaystyle O}{\|}}{\underset{2}{C}}}-\underset{1}{CH_3}$$

$$\overset{|}{\underset{4}{CH_3}}$$

La **répétition** d'une fonction s'exprime par les préfixes multiplicatifs devant la terminaison, comme: dial, dione, dioïque, etc.

Procédure:

A. fonctions: *deux cétones*
B. priorité: *cétone*
C. chaîne carbonée la plus longue portant les fonctions cétones:
  6 carbones (encadrés)
D. nom de base: *hexanedione*
E. le plus petit indice à la fonction prioritaire:
  a. de gauche à droite: **cétones** *en 3 et 5*
  b. de droite à gauche: **cétones** *en 2 et 4* **(bon choix)**
F. substituant: CH_3
G. et H. ne s'appliquent pas
 I. identification du substituant: *méthyle*
J. nom global: **5-méthylhexane-2,4-dione**

Exemple 5

$$\underset{}{CH_3}-\overset{5}{\underset{}{CH}}-\overset{6}{\underset{}{\overset{\overset{\displaystyle OH}{|}}{CH}}}-\overset{7}{\underset{}{CH_3}}$$

$$\underset{4}{CH_2}-\underset{3}{CH_2}-\underset{2}{CH_2}-\underset{1}{\overset{\overset{\displaystyle O}{\|}}{C}}-OH$$

Procédure:

A. fonctions: *alcool et acide carboxylique*
B. priorité: *acide carboxylique*
C. chaîne carbonée la plus longue contenant les deux fonctions:
  7 carbones (encadrés)
D. nom de base: *acide heptanoïque*
E. le plus petit indice à la fonction prioritaire: **l'acide carboxylique** *est en position* **1**
F. substituant et fonction secondaire: CH_3 et OH
G. et H. ne s'appliquent pas
 I. identification du substituant et de la fonction secondaire: *méthyle et hydroxy*
J. nom global: **acide 6-hydroxy-5-méthylheptanoïque**

---

(1) Nommer les composés suivants:

a) $CH_3-\overset{\overset{\displaystyle O}{\|}}{C}-CH_2-CH_2-Cl$

b) $CH_3-\overset{\overset{\displaystyle O}{\|}}{C}-CH_2-CO_2H$

c)

d) $CH_3-\overset{\overset{\displaystyle OH}{|}}{CH}-\overset{\overset{\displaystyle O}{\|}}{C}-CH_3$

Les noms systématiques des **acides carboxyliques** peuvent être remplacés par d'autres noms ayant des origines diverses: latine, grecque, etc. Le tableau 9.4 en présente quelques-uns.

Tableau 9.4 Exemples de noms courants et de noms systématiques d'acides carboxyliques.

Formule	Nom systématique	Nom courant
$H-CO_2H$	méthanoïque*	formique
CH_3-CO_2H	éthanoïque*	acétique
$CH_3-CH_2-CO_2H$	propanoïque	propionique**
$CH_3-[CH_2]_2-CO_2H$	butanoïque	butyrique**
$CH_3-[CH_2]_3-CO_2H$	pentanoïque	valérique***
$CH_3-[CH_2]_4-CO_2H$	hexanoïque	caproïque***
$CH_3-[CH_2]_6-CO_2H$	octanoïque	caprylique***
$CH_3-[CH_2]_8-CO_2H$	décanoïque	caprique***
$CH_3-[CH_2]_{10}-CO_2H$	dodécanoïque	laurique***
$CH_3-[CH_2]_{12}-CO_2H$	tétradécanoïque	myristique***
$CH_3-[CH_2]_{14}-CO_2H$	hexadécanoïque	palmitique**
$CH_3-[CH_2]_{16}-CO_2H$	octadécanoïque	stéarique**
$CH_2=CH-CO_2H$	propénoïque	acrylique
HO_2C-CO_2H	éthanedioïque*	oxalique
$HO_2C-CH_2-CO_2H$	propanedioïque*	malonique
$HO_2C-[CH_2]_2-CO_2H$	butanedioïque*	succinique
$HO_2C-[CH_2]_3-CO_2H$	pentanedioïque	glutarique**
$HO_2C-[CH_2]_4-CO_2H$	hexanedioïque	adipique**
$HO_2C-[CH_2]_5-CO_2H$	heptanedioïque	pimélique***

   * Peu utilisé.
  ** N'utiliser que s'il n'est pas substitué.
*** Ancien nom, encore parfois utilisé.

Parmi la liste des acides du tableau 9.4, seul le nom courant des acides acétique, acrylique, malonique et succinique peut être utilisé avec un substituant. Par exemple, on peut dire **acide chloroacétique**, mais on ne peut pas dire **acide 2-chlorobutyrique**. Il faut nommer ce dernier acide selon la nomenclature systématique: **acide 2-chlorobutanoïque**.

Le nom courant d'un acide carboxylique permet de nommer quelques aldéhydes communs en changeant simplement le suffixe «ique» par «aldéhyde». Ainsi l'usage permet de retenir les noms **formaldéhyde**, **acétaldéhyde**, **propionaldéhyde** et **butyraldéhyde**. Seul l'acétaldéhyde est retenu s'il y a substitution. Pour les aldéhydes de cinq carbones ou plus, le nom systématique est de rigueur. En voici quelques exemples:

$$CH_3-CH_2-CH_2-C \equiv CH$$

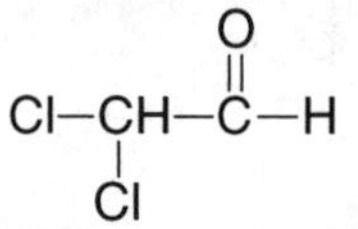

dichloroacétaldéhyde 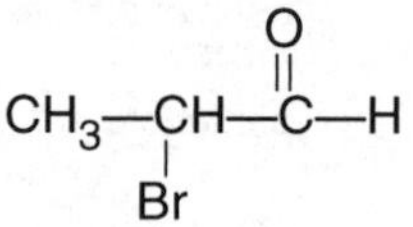   2-bromopropanal   pentanal
                    (et **non** 2-bromopropionaldéhyde)   (et **non** valéraldéhyde)

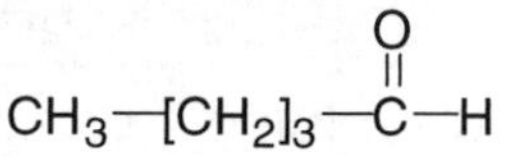

9.4.2 Les esters

Le nom systématique d'un ester simple, RCOOR', est formé du nom de l'acide carboxylique correspondant en remplaçant la terminaison **oïque** par **oate** ou le suffixe **ique** par **ate** et en ajoutant le nom du groupe alkyle R' approprié. Le point d'attache du groupe alkyle à l'oxygène est précisé par le plus petit indice de position possible. Voici quelques exemples d'application de ces règles:

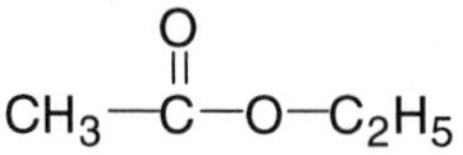

éthanoate d'éthyle   propanoate d'éthyle   benzoate
ou acétate d'éthyle   ou propionate d'éthyle   de méthyle

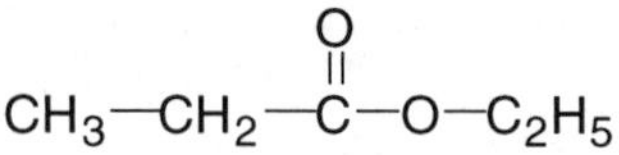

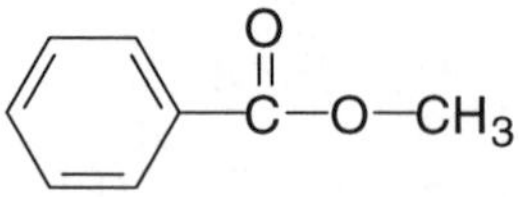

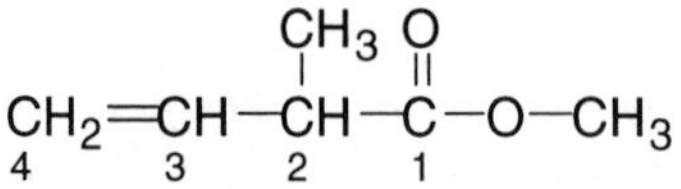

2-méthylbut-3-énoate de méthyle 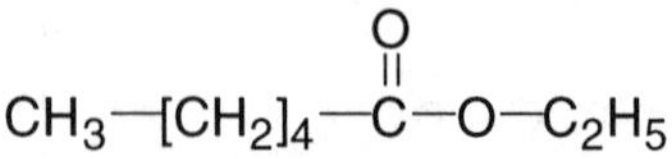   hexanoate d'éthyle

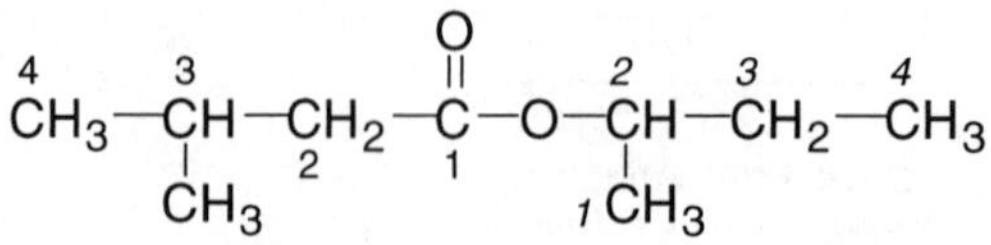

3-méthylbutanoate de 2-butyle

Exemple détaillé

$$\underset{4}{CH_2}=\underset{3}{CH}-\underset{2}{\underset{|}{\underset{CH_3}{CH}}}-\underset{1}{\overset{\overset{O}{\|}}{C}}\boxed{}O-\underset{|}{\underset{CH_3}{CH}}-CH_3$$

Procédure:

A. fonction et insaturation: *ester et alcène*

B. priorité: *ester*

C. chaîne carbonée la plus longue contenant l'ester et le maximum d'insaturations: *4 carbones (encadrés)*

D. nom de base: *buténoate*

E. le plus petit indice à la fonction prioritaire: *l'ester est en position 1*

F. substituant et alkyle sur l'ester: CH$_3$ et $\underset{|}{\underset{CH_3}{CH}}-CH_3$

G. et H. ne s'appliquent pas

I. identification du substituant et de l'alkyle: *méthyle et isopropyle*

J. nom global: **2-méthylbut-3-énoate d'isopropyle**

---

2 Nommer les composés suivants selon les règles de nomenclature systématique.

a) $CH_3-\underset{|}{\underset{CH_3}{CH}}-\overset{\overset{O}{\|}}{C}-O-CH_3$

c) $CH_3-\underset{|}{\underset{CH_3}{CH}}-O-\overset{\overset{O}{\|}}{C}-C_6H_5$

b) $CH_3-\underset{\underset{CH_3}{\underset{|}{C}}\diagdown CH_3}{\overset{|}{C}}-CH_2-CH=CH-COOC_2H_5$

d) aromatique $-\overset{\overset{O}{\|}}{C}-O-CH_2-CH_3$ avec OH

Les **sels** d'acides carboxyliques se nomment comme les esters (terminaisons **oate** ou **ate**) mais en remplaçant le nom de l'alkyle de l'ester par le nom du cation.

$CH_3-\overset{\overset{O}{\|}}{C}-O^-\ Na^+$

éthanoate de sodium
ou acétate de sodium

$CH_3-\overset{\overset{O}{\|}}{C}-O^-\ NH_4^+$

éthanoate d'ammonium
ou acétate d'ammonium

$CH_3-CH_2-\overset{\overset{O}{\|}}{C}-O^-\ K^+$

propanoate de potassium
ou propionate de potassium

9.4.3 *Les halogénures d'acides (d'acyles)*

Les halogénures dérivés de la substitution du OH de la fonction acide, COOH, sont appelés halogénures d'acyles. Lorsque l'halogène est un chlore, on parle d'un chlorure d'acyle. La discussion est limitée ici aux chlorures d'acides (d'acyles). Le nom est formé en utilisant le nom du groupe acyle et en le faisant précéder de celui de l'halogène. Le nom du groupe acyle est obtenu en changeant la terminaison **oïque** de l'acide correspondant en **oyle**. Il existe cependant quelques exceptions où l'on change **ique** en **yle**; c'est le cas des acides dont le nom courant est conservé; en voici quelques exemples:

$$H-\overset{\overset{\displaystyle O}{\|}}{C}-Cl \qquad CH_3-\overset{\overset{\displaystyle O}{\|}}{C}-Cl \qquad \langle\!\!\!\!\bigcirc\!\!\!\!\rangle-\overset{\overset{\displaystyle O}{\|}}{C}-Cl$$

chlorure de méthanoyle   chlorure d'éthanoyle
ou chlorure de formyle   ou chlorure d'acétyle   chlorure de benzoyle

$$CH_2{=}CH-\overset{\overset{\displaystyle CH_3}{|}}{CH}-\overset{\overset{\displaystyle O}{\|}}{C}-Cl$$

chlorure de 2-méthylbut-3-énoyle

9.4.4 *Les anhydrides (d'acides)*

On nomme les anhydrides simples en remplaçant le mot acide par anhydride dans le nom d'un acide carboxylique; en voici quelques exemples:

$$CH_3-\overset{\overset{\displaystyle O}{\|}}{C}-O-\overset{\overset{\displaystyle O}{\|}}{C}-CH_3 \qquad\qquad H-\overset{\overset{\displaystyle O}{\|}}{C}-O-\overset{\overset{\displaystyle O}{\|}}{C}-H$$

anhydride acétique   anhydride formique

$$\langle\!\!\!\!\bigcirc\!\!\!\!\rangle-\overset{\overset{\displaystyle O}{\|}}{C}-O-\overset{\overset{\displaystyle O}{\|}}{C}-\langle\!\!\!\!\bigcirc\!\!\!\!\rangle$$

anhydride benzoïque

Il existe également des anhydrides mixtes. Par exemple:

$$CH_3-\overset{\overset{\displaystyle O}{\|}}{C}-O-\overset{\overset{\displaystyle O}{\|}}{C}-CH_2CH_3 \qquad \langle\!\!\!\!\bigcirc\!\!\!\!\rangle-\overset{\overset{\displaystyle O}{\|}}{C}-O-\overset{\overset{\displaystyle O}{\|}}{C}-H$$

anhydride **a**cétique et **p**ropionique   anhydride **b**enzoïque et **f**ormique
(ordre alphabétique)   (ordre alphabétique)

9.4.5 *Les amides*

Le nom d'un amide ressemble à celui de l'acide carboxylique dont il découle. Il existe plusieurs façons de nommer les amides, en voici deux:

a) on utilise le suffixe **amide** accolé au nom de l'hydrocarbure de base en élidant la lettre **e** finale de ce dernier.

$$H-\overset{\overset{\displaystyle O}{\|}}{C}-NH_2 \qquad CH_3-\overset{\overset{\displaystyle O}{\|}}{C}-NH_2 \qquad CH_3-CH_2-\overset{\overset{\displaystyle O}{\|}}{C}-NH_2$$

méthanamide éthanamide propanamide

$$CH_2=CH-CH_2-\overset{\overset{\displaystyle O}{\|}}{C}-NH_2$$

but-3-énamide

b) dans les noms d'usage courant des acides carboxyliques, on change la terminaison **ique** en **amide**.

$$H-\overset{\overset{\displaystyle O}{\|}}{C}-NH_2 \qquad CH_3-\overset{\overset{\displaystyle O}{\|}}{C}-NH_2 \qquad CH_3-CH_2-\overset{\overset{\displaystyle O}{\|}}{C}-NH_2$$

formamide acétamide propionamide

$$\bigcirc\!\!-\overset{\overset{\displaystyle O}{\|}}{C}-NH_2$$

benzamide

Il existe aussi des amides substitués sur l'atome d'azote; le symbole *N* indique la position du groupe alkyle.

$$H-\overset{\overset{\displaystyle O}{\|}}{C}-N(CH_3)_2 \qquad CH_3-\overset{\overset{\displaystyle O}{\|}}{C}-\overset{\overset{\displaystyle CH_3}{|}}{N}-C_2H_5$$

N,N-diméthylméthanamide *N*-éthyl-*N*-méthyléthanamide
ou *N,N*-diméthylformamide ou *N*-éthyl-*N*-méthylacétamide

③ Nommer les composés suivants:

a) $Cl-CH_2-\overset{\overset{\displaystyle O}{\|}}{C}-NH_2$

b) $CH_2=\overset{\overset{\displaystyle CH_3}{|}}{C}-\overset{\overset{\displaystyle O}{\|}}{C}-NH_2$

c) $CH_3-CH_2-\overset{\overset{\displaystyle CH_3}{|}}{\underset{\underset{\displaystyle O}{\|}}{N}}-\overset{\overset{\displaystyle CH_3}{|}}{C}-CH-CH_3$

d) $HC\equiv C-\overset{\overset{\displaystyle CH_3}{|}}{CH}-CH_2-\overset{\overset{\displaystyle O}{\|}}{C}-NH_2$

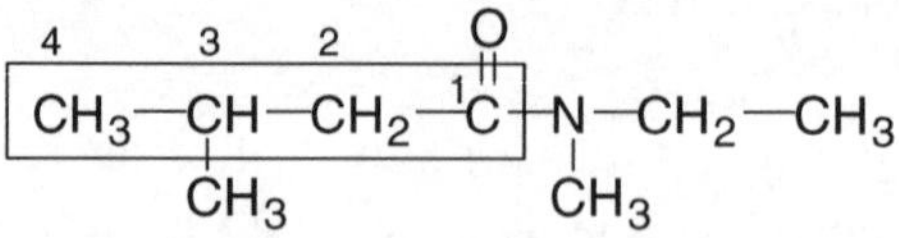

$$\underset{CH_3}{\overset{4}{C}H_3}\underset{CH_3}{\overset{3}{-}CH}\underset{}{\overset{2}{-}CH_2}\overset{O}{\overset{1}{\underset{}{-C}}}\underset{CH_3}{-N-CH_2-CH_3}$$

N-éthyl-*N*-méthyl-3-méthylbutanamide

9.4.6 *Les nitriles*

Les nitriles peuvent se nommer de quatre façons différentes: a) et b) suivent les règles de l'UICPA alors que c) et d) concernent un nom courant:

a) en ajoutant la terminaison **nitrile** à l'hydrocarbure correspondant;

ex.: $CH_3-CH_2-CH_2-CN$ 4 carbones, donc butanenitrile

b) le préfixe **cyano** est utilisé lorsque le nitrile n'est pas la fonction prioritaire;

ex.: $\underset{CN}{\overset{5}{C}H_3-\overset{4}{C}H-\overset{3}{C}H_2-\overset{2}{C}H_2-\overset{1}{C}O_2H}$

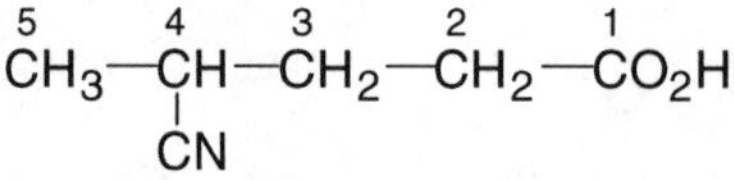

acide 4-cyanopentanoïque   (priorité à l'acide carboxylique)

c) en remplaçant la terminaison **ique** des acides correspondants par **onitrile**;

ex.: CH_3-CN $CH_3-CH_2-CH_2-CN$
      acétonitrile   butyronitrile

d) pour les nitriles simples, l'expression **cyanure d'alkyle** peut être utilisée.

ex.: CH_3-CN
      cyanure de méthyle

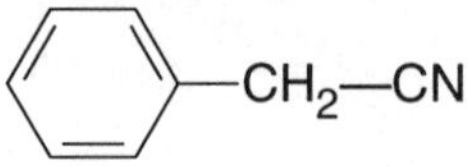

cyanure de benzyle

---

4 Nommer les composés suivants:

a) 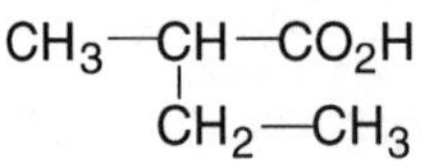 $\underset{CH_2-CH_3}{CH_3-CH-CO_2H}$

b) 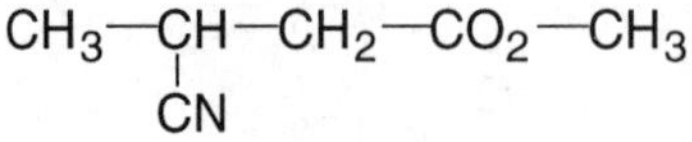 $\underset{CN}{CH_3-CH-CH_2-CO_2-CH_3}$

c) 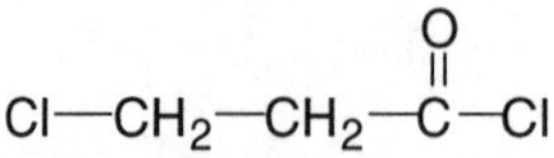 $Cl-CH_2-CH_2-\overset{O}{\overset{\|}{C}}-Cl$

d)

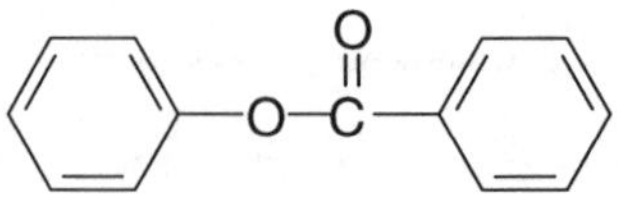

e)

$*$

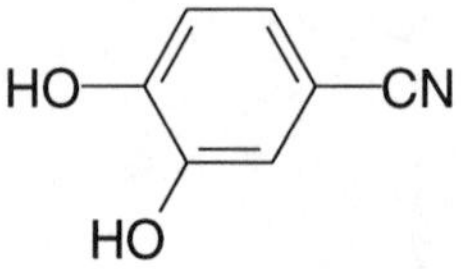

EXERCICES 9

9.1 Présentation

1. Nommer trois dérivés d'un acide carboxylique.

2. Donner un exemple:

   a) d'aldéhyde aromatique,

   b) d'ester acyclique,

   c) d'anhydride symétrique.

9.2 Le groupe carbonyle

1. Indiquer le comportement des substances suivantes face à une addition ou à une substitution nucléophile.

   a) 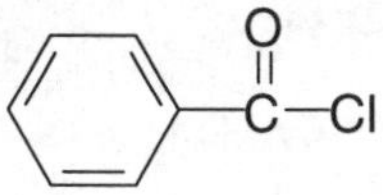 $\langle\!\!\langle\rangle\!\!\rangle$ $-\overset{\displaystyle O}{\overset{\|}{C}}-Cl$

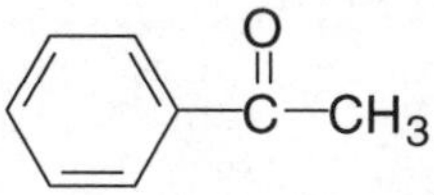

   b) 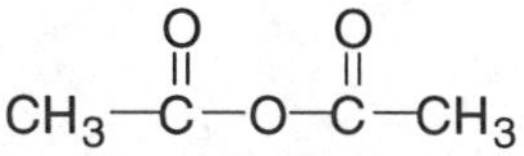 $CH_3-\overset{\displaystyle O}{\overset{\|}{C}}-O-\overset{\displaystyle O}{\overset{\|}{C}}-CH_3$

   c) $\langle\!\!\langle\rangle\!\!\rangle$ $-\overset{\displaystyle O}{\overset{\|}{C}}-CH_3$

   d) 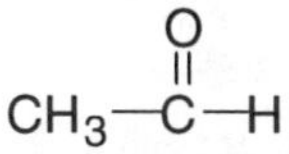 $CH_3-\overset{\displaystyle O}{\overset{\|}{C}}-H$

2. Dans chacune des paires de composés suivantes, quel composé subirait une substitution nucléophile le plus facilement? (Justifier).

   a) 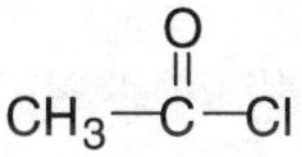 $CH_3-\overset{\displaystyle O}{\overset{\|}{C}}-Cl$ et $CH_3-\overset{\displaystyle O}{\overset{\|}{C}}-OH$

   b) $CH_3-\overset{\displaystyle O}{\overset{\|}{C}}-O-CH_3$ et $CH_3-\overset{\displaystyle O}{\overset{\|}{C}}-O-\overset{\displaystyle O}{\overset{\|}{C}}-CH_3$

   c) $CH_3-\overset{\displaystyle O}{\overset{\|}{C}}-CH_3$ et $CH_3-\overset{\displaystyle O}{\overset{\|}{C}}-O-CH_3$

   d) $CH_3-\overset{\displaystyle O}{\overset{\|}{C}}-NH_2$ et $CH_3-\overset{\displaystyle O}{\overset{\|}{C}}-Cl$

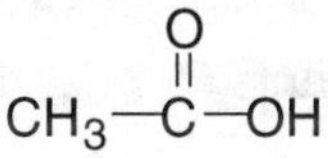

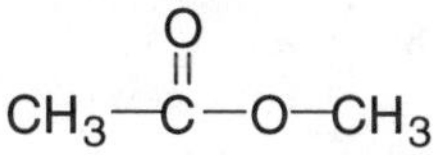

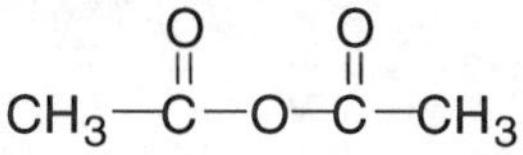

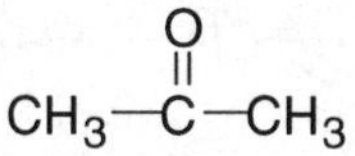

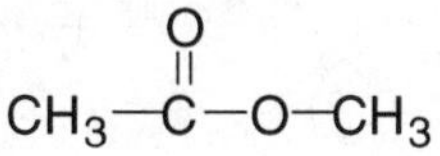

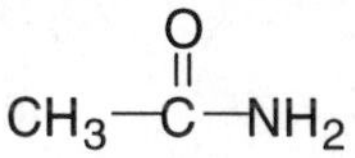

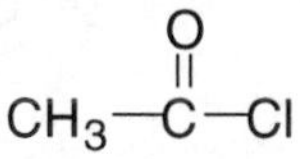

9.3 État naturel

1. Quel acide carboxylique y a-t-il dans le vinaigre?

2. Nommer deux fonctions oxygénées présentes dans la structure de la testostérone?

3. Quelle est la fonction oxygénée insaturée du fructose?

4. Pourquoi les chlorures d'acides et les anhydrides ne sont-ils pas présents dans la nature?

5. Quel est le groupement fonctionnel présent dans les huiles végétales?

9.4 Nomenclature des composés carbonylés

1. Indiquer à quelle classe fonctionnelle appartiennent les composés suivants:

$$a) \quad H-\overset{\overset{\displaystyle O}{\|}}{C}-NH_2$$

$$b) \quad C_6H_5-CN$$

$$c) \quad CH_3-\overset{\overset{\displaystyle O}{\|}}{C}-\overset{\overset{\displaystyle O}{\|}}{C}-CH_3$$

$$d) \quad (CH_3CO)_2O$$

$$e) \quad CH_3-\underset{\underset{\displaystyle NH_2}{|}}{CH}-CO_2H$$

$$f) \quad CH_2=CH-CO_2H$$

$$g) \quad CH_3-\overset{\overset{\displaystyle O}{\|}}{C}-Cl$$

$$h) \quad \langle\!\!\!\bigcirc\!\!\!\rangle-CO_2CH_3$$

$$i) \quad \langle\!\!\!\bigcirc\!\!\!\rangle{=}O$$

$$j) \quad CH_3-CH_2-CO_2^-\ K^+$$

2. Nommer les composés suivants (donner deux noms pour g, l et o):

$$a) \quad CH_3-CH_2-CH_2-\overset{\overset{\displaystyle O}{\|}}{C}-CH_3$$

$$b) \quad CCl_3-CO_2H$$

$$c) \quad \langle\!\!\!\bigcirc\!\!\!\rangle-CO_2H$$

$$d) \quad \langle\!\!\!\bigcirc\!\!\!\rangle-\overset{\overset{\displaystyle O}{\|}}{C}-Cl$$

$$e) \quad (CH_3CO)_2O$$

$$f) \quad (CH_3)_2-CH-\underset{\underset{\displaystyle OH}{|}}{CH}-\overset{\overset{\displaystyle O}{\|}}{C}-H$$

$$g) \quad CH_3-CH_2-CH_2-CO_2H$$

$$h) \quad CH_3-O-\overset{\overset{\displaystyle O}{\|}}{C}-CH_2-CH_3$$

2. (suite)

i) $H-\overset{\overset{\displaystyle O}{\|}}{C}-CH_2-CH_2-\overset{\overset{\displaystyle O}{\|}}{C}-H$

j) $CH_3-CH=CH-CO_2H$

k) $\text{C}_6\text{H}_5-CO_2^- \ K^+$

l) CH_3-CH_2-CN

m) $CH_3-[CH_2]_3-CH_2-\overset{\overset{\displaystyle O}{\|}}{C}-NH_2$

n) $CH_3-\overset{\overset{\displaystyle Cl}{|}}{C}H-\overset{\overset{\displaystyle CH_3}{|}}{C}H-\overset{\overset{\displaystyle O}{\|}}{C}-NH-CH_3$

o) $H-\overset{\overset{\displaystyle O}{\|}}{C}-NH_2$

p) $CH_3-\overset{\overset{\displaystyle NH_2}{|}}{C}H-CO_2H$

q) $C_6H_5-O-\overset{\overset{\displaystyle O}{\|}}{C}-CH_3$

r) $CH_3-\overset{\overset{\displaystyle O}{\|}}{C}-\overset{\overset{\displaystyle O}{\|}}{C}-CH_3$

s) $HOOC-COOH$

t) (cyclohexénone)

u) (benzène substitué $-CN$ et OCH_3)

v) $CH_3-CH_2-\overset{\overset{\displaystyle O}{\|}}{C}-NH-C_6H_5$

w) $H_3C-\text{C}_6\text{H}_4-\overset{\overset{\displaystyle O}{\|}}{C}-CH_3$

x) $(CH_3)_2-C=CH-\overset{\overset{\displaystyle Cl}{|}}{C}H-CO_2H$

y) $HOOC-\overset{\overset{\displaystyle CH_3}{|}}{C}H-COOH$

z) $HOOC-[CH_2]_4-COOH$

3. Écrire la formule semi-développée des composés suivants:

a) 2-bromopropanal

b) butyraldéhyde

c) cyanure d'isopropyle

d) acide but-3-énoïque

e) 2-méthylpropanoate de sodium

f) 2,3-diméthylheptanal

g) 3-méthylcyclohex-3-én-1-one

h) *N,N*-diméthylpropanamide

i) 4,6-dichlorononanenitrile

j) acide butyrique

k) acide succinique

l) chlorure de butanoyle

m) anhydride cyclohexylacétique

n) *N*-phényl-3-méthylpentanamide

o) 3-oxopentanal

p) acide 3-amino-2-méthylbutanoïque

q) acide 4-méthoxybut-2-énoïque

r) chlorure de benzoyle

s) benzamide

t) acétophénone

3. (suite)

u) benzoate d'isopropyle   x) cyclohexane-1,4-dione

v) acétate de sodium   y) acétone

w) formamide   z) acide chloroacétique

4. Compléter le tableau suivant:

Nom	Formule
a)	a) acide palmitique
b) 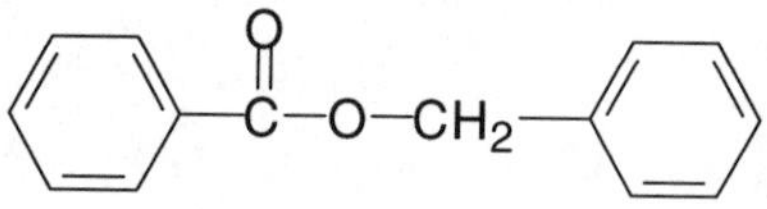	b)
c) 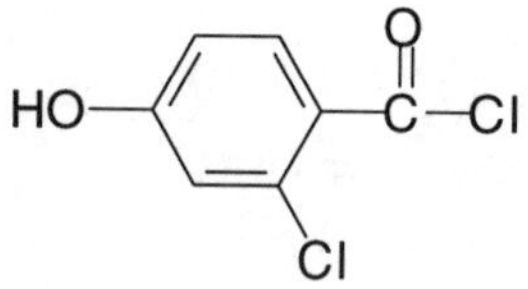 HO— ... —$\overset{O}{\overset{\|}{C}}$—Cl, Cl	c)
d) 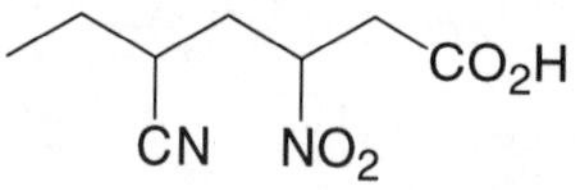 ...—CH—...—CH—CO$_2$H, CN NO$_2$	d)
e) 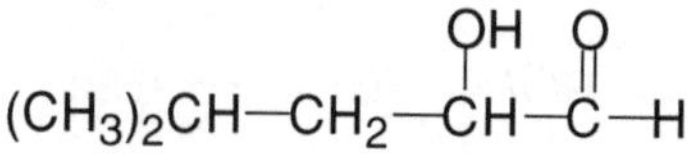 (CH$_3$)$_2$CH—CH$_2$—$\overset{OH}{\overset{\|}{CH}}$—$\overset{O}{\overset{\|}{C}}$—H	e)
f) 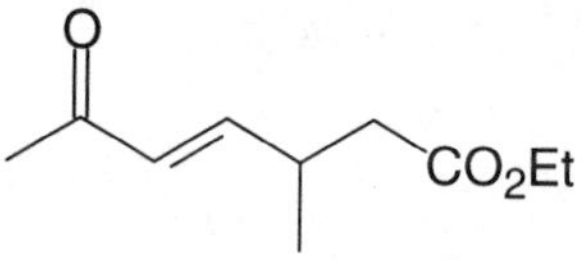 CO$_2$Et	f)
g)	g) succinate de sodium
h)	h) acide 2-oxopropanoïque (acide pyruvique)

—————— ✳ ——————

LES ALDÉHYDES ET LES CÉTONES

10

Sommaire

(suite page suivante...)

Sommaire (suite)

Mots / concepts clés

• aldéhyde, cétone
• oxydation, réduction
• carbonyle
• décarboxylation
• cétone symétrique
• acylation, alkylation
• carbone α
• addition nucléophile
• cyanhydrine
• acétylure
• diol géminal
• hémiacétal
• protection d'un carbonyle

• dismutation
• disponibilité d'un H situé en position α
• cétol, aldol
• condensation aldolique, cétolique
• carbonyles α,β-insaturé
• liqueur de Fehling
• réactif de Tollens
• test iodoforme
• dérivés des aldéhydes, des cétones
• oxime, phénylhydrazone, semicarbazone
• spectre infrarouge
• vibrations d'élongation, de déformation
• pic d'absorption de lumière IR

Objectifs spécifiques

Vous devez être capable de ...

• décrire les méthodes de synthèse des aldéhydes et des cétones;
• décrire les méthodes de synthèses spécifiques aux aldéhydes, aux cétones;
• décrire les réactions des aldéhydes et des cétones;
• décrire les réactions spécifiques des aldéhydes, des cétones;
• écrire les produits d'oxydation des aldéhydes et des cétones;
• connaître l'utilité des réactifs de Fehling, de Tollens et du test iodoforme;
• savoir exploiter la formation de dérivés azotés des aldéhydes et des cétones;
• décrire l'utilisation de la lumière infrarouge comme moyen d'identification non destructif des aldéhydes et des cétones;
• connaître les principaux pics d'absorption en IR des aldéhydes et des cétones;
• relier, par des réactions chimiques, les aldéhydes et les cétones aux autres fonctions déjà étudiées;
• définir et expliquer les mots / concepts clés.

Synthèse des aldéhydes et des cétones

Ces composés oxygénés insaturés simples peuvent être obtenus aussi bien à partir d'autres substances oxygénées comme les alcools, les acides carboxyliques ou les chlorures d'acides, qu'à partir d'autres fonctions insaturées comme les alcènes, les alcynes et les nitriles. Ils sont souvent obtenus au moyen de réactions d'oxydation; c'est le cas, par exemple, des alcools.

À noter qu'il y a des méthodes de synthèses spécifiques pour les aldéhydes et d'autres pour les cétones; certaines s'appliquent aux deux fonctions.

La vanilline, un exemple d'aldéhyde familier.

La vanilline, à l'état pur, est un solide blanc que l'on peut isoler des gousses ou fruits du vanillier. Le vanillier est une liane d'Amérique et d'Afrique. Cette substance odorante bien connue est utilisée en parfumerie et en confiserie. L'essence de vanille couramment utilisée est une solution aqueuse de vanilline contenant de l'éthanol. Autrefois extraite de la gousse du vanillier, la vanilline est aujourd'hui synthétisée à partir de l'eugénol, du guaiacol ou à partir de lignosulfonates (résidus dans le procédé au sulfite de la fabrication du papier) issus de la lignine du bois.

vanilline
F 80-81 °C

eugénol

guaiacol

10.1 À partir de fonctions simples

Les quatre synthèses qui suivent ont déjà été présentées dans les chapitres 5, 7 et 8.

10.1.1 À partir d'un alcool

L'oxydation d'un alcool primaire ou secondaire est un excellent moyen d'obtenir un carbonyle (voir section 8.8). L'alcool secondaire fournit toujours une cétone alors que l'alcool primaire donne un aldéhyde seulement avec un réactif très spécifique. En voici quelques exemples:

cyclohexanol → (KMnO₄) → cyclohexanone

acétaldéhyde (un aldéhyde) ← Cu Δ 350°C ← éthanol (alcool primaire) → KMnO₄ → acide acétique (un acide carboxylique)

L'oxydation des alcools primaires, avec les réactifs habituels comme $KMnO_4$ ou $K_2Cr_2O_7$, produit des acides carboxyliques. Pour obtenir l'aldéhyde, il faut un réactif moins puissant comme le cuivre chauffé au rouge.

10.1.2 À partir d'un alcène

La rupture d'un alcène au niveau de la liaison double peut former des aldéhydes et/ou des cétones selon la nature de l'alcène, la nature du réactif et selon les conditions expérimentales (section 5.10.2). L'oxydation d'un alcène par ozonolyse peut être utile, autant pour obtenir une cétone qu'un aldéhyde; cependant, un oxydant comme le permanganate de potassium ne peut servir que pour la synthèse d'une cétone. Cet agent oxydant produit un acide (au lieu d'un aldéhyde, c'est le cas dans l'exemple suivant), en même temps qu'une cétone.

10.1.3 À partir d'un alcyne

C'est par l'addition d'eau qu'un alcyne peut être transformé en carbonyle (voir section 5.11.1). À part l'acétylène, qui produit l'acétaldéhyde, tous les autres alcynes conduisent à la formation d'une cétone, comme dans l'exemple suivant:

but-1-yne → (H_2O, H_2SO_4, $HgSO_4$) → butanone

0.1.4 *À partir d'un nitrile*

L'addition d'un réactif de Grignard sur un nitrile produit une cétone, après hydrolyse (section 7.8). Cette méthode est exclusive aux cétones, i.e. qu'elle ne permet pas d'obtenir un aldéhyde.

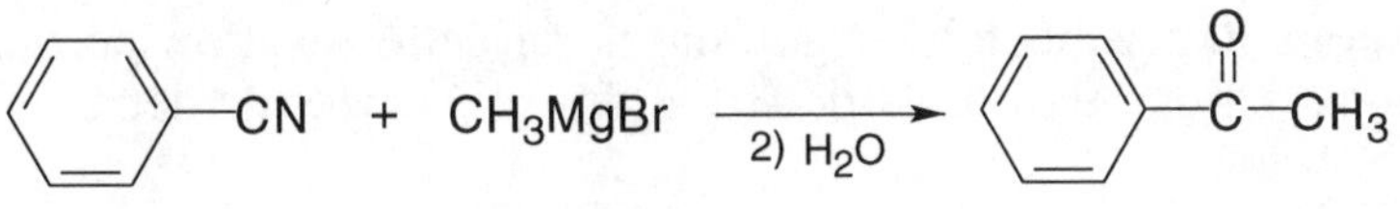

10.2 *À partir d'un acide carboxylique*

0.2.1 *Par addition d'un organolithien*

Le puissant caractère basique et nucléophile des organolithiens permet, dans un premier temps, de produire un anion carboxylate; ce dernier subit, par la suite, **l'addition nucléophile** d'une deuxième molécule d'organométallique:

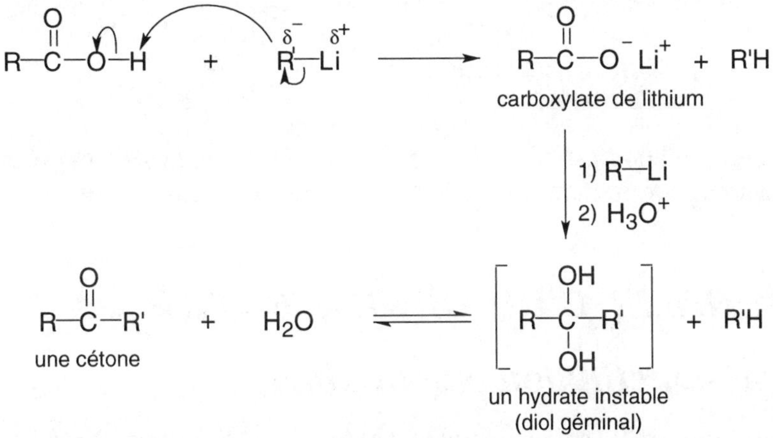

Donc, la synthèse d'une mole de cétone requiert deux moles d'organolithien pour compléter l'addition. Après hydrolyse en milieu acide, l'hydrate formé est en équilibre avec la cétone correspondante (produit majeur de l'équilibre). En voici un cas particulier:

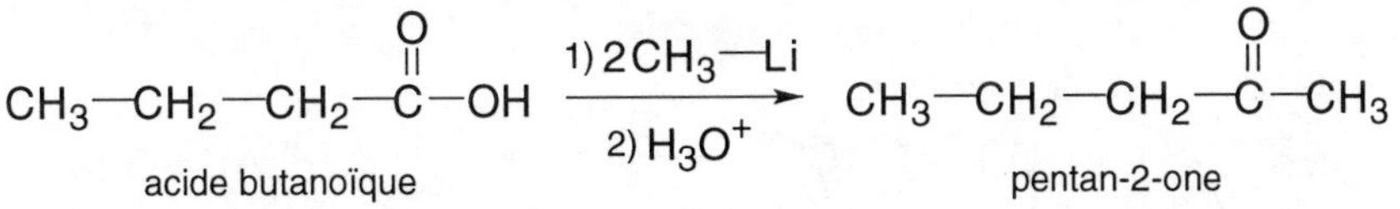

Avec les organolithiens aromatiques, les réactions sont beaucoup plus lentes (24 heures avec le phényllithium).

10.2.2 *Par pyrolyse*

En présence d'oxyde de manganèse (II), le chauffage (300-350 °C) d'un acide carboxylique permet d'obtenir une cétone; un aldéhyde est obtenu si l'acide formique est utilisé avec un autre acide carboxylique. Les conditions expérimentales rigoureuses de cette réaction permettent la décarboxylation et la déshydratation des substances de départ. En voici deux exemples:

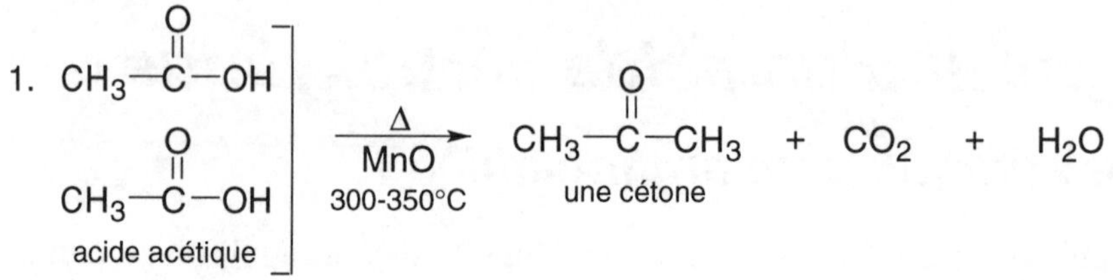

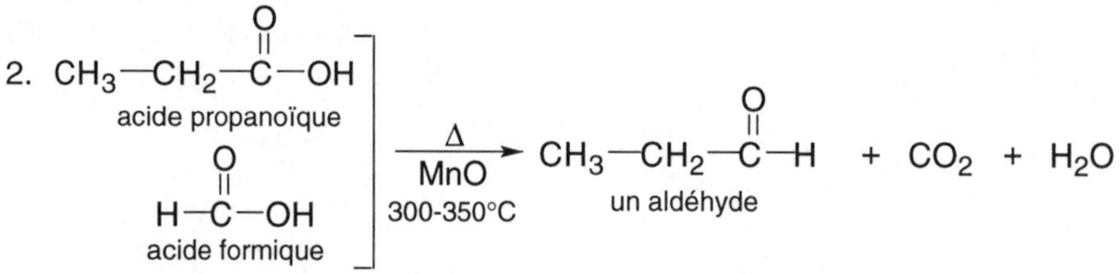

1. $CH_3-\overset{\overset{\displaystyle O}{\|}}{C}-OH$
    $CH_3-\overset{\overset{\displaystyle O}{\|}}{C}-OH$
    acide acétique
    $\xrightarrow[\substack{MnO \\ 300-350°C}]{\Delta}$
    $CH_3-\overset{\overset{\displaystyle O}{\|}}{C}-CH_3$ + CO_2 + H_2O
    une cétone

2. $CH_3-CH_2-\overset{\overset{\displaystyle O}{\|}}{C}-OH$
    acide propanoïque
    $H-\overset{\overset{\displaystyle O}{\|}}{C}-OH$
    acide formique
    $\xrightarrow[\substack{MnO \\ 300-350°C}]{\Delta}$
    $CH_3-CH_2-\overset{\overset{\displaystyle O}{\|}}{C}-H$ + CO_2 + H_2O
    un aldéhyde

Cette méthode est surtout utile pour obtenir une cétone **symétrique** ou encore pour préparer un aldéhyde, en utilisant l'acide formique.

10.3 À partir d'un chlorure d'acide

10.3.1 Par substitution électrophile

Les chlorures d'acides peuvent produire des réactions d'acylation sur le cycle benzénique par substitution électrophile (il en a déjà été question à la section 6.2.1). À la manière des réactions d'alkylation (Friedel-Crafts), l'acylation se réalise en présence d'un acide de Lewis tel $AlCl_3$. En voici un exemple:

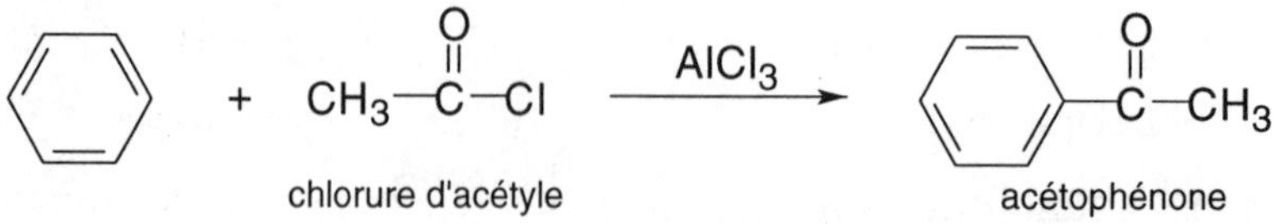

$$\text{C}_6\text{H}_6 \;+\; CH_3-\overset{\overset{\displaystyle O}{\|}}{C}-Cl \;\xrightarrow{AlCl_3}\; \text{C}_6\text{H}_5-\overset{\overset{\displaystyle O}{\|}}{C}-CH_3$$

chlorure d'acétyle   acétophénone

10.3.2 *Par hydrogénation catalytique* (réaction de Rosenmund)

Les chlorures d'acides peuvent devenir de bons précurseurs pour les aldéhydes puisque leur hydrogénation, en présence de palladium, permet la libération de chlorure d'hydrogène gazeux, HCl. On ajoute parfois du soufre pour «empoisonner» le catalyseur; cela empêche la réduction subséquente de l'aldéhyde formé.

$$CH_3-CH_2-\overset{\overset{\displaystyle O}{\|}}{C}-Cl \xrightarrow[Pd(S)]{H_2} CH_3-CH_2-\overset{\overset{\displaystyle O}{\|}}{C}-H \ + \ HCl$$

---

1. Compléter les réactions suivantes:

   a) benzonitrile + bromure de phénylmagnésium $\xrightarrow[2) H_2O]{}$

   b) chlorure de benzoyle $\xrightarrow[Pd(S)]{H_2}$

   c) acide butanoïque $\xrightarrow[MnO]{\Delta}$

   d) acide benzoïque $\xrightarrow[2) H_3O^+]{1) 2CH_3-Li}$

   e) $CH_3-CH=C(CH_3)_2 \xrightarrow[2) H_2O, Zn]{1) O_3}$

   f) acétylène $\xrightarrow[\substack{H_2SO_4 \\ HgSO_4}]{H_2O}$

2. Donner une synthèse de la pentan-3-one à partir de l'éthanol (seul composé organique).

Réactivité des aldéhydes et des cétones

La polarité du carbonyle oriente l'attaque d'un réactif sur les aldéhydes et les cétones (il en a déjà été question à la section 9.2). La forte électronégativité de l'oxygène et la mobilité des électrons π du carbonyle réduisent la densité électronique autour du carbone et le rendent favorable à l'attaque nucléophile.

Deux réactions sont alors favorisées:

• **l'addition** nucléophile sur le carbonyle:

• la **substitution** d'un hydrogène sur le carbone α:

10.4 *Addition nucléophile*

Les aldéhydes et les cétones réagissent facilement avec une foule de nucléophiles, pour produire diverses fonctions, surtout des alcools. Le mécanisme de l'addition nucléophile se déroule comme suit:

Le tableau 10.1 présente une liste de réactifs nucléophiles qui peuvent être utilisés. Quelques cas intéressants d'additions nucléophiles sont abordés ci-après.

Tableau 10.1 Exemples d'additions nucléophiles

Nucléophile	Substrat	Produit	
$H_2\ddot{O}$	$\diagdown \atop \diagup$ C=O	HO—C—OH	(diol instable)
$R\ddot{O}H$	$\diagdown \atop \diagup$ C=O	RO—C—OH	(hémiacétal instable)
$\overset{\delta^+ \;\; \delta^-}{HCN}$	$\diagdown \atop \diagup$ C=O	NC—C—OH	(cyanhydrine)
R—C≡C⁻	$\diagdown \atop \diagup$ C=O	R—C≡C—C—OH	(alcool)
$\overset{\delta^- \; \delta^+}{R-MgX}$	$\diagdown \atop \diagup$ C=O	R—C—OH	(alcool par réaction de Grignard)
H⁻ (de LiAlH$_4$ ou NaBH$_4$)	$\diagdown \atop \diagup$ C=O	H—C—OH	(alcool; réduction)
H⁻	—C≡N	—CH$_2$—NH$_2$	(amine; réduction)
$H_2\ddot{O}\,(H^+)$	—C≡N	$\overset{O}{\overset{\|}{—C}}$—OH	(acide carboxylique)
$\overset{\delta^- \; \delta^+}{R-MgX}$	—C≡N	R—C=NH ⟶ R—C=O	
		(imine) (cétone)	

10.4.1 Addition d'un réactif de Grignard

L'addition d'un réactif de Grignard est une excellente méthode de préparation d'un alcool. Elle a déjà fait l'objet d'une étude détaillée à la section 7.8. Cette réaction se déroule selon le mécanisme classique de l'addition nucléophile:

2 Compléter et décrire le mécanisme de la réaction suivante:

acétophénone + bromure de phénylmagnésium $\xrightarrow{\quad\quad\quad} $ 2) H_2O

10.4.2 *Addition de cyanure d'hydrogène (acide cyanhydrique)*

L'anion cyanure, CN^-, provenant du cyanure d'hydrogène ou d'un cyanure alcalin comme NaCN, s'additionne sur le carbonyle d'un aldéhyde ou d'une cétone. Le produit formé s'appelle cyanhydrine (nitrile + alcool). Le mécanisme de cette réaction suit le modèle général décrit précédemment (section 10.4).

une cyanhydrine

De l'acide chlorhydrique ou sulfurique est ensuite ajouté au milieu réactionnel pour obtenir la cyanhydrine. La cyanhydrine de l'acétaldéhyde est obtenue de cette façon.

2-hydroxypropanenitrile
(cyanhydrine de l'acétaldéhyde)

L'hydrolyse subséquente du 2-hydroxypropanenitrile conduit à l'acide lactique, l'un des métabolites du glucose dans les muscles et que l'on retrouve aussi dans le lait sûr.

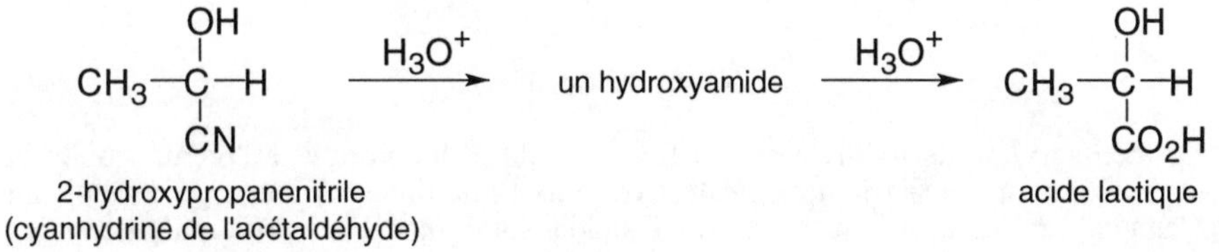

2-hydroxypropanenitrile
(cyanhydrine de l'acétaldéhyde)

un hydroxyamide

acide lactique

Les cyanhydrines sont aussi les précurseurs de plusieurs acides ou nitriles α,β-insaturés qui polymérisent facilement pour produire divers plastiques. Le *Plexiglas,* par exemple, provient de la polymérisation du méthacrylate de méthyle, $CH_2=\underset{CH_3}{C}-CO_2CH_3$, ester de l'acide méthacrylique.

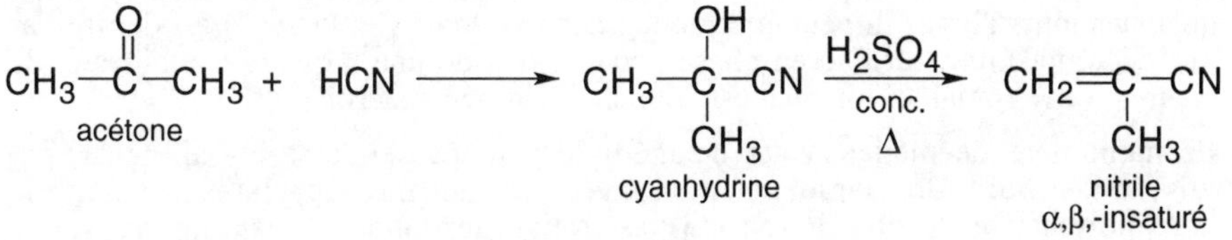

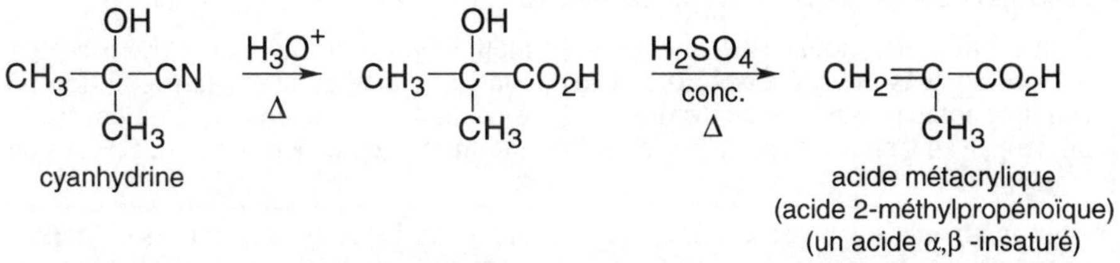

acétone

cyanhydrine

nitrile
α,β,-insaturé

cyanhydrine

acide métacrylique
(acide 2-méthylpropénoïque)
(un acide α,β -insaturé)

L'Orlon, textile synthétique, est un polymère du propènenitrile fabriqué à partir de la cyanhydrine de l'acétaldéhyde.

1. Compléter:

cyclohexanone + HCN $\longrightarrow$ $\xrightarrow[\Delta]{H_3O^+}$ $\xrightarrow[\substack{conc. \\ \Delta}]{H_2SO_4}$

2. Proposer une synthèse du propènenitrile à partir de l'acétaldéhyde.

— *Le méthacrylate de méthyle**... —

$$CH_2{=}C{-}CO_2CH_3$$
$$|$$
$$CH_3$$

méthacrylate de méthyle

Le méthacrylate de méthyle est un liquide volatil, incolore et à l'odeur fruitée et âcre. Ce composé n'a jamais été trouvé dans la nature et il n'est pas produit au Canada. Les quantités utilisées au Canada sont importées principalement des États-Unis.

Le méthacrylate de méthyle polymérise facilement, particulièrement s'il est chauffé ou s'il est en présence d'acide chlorhydrique. Le polymère obtenu forme des résines et des plastiques transparents, à l'allure de céramiques, connus sous le nom de Plexiglas et de Lucite. Au Canada, le méthacrylate de méthyle est utilisé pour la production de feuilles d'acrylique moulées, d'émulsions d'acrylique et de résines pour le moulage et l'extrusion.

Sa durée de vie dans l'atmosphère est courte, puisque le méthacrylate de méthyle réagit vigoureusement, sous l'action de la lumière, avec les radicaux hydroxyles qui peuvent se former dans la vapeur d'eau contenue dans l'air. Sa demi-vie, estimée dans la troposphère à la latitude de Toronto, varie entre moins de cinq heures l'été et quelques jours l'hiver. Il peut être biodégradé. Sa demi-vie, lorsqu'il est détruit par une décomposition aérobie en phase aqueuse, est de une à quatre semaines et de quatre à seize semaines lorsqu'il est dégradé en milieu anaérobie.

Le monomère de méthacrylate de méthyle peut passer dans les aliments, par migration, hors du papier d'emballage fait de méthacrylate de méthyle homopolymérisé. Toutefois, on n'a pas trouvé de données quantitatives sur la concentration de méthacrylate de méthyle dans les aliments.

À la lumière des données disponibles, le méthacrylate de méthyle n'est pas jugé toxique au sens des alinéas 11a) et 11b) de la Loi canadienne sur la protection de l'environnement. Aux concentrations prévues dans l'environnement, il ne constitue un danger au Canada ni pour la vie ou la santé humaine, au sens de l'alinéa 11c) de la même loi.

*Loi canadienne sur la protection de l'environnement: Liste des substances d'intérêt prioritaire. Rapport d'évaluation. Gouvernement du Canada.

— *Le polycarbonate...* —

Le polycarbonate, un autre polymère, ressemble au Plexiglas par sa transparence. Il est rigide et possède une étonnante solidité et peut être considéré comme le plus résistant de tous les thermoplastiques*. Il s'agit d'un type particulier de polyester dont voici l'élément constitutif:

$$\left[O{-}\!\!\bigcirc\!\!{-}\underset{CH_3}{\overset{CH_3}{C}}{-}\!\!\bigcirc\!\!{-}O{-}\underset{\|}{\overset{O}{C}}\right]_n$$

D'une grande résistance à l'impact, le polycarbonate sert dans les fenêtres pare-balles, les lunettes de sécurité, les visières de casques de hockey et les fenêtres entourant les patinoires.

*Voir Complément C, p. 602.

10.4.3 *Addition d'acétylure*

Obtenu à partir de l'acétylène, l'ion acétylure, $H-C\equiv C^-$, est un excellent nucléophile qui se comporte comme le groupe R d'un réactif de Grignard. Il est très efficace dans une addition sur un carbonyle pour produire un alcool acétylénique.

1. La formation du réactif: $H-C\equiv C-H \xrightarrow{\text{NaNH}_2} H-C\equiv C^- Na^+$

acétylure de sodium

2. L'addition:

$$H-C\equiv C^- Na^+ \quad + \quad \underset{R}{\overset{R}{C}}=O \longrightarrow H-C\equiv C-\underset{R}{\overset{R}{C}}-O^- Na^+$$

$$\downarrow H_3O^+$$

$$H-C\equiv C-\underset{R}{\overset{R}{C}}-OH$$

un alcool acétylénique

Le Norlutène, un contraceptif, est obtenu en laboratoire au moyen d'une réaction d'addition d'acétylure.

noréthyndrone
(Norlutène)

⟨4⟩ Compléter la réaction suivante:

cyclohexanone   +   acétylure de sodium $\longrightarrow$

2) H_3O^+

10.4.4 Addition d'eau

Le faible caractère nucléophile de l'eau rend son addition difficile sur un carbonyle. Le diol géminal (appelé hydrate) qui pourrait se former est, en général, instable. Il existe cependant quelques exceptions où l'hydrate est relativement stable. C'est le cas, notamment, du formol, du chloral (voir encadré, au bas de la page) et de la ninhydrine (section 14.10).

$$H_2O \quad + \quad \underset{H}{\overset{H}{\text{C}}}=O \quad \rightleftharpoons \quad HO-\underset{H}{\overset{H}{\text{C}}}-OH$$

formaldéhyde   hydrate du formaldéhyde
                                        (formol)

ninhydrine

⟨5⟩ Écrire la formule de l'hydrate du trichloroacétaldéhyde.

> __ *Le formol ou formaline...* ___
>
> Le formol ou formaline est une solution aqueuse contenant environ 37% (m/m) de formaldéhyde. La solution comprend également de 10 à 15% de méthanol pour prévenir la polymérisation. Le formol est utilisé comme agent désinfectant, germicide, fongicide et insecticide. Cette solution sert également pour la conservation des tissus et organes biologiques. On l'utilise aussi dans l'embaumement des morts.

> __ *Le chloral...et son hydrate...* ___
>
> Le chloral est un intermédiaire dans la synthèse du DDT. C'est un liquide qui bout à 98 °C, tandis que son hydrate est un solide (F 52 °C). Cet hydrate peut exister parce qu'il est stabilisé par les atomes électronégatifs de chlore. L'hydrate de chloral est une substance soporifique* agissant rapidement. Il a été synthétisé pour la première fois par Liebig en 1832 et introduit en médecine en 1869.
>
> $$Cl_3CCH(OC_2H_5)_2 + 2H_2SO_4 \longrightarrow Cl_3C-\overset{O}{\overset{\|}{C}}-H + 2C_2H_5OSO_3H + H_2O$$
> acétal du chloral   chloral
>   (trichloroacétaldéhyde)
>
> $$Cl_3C-\overset{O}{\overset{\|}{C}}-H \quad + \quad H_2O \quad \longrightarrow \quad Cl_3C-\underset{OH}{\overset{OH}{CH}}$$
>   hydrate de chloral

* Se dit d'une substance qui provoque le sommeil.

10.4.5 *Addition d'alcool*

Tout comme l'eau, les alcools ont peu tendance à réagir avec un carbonyle. Toutefois, en présence d'une quantité catalytique d'**acide anhydre ou concentré**, la réaction d'addition est facilitée; il se forme alors un hémiacétal.

$$\text{\textbackslash}C{=}O \quad + \quad R{-}OH \quad \xrightleftharpoons{\substack{H^+ \\ \text{anhydre} \\ \text{ou concentré}}} \quad R{-}O{-}\underset{|}{\overset{|}{C}}{-}OH$$

alcool　　　　　　　hémiacétal

Cette réaction est réversible et la présence d'eau reforme le carbonyle. De plus, un excès d'alcool prolonge la réaction par la substitution du OH et forme ainsi un éther double appelé *acétal* (l'élimination de l'eau formée déplace également l'équilibre vers la formation de l'acétal). Réaction globale:

$$\text{\textbackslash}C{=}O + \mathbf{2}\,R{-}OH \xrightleftharpoons{\substack{H^+ \\ \text{anhydre} \\ \text{ou concentré}}} \text{hémiacétal} \xrightleftharpoons{\substack{H^+ \\ \text{anhydre} \\ \text{ou concentré}}} R{-}O{-}\underset{|}{\overset{|}{C}}{-}O{-}R + H_2O$$

hémiacétal
(non isolé)

acétal
(produit final)

Cette réaction peut s'effectuer aussi bien avec les aldéhydes qu'avec les cétones. Les acétals sont des éthers instables en milieu aqueux acide (ils se transforment en carbonyles), mais ils sont stables en milieu basique.

$$\text{rien} \xleftarrow[\text{HO}^-]{H_2O} R{-}O{-}\underset{|}{\overset{|}{C}}{-}O{-}R \xrightleftharpoons{\substack{\text{solution diluée} \\ \text{d'acide} \\ H_3O^+}} \text{\textbackslash}C{=}O \quad + \quad 2\,ROH$$

Cette variation de stabilité, selon le pH, les rend très utiles pour la **protection temporaire d'un carbonyle**. L'éthylèneglycol est souvent utilisé comme alcool pouvant former un acétal, appelé dioxolane, dans les réactions de protection d'un carbonyle.

$$\underset{R}{\overset{R}{\diagdown}}C{=}O \quad + \quad \underset{\underset{OH}{|}}{CH_2}{-}\underset{\underset{OH}{|}}{CH_2} \quad \rightleftharpoons^{H^+} \quad \underset{R}{\overset{R}{\diagdown}}C\underset{O{-}CH_2}{\overset{O{-}CH_2}{\diagup}}$$

éthylèneglycol　　　　　　un dioxolane

Comment peut-on réaliser l'oxydation suivante?

$$CH_3{-}\underset{\underset{OH}{|}}{CH}{-}CH_2{-}\overset{\overset{O}{\|}}{C}{-}H \quad \xrightarrow{\text{?}} \quad CH_3{-}\overset{\overset{O}{\|}}{C}{-}CH_2{-}\overset{\overset{O}{\|}}{C}{-}H$$

L'oxydation directe de l'alcool secondaire en cétone aurait bien des chances d'oxyder aussi l'aldéhyde. Mais en protégeant l'aldéhyde par l'acétal, cette synthèse est réalisable. Ainsi:

CH$_3$—CH—CH$_2$—C—H (O, OH)

2 CH$_3$OH
H$^+$ (anhydre)

CH$_3$—CH—CH$_2$—CH (OH, OCH$_3$, OCH$_3$)

acétal
(protection temporaire)

$\xrightarrow[\text{(milieu basique)}]{\text{KMnO}_4}$

CH$_3$—C—CH$_2$—CH (O, OCH$_3$, OCH$_3$)

H$_3$O$^+$

CH$_3$—C—CH$_2$—C—H (O, O)

Les hémiacétals sont à la base des structures cycliques des glucides (section 12.3). Les acétals sont omniprésents chez les osides et les polysaccharides (sections 12.7 et 12.8).

6 Que donne la cyclohexanone avec le méthanol en milieu acide anhydre? Nommer le produit formé.

10.4.6 Addition d'hydrogène (réduction)

Hydrogénation au moyen d'hydrures de métaux

La réduction des aldéhydes et des cétones s'effectue efficacement avec des réactifs ioniques comme LiAlH$_4$ ou NaBH$_4$. Ces réactifs conduisent à des **additions nucléophiles** de l'ion hydrure, H$^-$, qu'ils libèrent (section 8.3.2). Exemple:

CH$_3$—C—CH$_3$ (O) + LiAlH$_4$ $\xrightarrow{\text{2) H}_3\text{O}^+}$ CH$_3$—CH—CH$_3$ (OH)
acétone   propan-2-ol

Mécanisme:

H$_3$C\
  C=O + H—AlH$_3^-$ Li$^+$ $\longrightarrow$ H$_3$C, O$^-$ AlH$_3$Li$^+$, C, H$_3$C, H
H$_3$C

(suite page suivante...)

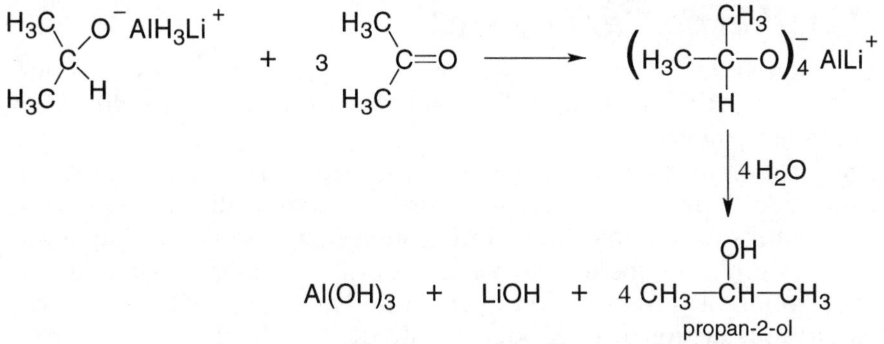

$$H_3C \underset{H_3C}{\overset{O^- AlH_3Li^+}{\underset{\displaystyle C}{\Big|}} } H \quad + \quad 3 \quad \underset{H_3C}{\overset{H_3C}{C}}{=}O \quad \longrightarrow \quad \left(H_3C{-}\underset{H}{\overset{CH_3}{C}}{-}O \right)_4^- AlLi^+$$

$$\downarrow 4\,H_2O$$

$$Al(OH)_3 \quad + \quad LiOH \quad + \quad 4\ CH_3{-}\underset{\displaystyle \text{propan-2-ol}}{\overset{OH}{CH}}{-}CH_3$$

Hydrogénation en milieu réducteur (réaction de Clemmensen)*

Les aldéhydes et les cétones peuvent aussi être réduits par l'hydrogène obtenu par l'action de l'acide chlorhydrique sur du zinc amalgamé. Le mécanisme de cette réaction, appelée réaction de Clemmensen, est mal connu et ses applications sont limitées à cause des conditions rigoureuses utilisées.

Réaction générale

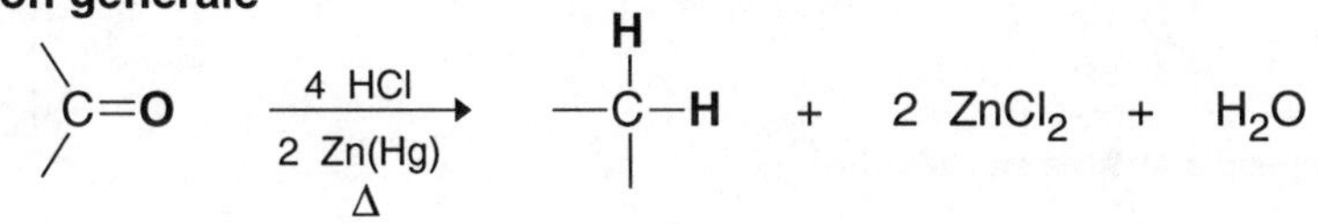

$$\overset{\diagdown}{\underset{\diagup}{C}}{=}O \quad \xrightarrow[\substack{2\ Zn(Hg) \\ \Delta}]{4\ HCl} \quad {-}\overset{H}{\underset{\displaystyle |}{C}}{-}H \quad + \quad 2\ ZnCl_2 \quad + \quad H_2O$$

Exemple

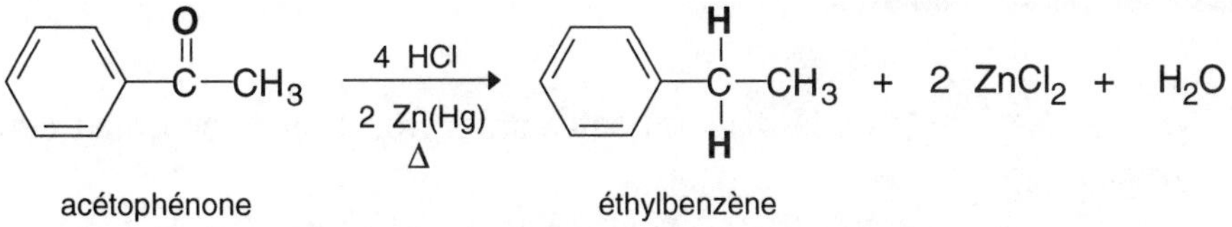

acétophénone $\xrightarrow[\substack{2\ Zn(Hg) \\ \Delta}]{4\ HCl}$ éthylbenzène $+\ 2\ ZnCl_2\ +\ H_2O$

Hydrogénation catalytique

L'hydrogénation catalytique peut aussi réduire les aldéhydes et les cétones, mais ce type de réaction exige un catalyseur puissant comme le nickel de Raney et des conditions expérimentales rigoureuses (chauffage et pression élevée).

---

* E.C. Clemmensen, 1876-1941.

10.4.7 Réaction de Cannizzaro*

La réaction de Cannizzaro est un type d'oxydoréduction (appelé aussi *dismutation***) qui implique deux molécules d'aldéhydes, semblables ou différentes, pour produire un alcool **et** un acide carboxylique, après acidification du milieu réactionnel. Cette réaction exige, de la part de l'aldéhyde, **l'absence** d'hydrogène sur le carbone α du carbonyle et, en plus, l'utilisation d'une base forte comme l'hydroxyde de potassium (explication à la section 10.5). La réaction s'amorce par l'addition nucléophile de la base; l'ion hydrure de l'anion intermédiaire réalise ensuite la réduction de la deuxième molécule d'aldéhyde.

7 ▷ Décrire le mécanisme de la réaction du benzaldéhyde avec une solution aqueuse d'hydroxyde de sodium.

Dans le mécanisme de la réaction de Cannizzaro, il faut remarquer deux choses:

1. la première molécule d'aldéhyde, attaquée par la base, est celle qui devient l'acide carboxylique;

2. si un seul aldéhyde est utilisé, il doit réagir sur lui-même et, dans ce cas, il y a perte de la moitié du produit de départ.

Puisque cette réaction a surtout pour but de réduire les aldéhydes en alcools, il est préférable de modifier la méthode pour éviter que l'aldéhyde, que l'on veut réduire, réagisse sur lui-même. Pour ce faire, le formaldéhyde est ajouté au mélange réactionnel.

---

* Stanislas Cannizzaro, chimiste italien, 1826-1910.

** Dismutation: réaction entre deux composés organiques dont l'un est oxydé par l'autre (ce dernier étant réduit).

Ce petit aldéhyde devient alors la proie de la base forte puisqu'il est moins encombré; le formaldéhyde se transforme ensuite en acide formique après avoir réduit l'autre aldéhyde en alcool. Par exemple:

$$CH_3-\underset{\underset{CH_3}{|}}{\overset{\overset{CH_3}{|}}{C}}-\overset{\overset{O}{||}}{C}-H \;+\; H-\overset{\overset{O}{||}}{C}-H \quad\xrightarrow[\text{2) } H^+]{\text{1)KOH}}\quad CH_3-\underset{\underset{CH_3}{|}}{\overset{\overset{CH_3}{|}}{C}}-CH_2OH \;+\; H-\overset{\overset{O}{||}}{C}-OH$$

1 mole · · · · · · formaldéhyde · 1 mole

1. Nommer l'aldéhyde de départ dans la réaction précédente.

2. Que donnerait un mélange de benzaldéhyde et de formaldéhyde en présence d'hydroxyde de potassium?

10.5 *Disponibilité de l'hydrogène α*

Les aldéhydes et les cétones possédant au moins un atome d'hydrogène sur le carbone α du carbonyle, peuvent perdre cet hydrogène dans un milieu basique fort. C'est la polarité permanente du carbonyle qui rend l'hydrogène légèrement acide.

$$-\overset{|}{\underset{|}{C}}-\underset{\delta^+}{C}\overset{\overset{\overset{\delta^+}{H}\;\;\overset{\delta^-}{O}}{|\;\;||}}{} \qquad \text{(l'oxygène polarise la liaison C—H)}$$

Ainsi, une base forte peut enlever l'hydrogène et produire un carbanion stabilisé par résonance; cet anion s'appelle *ion énolate*.

$$-\overset{|}{\underset{|}{C}}-\overset{\overset{H\;\;O}{|\;\;||}}{C}- \;\;\xrightarrow{\;\;HO^-\;\;}\;\; \left[\;\; -\overset{|}{\underset{|}{C}}-\overset{\overset{O}{||}}{C}- \;\;\longleftrightarrow\;\; -\overset{|}{C}=\overset{\overset{O^-}{|}}{C}- \;\;\right]$$

Ion énolate stabilisé par résonance.

La production de cet ion énolate est le point de départ de plusieurs réactions dans lesquelles celui-ci joue le rôle de nucléophile. Les trois sections suivantes montrent l'implication de l'ion énolate dans les condensations cétolique et aldolique, l'halogénation et l'alkylation.

10.5.1 *Condensations aldolique et cétolique*

L'ion énolate, obtenu d'un aldéhyde ou d'une cétone possédant un hydrogène en α , est le point de départ de la condensation aldolique ou cétolique. Cette réaction est une simple **addition** nucléophile sur un carbonyle présent dans le milieu. En voici un exemple avec l'acétaldéhyde:

1. Formation de l'ion énolate:

(Disponibilité de l'hydrogène α.)

$$CH_2{-}C{-}H \xrightarrow{\ HO^- \ } \left[\ ^-CH_2{-}C{-}H \longleftrightarrow CH_2{=}C{-}H \ \right]$$

acétaldéhyde   ion énolate

2. Addition nucléophile:

$$CH_3{-}C{-}H$$
$$+$$
$$^-CH_2{-}C{-}H$$
$$\longrightarrow CH_3{-}\underset{H}{\overset{O^-}{C}}{-}CH_2{-}C{-}H \xrightarrow{\ H{-}OH \ } CH_3{-}\underset{H}{\overset{OH}{C}}{-}CH_2{-}C{-}H$$

un alcoolate   un **aldol**
(base forte)

Le même genre de réaction peut avoir lieu avec une cétone qui possède un hydrogène α. Cette réaction forme un cétol.

$$R{-}\underset{R}{\overset{OH}{C}}{-}CH_2{-}C{-}R \quad \text{un } \textbf{cétol}$$

Mais attention! Les cétones possèdent deux carbones α; donc, s'ils possèdent tous les deux un hydrogène, il y a possibilité de formation de plusieurs ions énolates (donc, réaction à éviter).

1. Nommer l'aldol formé dans la condensation aldolique de l'acétaldéhyde.

2. Décrire le mécanisme de la réaction d'une solution d'hydroxyde de sodium sur l'acétophénone.

Souvent, les aldols ou les cétols sont déshydratés en milieu acide pour produire des composés carbonylés α,β-insaturés. Ces composés sont stabilisés par leur système conjugué.

$$CH_3{-}\underset{}{\overset{OH}{CH}}{-}CH_2{-}C{-}H \xrightarrow{\ H^+ \ } CH_3{-}CH{=}CH{-}C{-}H + H_2O$$

un aldol   but-2-énal
(crotonaldéhyde)

Il arrive même que la déshydratation s'effectue simplement par un léger chauffage de l'aldol, si cela peut conduire à un système conjugué important (gain de stabilité supplémentaire).

Des produits comme le crotonaldéhyde sont utilisés en synthèse organique. Attention! Plusieurs sont lacrymogènes.

10.5.2 Halogénation en α

En présence de brome en milieu basique fort, il est possible de substituer l'hydrogène α d'un aldéhyde ou d'une cétone pour produire un dérivé bromé.

Le bromoaldéhyde formé peut servir à la synthèse d'aminoacides (oxydation de l'aldéhyde et substitution du brome). C'est encore l'ion énolate formé à l'aide de la base forte qui amorce cette réaction.

10.5.3 Alkylation en α

Comme pour l'halogénation, les cétones (surtout) peuvent être ramifiées par l'action d'une base forte (surtout l'amidure de sodium, $NaNH_2$), suivie d'une substitution nucléophile sur un halogénure d'alkyle (de préférence primaire pour éviter l'élimination).

⟨10⟩ Considérer la cétone obtenue dans l'exemple précédent; peut-elle être préparée à partir de l'acétophénone?

10.6 *Oxydation des aldéhydes et des cétones*

Les aldéhydes et les cétones réagissent différemment face aux oxydants. Effectivement, les aldéhydes sont facilement transformés en acides carboxyliques, sans modification du squelette carboné.

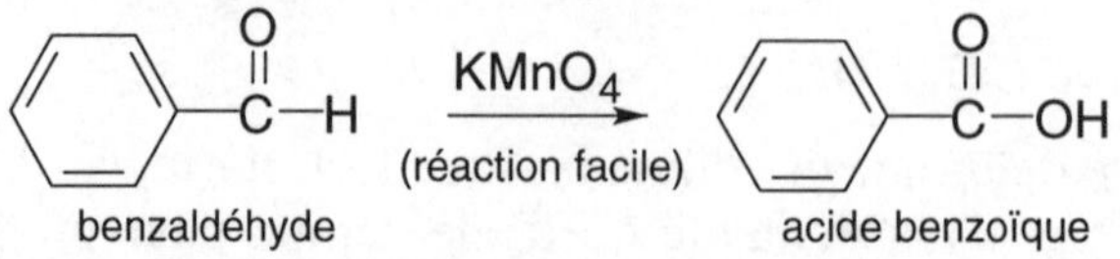

benzaldéhyde   acide benzoïque

Les cétones demeurent très résistantes aux oxydants habituels, $KMnO_4$ et $K_2Cr_2O_7$. Toutefois, dans des conditions rigoureuses, les cétones sont dégradées en un mélange d'acides.

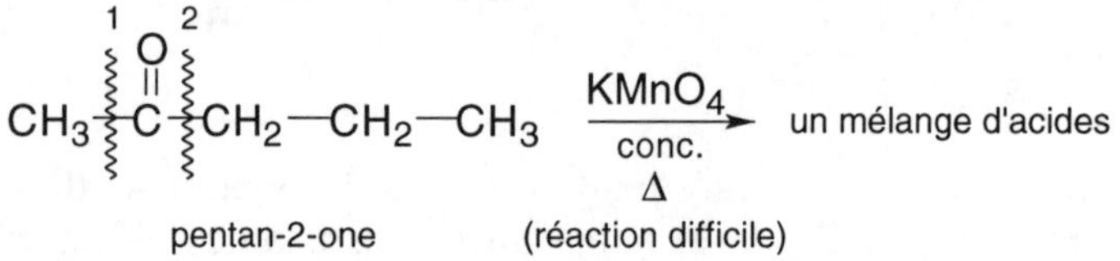

pentan-2-one   (réaction difficile)

La cétone peut se couper en 1 ou 2 pour donner des acides dans chaque cas. La pentan-2-one présente deux possibilités de réaction, selon le lieu de rupture:

• rupture en 1: $CH_3-CH_2-CH_2-CO_2H$ + CO_2 + H_2O

• rupture en 2: $CH_3-CH_2-CO_2H$ + CH_3-CO_2H

On utilise surtout l'oxydation des cétones pour ouvrir un cycle; dans ce cas le seul produit formé est un diacide. De plus, si la cétone cyclique possède un hydrogène α, l'oxydation peut être favorisée par la présence d'une base forte qui permet la formation d'un énolate. C'est cet ion qui subit finalement l'oxydation. L'oxydation de la cyclohexanone en est un bel exemple.

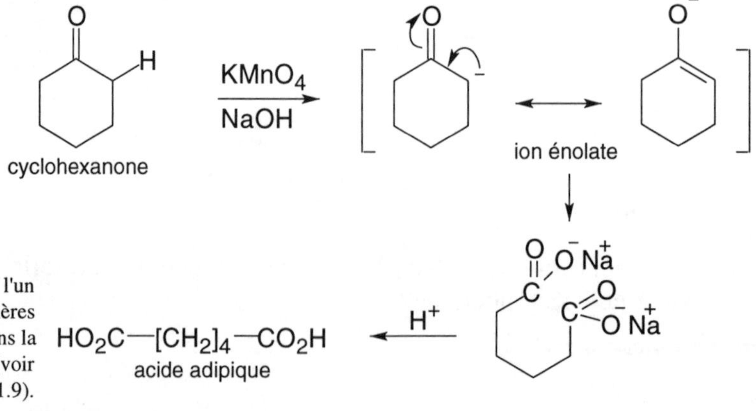

cyclohexanone

ion énolate

L'acide adipique est l'un des deux monomères impliqués dans la synthèse du nylon (voir section 11.9).

$HO_2C-[CH_2]_4-CO_2H$
acide adipique

10.7 Analyse qualitative des aldéhydes et des cétones

Les quelques paragraphes suivants montrent comment on peut distinguer, caractériser et identifier les aldéhydes et les cétones.

10.7.1 Par oxydation

La facilité d'oxydation des aldéhydes permet de les distinguer des cétones par des tests colorimétriques simples telles la réaction avec la *liqueur de Fehling* et celle avec *le réactif de Tollens.*

a) La réaction avec la liqueur de Fehling

La liqueur de Fehling est une solution bleue contenant un oxydant faible, le cation Cu^{2+}, en milieu alcalin. Avec les aldéhydes, mais non avec les cétones*, cette solution oxydante est réduite et il se forme un précipité rouge brique d'oxyde de cuivre(I), selon la réaction simplifiée suivante:

$$R-\overset{\overset{\displaystyle O}{\|}}{C}-H \ + \ 2\,Cu^{2+} \ + \ 5\,HO^- \ \longrightarrow \ R-\overset{\overset{\displaystyle O}{\|}}{C}-O^- \ + \ Cu_2O \ + \ 3\,H_2O$$

aldéhyde   solution bleue   précipité
rouge brique

b) La réaction avec le réactif de Tollens

La détection des aldéhydes peut aussi être faite par un oxydant doux, tel l'ion Ag^+, contenu dans une solution basique de nitrate d'argent ammoniacal (réactif de Tollens). Les aldéhydes réduisent le cation argent, lequel forme un miroir (dépôt d'argent solide sur la surface du récipient), selon la réaction simplifiée suivante:

$$R-\overset{\overset{\displaystyle O}{\|}}{C}-H \ + \ 2\,Ag^+ \ + \ 3\,HO^- \ \longrightarrow \ R-\overset{\overset{\displaystyle O}{\|}}{C}-O^- \ + \ 2\,Ag° \ + \ 2\,H_2O$$

solution incolore   miroir d'argent

10.7.2 Par halogénation en α

Comme il en a été question à la section 10.5.2, il est possible de remplacer un ou plusieurs hydrogènes du carbone α d'un carbonyle, par halogénation. Cette réaction peut servir à détecter une **méthylcétone**, par la formation de **l'iodoforme**, CHI_3, (solide jaune), au moyen d'un excès d'iode et en présence d'hydroxyde de sodium.

---

* Les cétones α-hydroxylées réagissent aussi positivement à ce test. Cette particularité sera mise en application avec les glucides (voir «sucre réducteur», section 12.5.4).

$$R-\overset{\overset{\displaystyle O}{\|}}{C}-CH_3 \xrightarrow[\text{NaOH}]{I_2} R-\overset{\overset{\displaystyle O}{\|}}{C}-\overset{-}{O}\overset{+}{Na} + \underset{\text{solide jaune}}{CHI_3}$$

La réaction s'amorce par la formation d'un ion énolate lequel attaque ensuite l'iode. Les trois hydrogènes du groupe méthyle sont substitués tour à tour et la réaction se termine par une substitution nucléophile qui libère l'iodoforme. Cette réaction révèle une méthylcétone, s'il y a lieu.

10.7.3 Par addition nucléophile d'un réactif azoté

Plusieurs réactifs du type :NH$_2$—Z forment des substances solides avec les aldéhydes et les cétones. Ces solides, appelés ***dérivés***, sont préparés dans le seul but d'en déterminer le point de fusion, lequel peut aider à identifier la substance carbonylée dont ils *dérivent*. La réaction suivante est impliquée:

Plusieurs dérivés peuvent être obtenus par cette réaction, selon la nature du réactif :NH$_2$—Z .

1. Avec   NH$_2$—OH
   hydroxylamine
   → on obtient →   oxime

2. Avec   NH$_2$—NH— (phényle)
   phénylhydrazine
   → on obtient →   phénylhydrazone

3. Avec   NH$_2$—NH— (2,4-dinitrophényle)
   2,4-dinitrophénylhydrazine
   → on obtient →   2,4-dinitrophénylhydrazone

4. Avec   NH$_2$—NH—$\overset{\overset{\displaystyle O}{\|}}{C}$—NH$_2$
   semicarbazide
   → on obtient →   semicarbazone

Spectroscopie infrarouge

On dit souvent que la nature fait bien les choses; pour les composés organiques, c'est bien vrai. En effet, les atomes d'une molécule organique vibrent à des fréquences et selon des modes de vibration très précis. L'énergie associée à ces vibrations correspond à l'énergie de la lumière infrarouge. (La région utile du spectre électromagnétique, en spectroscopie IR, se situe entre 700 et 4000 cm^{-1})*.

Les atomes vibrent selon deux modes principaux:

• **Vibrations d'élongation**:	• **Vibrations de déformation**:
les atomes oscillent dans l'axe de la liaison.	les atomes oscillent en modifiant les angles de liaison.
	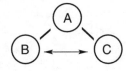

Il existe une région caractéristique de l'infrarouge qui correspond aux vibrations de chaque système de liaisons et d'atomes. Cette région dépend de la nature des atomes liés, du type de liaisons et de l'environnement. Le tableau 10.2, page suivante, donne quelques valeurs de ces vibrations.

La détection des vibrations naturelles d'un composé organique s'effectue en faisant passer un faisceau de lumière IR, de longueur d'onde variable, à travers l'échantillon. L'appareil utilisé est un spectrophotomètre infrarouge. Lorsque la lumière incidente, venant de l'appareil, possède la même longueur d'onde que celle d'une vibration naturelle de la molécule, cette lumière est absorbée par la substance. Un enregistreur trace un graphique de la lumière absorbée en fonction de la longueur d'onde. La position des différents pics d'absorption maximum permet au chimiste de tirer des informations sur la nature des fonctions présentes (le tableau 10.2 donne les positions des pics pour les principales fonctions). La figure 10.1, page 415, montre un exemple de spectre infrarouge, celui de l'acétophénone.

Bien sûr, cette méthode d'analyse doit être jumelée à d'autres, comme la spectroscopie ultraviolette, la résonance magnétique nucléaire, etc, pour pouvoir tirer des conclusions précises et plus sûres sur la nature d'un composé organique.

---

* L'usage veut que la mesure de la lumière IR se fasse dans les unités du nombre d'onde, $1/\lambda$, donc en cm^{-1}.

Tableau 10.2 Quelques vibrations d'élongation caractéristiques dans l'infrarouge.

Groupement ou fonction		Position du pic* (en cm^{-1})
—C—H	alcane	2840—3000
C=C (H)	alcène	3050—3150
—C≡C—H	alcyne	3260—3330
—O—H	alcool acide carboxylique	3500—3650 2500—3000
—N—H	amine	3200—3600
C=C	alcène aromatique	1620—1680 1450—1600
—C≡C—	alcyne	2100—2260
—C≡N	nitrile	2200—2400
—C=O	cétone aldéhyde acide ester amide	1705—1725 1720—1740 1700—1725 1735—1750 1650—1695

* Pic: position d'absorption maximum de la lumière IR sur le graphique qui décrit le spectre.

Figure 10.1 Spectre infrarouge de l'acétophénone.

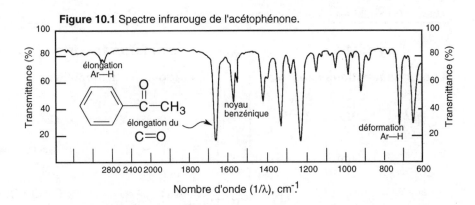

11⟩ Décrire une méthode d'analyse, chimique et/ou spectroscopique, pour distinguer les composés suivants:

1. acétone   4. benzaldéhyde
2. acétaldéhyde   5. pentan-3-one.
3. éthanol

Le rétinal...

Le rétinal est un aldéhyde insaturé, impliqué dans le processus de la vision. Ce composé a été isolé de rétines. On le trouve à la fois dans les cônes et les bâtonnets de la rétine. Il est lié à une opsine (protéine). Cependant, il n'y existe pas à l'état libre. La lumière, parvenant à la rétine, provoque son isomérisation *cis-trans* et cause, en même temps, sa séparation de la protéine. Cette transformation déclenche une série de réactions enzymatiques qui conduisent à l'excitation visuelle.

cis -rétinal   trans -rétinal

Il est d'intérêt de signaler que le rétinal provient de la vitamine A qui elle-même peut provenir de la scission du β-carotène (composé impliqué dans la couleur des carottes et des tomates). Une carence en vitamine A provoque d'importants troubles de la vision nocturne.

vitamine A

✳

Tableau 10.3 Synthèses et transformations des aldéhydes et des cétones.

Synthèses

A. À partir de fonctions simples

1. $R\!-\!OH$ $\xrightarrow{[O]}$
    alcool

2. $\diagdown C\!=\!C \diagup$ $\xrightarrow{[O]}$
    alcène

3. $-C\!\equiv\!C-$ $\xrightarrow[\substack{H_2SO_4 \\ HgSO_4}]{H_2O}$
    alcyne

4. $R\!-\!C\!\equiv\!N$ $\xrightarrow[\text{2) } H_2O]{\text{1) } RMgX}$
    nitrile

B. À partir d'un acide carboxylique

1. Par addition

   $R\!-\!CO_2H$ $\xrightarrow[\text{2) } H_3O^+]{\text{1) } 2\ R\!-\!Li}$

2. Par pyrolyse

   $2R\!-\!CO_2H$ $\xrightarrow[MnO]{\Delta}$

C. À partir d'un chlorure d'acide

1. Par substitution électrophile

    $\xrightarrow[AlCl_3]{R\!-\!\overset{\overset{\displaystyle O}{\|}}{C}\!-\!Cl}$

2. Par hydrogénation catalytique

   $R\!-\!\overset{\overset{\displaystyle O}{\|}}{C}\!-\!Cl$ $\xrightarrow[Pd(S)]{H_2}$

A l d é h y d e s

et

ou

C é t o n e s

Transformations

A. Addition nucléophile

1. de $R\!-\!MgX$ $\longrightarrow$ alcool

2. de $H\!-\!CN$ $\longrightarrow$ cyanhydrine

3. de $R\!-\!C\!\equiv\!C^-$ $\longrightarrow$ $-\overset{\overset{\displaystyle OH}{|}}{\underset{|}{C}}\!-\!C\!\equiv\!C\!-\!R$

4. de H_2O $\longrightarrow$ diol géminal (instable)

5. de $R\!-\!OH$ $\xrightarrow[\text{anhydre}]{H^+}$ acétal

6. de H_2 $\xrightarrow[\substack{ou \\ NaBH_4}]{LiAlH_4}$ alcool

B. Réaction de Cannizzaro

aldéhyde sans H en α $\xrightarrow[\text{2) } H^+]{\text{1) } KOH}$ alcool + acide carboxylique

C. Réaction sur le carbone α

1. condensations aldolique et cétolique

   aldéhyde ou cétone avec hydrogène en α $\xrightarrow{NaOH}$ aldol ou cétol

2. halogénation en α

   $\xrightarrow[NaOH]{Br_2}$ $-\overset{|}{\underset{\underset{\displaystyle Br}{|}}{C}}\!-\!\overset{\overset{\displaystyle O}{\|}}{C}\!-$

3. alkylation en α

   $\xrightarrow[\text{2) } R\!-\!X]{\text{1) } NaNH_2}$ $-\overset{|}{\underset{\underset{\displaystyle R}{|}}{C}}\!-\!\overset{\overset{\displaystyle O}{\|}}{C}\!-$

D. Oxydation

1. aldéhyde $\xrightarrow[\text{facile}]{[O]}$ acide

2. cétone $\xrightarrow[\text{difficile}]{[O]}$ des acides

Tableau 10.4 Analyse qualitative des aldéhydes et des cétones.

A. Détection d'un aldéhyde

1. Test de Fehling

$$\xrightarrow{Cu^{2+}} Cu_2O \quad \text{précipité rouge brique}$$

2. Test de Tollens

$$\xrightarrow{Ag^+} Ag° \quad \text{miroir d'argent}$$

B. Détection d'une méthylcétone

1. Test iodoforme

$$\xrightarrow[\text{NaOH}]{I_2} CHI_3 \quad \text{précipité jaune}$$

C. Formation d'un dérivé

1.
$$\xrightarrow[\text{hydroxylamine}]{NH_2OH}$$
R—C—
‖
N—OH
oxime

2.
$$\xrightarrow[\text{phénylhydrazine}]{NH_2NHC_6H_5}$$ 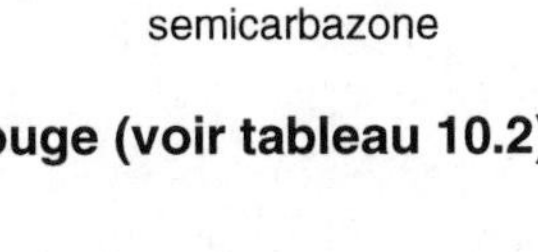
R—C—
‖
N—NH—⟨phényl⟩
phénylhydrazone

3.
$$\xrightarrow[\text{semicarbazide}]{NH_2NH-\overset{\overset{\displaystyle O}{\|}}{C}-NH_2}$$
R—C—
‖
N—NH—C—NH_2
‖
O
semicarbazone

D. Spectroscopie infrarouge (voir tableau 10.2)

Aldéhydes

et

ou

Cétones

EXERCICES 10

Synthèse des aldéhydes et des cétones

10.1, 10.2 et 10.3 À partir de fonctions simples

1. Compléter les réactions suivantes:

   a) benzène + chlorure de benzoyle et $AlCl_3$ $\longrightarrow$

   b) chlorure d'acétyle $\xrightarrow{\quad H_2 \quad}{Pd(S)}$

   c) propan-2-ol $\xrightarrow{KMnO_4}$

   d) butan-1-ol $\xrightarrow[\Delta \ 350 \ °C]{Cu}$

   e) acide benzoïque $\xrightarrow[MnO]{\Delta}$

2. Trouver les inconnues du système suivant:

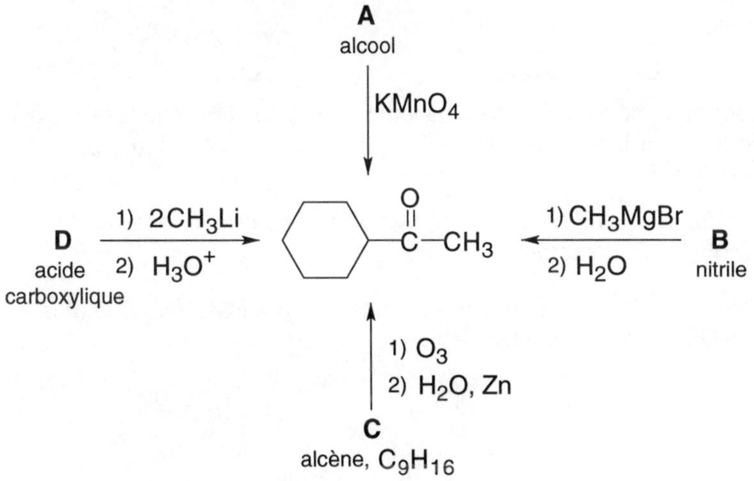

A
alcool

$\Big| KMnO_4$

D $\xrightarrow[\text{2) } H_3O^+]{\text{1) } 2CH_3Li}$ [cyclohexane avec $\overset{O}{\overset{\|}{C}}-CH_3$] $\xleftarrow[\text{2) } H_2O]{\text{1) } CH_3MgBr}$ **B**

acide
carboxylique

nitrile

$\Big\uparrow \begin{array}{l}\text{1) } O_3 \\ \text{2) } H_2O, Zn\end{array}$

C
alcène, C_9H_{16}

3. a) Pourquoi n'est-il pas avantageux de préparer la butan-2-one par la pyrolyse d'un acide carboxylique?

   b) Quel alcool pourrait servir à préparer la butan-2-one? Comment?

4. Écrire la formule d'un alcène qui pourrait donner une cétone et un aldéhyde lors d'une seule et même réaction d'oxydation. Quels seraient les réactifs?

Réactivité des aldéhydes et des cétones

10.4 Addition nucléophile

1. Que donnerait la cyclohexanone avec les réactifs suivants?

   a) Bromure de phénylmagnésium, suivi d'addition d'eau

   b) H_2O

   c) $\dfrac{1)\ CH_3-C\equiv C^- Na^+}{2)\ H_3O^+}$

   d) $\dfrac{NaCN}{\text{(suivi d'une acidification du milieu réactionnel)}}$ **A** $\xrightarrow{\underset{\Delta}{H_3O^+}}$ **B** $\xrightarrow[\substack{conc. \\ \Delta}]{H_2SO_4}$ **C**

2. Suggérer un cheminement pour réaliser la transformation suivante:

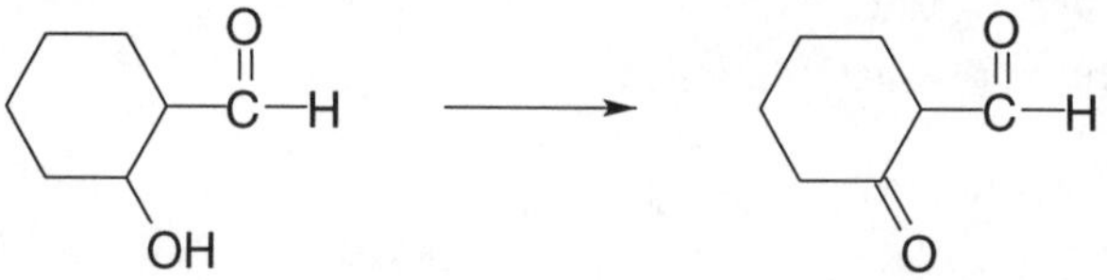

3. Décrire le mécanisme de la réaction d'une solution aqueuse de cyanure de sodium sur la butan-2-one. (De l'acide est ensuite ajouté pour terminer la réaction.)

4. Décrire le mécanisme de la réduction de l'acétophénone par le borohydrure de sodium, $NaBH_4$.

5. Utiliser une réaction de dismutation pour réduire la fonction aldéhyde de la vanilline avec un bon rendement.

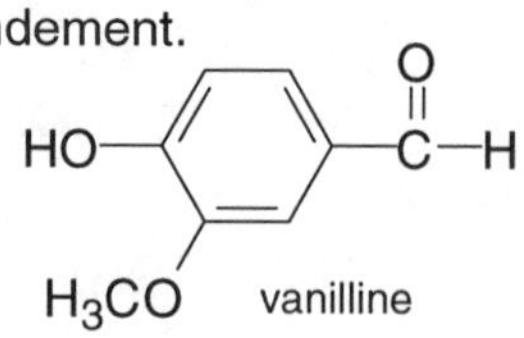

vanilline

10.5 Disponibilité de l'hydrogène α

1. a) En général, pourquoi la condensation aldolique est-elle plus efficace que la condensation cétolique?

   b) À quelle condition la condensation cétolique devient-elle intéressante?

2. Trouver les inconnues:

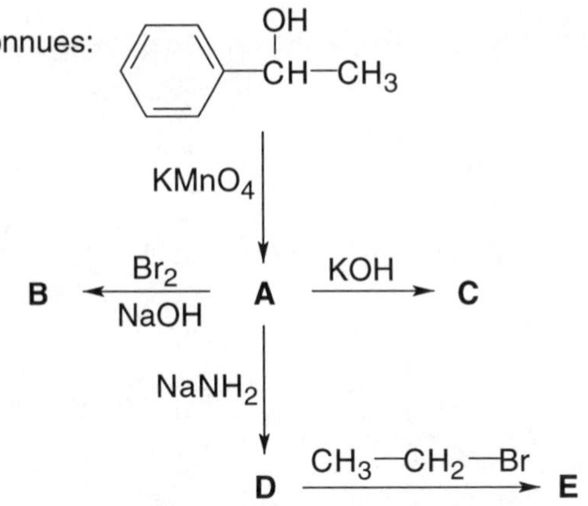

$$\text{C}_6\text{H}_5-\overset{\overset{\displaystyle OH}{|}}{\text{CH}}-\text{CH}_3$$

$$\Big\downarrow \text{KMnO}_4$$

$$B \xleftarrow[\text{NaOH}]{\text{Br}_2} A \xrightarrow{\text{KOH}} C$$

$$\Big\downarrow \text{NaNH}_2$$

$$D \xrightarrow{\text{CH}_3-\text{CH}_2-\text{Br}} E$$

3. Décrire le mécanisme de la réaction du 2-méthylbutanal avec l'hydroxyde de potassium.

4. Donner une synthèse du 3-hydroxy-2-méthylpentanal à partir du propan-1-ol.

10.6 Oxydation des aldéhydes et des cétones

1. Lorsque le vin (contient de l'éthanol) se détériore, il prend souvent un goût aigre (présence d'acide acétique). Représenter cette transformation par deux équations chimiques.

2. Donner un exemple d'une cétone dont l'oxydation rigoureuse formerait:

   a) du dioxyde de carbone

   b) de l'acide benzoïque

   c) un seul acide dicarboxylique.

10.7 Analyse qualitative des aldéhydes et des cétones

1. a) Qu'entend-on par *dérivé* d'un composé organique?

   b) Nommer deux *dérivés* d'une cétone.

2. a) Quel est le réactif principal dans une solution de Fehling? Que devient ce réactif, lors d'une réaction positive?

   b) La molécule de fructose contient une fonction cétone et elle réagit très bien avec la solution de Fehling. Pourquoi?

3. Comment peut-on prouver la présence d'un groupe méthyle sur le carbonyle d'une cétone?

4. Suggérer un procédé pour distinguer l'acétone, le benzaldéhyde, la cyclohexanone et la butan-2-one.

Exercices complémentaires

1. Que donnerait l'action des réactifs suivants sur:

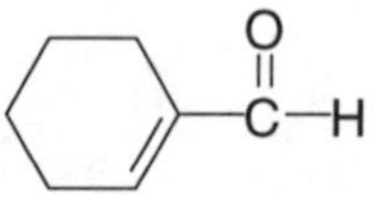

   a) CH_3OH, H^+ d) Br_2

   b) KOH   e) $KMnO_4$ dilué

   c) NaCN (Acide ajouté ensuite au milieu réactionnel.)   f) NH_2OH

2. Donner la structure des inconnues dans les réactions suivantes:

a)

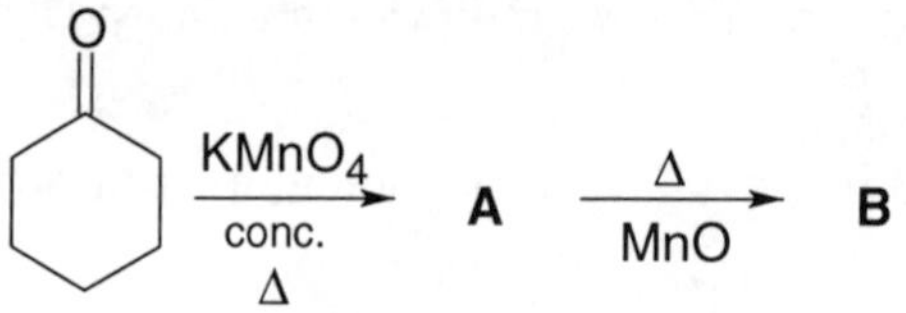

b)

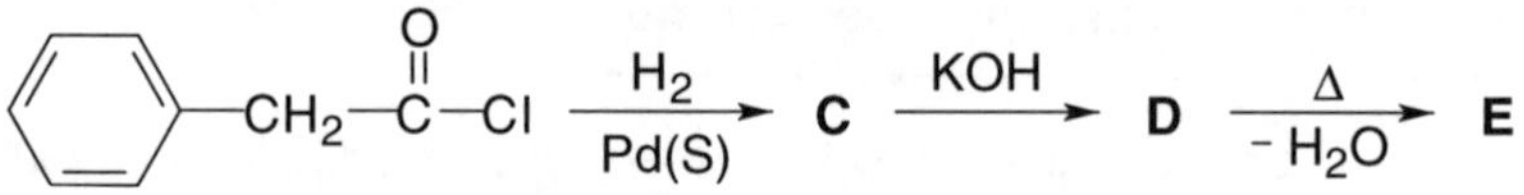

c)

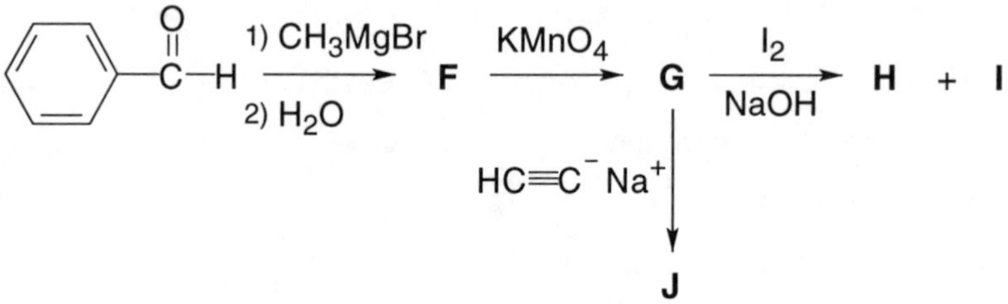

3. Décrire une méthode d'analyse qualitative pouvant différencier les composés suivants:

   a) butan-1-ol   b) pentan-2-one
        butanal   pentan-2-ol
        butan-2-one   pentan-3-ol
                           acide pentanoïque
                           pentan-3-one.

4. Identifier les inconnues de A à E:

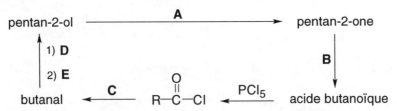

5. Comment peut-on réaliser la transformation de la pentan-3-one en:
   a) 3-chloropentane
   b) acide propanoïque
   c) 3-phénylpentan-3-ol
   d) acétone.

6. Donner une synthèse de la pentan-3-one à partir du propan-1-ol et de l'éthanol.

7. Indiquer une synthèse de l'hexan-3-one à partir:
   a) du butanal
   b) du 3-éthylhex-2-ène
   c) de l'hex-3-yne
   d) du chlorure de propanoyle.

8. Trouver un enchaînement de réactions pour transformer le cyclohexanol:

   a) en cyclopentanone

   b) en $\langle\rangle$—CO_2H

9. Trouver les inconnues:

A (absorption vers 3 500 cm^{-1} dans IR)
$C_5H_{12}O$

$\downarrow$ KMnO$_4$

D $\xleftarrow{\text{LiAlH}_4}$ **B** $\xrightarrow[\text{iodoforme}]{\text{test}}$ **C** + CHI$_3$
$C_5H_{12}O$ $C_5H_{10}O$

H_2SO_4 conc. $\downarrow$

E $\xrightarrow[\text{conc.}]{\text{KMnO}_4}$ acide acétique + acide propionique
C_5H_{10}

10. Trouver un enchaînement de réactions pour effectuer les transformations suivantes:

a) benzonitrile et méthanol ⟶ styrène, ![benzene]—CH=CH$_2$

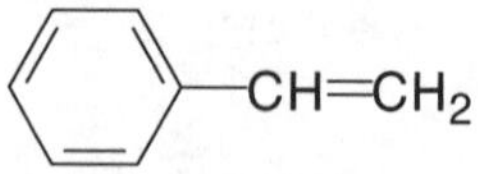

b) éthanol ⟶ acide 3-oxobutanoïque

c)  ![benzene]—CH$_2$—OH ⟶ ![cyclohexane]—$\overset{\overset{\displaystyle O}{\|}}{C}$—H

11. Trouver les inconnues:

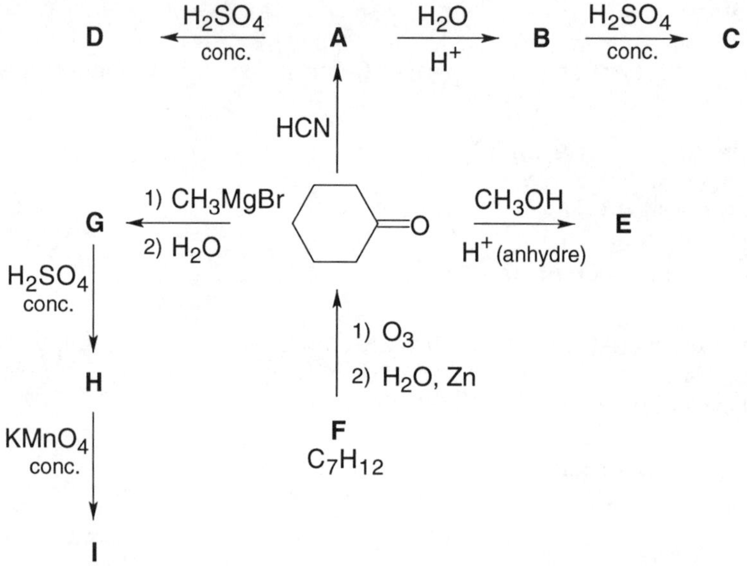

$$D \xleftarrow[\text{conc.}]{H_2SO_4} A \xrightarrow[H^+]{H_2O} B \xrightarrow[\text{conc.}]{H_2SO_4} C$$

HCN ↑

$$G \xleftarrow[\text{2) } H_2O]{\text{1) } CH_3MgBr} \text{⬡=O} \xrightarrow[H^+ \text{(anhydre)}]{CH_3OH} E$$

$$\left. H \right\uparrow \begin{array}{c} H_2SO_4 \\ \text{conc.} \end{array}$$

1) O$_3$
2) H$_2$O, Zn

$$H$$

$$\downarrow \begin{array}{c} KMnO_4 \\ \text{conc.} \end{array}$$

F
C$_7$H$_{12}$

I

12. À partir de l'éthanol, seul composé organique disponible, préparer la pentan-3-one.

————— ✳ —————

LES ACIDES CARBOXYLIQUES ET LEURS DÉRIVÉS

11

Mots / concepts clés

- acide mono ou dicarboxylique
- sel d'acide carboxylique
- anhydride, ester, amide, halogénure d'acide et nitrile
- oxydation
- méthylcétone
- haloforme
- hydrolyse
- substitution nucléophile
- saponification
- carboxylate

- acyle
- estérification
- décarboxylation
- carbone α et carbone β
- lipide
- savon, détergent
- lactone
- pyrolyse
- alkylation
- synthèse malonique
- condensation de Claisen

Objectifs spécifiques

Vous devez être capable de ...

- décrire l'aspect physique général des acides carboxyliques;
- comparer l'aspect physique des acides carboxyliques et leurs dérivés et justifier leur état;
- préparer les acides carboxyliques à partir de diverses fonctions en utilisant les réactions décrites dans ce texte;
- décrire le mécanisme de l'hydrolyse d'un chlorure d'acyle et d'un anhydride;
- décrire le mécanisme d'une saponification;
- expliquer et appliquer les quatre possibilités de réaction des acides carboxyliques;
- comparer l'acidité des acides carboxyliques;
- appliquer la réaction de substitution nucléophile aux dérivés d'acides carboxyliques;
- écrire et appliquer les principales réactions qui peuvent être réalisées sur les halogénures d'acyles, les esters, les amides, les anhydrides et les nitriles;
- donner la formule et la méthode de préparation d'une lactone;
- comparer l'acidité des acides dicarboxyliques;
- écrire les produits de réaction de pyrolyse des 6 premiers acides dicarboxyliques;
- décrire le mécanisme d'une synthèse malonique;
- décrire le mécanisme d'une condensation de Claisen;
- compléter les diverses réactions applicables aux acides carboxyliques et à leurs dérivés;
- réaliser la synthèse, en une ou plusieurs étapes, des acides carboxyliques et de leurs dérivés, en utilisant des réactions décrites dans ce chapitre ou dans des chapitres précédents;
- définir et expliquer les mots / concepts clés.

Acides carboxyliques
État physique

Les acides carboxyliques sont tous liquides ou solides. Même le plus simple, l'acide formique, est un liquide dont le point d'ébullition est assez élevé (101°C). Le tableau 11.1 permet de déduire l'aspect physique de quelques acides carboxyliques à la température ambiante.

Tableau 11.1 Températures de fusion et d'ébullition de quelques acides carboxyliques.

Formule	Nom	F (°C)	Éb (°C)
A. Acides monocarboxyliques			
$H-CO_2H$	formique	8,4	101
CH_3-CO_2H	acétique	16,6	118
$CH_3-CH_2-CO_2H$	propionique	-20,8	141
$CH_3-[CH_2]_2-CO_2H$	butyrique	-4,6	165
$CH_3-[CH_2]_3-CO_2H$	pentanoïque	-33,8	186
$CH_3-[CH_2]_4-CO_2H$	hexanoïque	-2	205
$CH_3-[CH_2]_6-CO_2H$	octanoïque	16,5	239
$CH_3-[CH_2]_8-CO_2H$	décanoïque	31,5	270
$CH_3-[CH_2]_{10}-CO_2H$	dodécanoïque	44	—
$CH_3-[CH_2]_{12}-CO_2H$	tétradécanoïque	58	—
$CH_3-[CH_2]_{14}-CO_2H$	palmitique	63	350
$CH_3-[CH_2]_{16}-CO_2H$	stéarique	71,2	360 d*
B. Acides dicarboxyliques			
HO_2C-CO_2H	oxalique	189,5	157 s**
$HO_2C-CH_2-CO_2H$	malonique	135,6	140 d
$HO_2C-[CH_2]_2-CO_2H$	succinique	188	235 d
$HO_2C-[CH_2]_3-CO_2H$	glutarique	99	302-4 d
$HO_2C-[CH_2]_4-CO_2H$	adipique	153	—
$HO_2C-[CH_2]_5-CO_2H$	heptanedioïque	106	—

* d = se décompose.   ** s = se sublime.

Tableau 11.1 (suite)

Formule	Nom	F (°C)	Éb (°C)
C. Autres acides carboxyliques			
$CH_2{=}CH{-}CO_2H$	acrylique	13	141
—CO_2H	benzoïque	122	249
	o-phtalique	210-11 d	—
	maléique	139-40	—
	fumarique	300-2 (tube scellé)	—
$CH_3{-}\underset{\underset{OH}{\|}}{CH}{-}CO_2H$	lactique	18	—
$\underset{CH_2{-}CO_2H}{\overset{CH_2{-}CO_2H}{HO{-}C{-}CO_2H}}$	citrique	153	d
	cholique	198	—

Les acides carboxyliques forment entre eux des ponts hydrogène qui les retiennent sous forme de **_dimère_**, ce qui explique leurs points de fusion et d'ébullition élevés.

$$
\begin{array}{ccc}
& \overset{\delta^+}{O-H} - - - - - - \overset{\delta^-}{O} & \\
R-C & & C-R \\
& \underset{\delta^-}{O} - - - - - - \underset{\delta^+}{H-O} &
\end{array}
$$

Ces attractions intermoléculaires relativement fortes disparaissent chez les esters, les chlorures d'acides et les anhydrides, ce qui leur confère généralement des points de fusion et d'ébullition plus bas que ceux des acides correspondants (voir tableau 11.2). Par contre, les amides forment de nombreux ponts hydrogène. Ces substances sont toutes solides, sauf le formamide qui est liquide.

Tableau 11.2 État physique de quelques composés organiques.

Formule	Fonction	F (°C)	Éb (°C)	État physique*
CH_3-CH_3	alcane	-183,3	-88,6	gaz
CH_3-CH_2-OH	alcool	-117,3	78,5	liquide
CH_3-CO_2H	acide carboxylique	16,6	117,9	liquide
$CH_3-\overset{\overset{\textstyle O}{\|\|}}{C}-NH_2$	amide	82,3	221,2	solide
$CH_3-\overset{\overset{\textstyle O}{\|\|}}{C}-OCH_3$	ester	-98,1	57	liquide
$CH_3-\overset{\overset{\textstyle O}{\|\|}}{C}-Cl$	chlorure d'acide	-112	50,9	liquide
$(CH_3-CO_2)_2O$	anhydride	-73,1	139,5	liquide
CH_3-CN	nitrile	-45,7	81,6	liquide

* À 25 °C.

Dans le tableau 11.2, remarquons les points d'ébullition élevés de l'acide carboxylique et de l'amide formant tous les deux d'importants ponts hydrogène. Observons aussi que l'ester et le chlorure d'acide sont très faciles à porter à ébullition (aucun pont hydrogène).

Synthèse des acides carboxyliques

11.1 Par réaction d'oxydation

La dégradation naturelle des substances organiques conduit souvent à la formation d'acides carboxyliques. Les réactifs oxydants deviennent alors tout indiqués pour produire des acides carboxyliques, ceux-ci ayant un degré d'oxydation élevé. Rappelons-nous la détérioration d'un bon vin au contact de l'air et/ou de bactéries: l'éthanol est transformé en acide acétique.

Les fonctions alcène, alcyne, alcool, aldéhyde et cétone produisent toutes des acides par oxydation rigoureuse. (voir 5.10.2, 5.11.2, 8.8 et 10.6). Les composés benzéniques substitués (chaînes carbonées) donnent aussi des acides par oxydation rigoureuse (voir 6.4).

1   Que deviendraient les composés suivants par chauffage dans une solution concentrée de permanganate de potassium?

a) pent-2-ène

b) propanal

c) cyclohexanone

d) butan-1-ol

e) CH_3—CH_2—CH_2— ⟨ Cl / CH_3 ⟩

En résumé, toute oxydation majeure autour d'un carbone conduit à la formation d'un acide carboxylique.

11.2 Par réaction de Grignard

L'addition d'un réactif de Grignard sur le dioxyde de carbone est une manière élégante d'introduire la fonction acide carboxylique. Cette réaction permet aussi d'allonger une chaîne carbonée quelconque, d'**un** carbone (section 7.8).

$$R\text{—}MgX \; + \; CO_2 \xrightarrow[\text{2) } H_3O^+]{} R\text{—}CO_2H \; + \; HOMgX$$
acide carboxylique

11.3 Par formation d'un haloforme

Contrairement à la réaction précédente, la réaction haloforme raccourcit une chaîne carbonée, d'**un** carbone. Rappelons que cette réaction s'effectue sur une méthylcétone en présence d'un halogène et d'une base forte (section 10.7.2).

$$R{-}\overset{\overset{\displaystyle O}{\|}}{C}{-}CH_3 \xrightarrow[\substack{NaOH \\ H_2O}]{I_2 \ (en\ excès)} R{-}\overset{\overset{\displaystyle O}{\|}}{C}{-}O^- \ Na^+ \ + \ CHI_3$$

méthylcétone　　　　　　　　　　　　　　　　　　iodoforme

$$\Big\downarrow H^+$$

$$R{-}\overset{\overset{\displaystyle O}{\|}}{C}{-}OH$$

acide carboxylique

11.4 Par réaction d'hydrolyse

Tous les dérivés d'acides carboxyliques forment des acides carboxyliques par hydrolyse. Toutefois, la façon de faire varie d'un dérivé à l'autre; les chlorures d'acides et les anhydrides le font simplement avec de l'eau, alors que pour les esters et les amides, le milieu aqueux doit être acide ou basique. Le tableau 11.3 résume la situation.

Tableau 11.3 Synthèse des acides carboxyliques par hydrolyse.

a) Pour les **chlorures d'acides** et les **anhydrides**, l'hydrolyse est simple, facile et se réalise par **substitution nucléophile***, sans autre réactif que l'eau. En voici deux exemples:

1.

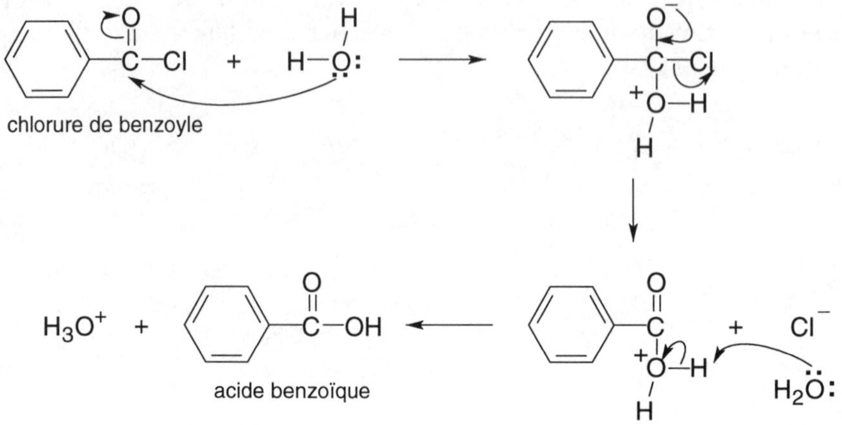

chlorure de benzoyle

H_3O^+ + acide benzoïque

2.

anhydride acétique

2 CH_3—C—OH
acide acétique

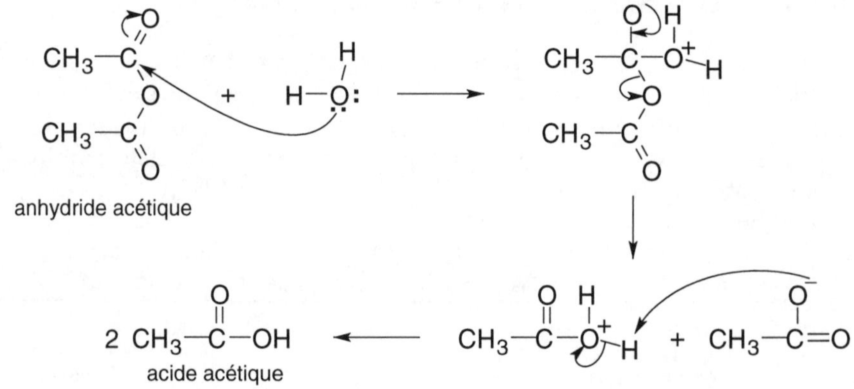

L'hydrolyse des chlorures d'acides et des anhydrides est plutôt nuisible puisque ces fonctions sont elles-mêmes obtenues à partir des acides carboxyliques. Leur hydrolyse correspond à un retour en arrière. Ainsi, pour conserver les chlorures d'acides et les anhydrides, il faut les protéger minutieusement de l'humidité sous un emballage scellé, etc.

b) L'hydrolyse d'un **ester** peut être réalisée en milieu acide ou basique. Cette réaction, impliquant dans les deux cas un processus réversible, est plus efficace en milieu basique puisque, dans ce cas, l'acide carboxylique produit se retrouve sous forme de sel. Comparons maintenant cette hydrolyse, selon le milieu acide ou basique.

---

* Pour plus de détails, voir sections 9.2 et 11.9.

1. En milieu acide, l'hydrolyse d'un ester s'amorce par la protonation du carbonyle, suivie de l'attaque nucléophile de l'eau qui effectue la substitution nucléophile au niveau du carbonyle. La réaction se résume ainsi, l'acétate d'éthyle servant d'exemple:

$$CH_3{-}\overset{\displaystyle :O:}{\underset{\displaystyle \|}{C}}{-}OCH_2CH_3$$

acétate d'éthyle

$$H{-}\overset{\displaystyle H}{\underset{\displaystyle +}{O}}{-}H$$

$$CH_3{-}\overset{\displaystyle :\overset{+}{O}{-}H}{\underset{\displaystyle \|}{C}}{-}OCH_2CH_3$$

$$H{-}\overset{\displaystyle ..}{O}{:}$$
$$H$$

$$CH_3{-}\overset{\displaystyle O}{\underset{\displaystyle \|}{C}}{-}OH \quad + \quad CH_3CH_2{-}OH$$

acide acétique   éthanol

$$+ \quad H_3O^+$$

La réaction de substitution nucléophile continue et plusieurs déplacements de protons ont lieu.

2. En milieu basique, l'hydrolyse d'un ester s'appelle **saponification**. Cette réaction, d'intérêt historique, est la même que celle impliquée dans la fabrication des savons à partir de gras animal ou d'huiles végétales. L'hydroxyde de sodium ou de potassium sert de base dans cette réaction dont le mécanisme consiste en une substitution nucléophile sur un carbonyle. En voici un exemple:

$$\overset{\displaystyle O}{\underset{\displaystyle \|}{C}}{-}OCH_2CH_3$$

benzoate d'éthyle

$$HO^-$$
substitution nucléophile

$$\overset{\displaystyle O^-}{\underset{\displaystyle |}{\underset{\displaystyle OH}{C}}}{-}OCH_2CH_3$$

$$CH_3CH_2O{-}H \quad + \quad \overset{\displaystyle O}{\underset{\displaystyle \|}{C}}{-}O^-$$

éthanol   ion carboxylate
(sel de Na^+ ou K^+)

$$\overset{\displaystyle O}{\underset{\displaystyle \|}{C}}{-}O{-}H \quad + \quad CH_3CH_2O^-$$

acide faible   base très forte

La formation de l'ion carboxylate et de l'alcool améliore l'efficacité de cette réaction réversible. De l'ion carboxylate, il est facile de retrouver la forme acide carboxylique, par simple acidification du milieu.

$$\overset{\displaystyle O}{\underset{\displaystyle \|}{C}}{-}O^- \quad \overset{H^+}{\longrightarrow} \quad \overset{\displaystyle O}{\underset{\displaystyle \|}{C}}{-}O{-}H$$

ion carboxylate   acide carboxylique

Les esters sont abondants dans la nature: les plantes, les fruits et le monde animal en contiennent de grandes quantités. Donc, la nature peut, après hydrolyse des esters, fournir une foule d'acides carboxyliques.

c) Pour un **amide** comme pour un ester, l'hydrolyse peut s'effectuer en milieu acide ou basique. L'hydrolyse est préférable en milieu basique, pour les mêmes raisons que pour l'hydrolyse des esters. En voici un exemple avec l'acétamide:

1. en milieu **acide**:

$$CH_3-\overset{\overset{\displaystyle O}{\|}}{C}-NH_2 \;\; \underset{}{\overset{HCl, H_2O}{\rightleftharpoons}} \;\; CH_3-\overset{\overset{\displaystyle O}{\|}}{C}-OH \;\; + \;\; NH_4Cl \;\; + \;\; H_3O^+$$

acétamide   acide acétique

2. en milieu **basique**:

$$CH_3-\overset{\overset{\displaystyle O}{\|}}{C}-NH_2 \;\; \underset{}{\overset{HO^-, H_2O}{\rightleftharpoons}} \;\; CH_3-\overset{\overset{\displaystyle O}{\|}}{C}-OH \;\; + \;\; NH_3$$

$$\Big\downarrow HO^-$$

$$CH_3-\overset{\overset{\displaystyle O}{\|}}{C}-OH \;\; \overset{H^+}{\longleftarrow} \;\; CH_3-\overset{\overset{\displaystyle O}{\|}}{C}-O^- \;\; + \;\; H_2O$$

acide acétique   ion acétate
                                (sel soluble)

L'hydrolyse des amides prend une importance capitale quand on s'intéresse aux protéines. En effet, les protéines sont des polyamides, principaux constituants des tissus musculaires (viandes) et de plusieurs produits alimentaires. Ces produits sont hydrolysés en aminoacides pendant la digestion, par un processus semblable à ce qui vient d'être présenté.

d) De leur côté, les **nitriles**, avec leur liaison triple, peuvent être transformés par une réaction **d'addition** d'eau en milieu acide. Cette réaction produit un amide qui, à son tour, peut devenir un acide carboxylique, si on prolonge la durée de la réaction.

$$R-C\equiv N \;\; \underset{}{\overset{H_3O^+}{\rightleftharpoons}} \;\; R-\overset{\overset{\displaystyle O}{\|}}{C}-NH_2 \;\; \underset{}{\overset{H_3O^+}{\rightleftharpoons}} \;\; R-\overset{\overset{\displaystyle O}{\|}}{C}-OH \;\; + \;\; NH_4^+$$

nitrile   amide   acide carboxylique

Le mécanisme de l'hydrolyse d'un nitrile en amide se déroule comme suit:

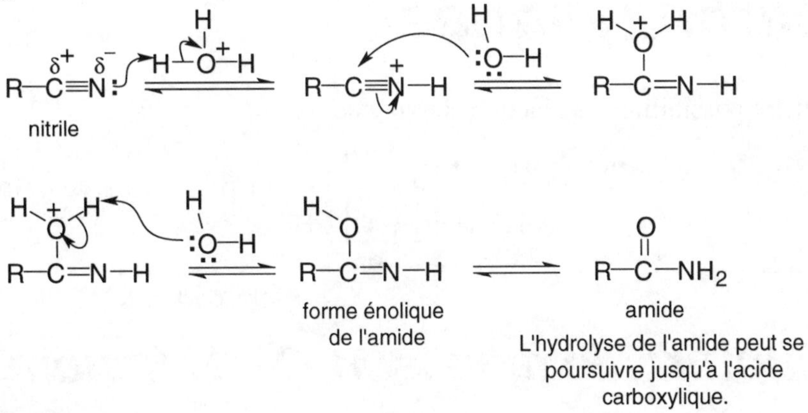

nitrile

forme énolique
de l'amide

amide

L'hydrolyse de l'amide peut se
poursuivre jusqu'à l'acide
carboxylique.

---

2 Compléter les réactions suivantes et décrire le mécanisme pour d et e:

a)  ⬡—MgBr $\xrightarrow[\text{2) } H_3O^+]{\text{1) } CO_2}$

b)  ⬡—CN $\xrightarrow{H_3O^+}$

c) 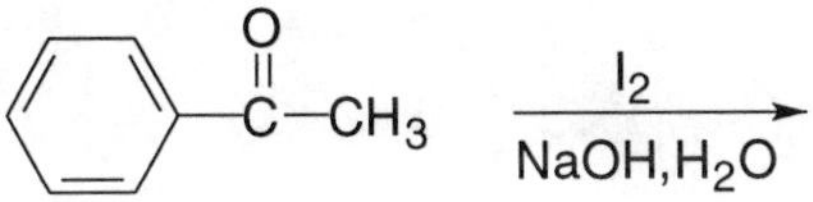 ⬡—C(=O)—CH$_3$ $\xrightarrow[\text{NaOH,H}_2\text{O}]{\text{I}_2}$

d) 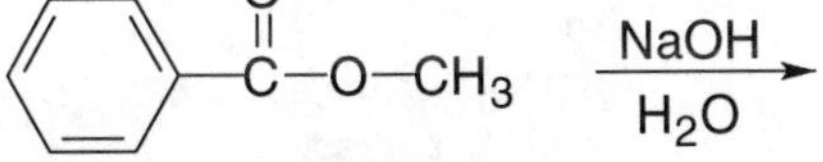 ⬡—C(=O)—O—CH$_3$ $\xrightarrow[\text{H}_2\text{O}]{\text{NaOH}}$

e) 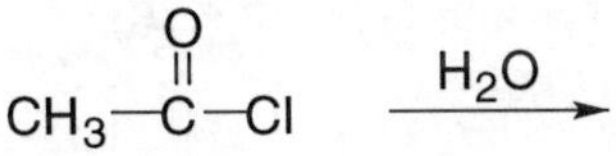 CH$_3$—C(=O)—Cl $\xrightarrow{H_2O}$

f) 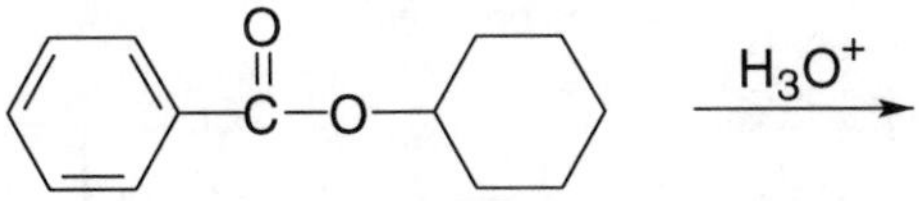 ⬡—C(=O)—O—⬡(cyclohexyl) $\xrightarrow{H_3O^+}$

g) 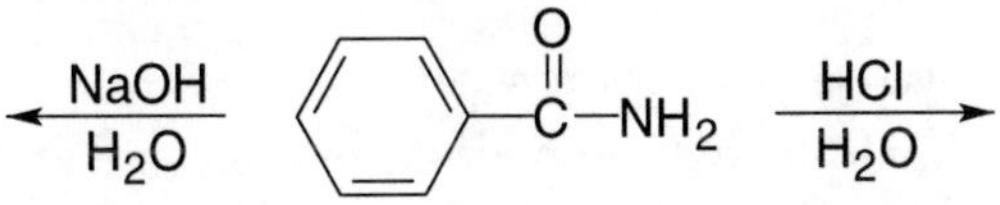 $\xleftarrow[\text{H}_2\text{O}]{\text{NaOH}}$ ⬡—C(=O)—NH$_2$ $\xrightarrow[\text{H}_2\text{O}]{\text{HCl}}$

Réactivité des acides carboxyliques

Quatre possibilités de réaction seront examinées:

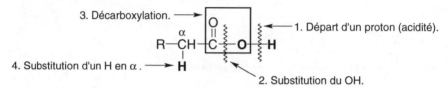

3. Décarboxylation. ⟶

1. Départ d'un proton (acidité).

4. Substitution d'un H en α. ⟶

2. Substitution du OH.

11.5 Rupture de la liaison O—H (acidité)

L'oxygène hybridé sp^3 d'un acide carboxylique est entouré de deux liaisons σ polaires. Celle qui retient l'hydrogène (différence d'électronégativité de 1,24) est la plus vulnérable à la rupture. C'est ce bris de liaison, libérant un proton, qui explique le caractère acide des acides carboxyliques. Ce caractère acide est-il fort ou faible?

En général, les acides organiques sont des acides faibles (peu dissociés). Mais pour plus de précision, examinons la nature du groupe relié à la fonction acide (voir section 4.2 sur l'effet inductif): un groupe attracteur d'électrons augmente l'acidité, alors qu'un groupe répulsif nuit au départ du proton. En voici deux exemples:

$$CH_3-\overset{\overset{\displaystyle O}{\|}}{C}-O-H$$

acide acétique

$K_a = 1,75 \times 10^{-5}$
($pK_a = 4,75$)

Le méthyle est répulsif.

$$Cl-CH_2-\overset{\overset{\displaystyle O}{\|}}{C}-O-H$$

acide chloroacétique

$K_a = 1,40 \times 10^{-3}$
($pK_a = 2,85$)

Le chlore est attracteur.

La dissociation d'un acide carboxylique se représente comme suit:

$$R-\overset{\overset{\displaystyle O}{\|}}{C}-\overset{..}{O}-H \; + \; H-\overset{..}{\underset{..}{O}}-H \; \rightleftharpoons \; R-\overset{\overset{\displaystyle O}{\|}}{C}-O^{-} \; + \; H-\overset{+}{\underset{..}{O}}\overset{H}{\underset{}{-}}H$$

acide carboxylique

ion carboxylate

L'ion carboxylate qui se forme constitue une base faible, à cause de la délocalisation de la charge négative par résonance.

$$\left[R-\overset{\overset{\displaystyle O}{\|}}{C}-O^{-} \quad \longleftrightarrow \quad R-\overset{\overset{\displaystyle O^{-}}{\|}}{C}=O \right]$$

K_{bc} = environ 6×10^{-10} (dans le cas de l'ion acétate).

La réaction acidobasique est bien connue lorsqu'elle implique des substances minérales. La même réaction existe avec les composés organiques:

$$R-\overset{\overset{\displaystyle O}{\|}}{C}-O-H \;+\; NaOH \longrightarrow R-\overset{\overset{\displaystyle O}{\|}}{C}-O^-\,Na^+ \;+\; H_2O$$

acide   base   sel

Le sel formé dans cette réaction est plus soluble dans l'eau que l'acide de départ, à cause de son fort caractère ionique. L'ajout d'un acide minéral à la solution du sel conduit à l'acide carboxylique.

$$R-\overset{\overset{\displaystyle O}{\|}}{C}-O^-\,Na^+ \;+\; HCl \longrightarrow R-\overset{\overset{\displaystyle O}{\|}}{C}-O-H \;+\; NaCl$$

sel   acide   acide carboxylique

Cette réaction est souvent mise à profit au laboratoire pour isoler certains acides carboxyliques solides, peu solubles dans l'eau.

11.6 *Rupture de la liaison C—OH*

Comme chez les alcools, la liaison C—OH des acides est assez résistante, sinon sa rupture produirait une base forte, HO⁻. Toutefois, avec l'aide de certains catalyseurs ou de réactifs spécifiques, on y arrive. Voici deux cas de rupture C—O qui produisent de nouvelles fonctions:

         1. formation d'un chlorure d'acide (d'acyle);

         2. estérification.

11.6.1 *Formation d'un chlorure d'acide (acyle)*

Les chlorures de phosphore, PCl_3 et PCl_5, et le chlorure de thionyle, $SOCl_2$, transforment efficacement les acides carboxyliques en chlorures d'acides.

$$R-\overset{\overset{\displaystyle O}{\|}}{C}-OH \;+\; PCl_3 \;\overset{\Delta}{\longrightarrow}\; R-\overset{\overset{\displaystyle O}{\|}}{C}-Cl \;+\; H_3PO_3$$

          trichlorure   acide phosphoreux
          de phosphore

$$R-\overset{\overset{\displaystyle O}{\|}}{C}-OH \;+\; PCl_5 \longrightarrow R-\overset{\overset{\displaystyle O}{\|}}{C}-Cl \;+\; POCl_3 \;+\; HCl$$

          pentachlorure   oxychlorure
          de phosphore   de phosphore

$$R-\overset{\overset{\displaystyle O}{\|}}{C}-OH \;+\; SOCl_2 \longrightarrow R-\overset{\overset{\displaystyle O}{\|}}{C}-Cl \;+\; SO_2 \;+\; HCl$$

          chlorure de thionyle   dioxyde de soufre

La synthèse des chlorures d'acides avec le chlorure de thionyle est souvent préférée aux autres méthodes, à cause de l'efficacité technique de cette réaction. On laisse s'échapper les deux gaz formés, SO_2 et HCl, puis on élimine le surplus de chlorure de thionyle par évaporation (Éb. 79°C).

Généralement, les chlorures d'acides sont préparés peu de temps avant leur utilisation parce qu'ils sont très sensibles à l'humidité.

La synthèse efficace des chlorures d'acides rend facile l'accessibilité aux autres dérivés des acides carboxyliques. En effet, comme il en sera question à la section 11.9, le chlore des chlorures d'acides est le groupement amovible par excellence pour subir une substitution nucléophile et ainsi donner accès à la préparation des esters, anhydrides et amides.

11.6.2 *Estérification*

Pour enlever le groupement OH d'un acide carboxylique, il faut utiliser un catalyseur acide qui permet la protonation sur l'oxygène du carbonyle. De cette façon, en présence d'alcool, l'acide carboxylique protoné pourra subir l'attaque nucléophile de l'alcool, perdre une molécule d'eau et produire un ester. Cette réaction, appelée *estérification*, est catalysée par un acide anhydre comme H_2SO_4 , H_3PO_4 ou HCl(g). Malheureusement, le rendement de cette réaction est limité, en raison d'un équilibre réactionnel dont la valeur de Kc est généralement faible. Pour contourner ce désavantage, on utilise souvent un excès d'un des réactifs (habituellement l'alcool) ou on distille l'ester à mesure qu'il se forme (s'il bout à basse température). En voici la réaction globale:

Le mécanisme d'estérification se déroule comme suit:

Voici un exemple particulier: l'estérification de l'acide benzoïque par le méthanol.

acide benzoïque   méthanol   benzoate de méthyle

Avec les chlorures d'acyles et les anhydrides, l'estérification est plus efficace parce qu'elle n'est pas réversible et que le groupement amovible est plus disponible (voir section 11.9, substitution nucléophile sur un carbonyle).

11.7 Décarboxylation

Les acides carboxyliques ordinaires, $R-CO_2H$, peuvent se décarboxyler, c'est-à-dire perdre une molécule de dioxyde de carbone par chauffage intense en milieu basique. Cette réaction, lente et difficile, conduit à l'alcane correspondant, R—H, ou à celui qui est le double du groupe de départ, R—R. Le résultat dépend des conditions expérimentales. Ce genre de réaction est beaucoup plus facile et surtout très utile avec les acides qui possèdent un **carbonyle** en position α ou β. La synthèse malonique (voir section 11.15.3) et la réaction de plusieurs composés β-dicarbonylés (voir section 11.16) impliquent souvent la décarboxylation.

acide oxalique   acide formique

acide 3-oxo-butanoïque   acétone

11.8 Réaction sur le carbone α

Au moyen de chlore ou de brome et en présence d'un peu de phosphore, les acides carboxyliques peuvent subir une réaction d'halogénation sur le carbone α. Cette réaction, appelée réaction de Hell-Volhard-Zelinsky, peut être très utile pour la synthèse des aminoacides.

un acide α-bromé   un acide α-aminé
                                          (aminoacide)

Cette réaction* débute par la formation d'un bromure d'acide, continue avec une énolisation, puis une deuxième bromation et se termine par un échange de brome pour former l'acide α-bromé.

⬡ **3** 1. Trouver la structure des inconnues.

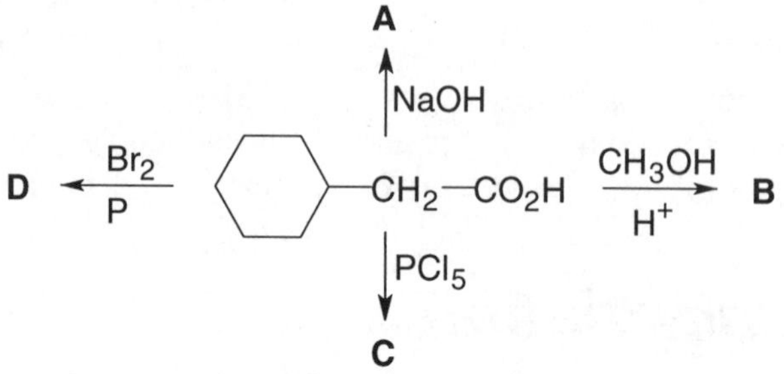

2. Trouver un enchaînement de réactions pour obtenir du cyclohexane à partir de:

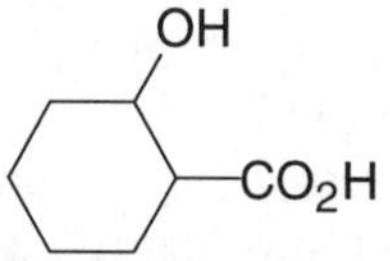

Dérivés d'acides carboxyliques

L'étude des quatre dérivés d'acides carboxyliques (chlorures d'acides, anhydrides, esters et amides) peut être réalisée de plusieurs façons. Nous avons choisi ici une méthode générale qui permet autant de présenter la **synthèse** que la **réactivité** par une seule réaction: la **substitution nucléophile**. Les sections 11.10 à 11.14 compléteront ce qui ne peut être couvert par la substitution nucléophile.

11.9 Substitution nucléophile sur un carbonyle

La polarité d'un carbonyle favorise l'attaque d'un nucléophile.

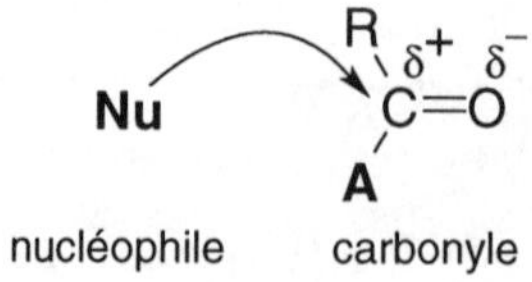

nucléophile   carbonyle

---

*Carl M. Hell (1849-1926), Université de Stuttgart, Allemagne; Jacob Volhard (1834-1910), Université de Halle, Allemagne; Nicolai D. Zelinsky (1861-1953), Université de Moscou.

Si le groupe **A** est attracteur d'électrons, c'est le cas lorsque l'élément directement lié au carbonyle est plus électronégatif que le carbone, il (le groupe **A**) devient un exellent groupe amovible pour une réaction de **substitution nucléophile**. C'est le cas des acides carboxyliques et de leurs dérivés. Le mécanisme se déroule en deux étapes comme suit:

Substitution nucléophile sur un carbonyle

(a)

produit de substitution
(conservation du groupe C=O)

Les nucléophiles habituels peuvent être utilisés, tout en tenant compte de la facilité de départ du groupe amovible. À propos de **A**, notons qu'il contient souvent un halogène, un oxygène ou un atome d'azote directement lié au carbonyle. La réactivité des dérivés d'acides carboxyliques lors d'une substitution nucléophile varie, en partie, selon leur stabilisation par résonance. Les chlorures d'acides sont les moins stabilisés et deviennent des substrats très efficaces pour subir la substitution nucléophile.

Réactivité relative observée:

$$R-\overset{O}{\overset{\|}{C}}-Cl \ > \ R-\overset{O}{\overset{\|}{C}}-O-\overset{O}{\overset{\|}{C}}-R \ > \ R-\overset{O}{\overset{\|}{C}}-OR' \ > \ R-\overset{O}{\overset{\|}{C}}-OH \ > \ R-\overset{O}{\overset{\|}{C}}-NH_2$$

Le tableau 11.4 (page suivante) résume les principaux cas de substitution nucléophile d'après la réaction générale suivante:

$$R-\overset{O}{\overset{\|}{C}}-\mathbf{A} \ + \ Nu \ \longrightarrow \ R-\overset{O}{\overset{\|}{C}}-\mathbf{Nu} \ + \ A^-$$

Ce tableau laisse clairement voir que toutes les fonctions dérivées des acides carboxyliques sont étroitement reliées entre elles par l'action d'un nucléophile. Ces réactions ne se réalisent pas toutes avec la même facilité: certaines étant faciles et rapides (avec les chlorures d'acides, en particulier), d'autres nécessitant l'aide d'un catalyseur (avec les esters et les amides) et celles avec les acides carboxyliques, requérant des conditions spéciales.

Tableau 11.4 Substitution nucléophile sur un carbonyle.

Groupe amovible (A)	Nucléophile (Nu)	Produit formé
—Cl **chlorure d'acyle**	H_2O HO^- $R—OH$ RO^- $R—CO_2^-$ NH_3 ou $R—NH_2$ NH_2^-	acide carboxylique sel d'acide ester ester anhydride amide amide
$\overset{\overset{\displaystyle O}{\|\|}}{—O—C—R}$ **anhydride**	H_2O HO^- $R—OH^*$ RO^- NH_3 ou $R—NH_2$ NH_2^-	acide carboxylique sel d'acide ester ester amide amide
—OR' **ester**	H_2O^* HO^- $R—OH^*$ RO^- NH_3 ou $R—NH_2$ NH_2^-	acide carboxylique et alcool sel d'acide et alcool un nouvel ester un nouvel ester un amide un amide
—NH$_2$ ou —NH—R **amide**	H_2O^* HO^-	acide carboxylique sel d'acide
—OH **acide carboxylique**	$R—OH^*$ NH_3 ou $R—NH_2$ (difficile) PCl_3, PCl_5 ou $SOCl_2$	ester amide chlorure d'acide

* Réaction favorisée par une catalyse acide.

Voici quelques exemples de substitutions nucléophiles qui sont très efficaces:

1. estérification d'un chlorure d'acide:

$$CH_3-\overset{\overset{\displaystyle O}{\|}}{C}-Cl \ + \ CH_3-OH \ \longrightarrow \ CH_3-\overset{\overset{\displaystyle O}{\|}}{C}-O-CH_3 \ + \ HCl$$

chlorure d'acétyle   acétate de méthyle

2. saponification d'un ester:

benzoate de méthyle   benzoate de potassium

$$ \text{(benzène)}-\overset{\overset{\displaystyle O}{\|}}{C}-O-CH_3 \ + \ KOH \ \longrightarrow \ \text{(benzène)}-\overset{\overset{\displaystyle O}{\|}}{C}-O^{-} \ K^{+} \ + \ CH_3OH$$

3. hydrolyse d'un anhydride:

$$CH_3-\overset{\overset{\displaystyle O}{\|}}{C}-O-\overset{\overset{\displaystyle O}{\|}}{C}-CH_3 \ + \ H_2O \ \longrightarrow \ 2 \ CH_3-\overset{\overset{\displaystyle O}{\|}}{C}-OH$$

anhydride acétique   acide acétique

4. formation d'un amide à partir d'un chlorure d'acide:

$$CH_3-\overset{\overset{\displaystyle O}{\|}}{C}-Cl \ + \ 2\,NH_3 \ \longrightarrow \ CH_3-\overset{\overset{\displaystyle O}{\|}}{C}-NH_2 \ + \ NH_4Cl$$

chlorure d'acétyle   acétamide

Les deux réactions d'hydrolyse d'un chlorure d'acide et d'un anhydride présentées à la section 11.4 sont aussi de bons exemples de substitution nucléophile.

C'est par substitution nucléophile que l'industrie prépare le **nylon** (un polyamide):

$$Cl-\overset{\overset{\displaystyle O}{\|}}{C}-[CH_2]_4-\overset{\overset{\displaystyle O}{\|}}{C}-Cl \ + \ H_2N-[CH_2]_6-NH_2$$

chlorure d'adipyle   hexaméthylènediamine

$$\Big(NH-[CH_2]_6-NH-\overset{\overset{\displaystyle O}{\|}}{C}-[CH_2]_4-\overset{\overset{\displaystyle O}{\|}}{C}-NH-[CH_2]_6-NH-\overset{\overset{\displaystyle O}{\|}}{C}-[CH_2]_4-\overset{\overset{\displaystyle O}{\|}}{C}-NH\Big)_{\overline{n}}$$

nylon-6,6

Si l'acide est utilisé à la place de son chlorure, il faut chauffer à 200-300°C, selon l'acide choisi.

4 Compléter les réactions suivantes et décrire le mécanisme pour a, b et d:

a) C_6H_5—$\overset{\displaystyle O}{\overset{\|}{C}}$—Cl $\quad+\quad$ CH_3—$\overset{\displaystyle O}{\overset{\|}{C}}$—$O^-$ Na^+ $\quad\longrightarrow$

b) CH_3—$\overset{\displaystyle O}{\overset{\|}{C}}$—O—$CH_2CH_3$ $\quad+\quad$ NaOH (aq) $\quad\longrightarrow$

c) $\quad+\quad$ H_2O $\quad\longrightarrow\quad$ 2 C_6H_5—$\overset{\displaystyle O}{\overset{\|}{C}}$—OH

d) CH_3—$\underset{\underset{\displaystyle CH_3}{|}}{CH}$—$\overset{\displaystyle O}{\overset{\|}{C}}$—Cl $\quad+\quad$ CH_3—NH_2 $\quad\longrightarrow$

e) $\quad\overset{\displaystyle NH_3}{\longleftarrow}\quad$ CH_3—$\overset{\displaystyle O}{\overset{\|}{C}}$—O—$\overset{\displaystyle O}{\overset{\|}{C}}$—$CH_3$ $\quad\overset{\displaystyle CH_3OH}{\underset{\displaystyle H^+}{\longrightarrow}}$

— Le nylon... —

Fibre synthétique principalement formée d'une longue chaîne polyamide, le nylon est un polymère de (—CONH—). Le nylon résulte de la réaction d'acides dicarboxyliques (ou leurs dérivés) et de diamines. Leur nomenclature associe souvent des chiffres au terme nylon, exemple le nylon-6, le nylon-4,6 etc. Le chiffre unique indique le nombre de carbones du monomère, commme le **nylon-6**. Le chiffre double signifie que le nylon a été obtenu par une condensation d'une amine et d'un acide dicarboxylique. Le premier chiffre identifie le nombre de carbones de l'amine, comme le **nylon-4,6**:

H—$(NH$—$[CH_2]_5$—$\overset{\displaystyle O}{\overset{\|}{C}})_n$—$OH$

nylon-6
n = environ 200
F 210-223°C

H—$(NH$—$[CH_2]_4$—NH—$\overset{\displaystyle O}{\overset{\|}{C}}$—$[CH_2]_4$—$\overset{\displaystyle O}{\overset{\|}{C}})_n$—$OH$

nylon-4,6
La masse molaire varie d'environ 22 000 à 45 000 g/mol.
F 283-319°C

À cette nomenclature systématique, s'ajoute une foule de noms commerciaux: Grilon, Kapron, Mirlon, Perlon, Phrilon et Amilan.

État physique, synthèse et réactivité

1.10 Les halogénures d'acyles

Les chlorures, souvent liquides, sont les plus faciles d'accès parmi les halogénures d'acyles. Ils sont obtenus à partir des acides carboxyliques (voir section 11.6.1). C'est leur très grande réactivité face à un nucléophile qui les rend si utiles pour la synthèse des autres dérivés d'acides (tableau 11.4). Mais attention! Ils s'hydrolysent si facilement qu'il faut travailler dans des conditions parfaitement anhydres pour obtenir de bons résultats avec ces réactifs.

1.11 Les esters

Plusieurs esters sont liquides à température ambiante et leur température d'ébullition est généralement inférieure à celle de l'acide carboxylique correspondant, les esters ne formant pas de ponts hydrogène.

La présence des esters dans la nature est remarquable. Ils sont en partie responsables de l'arôme des fruits (voir section 9.3.2). D'autres sont devenus célèbres avec les années, comme l'aspirine (analgésique bien connu), et le salicylate de méthyle (à l'arôme de thé des bois).

Plusieurs plantes contiennent des quantités importantes d'esters sous la forme d'huile végétale ou de cires; ce sont des esters d'acides gras* appelés **lipides**. Les graisses animales, à la base de l'alimentation, sont aussi des lipides. Par transformation chimique, ils fournissent des savons. Les savons sont des sels d'acides gras provenant d'une réaction de saponification.

$$CH_2-O-\overset{\overset{O}{\|}}{C}-[CH_2]_{14}-CH_3$$
$$CH-O-\overset{\overset{O}{\|}}{C}-[CH_2]_{14}-CH_3 \xrightarrow{\text{3 KOH}} 3\ CH_3-[CH_2]_{14}-\overset{\overset{O}{\|}}{C}-O^-\ K^+$$
$$CH_2-O-\overset{\overset{O}{\|}}{C}-[CH_2]_{14}-CH_3$$

palmitate de glycéryle
(un lipide)

palmitate de potassium
(un savon)

$$+ \quad \begin{matrix} CH_2-OH \\ CH-OH \\ CH_2-OH \end{matrix}$$

glycérol

---

*Les acides gras sont à la base des lipides. Les plus nombreux possèdent 16 à 18 atomes de carbone (voir **Complément A**).

Par la réduction d'un lipide, on produit des alcools à longue chaîne, précurseurs de certains **détergents** ou savons synthétiques.

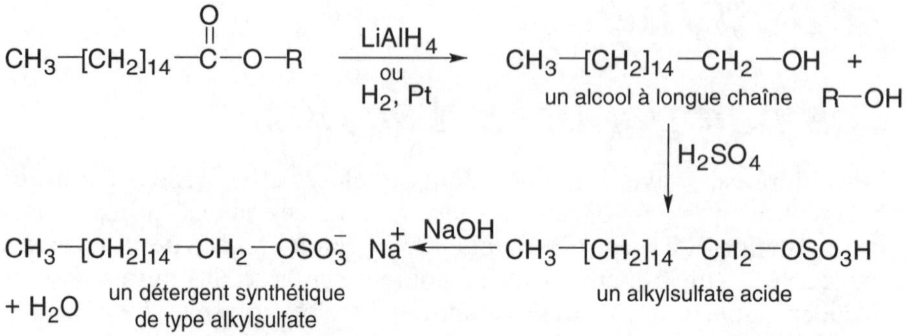

$$CH_3-[CH_2]_{14}-\overset{\overset{\displaystyle O}{\|}}{C}-O-R \xrightarrow[\substack{ou \\ H_2,\ Pt}]{LiAlH_4} CH_3-[CH_2]_{14}-CH_2-OH +$$

un alcool à longue chaîne   R—OH

↓ H_2SO_4

$$CH_3-[CH_2]_{14}-CH_2-OSO_3^- \ \overset{+}{Na} \xleftarrow{NaOH} CH_3-[CH_2]_{14}-CH_2-OSO_3H$$

$+ H_2O$ un détergent synthétique   un alkylsulfate acide
de type alkylsulfate

Pour obtenir un **bon rendement** en esters, il vaut mieux partir d'un chlorure d'acyle ou d'un anhydride que d'un acide carboxylique; en effet, ce dernier conduit à une réaction où un équilibre est vite atteint.

Il existe des esters cycliques appelés **lactones**. Ces esters spéciaux peuvent former des cycles de 5 ou 6 atomes; on les obtient par acidification d'un acide γ ou δ-hydroxylé.

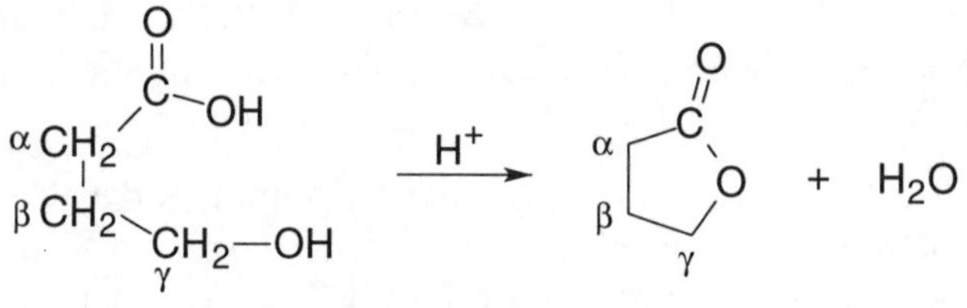

acide γ -hydroxylé   une γ -lactone

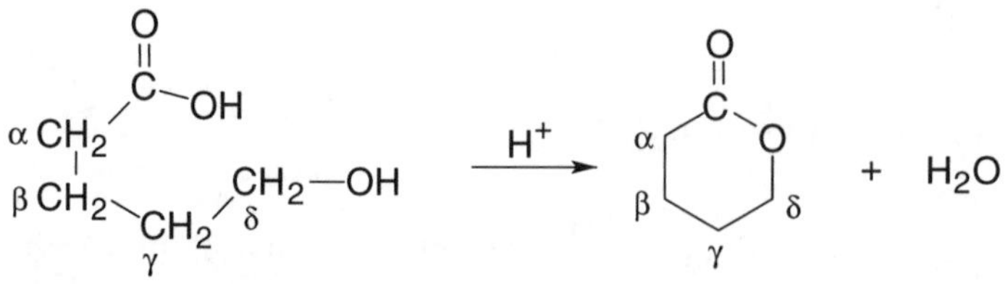

acide δ -hydroxylé   une δ -lactone

Les lactones ont la même réactivité que les esters linéaires.

---

5 Préparer le benzoate d'éthyle, avec un rendement maximum, à partir de l'alcool benzylique et l'éthanol.

1.12 Les amides

La présence de l'azote dans les amides leur permet de former de nombreux ponts hydrogène. Il en résulte que les amides sont des solides sauf le formamide qui est liquide (il fond à 2,5°C). Les amides sont obtenus facilement à partir des chlorures d'acyles, des anhydrides ou des esters.

Les amides simples sont peu nombreux, mais les polyamides sont d'une importance capitale. Bien sûr, il y a les nylons (voir section 11.9), mais les polyamides obtenus à partir d'aminoacides sont de loin les plus importants puisqu'ils constituent la famille des protéines, principaux constituants des êtres vivants.

Dans une protéine, la fonction amide porte le nom de **liaison peptidique**:

liaison peptidique →
$$H_2N-CH_2-\overset{\overset{\displaystyle O}{\|}}{C}-NH-\overset{|}{\underset{\underset{\displaystyle CH_3}{|}}{CH}}-\overset{\overset{\displaystyle O}{\|}}{C}-OH$$

un dipeptide: la glycyl-alanine

Les amides résistent assez bien à l'hydrolyse, mais en milieu acide ou basique, ils se transforment en acides carboxyliques ou en leurs sels.

$$\underset{\text{sel d'acide}}{\overset{\overset{\displaystyle O}{\|}}{C}-O^-\ Na^+} \xleftarrow[\Delta]{NaOH\ (aq)} \overset{\overset{\displaystyle O}{\|}}{C}-NH_2 \xrightarrow[\Delta]{H_3O^+} \overset{\overset{\displaystyle O}{\|}}{C}-OH$$

$$+\quad NH_3 \qquad\qquad \text{amide} \qquad\qquad +\ NH_4^+$$

Ajoutons enfin que les amides non substitués peuvent être transformés en amines primaires par une réaction de dégradation. Cette réaction s'appelle **dégradation de Hofmann**. Elle est provoquée par un halogène, comme le chlore ou le brome, en milieu basique fort:

$$R-\overset{\overset{\displaystyle O}{\|}}{C}-NH_2 \xrightarrow[\underset{\Delta}{NaOH\ (aq)}]{Cl_2} \underset{\text{amine primaire}}{R-NH_2}\ +\quad Na_2CO_3\ +\ NaCl$$

Cette méthode de synthèse des amines primaires est utilisée pour les amines difficiles à obtenir par d'autres méthodes.

11.13 *Les anhydrides d'acides*

Souvent symétriques, les anhydrides d'acides sont facilement obtenus par déshydratation des acides carboxyliques correspondants. Une chaleur intense ou l'action d'un catalyseur comme le pentoxyde de phosphore, P_2O_5, déshydrate les acides:

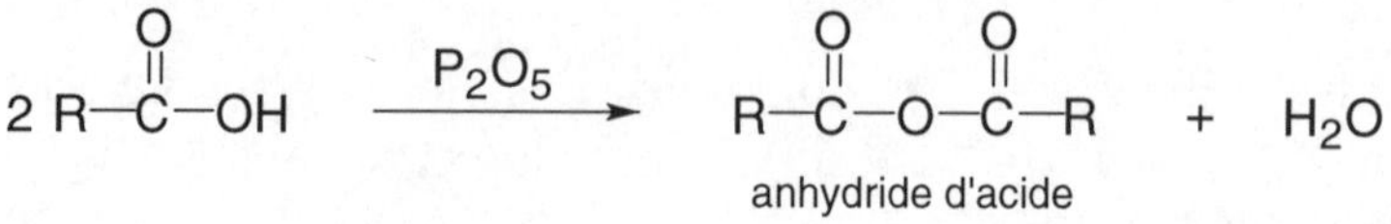

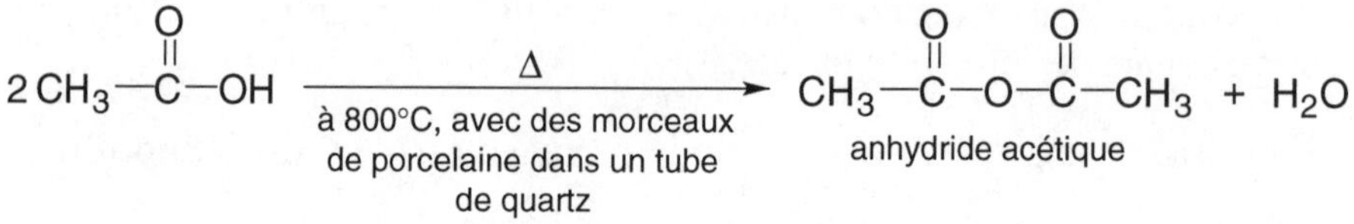

$$2 \ R-\overset{\overset{O}{\|}}{C}-OH \xrightarrow{P_2O_5} R-\overset{\overset{O}{\|}}{C}-O-\overset{\overset{O}{\|}}{C}-R \ + \ H_2O$$

anhydride d'acide

$$2 \ CH_3-\overset{\overset{O}{\|}}{C}-OH \xrightarrow[\substack{\text{à 800°C, avec des morceaux} \\ \text{de porcelaine dans un tube} \\ \text{de quartz}}]{\Delta} CH_3-\overset{\overset{O}{\|}}{C}-O-\overset{\overset{O}{\|}}{C}-CH_3 \ + \ H_2O$$

anhydride acétique

Des réactions moins rigoureuses produisent aussi des anhydrides d'acides. Ce sont alors les chlorures d'acyles qui sont les substrats:

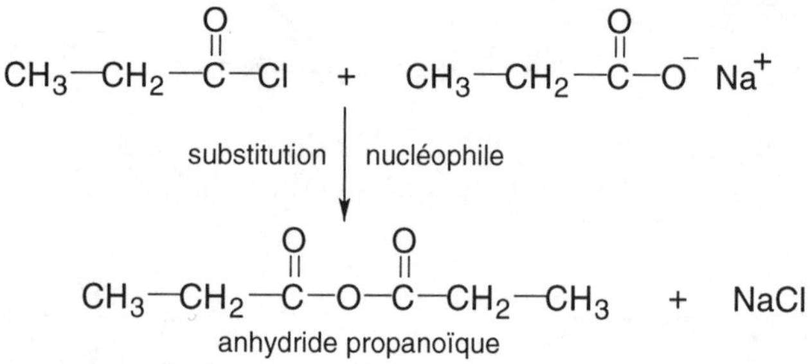

$$CH_3-CH_2-\overset{\overset{O}{\|}}{C}-Cl \ + \ CH_3-CH_2-\overset{\overset{O}{\|}}{C}-O^- \ Na^+$$

substitution | nucléophile

$$CH_3-CH_2-\overset{\overset{O}{\|}}{C}-O-\overset{\overset{O}{\|}}{C}-CH_2-CH_3 \ + \ NaCl$$

anhydride propanoïque

L'hydrolyse des anhydrides est facile; ces composés doivent donc être constamment protégés de l'humidité. Les anhydrides sont de bons substrats pour la substitution nucléophile. Cette propriété est souvent mise à profit pour préparer des esters. Ainsi, l'aspirine est préparée à l'aide de l'anhydride acétique:

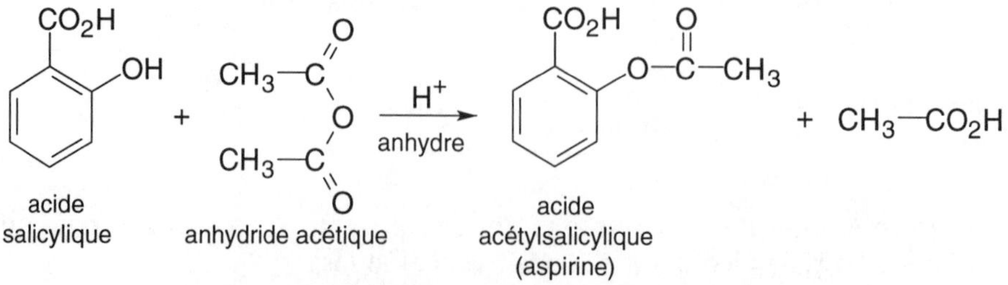

acide salicylique + anhydride acétique $\xrightarrow[\text{anhydre}]{H^+}$ acide acétylsalicylique (aspirine) + CH_3-CO_2H

Cette réaction est favorisée par l'action d'un catalyseur, un acide concentré anhydre comme H_2SO_4 ou H_3PO_4 .

1.14 Les nitriles

Bien que les nitriles ne fassent pas partie, du point de vue de leur structure, du groupe des dérivés d'acides carboxyliques, ils y sont quand même reliés de près, à cause de leur facilité de transformation en amides ou en acides carboxyliques. En effet, l'hydrolyse plus ou moins rigoureuse des nitriles produit ces deux fonctions:

$$R-C\equiv N \xrightarrow{H_3O^+} \underset{\text{amide}}{R-\overset{\displaystyle O}{\overset{\|}{C}}-NH_2} \xrightarrow{H_3O^+} \underset{\text{acide carboxylique}}{R-\overset{\displaystyle O}{\overset{\|}{C}}-OH}$$

nitrile

La première étape de cette réaction est une simple addition d'eau sur une liaison triple pour produire l'amide; il peut être ensuite transformé en acide carboxylique par catalyse acide et un chauffage prolongé. Une catalyse basique fournirait l'ion carboxylate.

Généralement, les nitriles sont obtenus par une réaction de substitution nucléophile sur des halogénures. Ils sont aussi d'excellents précurseurs des amines obtenues par réduction d'un nitrile.

$$CH_3-CH_2-Br \xrightarrow{NaCN} CH_3-CH_2-CN + NaBr$$

$$\xrightarrow{LiAlH_4} \underset{\text{propanamine}}{CH_3-CH_2-CH_2-NH_2}$$

6 1. Suggérer une méthode de transformation du propan-1-ol en acide butanoïque.

2. Trouver les inconnues.

a) $CH_3-[CH_2]_{16}-CO_2-CH_3 \xrightarrow{LiAlH_4}$ **A** + CH_3OH

$\downarrow KMnO_4$

D $\xleftarrow{NH_3}$ **C** $\xleftarrow{SOCl_2}$ **B**

b) $NH_2-CH_2-\overset{\displaystyle O}{\overset{\|}{C}}-NH-\underset{\underset{\displaystyle CH_3}{|}}{CH}-CO_2H \xrightarrow[\Delta]{H_3O^+}$ **E** + **F**

c) **G** $\xrightarrow[\Delta]{P_2O_5}$ anhydride acétique $\xrightarrow[H^+]{phénol}$ **H** $\xrightarrow{NaOH}{H_2O}$ **I** + **J**

3. Donner un exemple d'une δ-lactone.

Composés dicarbonylés

Les composés dicarbonylés regroupent un vaste ensemble de substances qui pourraient faire l'objet d'une étude très spécialisée. Cependant, dans le cadre de ce texte, nous n'examinerons que quelques exemples d'acides dicarboxyliques ainsi que certains composés α et β-dicarbonylés.

$$CH_3-\overset{\overset{O}{\|}}{C}-\overset{\overset{O}{\|}}{\underset{\alpha}{C}}-CH_3 \qquad CH_3-\overset{\overset{O}{\|}}{C}-\underset{\beta}{CH_2}-\overset{\overset{O}{\|}}{\underset{\alpha}{C}}-CH_3$$

un α -dicarbonylé   un β -dicarbonylé

11.15 Les acides dicarboxyliques

11.15.1 Acidité

On peut se demander si les diacides sont plus acides que leurs vis-à-vis monocarboxyliques. La réponse varie selon la longueur de la chaîne carbonée. Pour les plus petits, à 2, 3 ou 4 carbones, la réponse est positive à cause de l'effet attractif du deuxième groupement carboxylique. Toutefois, à mesure que les deux groupements s'éloignent l'un de l'autre, l'effet inductif se perd à travers les liaisons σ jusqu'à ne plus avoir d'influence sur l'autre extrémité. Dans ce cas, les acides mono et dicarboxyliques de même longueur ont sensiblement la même acidité (voir tableau 11.5).

Tableau 11.5 Acidité de quelques acides dicarboxyliques.

Nom	Formule	K_{a1}	K_{a2}
oxalique	HO_2C-CO_2H	$5,90 \times 10^{-2}$	$6,40 \times 10^{-5}$
malonique	$HO_2C-CH_2-CO_2H$	$1,49 \times 10^{-2}$	$2,03 \times 10^{-6}$
succinique	$HO_2C-[CH_2]_2-CO_2H$	$6,89 \times 10^{-5}$	$2,47 \times 10^{-6}$
glutarique	$HO_2C-[CH_2]_3-CO_2H$	$4,58 \times 10^{-5}$	$3,89 \times 10^{-6}$
adipique	$HO_2C-[CH_2]_4-CO_2H$	$3,71 \times 10^{-5}$	$3,87 \times 10^{-6}$
heptanedioïque	$HO_2C-[CH_2]_5-CO_2H$	$3,09 \times 10^{-5}$	——
acétique*	CH_3-CO_2H	$1,76 \times 10^{-5}$	——

* Donné comme référence.

1.15.2 *Pyrolyse*

Les acides dicarboxyliques sont sensibles à la chaleur, et ils réagissent différemment selon la longueur de leur chaîne carbonée. Les deux plus petits, par exemple, se décarboxylent facilement parce que leurs carboxyles sont en position α ou β, l'un par rapport à l'autre:

acide oxalique
(α -dicarbonylé)

acide malonique
(β -dicarbonylé)

Les deux acides suivants se transforment facilement en anhydrides cycliques par chauffage en présence d'un agent déshydratant, comme le pentoxyde de phosphore.

acide succinique   anhydride succinique

acide glutarique   anhydride glutarique

Quant aux diacides à 6 et à 7 carbones, ils forment des cétones cycliques par chauffage intense en présence d'oxyde de manganèse(II):

acide adipique   cyclopentanone

acide pimélique   cyclohexanone

11.15.3 *Alkylation du malonate d'éthyle*

L'ester éthylique de l'acide malonique possède un groupe méthylène, CH_2, fortement activé par la présence des deux carbonyles voisins. Cette situation lui permet de perdre facilement un proton en présence d'une base forte comme l'anion éthanolate (cet anion est utilisé pour éviter la saponification de l'ester).

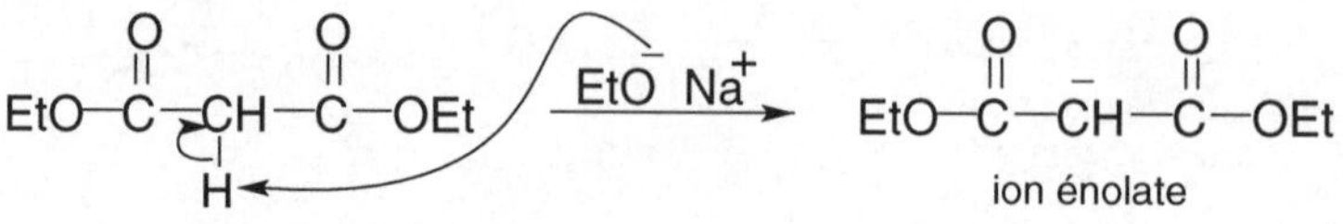

malonate d'éthyle   ion énolate

L'ion énolate formé est stabilisé par résonance avec les carbonyles voisins. Il est très utile pour produire une substitution nucléophile sur un halogénure d'alkyle (de préférence primaire):

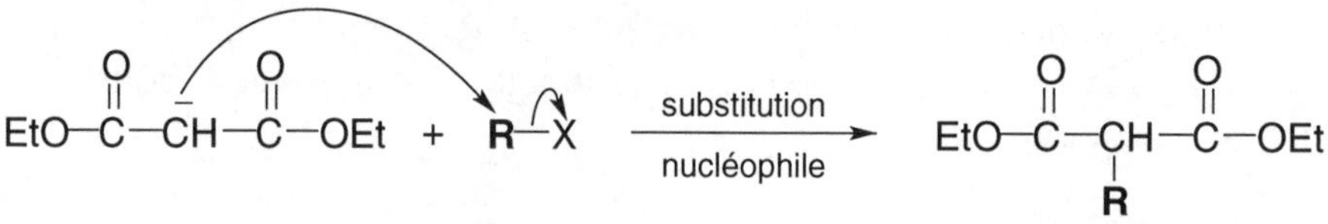

ion énolate   halogénure d'alkyle   ester malonique
                                                  substitué
                                                  (I)

L'ester malonique substitué (I) peut servir maintenant à deux choses:

    1. produire un acide carboxylique possédant deux carbones de plus que l'halogénure d'alkyle de départ;

    2. subir une deuxième substitution.

Dans le premier cas, il faut hydrolyser l'ester en milieu acide ou basique (en acidifiant à la fin de la réaction), puis chauffer le diacide obtenu pour produire une décarboxylation:

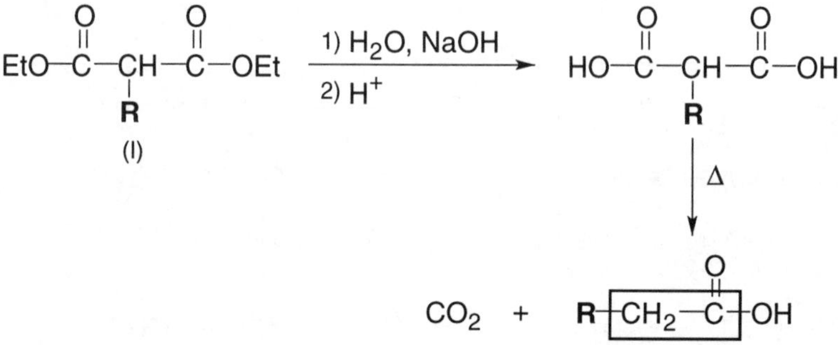

$$CO_2 \quad + \quad R{-}CH_2{-}C{-}OH$$

gain de **deux** carbones

Pour permettre une **deuxième** substitution, il faut utiliser une base plus forte comme le *tert* -butylate de potassium pour extraire le dernier proton à caractère faiblement acide.

$$EtO-\overset{\overset{O}{||}}{C}-\overset{\overset{H}{|}}{\underset{\underset{R}{|}}{C}}-\overset{\overset{O}{||}}{C}-OEt \quad \xrightarrow{\text{(CH}_3)_3\text{CO}^- \text{ K}^+} \quad EtO-\overset{\overset{O}{||}}{C}-\overset{-}{\underset{\underset{R}{|}}{C}}-\overset{\overset{O}{||}}{C}-OEt$$

(I)   nouvel ion énolate

Enfin, avec le nouvel ion énolate, il peut être intéressant de réaliser une autre substitution nucléophile avec un deuxième halogénure d'alkyle.

$$EtO-\overset{\overset{O}{||}}{C}-\overset{-}{\underset{\underset{R}{|}}{C}}-\overset{\overset{O}{||}}{C}-OEt \quad + \quad R'{-}X \quad \xrightarrow[\text{nucléophile}]{\text{substitution}} \quad EtO-\overset{\overset{O}{||}}{C}-\overset{\overset{R'}{|}}{\underset{\underset{R}{|}}{C}}-\overset{\overset{O}{||}}{C}-OEt$$

1) H$_2$O, NaOH
2) H$^+$

$$CO_2 \quad + \quad R-\overset{\overset{R'}{|}}{C}H-\overset{\overset{O}{||}}{C}-OH \quad \xleftarrow{\text{3) } \Delta}$$

un acide carboxylique substitué

La réaction d'alkylation à l'aide du malonate d'éthyle est connue sous le nom de **synthèse malonique.**

7 À partir du malonate d'éthyle et du bromoéthane, donner une synthèse de l'acide butanoïque.

Quelques somnifères...

Les esters maloniques substitués servent à la synthèse de plusieurs dérivés de l'acide barbiturique. Ces composés, contenant un cycle de pyrimidine, sont obtenus par condensation d'un ester malonique avec l'urée. Les barbituriques sont des somnifères à durée plus ou moins longue; en voici deux exemples, le barbital et le pentobarbital:

pyrimidine   forme cétonique   barbital   pentobarbital
           de l'acide barbiturique   (Véronal)   (Nembutal)

D'autres acides dicarboxyliques sont d'usage courant. L'acide adipique, par exemple, sert à la synthèse du nylon; à partir de l'acide succinique, on prépare des teintures; l'acide oxalique présent dans l'oseille et la rhubarbe, est un constituant de certaines peintures et vernis et sert aussi d'antirouille et d'agent de blanchiment.

11.16 Les composés β-dicarbonylés

Les esters β-carbonylés et les β-dicétones peuvent être élégamment préparés par une réaction qui implique l'ion énolate obtenu d'une cétone, d'un aldéhyde ou d'un ester possédant un hydrogène légèrement acide sur le carbone α. La réaction de l'ion énolate venant d'un ester avec un autre ester est appelée **condensation de Claisen.** Il existe plusieurs variantes de cette réaction. Voici un exemple d'une telle condensation à partir de l'acétate d'éthyle (la réaction se déroule en trois étapes):

- **Première étape:** formation de l'ion énolate sur le carbone α avec une base forte (la base utilisée est l'alcoolate de même nature que le groupe alkyle de l'ester afin d'éviter sa saponification).

acétate d'éthyle   ion énolate   + EtOH
                                           (stabilisé par résonance)

- **Deuxième étape:** substitution nucléophile sur une autre molécule d'ester (l'ion énolate sert de nucléophile).

EtO⁻   + $CH_3-C(=O)-CH_2-C(=O)-OEt$

ion éthanolate   3-oxobutanoate d'éthyle
                        (un β-cétoester; $pK_a = 11$)

- **Troisième étape:** le β-cétoester formé possède un méthylène, CH_2, plus acide ($pK_a = 11$) que celui de l'éthanol ($pK_a = 15{,}9$); donc, l'ion éthanolate continue de réagir avec l'ester pour former un nouvel ion énolate; les réactions acido-basiques tendent à former l'acide le plus faible, ici c'est l'éthanol. Pour isoler le β-cétoester, il faut acidifier le milieu réactionnel.

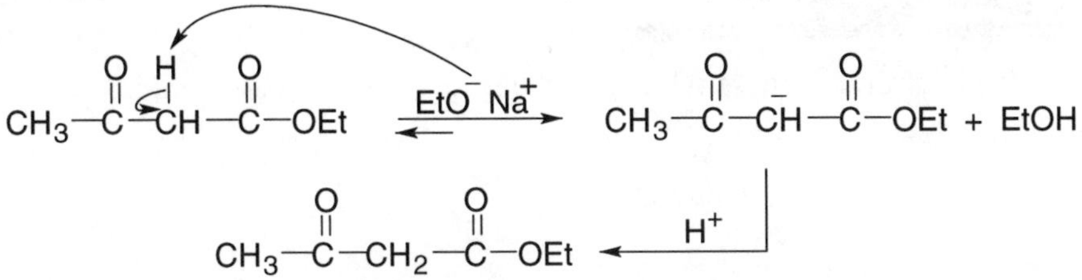

CH₃—C(=O)—CH(H)—C(=O)—OEt $\xrightarrow{\text{EtO}^- \text{Na}^+}$ CH₃—C(=O)—CH⁻—C(=O)—OEt + EtOH

$$CH_3-\overset{O}{\overset{\|}{C}}-CH_2-\overset{O}{\overset{\|}{C}}-OEt \xleftarrow{\text{H}^+}$$

β-cétoester
(obtenu **après** acidification)

Avec une **cétone** possédant un hydrogène sur le carbone α et un ester (de préférence sans hydrogène α), il est possible de préparer des β-dicétones par une réation semblable à la condensation de **Claisen**:

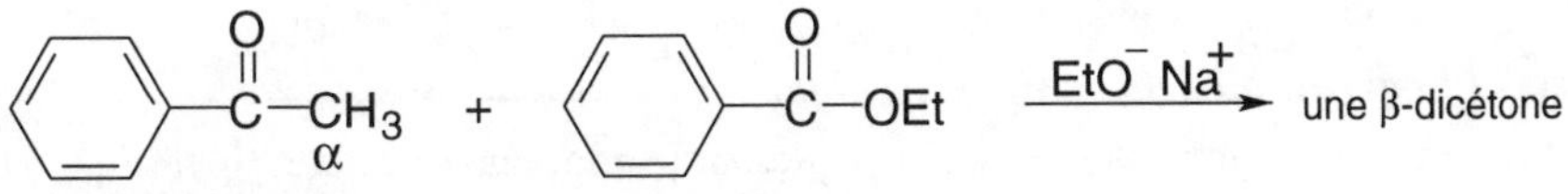

C₆H₅—C(=O)—CH₃ (α) + C₆H₅—C(=O)—OEt $\xrightarrow{\text{EtO}^- \text{Na}^+}$ une β-dicétone

acétophénone
(cétone avec H en α)

benzoate d'éthyle
(ester, sans H en α)

• **Première étape:** formation de l'ion énolate.

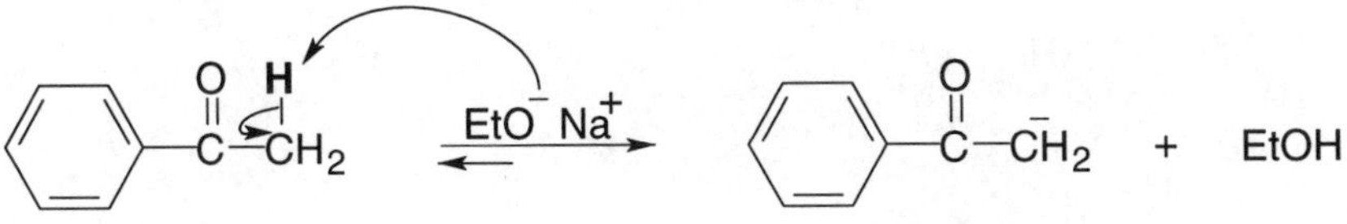

C₆H₅—C(=O)—CH₂(H) $\xrightarrow{\text{EtO}^- \text{Na}^+}$ C₆H₅—C(=O)—CH₂⁻ + EtOH

ion énolate

• **Deuxième et troisième étapes:** substitution nucléophile suivie d'une acidification.

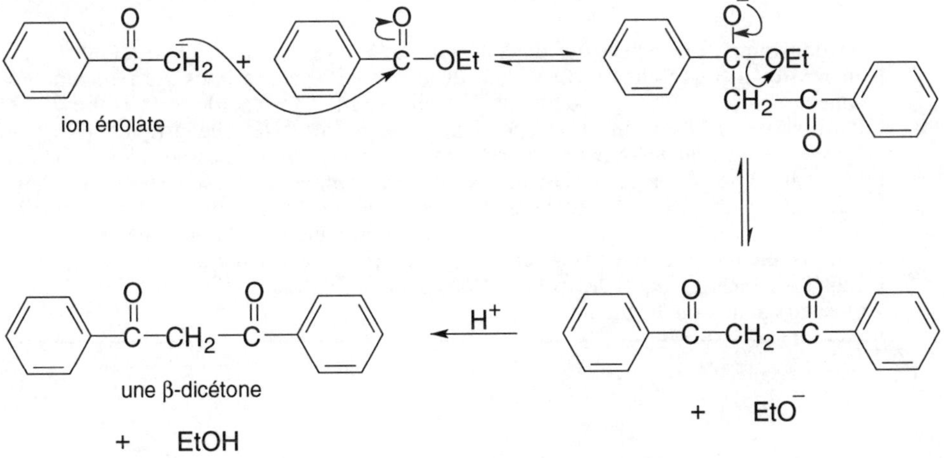

C₆H₅—C(=O)—CH₂⁻ + C₆H₅—C(=O)—OEt $\rightleftharpoons$ C₆H₅—C(O⁻)(OEt)—CH₂—C(=O)—C₆H₅

ion énolate

C₆H₅—C(=O)—CH₂—C(=O)—C₆H₅ + EtO⁻

$\xleftarrow{\text{H}^+}$

C₆H₅—C(=O)—CH₂—C(=O)—C₆H₅

une β-dicétone

+ EtOH

8 Compléter et décrire le mécanisme des deux réactions suivantes:

a) $CH_3-CH_2-CH_2-\overset{\overset{\displaystyle O}{\|}}{C}-OEt$ $\xrightarrow[\text{2) }H^+]{\text{1) EtO}^- \text{Na}^+}$

b) $CH_3-\overset{\overset{\displaystyle O}{\|}}{C}-H$ + $(CH_3)_3C-\overset{\overset{\displaystyle O}{\|}}{C}-OEt$ $\xrightarrow[\text{2) }H^+]{\text{1) EtO}^- \text{Na}^+}$

L'Aspirine ou acide acétylsalicylique..

Produit bien connu comme analgésique, anti-inflammatoire et antipyrétique (fait tomber la fièvre en abaissant la température), l'aspirine est un solide blanc légèrement soluble dans l'eau (1g dans 300 mL). Le terme **Aspirine** est une marque de commerce de l'acide acétylsalicylique préparé par la compagnie allemande Bayer; cette appellation date de 1899.

aspirine
F 135°C

acétaminophène
F 169-170°C

La consommation d'aspirine dans le monde est faramineuse; les ventes de cet analgésique, sous toutes formes, sont évaluées à 200 comprimés par personne par année. Chaque comprimé contient 5 grains (324 mg) d'acide acétylsalicylique. L'utilisation de l'aspirine n'a cependant pas que des effets bénéfiques, elle peut causer des dommages mineurs à l'estomac. Certaines personnes ne tolèrent pas du tout l'aspirine. Pour elles, l'analgésique de remplacement est l'acétaminophène contenu dans plusieurs médicaments comme le Tylénol, Tempra, Datril et bien d'autres. L'acétaminophène est un amide phénolique peu soluble dans l'eau froide mais beaucoup plus dans l'eau chaude. L'aspirine est utilisée comme analgésique dans l'Anacine, l'Alka-Seltzer, la Bufférine, la Coricidine, le Dristan, l'Excédrine et plusieurs autres médicaments.

✳

Tableau 11.6 Synthèses et transformations des acides carboxyliques.

Synthèses

A. Par oxydation

1. C=C (alcène) $\xrightarrow{[O]}$

2. —C≡C— (alcyne) $\xrightarrow{[O]}$

3. R—OH (alcool primaire) $\xrightarrow{[O]}$

4. $R-\overset{O}{\underset{}{C}}-H$ (aldéhyde) $\xrightarrow[\text{(facile)}]{[O]}$

5. $R-\overset{O}{\underset{}{C}}-R$ (cétone)
   - $\xrightarrow[\text{(difficile)}]{[O]}$
   - $\xrightarrow[\text{2) } H^+]{\text{1) } I_2,\ NaOH}$

B. Par réaction de Grignard

$R-MgX \xrightarrow[\text{2) } H_2O]{\text{1) } CO_2}$

C. Par hydrolyse

1. $R-\overset{O}{\underset{}{C}}-OR$ (ester)
   - $\xrightarrow[\text{2) } H^+ \text{ (saponification)}]{\text{1) } HO^-}$
   - $\xrightarrow{H_3O^+}$

2. $R-\overset{O}{\underset{}{C}}-NH_2$ (amide)
   - $\xrightarrow[\text{2) } H^+]{\text{1) } HO^-}$
   - $\xrightarrow{H_3O^+}$

3. $R-\overset{O}{\underset{}{C}}-Cl$ (chlorure d'acide) $\xrightarrow{H_2O}$

4. $R-\overset{O}{\underset{}{C}}-O-\overset{O}{\underset{}{C}}-R$ (anhydride) $\xrightarrow{H_2O}$

A c i d e s   c a r b o x y l i q u e s

Transformations

A. Rupture de O—H

$\xrightarrow{H_2O}$ $R-\overset{O}{\underset{}{C}}-O^-$ + H^+

$\xrightarrow{NaOH}$ $R-\overset{O}{\underset{}{C}}-O^-\ Na^+$ + H_2O (sel)

B. Rupture de C—OH

$\xrightarrow[\substack{\text{ou}\\ PCl_5}]{PCl_3}$ $R-\overset{O}{\underset{}{C}}-Cl$

$\xrightleftharpoons{R'OH,\ H^+}$ $R-\overset{O}{\underset{}{C}}-O-R'$

$\xrightarrow[\text{(difficile)}]{\Delta}$ $R-H$ + CO_2
(facile avec carbonyle en α ou β)

C. Substitution sur le carbone α

$\xrightarrow{\underset{P}{Br_2}}$ $R-\underset{Br}{CH}-\overset{O}{\underset{}{C}}-O-H$

5. $\xleftarrow{H_3O^+}$ $R-C\equiv N$ (nitrile)

Tableau 11.7 Relations entre les acides carboxyliques et leurs dérivés.

EXERCICES 11

État physique et synthèse des acides carboxyliques

11.1 à 11.4 État physique et synthèse par...

1. Le point d'ébullition de l'acide benzoïque est de 249 °C tandis que celui du chlorure de benzoyle est de 197 °C. Expliquer cette différence.

2. Comparer la solubilité dans l'eau de l'acide benzoïque et celle du benzoate d'éthyle.

3. Décrire deux méthodes de transformation du bromoéthane en acide propionique.

4. Décrire le mécanisme de la saponification du butanoate d'isopropyle par l'hydroxyde de potassium.

5. Décrire une méthode d'obtention de l'acide propionique à partir:

   a) de l'hexan-3-ol   d) de l'éthylène

   b) de la butanone   e) du propionate de méthyle

   c) du propionitrile   f) du propionamide.

6. Trouver la formule des inconnues suivantes:

   a) **A** $\xrightarrow{\text{H}_2\text{O}}$ $CH_3-CH_2-CH_2-CO_2H$ + HCl

   b) **B** $\xrightarrow{\text{H}_2\text{O}}$ $2\ CH_3-CO_2H$

   c) **C** $\xrightarrow{\text{H}_3\text{O}^+}$ HCO_2H + CH_3-CH_2-OH

   d) **D** $\xrightarrow[\text{H}_2\text{O}]{\text{NaOH}}$ ⬡$-CO_2^-\ Na^+$ + NH_3

7. Décrire le mécanisme de l'hydrolyse du chlorure d'acétyle.

Réactivité des acides carboxyliques

11.5 à 11.8 Transformation des acides carboxyliques

1. Que devient l'acide benzoïque

    a) lorsqu'il est chauffé dans l'éthanol en milieu acide?

    b) lorsqu'il est chauffé en présence de MnO?

    c) en présence de chlorure de thionyle?

    d) dans une solution aqueuse de NaOH?

    e) dans une solution aqueuse de HCl?

2. Comparer l'acidité des composés suivants:

    a) $Br-CH_2-CH_2-CO_2H$

    b) $Cl-CH_2-CH_2-CO_2H$

    c) $CH_3-CH-CO_2H$
        $\quad\quad\quad |$
        $\quad\quad\quad Cl$

    d) $CH_3-CH_2-CH_2-CO_2H$

3. a) L'acide benzoïque est légèrement soluble dans l'eau; quelle transforma-
      tion chimique peut-on lui faire subir pour le faire passer complètement
      dans l'eau?

    b) Comment pourrait-on, par la suite, le faire précipiter? Illustrer ces
       transformations par des équations chimiques.

4. Pourquoi l'estérification d'un acide carboxylique en milieu acide n'est-elle
   pas une bonne méthode de synthèse d'un ester?

5. Trouver la structure des inconnues:

    a)   **A** $\xrightarrow{\Delta}$ HCO_2H + CO_2

    b) **B** + **C** $\xrightarrow{H^+}$ $H-\overset{\overset{\displaystyle O}{\|}}{C}-O-\bigcirc$ + H_2O

    c)   **D** $\xrightarrow[P]{Br_2}$ $\bigcirc-CH-CO_2H$
                                                $\quad\quad\quad\quad |$
                                                $\quad\quad\quad\quad Br$

Dérivés d'acides carboxyliques

11.9 Substitution nucléophile sur un carbonyle

1. Décrire le mécanisme de la réaction de l'ammoniac sur le chlorure de benzoyle.

2. Identifier les inconnues:

   a) chlorure de benzoyle + éthanol $\longrightarrow$ **A** $\xrightarrow{\text{NaOH}}$ **B** + **C**

   $$\downarrow \text{H}^+$$

   D

   b) anhydride succinique + éthanol $\longrightarrow$ **E**

   c) chlorure de benzoyle + éthylamine $\longrightarrow$ **F**

   d) chlorure de propionyle + acétate de sodium $\longrightarrow$ **G**

   $$\downarrow \text{H}_2\text{O}$$

   H + **I**

3. Décrire le mécanisme de la réaction du méthanolate de sodium sur l'anhydride acétique.

11.10 à 11.14 État physique, synthèse et réactivité

1. Quelle précaution expérimentale faut-il prendre lorsqu'on travaille avec un chlorure d'acide?

2. Nommer trois catégories de produits naturels qui contiennent des esters.

3. Qu'est-ce qu'un acide gras? Donner un exemple.

4. Qu'est-ce qu'un savon?

5. L'acétate de sodium peut-il être classé comme savon? Pourquoi?

6. Identifier les inconnues:

   a) acide benzoïque $\xrightarrow[\text{P}_2\text{O}_5]{\Delta}$ **A** + H_2O

6. (suite)

b) 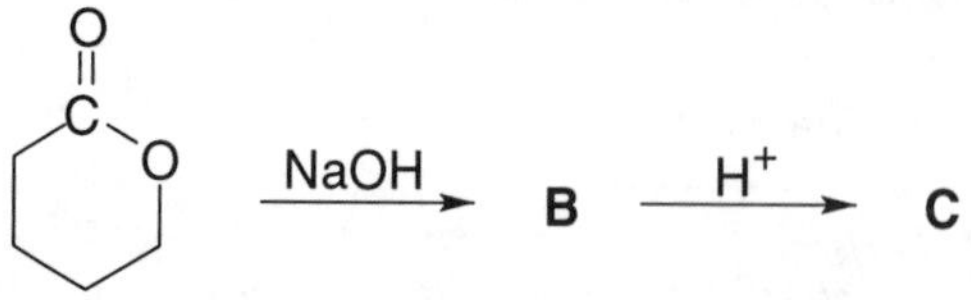 $\xrightarrow{\text{NaOH}}$ **B** $\xrightarrow{\text{H}^+}$ **C**

c) **D** + **E** $\xleftarrow[\Delta]{\text{NaOH}}$ CH$_3$—$\overset{\text{O}}{\overset{\|}{\text{C}}}$—NH—CH$_3$ $\xrightarrow[\text{H}_2\text{O}]{\text{HCl}}$ **F** + **G**

d) 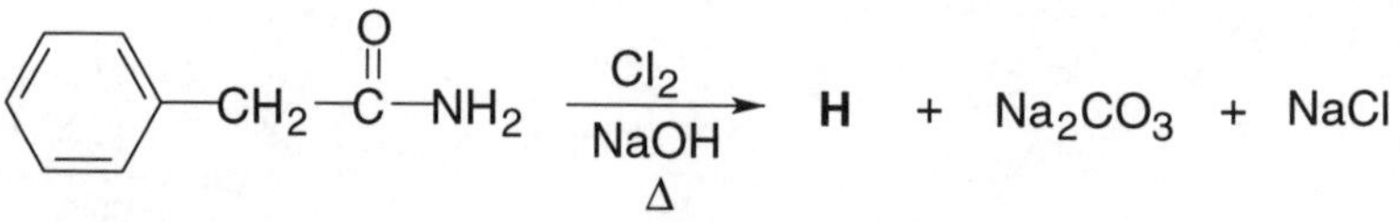 $\langle\text{C}_6\text{H}_5\rangle$—CH$_2$—$\overset{\text{O}}{\overset{\|}{\text{C}}}$—NH$_2$ $\xrightarrow[\substack{\text{NaOH}\\\Delta}]{\text{Cl}_2}$ **H** + Na$_2$CO$_3$ + NaCl

7. À partir de l'éthanol comme seul composé organique, préparer les substances suivantes:

a) le propionate d'éthyle

b) l'anhydride acétique

c) l'acétamide.

8. Donner une synthèse de l'aspirine à partir du 2-méthylphénol (o -crésol) et de l'éthanol.

Composés dicarbonylés

11.15 et 11.16 Les acides dicarboxyliques et les β-dicarbonylés

---

1. Comparer l'acidité de l'acide propionique avec celle de l'acide malonique.

2. Identifier les inconnues:

a) acide succinique $\xrightarrow{\text{P}_2\text{O}_5}$ **A** $\xrightarrow[\text{H}^+]{\text{CH}_3\text{OH}}$ **B**

b) acide adipique $\xrightarrow[\text{MnO}]{\Delta}$ **C** $\xrightarrow{\text{LiAlH}_4}$ **D** $\xrightarrow[\text{conc.}]{\text{H}_2\text{SO}_4}$ **E**

$\xrightarrow[\text{KMnO}_4 | \text{conc.}]{}$ **F**

2. (suite)

c) acide malonique $\xrightarrow[\text{H}^+]{\text{EtOH}}$ **G** $\xrightarrow{\text{EtO}^-\ \text{Na}^+}$ **H** $\xrightarrow{\text{CH}_3\text{Br}}$ **I**

L $\xleftarrow[\text{P}_2\text{O}_5]{\Delta}$ **K** $\xleftarrow{\Delta}$ **J** $\xleftarrow[\text{2) H}^+]{\text{1) NaOH}\ \big|\ \text{H}_2\text{O}}$

3. Décrire le mécanisme de la réaction de l'éthanolate de sodium sur l'acétophénone en présence d'une même quantité de

Terminer par une acidification du milieu.

(structure cyclohexane avec CO_2Et et CH_3)

Exercices complémentaires

---

1. Identifier les inconnues:

a) $CH_3-\overset{\overset{\displaystyle CH_3}{|}}{CH}-\overset{\overset{\displaystyle O}{\|}}{C}-Cl$ + aniline $\longrightarrow$ **A**

b) (structure cyclohexanone avec ester $\overset{O}{C}-O-\overset{CH_3}{CH}$-phényle) $\xrightarrow{\text{LiAlH}_4}$ **B** + **C**

c) H_3C-(structure lactone à 6 chaînons, $C=O$) + NaOH (aqueux) $\longrightarrow$ **D**

d) H_3C-(phényle)-$CH_2-\overset{\overset{\displaystyle O}{\|}}{C}-OEt$ $\xrightarrow[\text{2) H}_2\text{O}]{\text{1) EtMgBr}}$ **E**

e) chlorure de benzoyle + **F** $\longrightarrow$ benzoate de méthyle

f) $CH_3-\overset{\overset{\displaystyle O}{\|}}{C}-OH$ + **G** $\longrightarrow$ $CH_3-\overset{\overset{\displaystyle O}{\|}}{C}-Cl$ + SO_2 + HCl

g) chlorure de propionyle + phénylacétate de sodium $\longrightarrow$ **H**

h) butan-1-ol + **I** $\longrightarrow$ butyrate de butyle + acide butyrique

1. (suite)

i) acide hexanoïque $\xrightarrow[350\ °C]{MnO}$ **J**

j) **K** $\xrightarrow{H_2O}$ 2 acide propanoïque

k) $C_6H_5\text{—}CH_2\text{—}CO_2H \xrightarrow{PCl_3}$ **L** $\xrightarrow{M}$ $C_6H_5\text{—}CH_2\text{—}\overset{\overset{O}{\|}}{C}\text{—}NH_2$
    $+ NH_4Cl$

l) **N** $\xrightarrow[\Delta]{HCl\ (aq)}$ acide 2-méthylpropanoïque $+$ NH_4Cl

m) butyrate de sodium $+$ HCl $\longrightarrow$ **O**

n) bromure d'isopropyle $\xrightarrow{NaCN}$ **P** $\xrightarrow[\Delta]{H_3O^+}$ **Q**

o) $CH_3\text{—}\overset{\overset{\textstyle CH_2\text{—}CO_2H}{|}}{\underset{\underset{\textstyle CH_2\text{—}CO_2H}{|}}{CH}}$ $\xrightarrow[P_2O_5]{\Delta}$ **R** $\xrightarrow[H^+]{CH_3OH}$ **S** $\xrightarrow{LiAlH_4}$ **T** $+$ **U**

2. Trouver un enchaînement de réactions pour effectuer les transformations suivantes:

   a) éthylène $\longrightarrow$ acide succinique

   b) butan-1-ol $\longrightarrow$ acide 2-méthylbutanoïque

   c) propan-1-ol $\longrightarrow$ butan-2-ol

   d) acide malonique
      éthanol $\longrightarrow$ acide hexanoïque
      1-bromobutane

   e) benzène $\longrightarrow$ acide benzoïque.

3. Donner la formule de l'alcène qui a produit les composés suivants par oxydation forte au permanganate:

   a) l'acide acétique et l'acide butyrique

   b) l'acide acétique seulement

   c) l'acide hexanoïque et le pentan-3-one.

4. Suggérer un procédé expérimental pour séparer un mélange de naphtalène et d'acide benzoïque. Vous avez à votre disposition de l'eau, de l'éther, de l'hydroxyde de sodium et de l'acide chlorhydrique.

5. Identifier les inconnues:

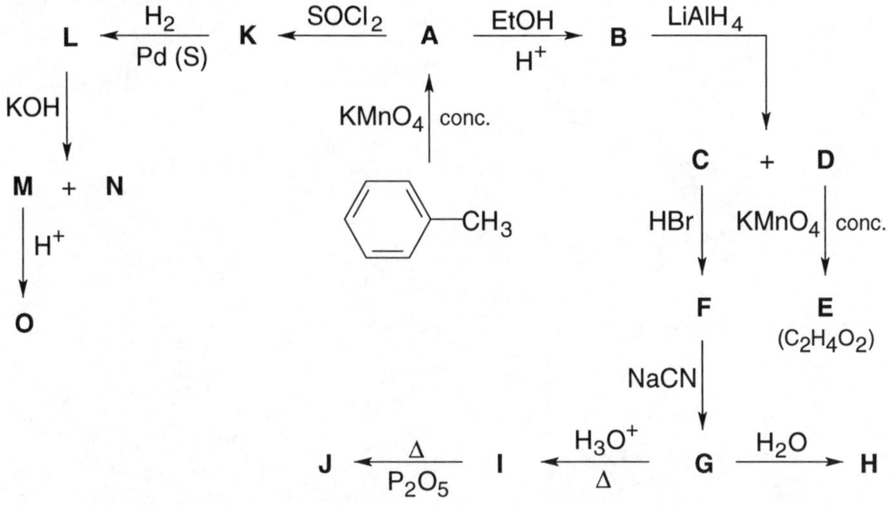

$$L \xleftarrow[\text{Pd (S)}]{H_2} K \xleftarrow{SOCl_2} A \xrightarrow[H^+]{EtOH} B \xrightarrow{LiAlH_4}$$

KOH (from L downward)

A ← KMnO₄ conc. (from the toluene structure)

$$\text{(benzene ring)}-CH_3$$

M + N

↓ H⁺

O

C + D

HBr (from C) | KMnO₄ conc. (from D)

F E
(C₂H₄O₂)

NaCN (from F)

$$J \xleftarrow[P_2O_5]{\Delta} I \xleftarrow[\Delta]{H_3O^+} G \xrightarrow{H_2O} H$$

6. En n'utilisant que l'éthanol comme composé organique de départ, trouver une méthode pour obtenir:

a) le propionate d'éthyle

b) le 3-éthylpentan-3-ol

c) le propan-2-ol

d) l'hexan-3-one

e) le 2-méthylpropanoate d'isopropyle

f) le 3-hydroxybutanal

g) le but-2-ène

h) le 3-oxobutanoate d'éthyle.

7. Décrire le mécanisme des deux réactions suivantes:

a) 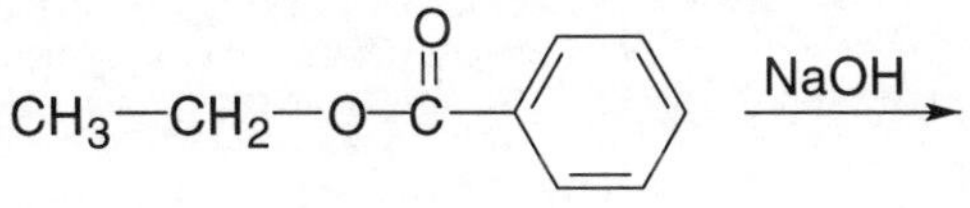 $CH_3-CH_2-O-\overset{\overset{\displaystyle O}{\|}}{C}-$ (benzene ring) $\xrightarrow{NaOH}$

b) anhydride succinique $\xrightarrow{H_2O}$

———— ✳ ————

LES GLUCIDES 12

Sommaire

Mots / concepts clés

- sucre, glucide, hydrate de carbone
- polyol
- aldotriose, aldotétrose, aldopentose, aldohexose
- cétohexose
- saccharose, glucose, fructose, lactose
- amidon, cellulose, glycogène
- oses, osides, hétérosides, holosides

- acétal
- glycéraldéhyde
- projection de Fischer
- configuration D, L
- série D, série L
- mutarotation
- formes ouvertes, formes cycliques

Mots / concepts clés (suite)

- hémiacétal
- épimère
- carbone anomère
- mutarotation
- formules de Haworth
- hétérocycle
- furanose, pyranose
- aglycone
- monosaccharides
- cyanhydrine
- lactone
- hydroxylamine
- phénylhydrazine

- osazone, phénylhydrazone
- sucres réducteurs, non réducteurs
- acétylation, éthérification, acétalation
- liaison glycosidique α et β
- liaison glycosidique 1-4, 1-6
- monosaccharide, disaccharide, polysaccharide
- maltose, cellobiose, lactose, saccharose
- sucre inverti

Objectifs spécifiques

Vous devez être capable de ...

- nommer les grandes classes de glucides;
- représenter un glucide en projection de Fischer;
- représenter un glucide en projection de Haworth;
- représenter un glucide sous la forme cyclique chaise;
- attribuer les lettres D ou L aux structures moléculaires appropriées;
- dessiner la structure du D-glucose;
- décrire la formation d'acétal, d'hémiacétal lors d'une cyclisation;
- expliquer la mutarotation;
- décrire la réaction d'addition de cyanure (synthèse de Kiliani);
- décrire la réaction d'addition de l'hydroxylamine (dégradation de Wöhl);
- expliquer l'intérêt de fabriquer des dérivés des glucides;
- décrire l'oxydation et la réduction des oses;
- décrire la réaction d'addition de la phénylhydrazine;
- décrire les réactions d'acétylation, d'éthérification, d'acétalation;
- nommer les caractéristiques d'un oside;
- décrire la réaction d'hydrolyse d'un oside;
- nommer la structure de base de l'amidon, de la cellulose, du glycogène;
- écrire la structure du saccharose;
- décrire la liaison glycosidique α ou β, (1-4) ou (1-6);
- relier, par des réactions chimiques, les glucides aux autres fonctions déjà étudiées;
- définir et expliquer les mots / concepts clés.

12.1 *Généralités*

Glucides, sucres, hydrates de carbone ou saccharides, voilà plusieurs termes qui identifient cette catégorie de composés organiques dont la formule générale peut prendre la forme $C_x(H_2O)_y$, d'où l'expression hydrate de carbone. Bien sûr, cette formulation ne signifie pas que les glucides contiennent de l'eau, quoique plusieurs y sont solubles; les glucides sont en fait des polyols jumelés à une fonction aldéhydique ou cétonique. Le plus simple de tous les glucides est le glycéraldéhyde qui forme un aldotriose (la terminaison ose caractérise un glucide) avec ses trois carbones et sa fonction aldéhyde.

$$\underset{\text{glycéraldéhyde}}{\overset{\displaystyle \overset{OH}{|}\quad \overset{OH}{|}\quad \overset{O}{\parallel}}{CH_2-CH-C-H}}$$

Plusieurs glucides font partie de notre vie quotidienne et ce, dans divers domaines.

- **Alimentation**:
  - le sucre de table, ou saccharose, extrait de la betterave ou de la canne à sucre;
  - le miel et le sirop d'érable contiennent un mélange de glucides;
  - les fruits, dont les plus sucrés ont une teneur élevée en fructose;
  - les pommes de terre sont remplies d'amidon, d'amylose et d'amylopectine (tous des polymères du glucose); il en est de même pour le riz, le maïs et les pâtes alimentaires.
- **Corps humain**:
  - le glucose est constamment présent dans le sang comme source d'énergie vitale;
  - le D-ribose et le 2-désoxyribose sont des composants respectifs de l'ARN et de l'ADN.
- **Végétation**:
  - la cellulose (polymère du glucose) est le constituant principal des plantes; les fibres végétales, comme le bois et les feuilles des arbres et des plantes, contiennent la cellulose obtenue par photosynthèse, à partir du dioxyde de carbone et de l'eau.
- **Industrie**:
  - l'industrie papetière est, sans contredit, la principale utilisatrice et transformatrice de la cellulose en papiers et cartons de toutes sortes;
  - la cellophane, la nitrocellulose (explosif), la rayonne viscose, l'acétate de cellulose (film plastique) et les colles sont toutes des substances à base de glucides plus ou moins transformés.

Les glucides occupent donc une grande place dans notre vie et leurs domaines d'applications dépassent les frontières de nos érablières.

Le sucre dans les pâtisseries...

Le sucre (saccharose) est un ingrédient dont la présence est capitale dans les pâtisseries. Il est très difficile de le remplacer, par exemple, dans la fabrication d'aliments diététiques. Lorsqu'on remplace le sucre dans un gâteau, par des édulcorants synthétiques, la masse solide est réduite de 25 % (en raison des plus faibles quantités de substituts nécessaires pour obtenir le même goût sucré); l'apparence, le volume et la texture du gâteau laisse à désirer. Ce n'est plus le même gâteau. Il est plus dur, plus petit, sa couleur est douteuse et il est peu attrayant pour l'oeil (on mange d'abord avec les yeux!). Il faut alors compenser ces pertes en ajoutant divers ingrédients.

Voici les fonctions que joue le sucre dans les pâtisseries:

1. La caramélisation qui donne une couleur dorée.

2. Le sucre fait partie du système qui supporte la protéine de la farine en formant une structure (ou réseau) et est à la base de ce qu'on appelle la texture. Dans les pâtes lourdes, la pâte à biscuits, par exemple, la formation de la structure est moins importante.

3. Une concentration élevée en sucre et faible en protéines, dans un gâteau, donne une croute tendre. Trop de protéines donne des gâteaux et des biscuits durs.

4. Le sucre est aussi important lors du développement de l'émulsion qui retient le gaz formé par le levage de la pâte.

5. Le sucre, la graisse et les agents de levage contribuent à attendrir la pâte. La farine, les solides du lait, les solides des oeufs tendent à durcir la pâte.

Dans une pâtisserie diététique, les ingrédients remplaçant le sucre doivent avoir, soit une valeur énergétique moindre, soit être fonctionnels à de faibles concentrations. Plusieurs composés comme la carboxyméthylcellulose, le mannitol, le sorbitol et les dextrines ont été essayés, mais n'ont pas donné de résultats satisfaisants. Les meilleurs résultats ont été obtenus dans les biscuits.

Composition type d'un gâteau au chocolat diététique

chocolat non sucré	9,0 %
beurre	6,8
farine	19,4
solides non gras du lait	10,9
oeufs	17,2
poudre à lever	1,0
pyrophosphate d'Al et de Na	0,5
sorbitol	15,8
cyclamate/saccharine(12:1)*	0,2
extrait de vanille	0,9
sel	0,2
eau	18,1

* Remplacés actuellement par l'aspartame, sauf dans les produits destinés aux diabétiques.

Classification et structure

12.2 Classification des glucides

Les glucides peuvent être classés en deux grandes catégories: les oses et les osides.

Figure 12.1 Classification des glucides.

1. Les oses (ou monosaccharides)	**2. Les osides**

1. Les oses (ou monosaccharides)

Les oses sont des glucides à leur plus simple expression puisqu'ils représentent la limite d'hydrolyse de tous les glucides. Leur structure chimique n'est pas hydrolysable. C'est le cas du glucose:

$$HO-CH_2-CHOH-CHOH-CHOH-CHOH-\overset{\overset{O}{\|}}{C}-H$$

glucose
(un aldohexose)

De façon générale, les oses sont regroupés selon le nombre de carbones qu'ils contiennent:

3C: triose
4C: tétrose
5C: pentose
6C: hexose.

La fonction aldéhyde ou cétone, présente dans l'ose, peut également servir à l'identifier: aldose ou cétose, ce qui donne **aldopentose**, **cétohexose**, etc.

Pour préciser la structure d'un ose, plusieurs noms triviaux leur sont attribués: glucose, allose, mannose. Ce sont tous des aldohexoses. (Voir tableau 12.1, page 474.)

2. Les osides

Contrairement aux oses, les osides contiennent au moins une fonction acétal; ces composés sont donc hydrolysables. Le saccharose, par exemple, donne du glucose et du fructose par hydrolyse de l'acétal.

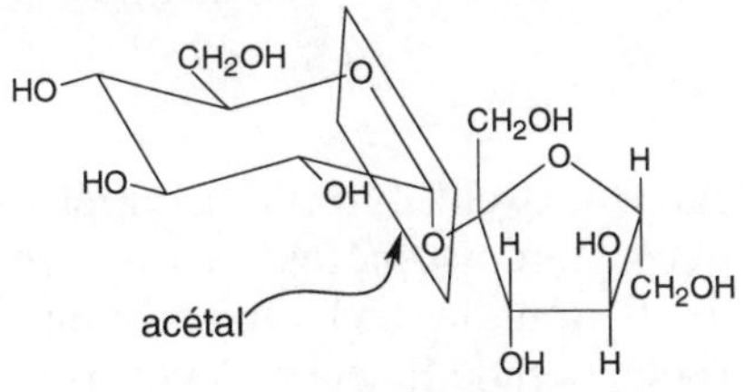

saccharose

Il existe des di, tri,...polysaccharides, selon le nombre d'unités oses reliées. Le saccharose et le lactose sont des disaccharides, alors que la cellulose et l'amidon sont des polysaccharides. Ces osides sont appelés **holosides**. Certains osides ne proviennent pas de la combinaison de plusieurs oses; ils forment plutôt l'acétal avec un groupe conventionnel ($-CH_3$, par exemple). Ces osides sont appelés **hétérosides**.

Exemple, le méthylglucoside:

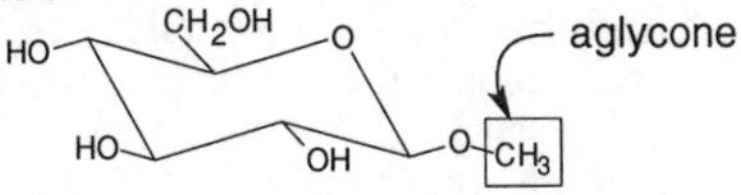

12.3 *Structure des oses*

Une des particularités des oses est qu'ils contiennent tous au moins un carbone asymétrique et la majorité en ont plusieurs (le glucose en possède 4). Le nombre élevé de stéréoisomères, résultant de la présence de ces carbones asymétriques, a amené les chimistes à utiliser un mode d'écriture simple pour les représenter: la projection de Fischer*. Cette convention est décrite à la section 3.3.5. Le glycéraldéhyde, le plus petit glucide, sert de modèle de base aux autres glucides. Il prend la forme suivante en projection de Fischer:

L-(-)-glycéraldéhyde
$[\alpha]_D^{25}$ - 8,7° **

D-(+)-glycéraldéhyde
$[\alpha]_D^{25}$ + 8,7°

Avec un seul carbone asymétrique, le glycéraldéhyde ne possède que deux stéréoisomères ou isomères optiques: l'un, appelé isomère D, est celui dont le OH du carbone asymétrique est placé à droite sur la projection de Fischer; l'autre isomère est identifié par la lettre L.

Rappelons ici deux règles fondamentales à propos des projections de Fischer:

1. une rotation de la projection de Fischer de 180° hors du plan, autour de l'axe vertical, conduit à l'autre isomère optique (on passe ainsi de L à D); le même résultat est obtenu en projetant tout simplement dans un miroir l'image de l'un des énantiomères.

2. une rotation de la projection de Fischer de 180° dans le plan, ne change rien; ainsi,

est identique à

---

* Emil Fischer, chimiste allemand, né à Euskirchen (1852-1919), reçut le deuxième prix Nobel en 1902 (le premier fut décerné à van't Hoff en 1901) pour ses travaux sur les sucres.

** Pouvoir rotatoire. Voir définition page 106.

À partir de la structure du glycéraldéhyde, les chimistes ont adopté une convention pour classifier l'ensemble des oses à plusieurs carbones asymétriques. Voici cette convention:

> À partir de leur projection de Fischer, tous les oses qui possèdent un OH à droite sur l'avant-dernier carbone de la chaîne appartiennent à la série D; si ce OH est à gauche, ils appartiennent à la série L.

Le tableau 12.1(page suivante) illustre cette convention. Il est très important de noter que l'identification des oses par D ou L n'a aucun lien avec la valeur (+) ou (-) du pouvoir rotatoire des glucides, bien que ce soit le cas pour le glycéraldéhyde, l'ose le plus simple. Un sucre peut être dextrogyre et appartenir à la série L : L-(+)-gulose: + 20°. La raison est que le pouvoir rotatoire dépend de l'ensemble des configurations autour des carbones asymétriques d'une molécule et que la valeur positive ou négative du pouvoir rotatoire est déterminée **expérimentalement**.

La projection de Fischer peut être **simplifiée**
- en omettant les hydrogènes des carbones asymétriques,
- en remplaçant le CH_2OH par un trait horizontal,
- en remplaçant le carbonyle de la fonction aldéhyde ou cétone par un cercle.

Les exemples suivants illustrent cette écriture simplifiée:

L-(-)-glycéraldéhyde   D-(+)-glycéraldéhyde   D-(+)-glucose   D-(-)-fructose

1 Représenter, en projection de Fischer simplifiée, tous les stéréoisomères des aldotétroses et des aldopentoses.*

Les représentations en formes linéaires (appelées aussi formes ouvertes) des monosaccharides permettent d'expliquer leur réactivité en tant qu'aldéhyde, cétone et alcool; mais plusieurs réactions et particularités physiques ne s'expliquent que par l'existence d'une forme cyclique.

---

* Réponse au tableau de la page 500.

Tableau 12.1 Représentation des 16 stéréoisomères des aldohexoses* en projection de Fischer simplifiée.

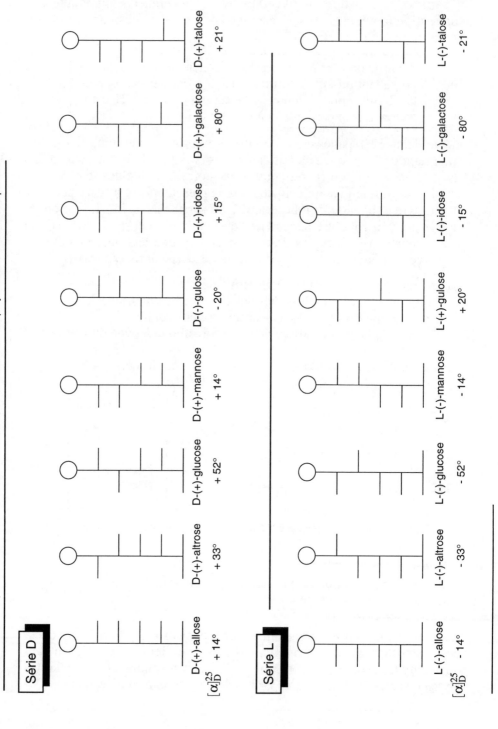

* À l'état naturel, il n'existe que trois aldohexoses: le D-(+)-glucose, le D-(+)-mannose et le D-(+)-galactose.

— **Emil Fischer, un grand savant...** —

Emil Fischer et ses collaborateurs ont effectué un travail monumental dans les domaines des glucides, des aminoacides/protéines et des purines. Il a également contribué au progrès des connaissances dans plusieurs autres domaines tels les enzymes, la stéréochimie, les teintures de type triphénylméthane, les hydrazines et les indoles.

C'est lui qui, en se servant de la théorie du carbone asymétrique tétraédrique de van't Hoff (publiée en 1874), démontra de façon irréfutable la stéréochimie du D-(+)-glucose, dont la structure aldohexose avait été établie en 1870.

La théorie de van't Hoff suggérait que le D-(+)-glucose et d'autres aldohexoses puissent être des stéréoisomères. Fischer établit lequel des 16 stéréoisomères possibles était le D-(+)-glucose. Les premiers éléments de ses résultats parurent en 1891. Sa preuve constitue un des plus brillants raisonnements dans l'histoire de la chimie.

À cette époque, E. Fischer ne disposait d'aucun moyen pour établir quel énantiomère correspondait au D-(+)-glucose (bien qu'il réussit à déterminer de quel diastéréoisomère il s'agissait). Il choisit arbitrairement de situer le OH à droite sur le C5 de la projection de Fischer de la molécule.

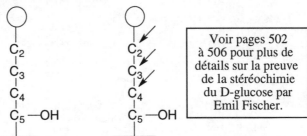

> Voir pages 502 à 506 pour plus de détails sur la preuve de la stéréochimie du D-glucose par Emil Fischer.

Il est maintenant démontré qu'il avait fait le bon choix (il avait une chance sur deux de se tromper). Fait remarquable, il réussit à attribuer la bonne configuration relative au D-(+)-glucose en n'utilisant que des réactions chimiques et des mesures d'activité optique.

Un trait intéressant de la personnalité de Fischer était de reconnaître aisément le mérite des autres chercheurs et d'utiliser leurs découvertes pour faire avancer ses propres recherches (exemples: la théorie sur le C* de van't Hoff et la synthèse de Kiliani).

Emil Fischer a aussi établi, en 1891, la stéréochimie exacte du D-mannose, du D-fructose, du D-arabinose concurremment avec celle du D-glucose, grâce à une série élégante de déductions logiques.

La configuration absolue du D-(+)-glucose ne fut établie définitivement qu'en 1954 par Bijvoet au moyen de la cristallographie aux rayons X.

Forme cyclique des glucides

Le glucose ne réagit qu'avec **une** mole de méthanol pour former un acétal en milieu acide, alors qu'un aldéhyde utilise normalement **deux** moles d'alcool pour se transformer en acétal. Pourquoi ? En plus du pouvoir rotatoire de +52° (voir tableau 12.1), le glucose possède deux autres valeurs du pouvoir rotatoire: +19° et +112°. Pourquoi en est-il ainsi ?

Pour répondre à ces deux questions, il faut faire appel à une forme cyclique, en équilibre avec la forme ouverte. Voici ce qui se passe avec le D-glucose.

α -D-glucose
$[\alpha]_D^{25}$ + 112°

D-glucose
(forme ouverte)

β -D-glucose
$[\alpha]_D^{25}$ + 19°

Pour cycliser, la fonction alcool en C5 attaque le carbonyle en C1 ce qui forme un hémiacétal. La cyclisation crée un nouveau carbone asymétrique, ce qui conduit à deux isomères, par rapport à la configuration en C1: les formes α et β, appelées anomères*. En projection de Fischer, le OH en C1 est à droite, pour l'anomère α et à gauche, pour l'anomère β.

En solution aqueuse, un équilibre s'établit entre l'isomère α, l'isomère β et la forme ouverte du D-glucose. La présence d'un hémiacétal en C1 explique pourquoi une seule mole de méthanol est requise pour produire un acétal tandis que la présence des formes α et β explique les deux pouvoirs rotatoires +112° et +19°. Pourquoi, dans le tableau 12.1, donne-t-on +52° comme valeur du pouvoir rotatoire du D-glucose? Cette valeur de +52° est le pouvoir rotatoire global des trois formes du D-glucose en équilibre, en solution aqueuse.

---

* Le carbone porteur de l'hémiacétal s'appelle **carbone anomère**. Les glucides qui ne diffèrent que par la configuration sur leur carbone anomère sont des **anomères** (sorte particulière d'épimères). **Épimères:** paire de stéréoisomères qui ne diffèrent que par la configuration d'un centre chiral.

Noter que le pouvoir rotatoire du D-glucose varie dans le temps. Par exemple, on peut mesurer + 19° pour une solution aqueuse fraîchement préparée et, graduellement, cette valeur tend vers la valeur d'équilibre de +52°.Cette propriété, propre à plusieurs glucides, s'appelle **mutarotation**.

Quelles sont les proportions de chaque forme à l'équilibre en solution aqueuse neutre? On observe environ 37 % de la forme α , 63 % de la forme β et à peine 0,003 % de la forme ouverte. Pourquoi les deux formes cycliques n'existent-elles pas dans les mêmes proportions? Pour répondre à cette question, il faut examiner la structure réelle (en forme chaise) du D-glucose.

Figure 12.2 Représentation cyclique exacte du D-glucose.

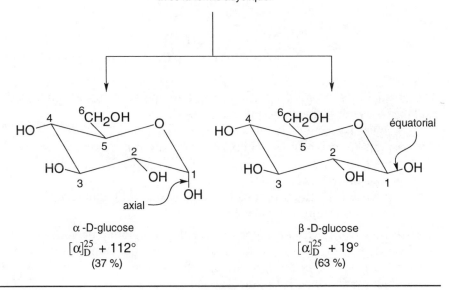

D-glucose
(forme acyclique)

La cyclisation du OH en C5 avec le carbonyle en
C1 conduit aux formes cycliques α et β en équilibre
avec la forme acyclique.

α -D-glucose
$[\alpha]_D^{25}$ + 112°
(37 %)

β -D-glucose
$[\alpha]_D^{25}$ + 19°
(63 %)

La prédominance de la forme β s'explique par la position du OH sur le carbone anomère C1. Ce OH est en position équatoriale, donc dans une situation favorable à un encombrement stérique minimum. Pour l'isomère α, le OH en C1 est axial.

Les structures cycliques décrites pour le D-glucose, sont aussi valables pour les autres aldohexoses isomères, en adaptant, bien sûr, les configurations particulières de chacun. Ainsi, pour représenter la forme cyclique du D-galactose, on peut simplement comparer sa forme cyclique à celle du D-glucose, rechercher la différence de configuration, puis transposer cette différence sur la forme chaise:

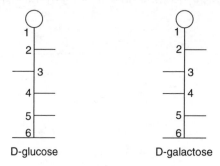

D-glucose   D-galactose

D'après les projections de Fischer, la différence de configuration est sur C4; donc, en forme chaise, le OH en C4 est axial pour le D-galactose.

α -D-galactose

Voici quelques points importants à retenir pour la représentation des aldohexoses, en forme cyclique chaise:
- pour l'isomère α: le OH en C1 est axial;
- pour l'isomère β: le OH en C1 est équatorial;
- pour un ose de la série D, le CH_2OH en C6 est équatorial;
- pour un ose de la série L, le CH_2OH en C6 est axial;
- pour le β-D-glucose, **tous** les substituants sont équatoriaux;
- le carbone anomère est C1.

Les formes cycliques présentées peuvent être également vues comme des hétérocycles de la famille du pyrane; pour cette raison, on les appelle pyranoses. On les nomme alors α-D-glucopyranose ou β-D-glucopyranose.

pyrane

2 Représenter le plus précisément possible les substances suivantes:

a) α-D-talopyranose,

b) β-L-idopyranose,

c) α-L-mannopyranose.

Il existe une autre façon de représenter la structure cyclique des glucides: les formules de Haworth. Cette convention considère le cycle comme plan et représente les substituants par un trait vertical (sans égard aux positions axiales ou équatoriales). Le D-glucose prend alors la forme suivante:

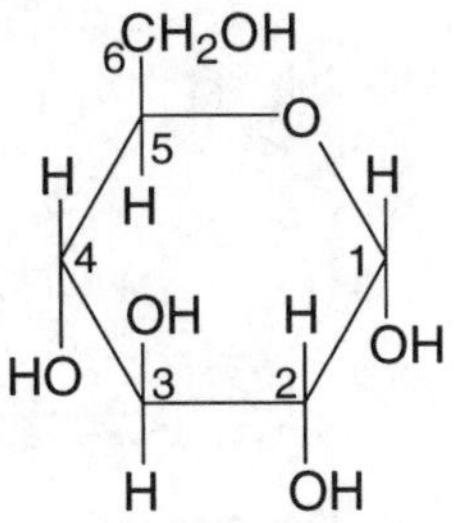

α-D-glucose

C1 est le carbone anomère.

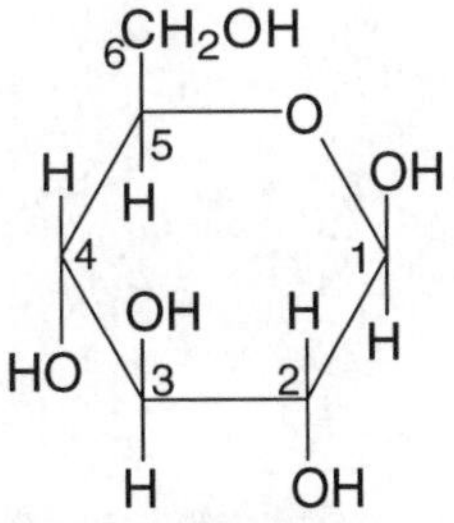

β-D-glucose

Cette façon de représenter la structure cyclique des glucides est très utilisée par les biochimistes et les biologistes. Les formes chaise et les projections de Fischer seront le plus souvent employées dans ce volume.

La formation d'un hémiacétal peut aussi avoir lieu par cyclisation interne, au niveau des carbones 1 et 4, pour produire un cycle de 5 atomes. Dans ce cas, peu fréquent, il se forme un hétérocycle de la famille du furane, un furanose. Cela donne, pour le D-glucose:

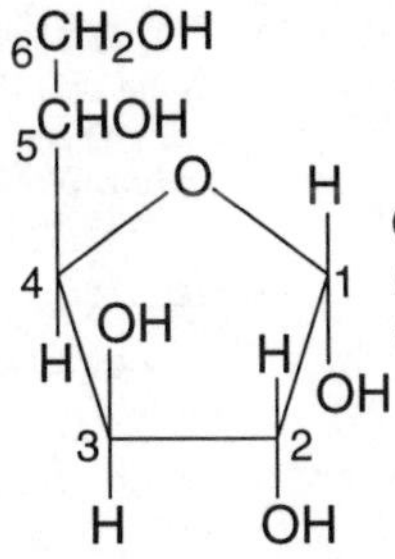

α-D-glucofuranose

C1 est le carbone anomère

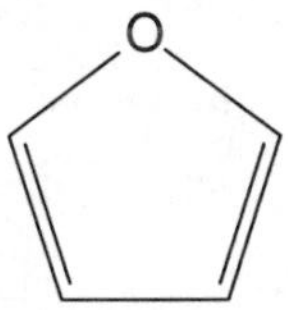

furane

Quant au **D-fructose**, un cétohexose, il produit des formes furanoses beaucoup plus stables que celles formées par le D-glucose.

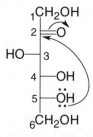

D-(-)-fructose
(forme acyclique)
$[\alpha]_D^{25}$ - 92°

Le D-fructose forme un hémiacétal par cyclisation du OH en C5 avec le carbonyle en C2. Dans le saccharose (sucre de table), un disaccharide, le fructose est sous la forme de fructofuranose (voir section 12.8.1).

α -D-fructofuranose
(le OH vers le bas en C2)

C2 est le carbone anomère.

β -D-fructofuranose
(le OH vers le haut en C2)

Le D-fructose, abondant dans le miel et les fruits, est souvent appelé lévulose à cause de son pouvoir rotatoire fortement lévogyre (- 92°). Par opposition à cette dénomination, le D-glucose est identifié comme dextrose, puisqu'il est dextrogyre.

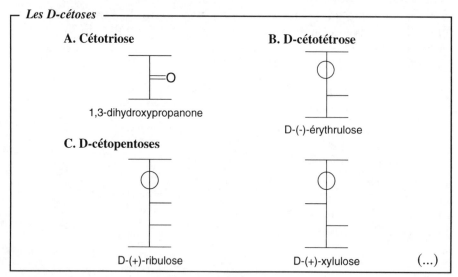

Les D-cétoses

A. Cétotriose

1,3-dihydroxypropanone

B. D-cétotétrose

D-(-)-érythrulose

C. D-cétopentoses

D-(+)-ribulose

D-(+)-xylulose

(...)

Les D-cétoses (suite)

D. D-cétohexoses

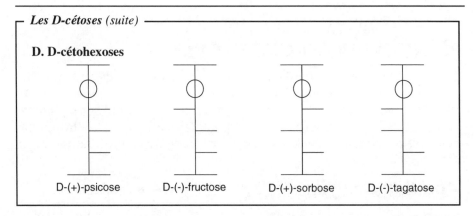

D-(+)-psicose   D-(-)-fructose   D-(+)-sorbose   D-(-)-tagatose

---

12.4 *Structure des osides*

Les osides sont caractérisés par la présence d'une ou de plusieurs fonctions acétal; ils sont donc hydrolysables. Ils sont cycliques et on peut les représenter par la formule générale suivante:

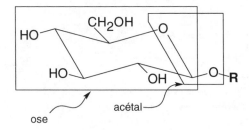

• Si R est un groupe quelconque (méthyle, éthyle, etc.), il s'agit d'un hétéroside.

• Si R est un autre ose, il s'agit d'un disaccharide, un holoside.

De façon générale, **R** constitue la partie **aglycone** d'un oside. Plusieurs exemples d'osides seront présentés plus loin.

Les oses (monosaccharides)

Ces substances forment la catégorie la plus importante des glucides. Leur réactivité dépend des fonctions présentes: aldéhyde, cétone, alcool, hémiacétal. C'est donc sous l'angle polyfonctionnel que leur réactivité sera présentée ici.

12.5 Réactivité du carbonyle

Les oses réagissent à titre d'aldéhyde ou de cétone et peuvent subir la majorité des réactions qui ont été décrites à cet effet au chapitre 10. Bien sûr, il faut tenir compte de la présence des fonctions alcool sur les autres carbones face aux réactifs utilisés pour les carbonyles; cela ajoute quelques nuances aux réactions déjà étudiées impliquant des carbonyles.

12.5.1 Addition de cyanure (synthèse de Kiliani)

Le cyanure s'additionne facilement sur le carbonyle d'un ose pour former une cyanhydrine (voir section 10.4.2). Cette réaction provoque la formation d'un nouveau carbone asymétrique en C1; il se forme alors deux produits (des épimères). En voici un exemple avec le D-arabinose:

D-arabinose   D-gluconitrile   (deux cyanhydrines)   D-mannonitrile
                                  épimères

L'intérêt d'une telle réaction n'est pas tant de former des cyanhydrines que de les transformer aussitôt en un nouvel ose par hydrolyse de la fonction nitrile, suivie d'une réduction de lactone. Ce dernier possède un carbone de plus que l'ose de départ. Cet enchaînement de réactions est connu sous le nom de **synthèse de Kiliani***. Voici les étapes qui terminent cette synthèse (pour simplifier l'écriture, une seule des deux cyanhydrines est utilisée):

---

* Heinrich Kiliani, chimiste allemand, né à Würzburg (1855-1945). En 1886, au Technische Hochschule de Munich, il est le premier chimiste à réaliser la synthèse d'un aldose possédant un carbone de plus que l'aldose de départ. Cette découverte de l'addition de HCN aux oses réducteurs fut capitale dans l'avancement des travaux sur les glucides. Emil Fischer précise la méthode en 1890 et l'utilise dans sa célèbre preuve de la configuration du D-(+)-glucose. (Voir Preuve...page 502.)

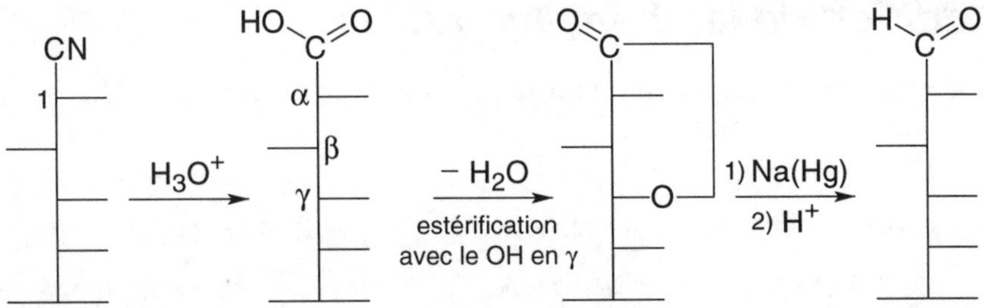

D-gluconitrile   acide D-gluconique   γ-glucolactone   D-glucose

Cette synthèse n'est pas stéréospécifique puisqu'elle produit deux stéréoisomères: le D-glucose et le D-mannose.

---

3 ▷ Donner une synthèse du D-altrose à partir du D-ribose.

12.5.2. Addition de l'hydroxylamine (dégradation de Wöhl)

Il est bien connu que l'hydroxylamine produit un oxime sur un aldéhyde ou sur une cétone.

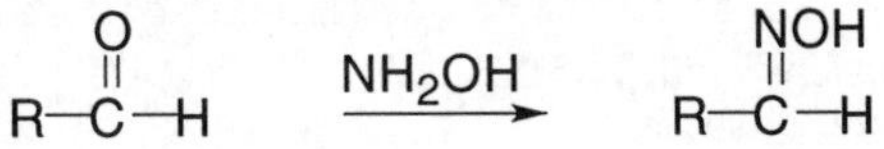

un oxime

Cette réaction, lorsque réalisée sur un ose, ouvre la voie à une suite de réactions qui permet de dégrader un ose, d'un carbone à la fois, pour produire l'homologue inférieur. C'est la **dégradation de Wöhl***. Elle s'effectue comme suit:

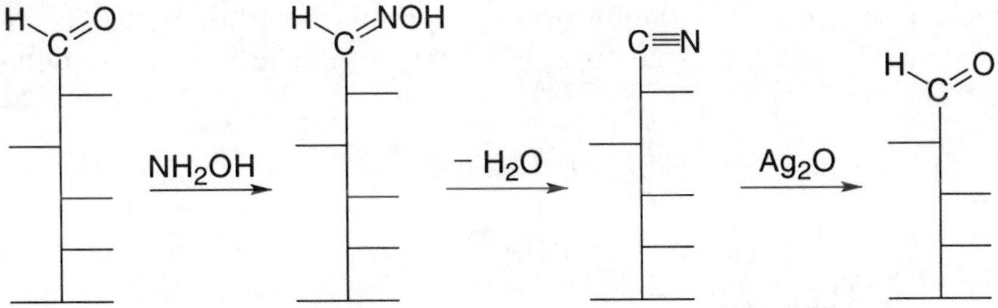

D-glucose   D-arabinose

---

* Alfred Wöhl, chimiste allemand né à Graudentz en 1863, appliqua en 1917 sa méthode de dégradation des sucres pour confirmer la détermination de la configuration du D-glucose établie par Fischer en 1891.

12.5.3 Addition de la phénylhydrazine

Voici un réactif bien connu pour la préparation d'un dérivé d'aldéhyde ou de cétone (voir section 10.7.3).

$$
\underset{\text{aldéhyde}}{R-\overset{\overset{\displaystyle O}{\|}}{C}-H} \;+\; \underset{\text{phénylhydrazine}}{C_6H_5NHNH_2} \longrightarrow \underset{\text{une phénylhydrazone}}{R-\overset{\overset{\displaystyle N-NHC_6H_5}{\|}}{C}-H}
$$

Avec un ose, s'amorce une série de réactions qui nécessitent trois moles de phénylhydrazine pour une seule mole de sucre. En effet, dans un premier temps, la réaction normale du réactif sur le carbonyle a lieu; par la suite, une oxydoréduction transforme le C2 en carbonyle, lequel réagit à son tour pour fixer une autre molécule de phénylhydrazine:

D-glucose — la phénylhydrazone du D-glucose (non isolée) — une osazone (ici, une phénylosazone)

Ph—NHNH₂ / Ph—NHNH₂ (oxydation en C2) / Ph—NHNH₂

L'osazone formée est généralement solide. L'examen physique des cristaux sous microscope, la détermination du point de fusion, ainsi que la mesure du temps de formation dans des conditions expérimentales précises, peuvent servir à l'identification des sucres. Il est intéressant de noter que plusieurs oses peuvent donner la même osazone, puisque le réactif se limite à l'attaque de deux premiers carbones de la chaîne seulement; ainsi, le D-glucose, le D-mannose et le D-fructose donnent tous la même osazone.

D-mannose — même osazone que celle du D-glucose — D-fructose

3 Ph—NHNH₂ / 3 Ph—NHNH₂

Cette réaction, commune à plusieurs oses, sert aussi à préciser leur configuration.

2.5.4 Oxydation des oses

Les oses s'oxydent facilement en présence de divers oxydants. Avec la solution de Fehling (voir section 10.7.1), par exemple, tous les oses réagissent positivement pour donner un acide monocarboxylique et un précipité rouge de Cu_2O .

D-glucose   acide D-gluconique

Cette réaction, avec la solution de Fehling, permet de classifier les glucides en sucres **réducteurs** (ceux qui réagissent avec la solution de Fehling) et en sucres **non réducteurs**. Ces derniers ne possèdent aucune fonction aldéhyde, cétone, ou hémiacétal en équilibre avec un carbonyle. Une solution aqueuse de brome oxyde aussi les oses en acides monocarboxyliques.

La réaction d'oxydation est mise à profit pour l'identification des sucres: elle permet la détermination de leur configuration. L'acide nitrique sert d'oxydant, en produisant un acide **di**carboxylique. Imaginons cette oxydation sur un aldotétrose inconnu:

un aldotétrose inconnu   un diacide
                            (un acide tartrique)

L'acide tartrique formé peut être l'isomère méso ou un des isomères thréo; la détermination de son pouvoir rotatoire permet de le préciser. Si le pouvoir rotatoire de l'acide est nul, nous sommes en présence du méso et l'aldose de départ était l'érythrose. Si l'acide est optiquement actif, l'aldose était le thréose. L'incertitude, quant à l'isomérie D ou L, peut être levée au moyen d'une dégradation de Wöhl, en comparant le produit de dégradation à l'aldéhyde glycérique.

Voici un petit truc pour détecter une structure méso, sans mesurer son pouvoir rotatoire. Cette procédure s'applique aux diacides et aux polyols formés à partir des oses.

1. Écrire la formule en projection de Fischer (I);

2. projeter dans un miroir l'image de ce premier énantiomère (on obtient II);

3. faire subir ensuite à II une rotation de 180° dans le plan (cette rotation ne change rien à la molécule, selon la convention de Fischer);

4. comparer la structure III obtenue avec celle de départ: si elles sont identiques, la première était méso.

4 ⟩ Les composés suivants sont-ils méso?

Le D-glucose donne l'acide D-glucarique par oxydation avec l'acide nitrique.

D-glucose   acide D-glucarique
(diacide optiquement actif)

12.5.5. Réduction des oses

Les réducteurs habituels peuvent réduire le carbonyle des oses, mais le plus utilisé est le borohydrure de sodium, $NaBH_4$. La réduction d'un ose forme un polyol optiquement actif ou non. Cette dernière précision peut servir, comme pour les diacides, à identifier les sucres.

H—C=O

CH_2OH

$NaBH_4$

CH_2OH

CH_2OH

Le sorbitol est optiquement actif.

D-glucose

D-glucitol (sorbitol)

5 Un aldose A donne le D-glycéraldéhyde, après trois dégradations de Wöhl. Après une seule dégradation, A donne un aldose B qui forme la même osazone que l'arabinose. Par réduction avec $NaBH_4$, B donne un polyol optiquement inactif. L'oxydation de A par l'acide nitrique forme un diacide optiquement actif. Identifier les inconnues A et B.

___
Le D-sorbitol...
___

Le D-sorbitol est un polyol que l'on retrouve dans les petits fruits (berries, en anglais) comme les bleuets et les fraises, ainsi que dans les cerises, les prunes, les poires, les pommes et les algues. Ce produit est utilisé dans l'industrie alimentaire pour le raffinement de la texture des desserts. Il sert aussi d'agent édulcorant dans les produits destinés aux diabétiques. Il peut être transformé en L-(-)-sorbose, par des bactéries spécifiques. Le L-(-)-sorbose ne se trouve pas dans la nature; il constitue, avec le fructose, le seul autre cétohexose facilement accessible pour l'industrie alimentaire ou pharmaceutique. Le L-(-)-sorbose est un intermédiaire important dans la production de vitamine C synthétique. Il est alors oxydé, par l'acide nitrique, en un monoacide qui, sous l'action de la chaleur, effectue une estérification interne, i.e. formation d'une lactone-1,4, ou γ-lactone, typique de la vitamine C.

CH_2OH

$COOH$

HNO_3

chaleur

vitamine C (acide ascorbique)

L-(-)-sorbose

Il est possible que la vitamine C existe sous la forme ènediol, étant donné ses propriétés acides et son oxydation facile.

12.6 Réactivité des fonctions alcool

Les fonctions alcool des glucides sont de deux types: celle portée par le carbone anomère, le OH de l'hémiacétal, et les autres.

On peut dès lors supposer que les fonctions alcool ne réagissent pas toutes de la même façon. C'est ce que les paragraphes suivants vont montrer. Noter que les réactions examinées ci-après impliquent que les sucres se présentent sous leur forme cyclique.

12.6.1 Acétylation (formation d'esters)

Avec l'anhydride acétique, il est facile de transformer un glucide en polyacétate. **Tous** les OH d'un glucide sont estérifiés.

β -D-glucose   pentaacétate du β -D-glucose

Les polyacétates des glucides sont souvent préparés pour faciliter la purification et la séparation des glucides. Les acétates cristallisent bien et se manipulent mieux que les glucides eux-mêmes. Une simple hydrolyse en milieu acide permet de récupérer le glucide à partir de son acétate purifié ou séparé d'un autre ose.

12.6.2 Éthérification et acétalation

Comme tout alcool peut être transformé en éther, cette réaction est également possible avec les glucides.

β -D-glucose   pentaméthyléther du β -D-glucose

* Ac = acétyle = CH_3—C=O

Avec des agents de méthylation comme le sulfate de diméthyle, $(CH_3)_2SO_4$, en milieu basique fort ou avec le duo iodométhane/oxyde d'argent, la méthylation est totale. Cependant, si le réactif est le méthanol en milieu acide, c'est uniquement le OH de l'hémiacétal en C1 qui se transforme en éther; il y a formation d'un acétal qu'on appelle **oside**.

β-D-glucopyranose   méthyl-β-D-glucopyranoside

Avec tout alcool autre que le méthanol, on peut produire une grande variété d'osides par acétalation.

En introduisant une fonction acétal sur le carbone anomère, l'équilibre entre la forme cyclique d'un glucide et sa forme ouverte disparaît; il ne reste que la forme cyclique. Par conséquent, l'oside formé ne peut pas produire les réactions caractéristiques des carbonyles. Ce genre de composé est dit **non réducteur** parce qu'il ne peut pas réagir avec la solution oxydante de Fehling, un test colorimétrique très utile pour détecter les aldéhydes ou les cétones α-hydroxylées comme les oses.

Les osides

La présence d'un acétal caractérise un oside, l'aglycone pouvant être un autre ose ou un groupe quelconque.

On appelle **glycoside,** ce type de molécule et **liaison glycosidique,** la liaison entre C1 et O—aglycone. Lorsque l'aglycone est un groupe quelconque, le glycoside devient un **hétéroside**. Pour le nommer, on utilise le suffixe **ide** à la place du **e** et on nomme l'aglycone au tout début, devant les indices de stéréochimie.

Les holosides, i.e. les glycosides dont l'aglycone est un ose, ont souvent un nom courant comme saccharose, maltose, etc.

éthyl-α-D-glucopyranoside
(un hétéroside)

Dans un **holoside**, l'aglycone est un ose.

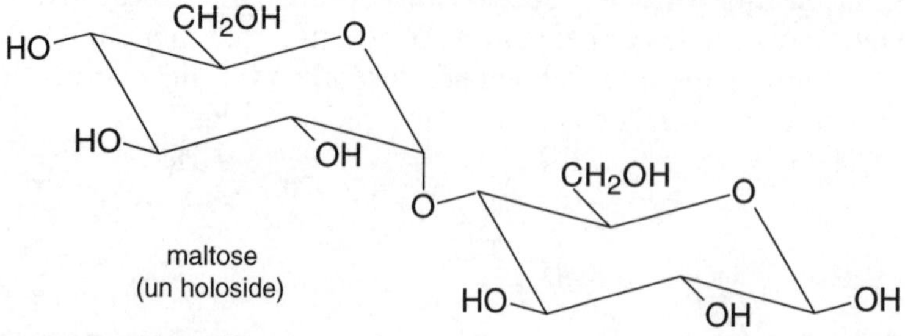

maltose
(un holoside)

---

6) 1. Nommer les composés suivants:

a)

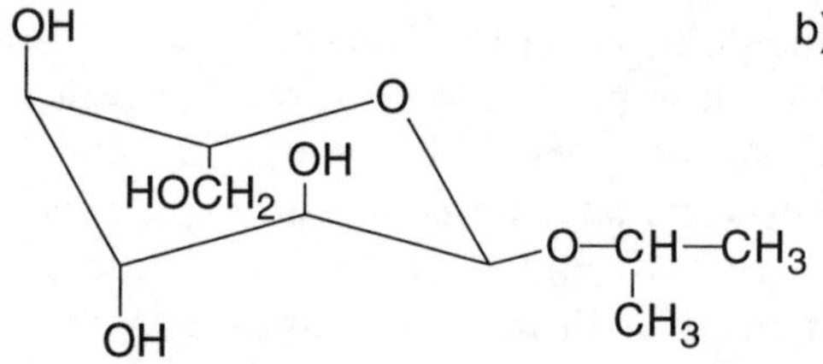

b)

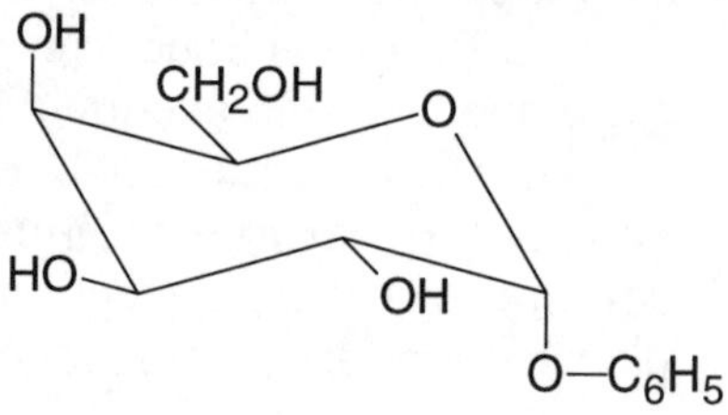

2. Représenter la formule détaillée des composés suivants:

a) éthyl- β -L-mannopyranoside;

b) méthyl- α -D-idopyranoside.

12.7 Les hétérosides

On trouve une grande variété d'hétérosides dans les fruits et les plantes, mais plusieurs sont également produits en laboratoire. Voici deux exemples de produits naturels:

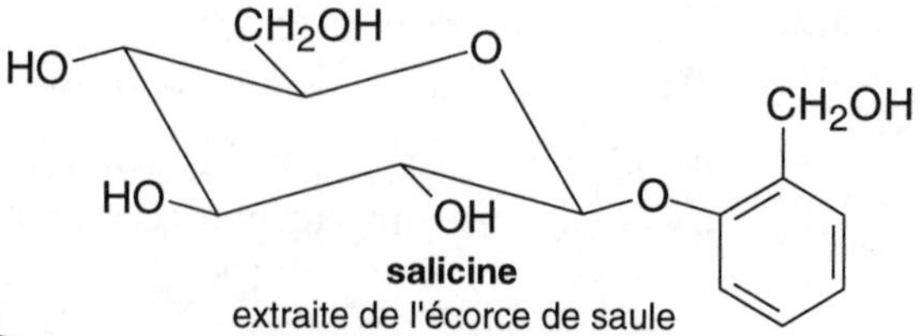

salicine
extraite de l'écorce de saule
(utilisé comme analgésique)

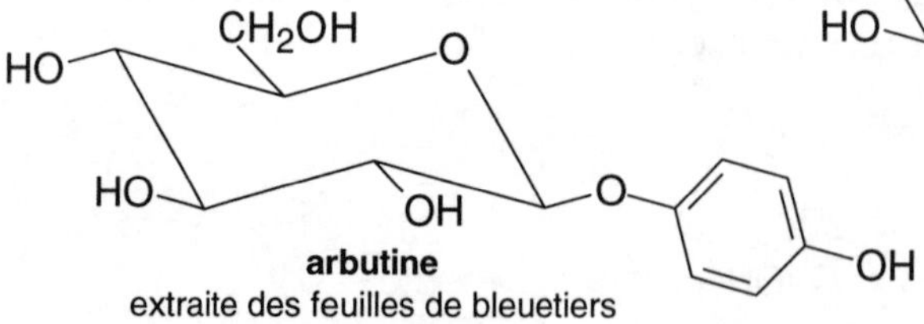

arbutine
extraite des feuilles de bleuetiers
et de poiriers
(utilisé en photographie pour stabiliser la couleur)

Étant des acétals, les osides peuvent être hydrolysés facilement en milieu acide pour former un ose et l'alcool correspondant à l'aglycone.

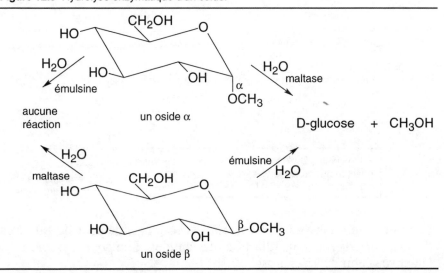

⟨7⟩ Que donnerait l'hydrolyse de l'arbutine et de la salicine?

On peut aussi réaliser l'hydrolyse d'un oside par un moyen biologique ou enzymatique. L'intérêt d'une telle méthode réside dans la sélectivité du catalyseur. En effet, l'hydrolyse avec la maltase, ne réussit qu'avec les osides α; avec l'émulsine, seules les liaisons glycosidiques β sont hydrolysées (figure 12.3).

Figure 12.3 Hydrolyse enzymatique d'un oside.

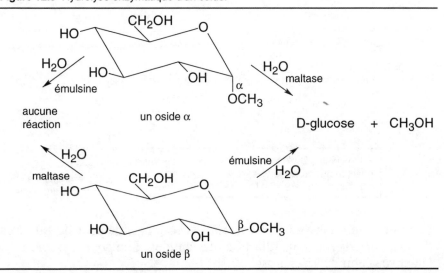

Cette sélectivité de l'hydrolyse enzymatique peut servir à déterminer la structure des disaccharides.

12.8 Les holosides

Plusieurs glucides possèdent une structure où deux ou plusieurs oses sont reliés par une liaison glycosidique. Un disaccharide contient deux oses; un polysaccharide en contient plusieurs et peut même contenir des milliers d'oses.

12.8.1 Les disaccharides

De façon générale, un disaccharide est un oside, mais d'un autre point de vue, c'est aussi un monosaccharide dont l'aglycone est un autre monosaccharide. Les deux oses sont réunis par une liaison glycosidique, entre le carbone anomère de l'un et un hydroxyle de l'autre. Quatre exemples seront examinés: le maltose, la cellobiose, le lactose et le saccharose.

1. Le maltose

Le maltose provient de l'hydrolyse partielle de l'amidon et donne lieu à la formation de deux molécules de D-glucose par hydrolyse enzymatique avec la maltase. Cela indique que, dans le maltose, la liaison glycosidique est en position α. Le maltose est réducteur, c'est-à-dire qu'il réagit positivement à la solution de Fehling; donc, un des glucoses contient un hémiacétal. Voici la structure du maltose:

maltose

- deux unités D-glucose
- liaison glycosidique (1-4) α
- réducteur (à cause de l'hémiacétal de droite)

α et β en équilibre avec la forme acyclique

Le maltose monohydraté est obtenu, avec un rendement de 80%, par dégradation enzymatique (diastase) de l'amidon. Son goût sucré n'est que le tiers de celui du saccharose.

2. La cellobiose

La cellobiose est un disaccharide qui provient de l'hydrolyse partielle de la cellulose. Elle n'existe pas à l'état libre dans la nature. Son hydrolyse par l'émulsine donne du D-glucose; sa structure ressemble à celle du maltose, mais sa liaison glycosidique est β au lieu d'être α. La cellobiose est réductrice; cela permet de déduire sa structure:

α et β en équilibre avec la forme acyclique

cellobiose

• deux unités D-glucose
• liaison glycosidique (1 - 4) β
• réducteur (à cause de l'hémiacétal de droite)

Remarque: la conformation chaise du glucose de droite est différente de celle du maltose. La chaise est tournée (noter l'oxygène en avant-plan) pour respecter la conformation de la cellulose. Vérifier avec un modèle que, s'il en était autrement, la cellulose ne formerait pas une chaîne droite de glucoses.

3. Le lactose

Contrairement aux deux disaccharides précédents, le lactose ne tire pas son origine d'un polysaccharide. Il existe naturellement en tant que disaccharide. Le lactose est réducteur et son hydrolyse par l'émulsine (donc lien β) produit le D-galactose et le D-glucose. Voici sa structure:

α et β en équilibre avec la forme acyclique

lactose

• D-galactose à gauche et D-glucose à droite
• liaison glycosidique (1 - 4) β
• réducteur (à cause de l'hémiacétal de droite)

Le OH axial, en position 4 du galactose, empêche le lactose de former un polysaccharide, comme le fait la cellulose. Le lactose est un des constituants du lait animal (4-5%) et humain (5-8%). Le lactose a un goût très légèrement sucré.

4. Le saccharose

Voici un glucide qui mérite bien le nom de sucre, celui que l'on retrouve sur nos tables et qui rehausse le goût des desserts. Qu'il soit extrait de la betterave (10-17%) ou de la canne à sucre (15-20%), le saccharose n'a qu'une seule structure:

• D-glucose à gauche
• D-fructose à droite
• liaison glycosidique (1 - 2) α et β
• non réducteur

saccharose

L'hydrolyse du saccharose se réalise aussi bien par l'émulsine que par la maltase, pour produire du D-glucose et du D-fructose. Puisque ce sucre est non réducteur, les deux monosaccharides doivent être, par conséquent, liés par l'oxygène de deux carbones anomères.

Le pouvoir rotatoire du saccharose est + 66°, mais une fois hydrolysé en D-glucose et en D-fructose, il passe subitement à une valeur négative à cause du caractère fortement lévogyre du D-fructose. Pour cette raison, ce mélange de monosaccharides est souvent appelé **sucre inverti**; il est plus sucré que le saccharose lui-même, à cause du D-fructose qui est presque deux fois plus sucré que le saccharose. Le miel contient une bonne quantité de D-fructose, d'où son goût plus sucré que le sucre de table.

Le miel...

Le miel est ce liquide visqueux au goût sucré, produit par les abeilles, à partir du nectar qu'elles puisent dans la corolle des fleurs. Le miel possède des caractéristiques différentes selon les variétés de fleurs butinées: miel de saule, de cerisier, de pommier, de trèfle, de framboisier, de pissenlit, de verge d'or, etc. La plupart du temps, le miel provient d'un mélange de plusieurs variétés de fleurs. Chacun possède sa couleur et sa saveur particulières. Il existe même du miel de sapin.

Le miel contient environ 80 % de saccharose hydrolysé (glucose et fructose), le reste de la masse étant principalement constitué d'eau. Le miel a un goût plus sucré que le sucre de canne (saccharose), à cause de la présence du fructose, plus sucré.

Composition typique d'un miel (%)

Glucides	Eau	Protéines	Minéraux	Vitamines
82,3	17,0	0,3	0,005 Ca	0,00004 B2 (Riboflavine)
			0,006 P	0,0003 B3 (Niacine)
			0,051 K	traces de vit. C
			Mg, S, Fe en traces	

Le sirop d'érable...

La sève telle qu'elle coule de l'arbre est un liquide limpide, stérile et d'un goût sucré. La couleur et la saveur typiques du sirop d'érable ne se trouvent pas initialement dans la sève. Ces caractéristiques apparaissent au cours du traitement de la sève: fermentation dans les conduits de cueillette, dans les réservoirs, lors de l'évaporation par chauffage. Ceci peut être démontré en cueillant de la sève dans des conditions aseptiques, en la congelant rapidement puis en la lyophilisant (en retirer toute l'eau sous vide et à froid). Le solide obtenu est blanc ou jaune clair et n'a que le goût sucré.

La couleur et la saveur typiques du sirop d'érable sont dues à des réactions chimiques que subissent certains composés présents dans la sève, lors de son ébullition. Puisque la sève brunit au moment de l'évaporation, on peut dire qu'au moins l'un des produits est de couleur brune. Il est difficile de dire quel est ce composé. Il y a de bonnes raisons de supposer qu'un ou plusieurs des glucides présents dans la sève ou leurs produits de dégradation et un ou plusieurs des douze acides organiques, également présents dans la sève, sont impliqués dans le brunissement du liquide lors de l'évaporation de l'eau par chauffage.

Composition typique d'une sève (% (m/m))

Glucides	2,00
Eau	97,94
Protéines	0,008
Acides organiques	0,030
Cendres (minéraux)	0,014
Autres	0,009

(suite page suivante...)

Le sirop d'érable...(suite)

Glucides dans une sève (% (m/m))	
Hexoses	0
Saccharose	1,04
Raffinose* et saccharose glycosidique	0,00021
Oligasaccharides	
I	0,030
II	0,014
III	0,009
Eau	98,00

Acides organiques dans une sève (% (m/m))	
Ac. malique	0,021
Ac. citrique	0,002
Ac. succinique	0,0003
Ac. fumarique	0,0003
Ac. glycolique ou dihydroxybutyrique	0,000
Ac. non identifiés(I, II, III IV, V, VI, VII)	0,009
Eau	99,07

La sève contient plusieurs acides organiques mais en faible pourcentage. Un ou plusieurs de ces acides jouent possiblement un rôle important dans l'élaboration de la flaveur** du sirop d'érable. Des composés solubles de type lignine*** sont également impliqués. Il a été démontré expérimentalement que l'apparition de la couleur et la flaveur du sirop d'érable sont reliées à la formation de trioses. La première réaction est l'hydrolyse bactérienne ou enzymatique du saccharose, ce qui libère du glucose et du fructose. La deuxième réaction est la dégradation alcaline (pH 8-9) de ces deux hexoses en trioses. Ces trioses sont très actifs chimiquement. Ils peuvent se combiner entre eux pour donner des composés colorés et peuvent réagir avec d'autres composés présents dans la sève (comme les acides organiques) pour générer les composés responsables de la flaveur érable.

---

* Le raffinose est un glucide non réducteur. Une mole de ce glucide est hydrolysable en une mole de glucose, une mole de fructose et une mole de galactose. Le raffinose n'étant pas réducteur, tous les carbones anomères doivent être impliqués dans des liaisons glycosidiques.

** Ensemble des sensations (odeur, goût, etc.) ressenties lors de la dégustation d'un aliment.

*** Lignine: substance organique qui imprègne la paroi des vaisseaux du bois et de diverses cellules végétales.

12.8.2 Les polysaccharides

Les disaccharides que nous venons d'examiner, en particulier le maltose et la cellobiose, servent d'éléments de base pour l'étude des polysaccharides. Le maltose mène à la famille des polysaccharides de l'amidon et la cellobiose nous conduit à celle de la cellulose et à ses dérivés.

1. L'amidon et ses semblables

L'amidon constitue une source d'énergie stockée par les plantes. On en trouve de grandes quantités dans les pommes de terre, le maïs, le riz et les céréales. L'homme en consomme régulièrement et y puise une grande part de l'énergie qu'il utilise dans l'immédiat ou qu'il emmagasine sous forme de glycogène.

Les amidons sont des polymères de longueurs variées du D-glucose et de masse molaire élevée. L'amidon est en réalité un mélange de deux polysaccharides: l'amylose (20%) et l'amylopectine (80%).

L'amylose, de masse molaire 10 000 à 50 000 g/mol (50 à 300 unités de glucose), est la partie de l'amidon la plus soluble dans l'eau. Sa structure se limite à un enchaînement linéaire de D-glucopyranose par liaison glycosidique α-**(1-4)** (figure 12.4).

Figure 12.4 Structure générale de l'amylose.

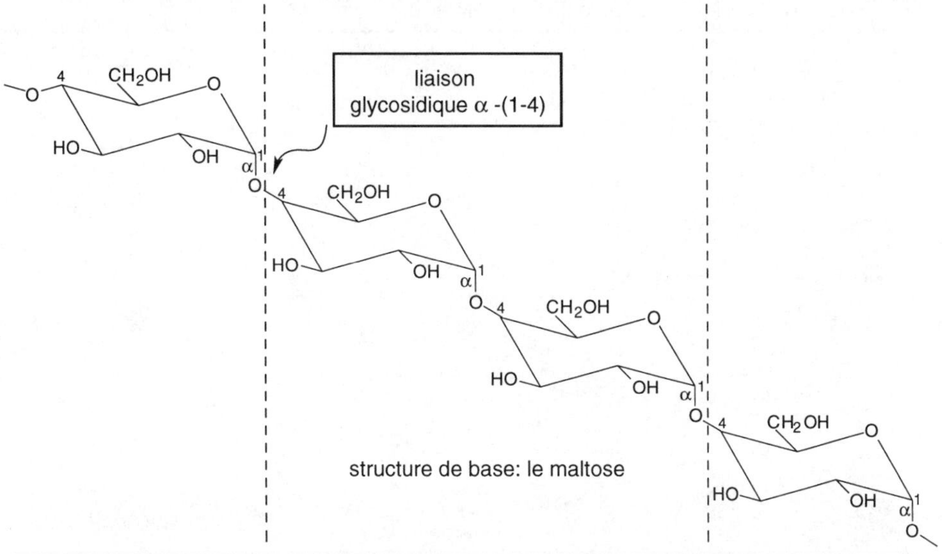

liaison glycosidique α -(1-4)

structure de base: le maltose

L'industrie de l'amidon...

Pendant le jour, les plantes synthétisent des glucides à partir du dioxyde de carbone et de l'eau atmosphériques, grâce à la chlorophylle capable de capter les rayons solaires. Au cours de la nuit, les sucres sont transportés dans les diverses parties de la plante où ils sont stockés sous forme d'amidon, dans ses racines, ses graines, ses tubercules ou ses bulbes.

Les graines peuvent contenir jusqu'à 70 % d'amidon, les tubercules jusqu'à 30 %. Les principaux végétaux fournisseurs d'amidon sont, avec leur pourcentage en amidon: la patate (16-30 %), le maïs (55-60 %) et le blé (65-70 %). Le riz, le tapioca et le sago en sont également de bonnes sources.

L'amidon commercial, tiré de ces sources concentrées d'amidon, constitue la matière première d'une industrie très diversifiée. À part l'amidon de la farine, peu d'amidon non transformé est utilisé commercialement. Voici un aperçu des produits provenant de la transformation chimique de l'amidon: amidons prégélatinisés, dérivés oxydés (introduction de fonctions aldéhyde ou acide carboxylique sur les molécules), amidons modifiés à l'acide, amidons cationiques, amidons ramifiés, amidons éthérifiés, amidons estérifiés, dextrines, sirops de glucose, dextrose, etc. Les industries connexes de l'alimentation, de la confiserie et l'industrie brassicole utilisent plusieurs dérivés de l'amidon pour épaissir, lier ou stabiliser les divers produits dans lesquels ces amidons ou dérivés sont ajoutés. Par exemple, dans le seul domaine de l'alimentation, on en retrouve dans les soupes en boîtes et en sachets, les desserts instantanés, les flans, les garnitures à tartes, les saucisses et viandes transformées, la crème glacée, les sauces et bouillons, les pâtisseries, les aliments pour bébés, la poudre à pâte, les fruits en boîtes, les breuvages, etc.

L'amylase est une enzyme très efficace pour catalyser l'hydrolyse des liens α-(1-4) de l'amylose.

L'amylopectine, de son côté, peut être considérée comme une agglomération de chaînes d'amyloses, réunies entre elles par l'oxygène du C1 en bout de chaîne (hémiacétal du cycle le plus à droite) et le C6 d'un glucose d'une chaîne voisine (figure 12.5).

Figure 12.5 Structure générale de l'amylopectine.

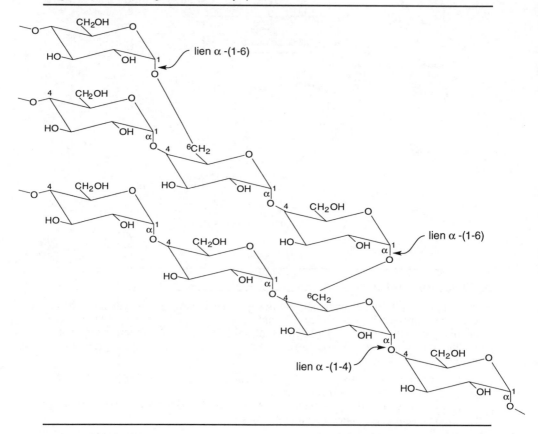

Cette impressionnante structure de l'amylopectine explique son insolubilité dans l'eau. De formes et de longueurs variées, ces chaînes d'amylose possèdent des masses molaires élevées, allant de 50 000 à 1 000 000 g/mol. L'amylopectine est, en quelque sorte, de l'amylose ramifiée, comme un arbre dont chaque branche serait l'amylose.

L'hydrolyse partielle de l'amidon produit des fragments de masse molaire plus faible, appelés **dextrines.** Plus digestibles que l'amidon, les dextrines sont utilisées dans les aliments pour enfants. Le lait malté est un mélange de dextrines, de maltose et de lait séché. Mouillées, les dextrines sont collantes; elles servent de colle sur les timbres et les enveloppes.

Quant au **glycogène**, également haut polymère du D-glucose, il peut être synthétisé ou dégradé par l'organisme vivant. Il forme une réserve abondante d'énergie dans le foie et les tissus musculaires. Sa structure est apparentée à celle de l'amylopectine, avec deux fois plus de liens α-(1-6), de masse molaire pouvant atteindre plusieurs millions. Aux repas, notre corps transforme le D-glucose inutilisé en glycogène et, entre les repas, le glycogène est hydrolysé en D-glucose selon le besoin des efforts réalisés, ce qui est nécessaire au maintien de la glycémie (4-5 mmol de glucose par litre de sang).

2. La cellulose

Ayant la cellobiose comme structure de base, la cellulose se distingue de l'amidon par des liens β au lieu de liens α. C'est aussi un polymère du D-glucose, mais il ne forme pas de liaisons latérales (ou branchements) comme dans l'amylopectine. La structure de la cellulose est la suivante:

Figure 12.6 Structure générale de la cellulose.

Les liens β empêchent la digestion de la cellulose chez l'homme. En effet, l'homme ne possède pas l'enzyme nécessaire à l'hydrolyse de la cellulose. Seuls certains unicellulaires, quelques moisissures et certains champignons possèdent une cellulase. Les ruminants et les termites qui hébergent ces unicellulaires dans leurs cavités stomacales deviennent alors aptes à digérer la cellulose. La cellulose constitue la structure de base des cellules des plantes et des arbres. Le bois, les feuilles, le coton, le lin, le chanvre et bien d'autres, sont constitués de fibres naturelles en cellulose. Le coton contient 98% de cellulose dont la masse molaire varie de $4,0 \times 10^5$ à $1,5 \times 10^6$ g/mol.

Pour l'industrie chimique, la cellulose constitue une source de matériel de base intéressant à transformer. Ainsi, une variété toujours grandissante de produits dérivés de la cellulose apparaissent sur le marché, à chaque année. En voici quelques exemples:

• **nitrate de cellulose** (ou nitrocellulose): produit explosif obtenu en traitant de la cellulose avec de l'acide nitrique. Le produit fortement nitré s'appelle *fulmicoton* .

• **acétate de cellulose**: à cause de ses nombreuses fonctions alcool, la cellulose peut former des esters (acétates) grâce à l'anhydride acétique. Les divers degrés d'estérification fournissent une variété de produits. Les acétates sont utilisés dans les vernis, comme plastiques (films photo) et fibres textiles (rayonne).

• **cellophane et rayonne viscose**: traitée en milieu basique par le disulfure de carbone, CS_2, la cellulose peut devenir un film transparent, appelé cellophane ou une fibre textile, connue sous le nom de rayonne viscose.

Aldotétroses et aldopentoses en projection de Fischer simplifiée...

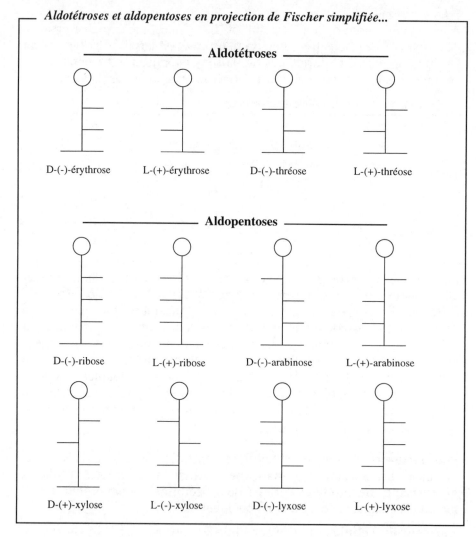

Aldotétroses

D-(-)-érythrose   L-(+)-érythrose   D-(-)-thréose   L-(+)-thréose

Aldopentoses

D-(-)-ribose   L-(+)-ribose   D-(-)-arabinose   L-(+)-arabinose

D-(+)-xylose   L-(-)-xylose   D-(-)-lyxose   L-(+)-lyxose

___ *Dérivés des glucides très utilisés...* _____

Xylitol
• goût sucré semblable à celui du saccharose;
• utilisé comme nutriment oral ou intraveineux;
• ajouté aux préparations anticaries.

$$CH_2OH$$
$$\vert\!-\!OH$$
$$HO\!-\!\vert$$
$$\vert\!-\!OH$$
$$CH_2OH$$

Mannitol
• sert dans la fabrication de résines artificielles et de plastifiants;
• comme agent favorisant l'écoulement de poudres;
• utilisé comme lubrifiant, stabilisant, épaississant et édulcorant dans certains aliments diététiques.

$$CH_2OH$$
$$HO\!-\!\vert$$
$$HO\!-\!\vert$$
$$\vert\!-\!OH$$
$$\vert\!-\!OH$$
$$CH_2OH$$

Sorbitol
• sert dans la fabrication de la vitamine C, du propylèneglycol, de plastifiants synthétiques et de résines;
• utilisé comme humectant sur les rouleaux de presses à imprimer, pour le cuir, le tabac, la noix de coco râpée, le beurre d'arachide;
• dans les bonbons pour retarder la cristallisation du sucre;
• comme agent séquestrant* dans les boissons gazeuses et les vins;
• utilisé dans les encres pour stylos afin d'assurer un écoulement aisé et prévenir le durcissement à leur pointe.

$$CH_2OH$$
$$\vert\!-\!OH$$
$$HO\!-\!\vert$$
$$\vert\!-\!OH$$
$$\vert\!-\!OH$$
$$CH_2OH$$

* Séquestrant: se dit d'une substance qui forme un complexe stable avec certains ions ou molécules.

___ *Édulcorants synthétiques...* _____

Aspartame (Equal, NutraSweet)
• ester dipeptidique;
• environ 160 fois plus sucré que le saccharose en solution aqueuse;
• édulcorant faiblement énergétique.

$$COOCH_3$$
$$H_2N\blacktriangleright CHCONHCHCH_2\!-\!\bigcirc$$
$$\vert$$
$$CH_2COOH$$

Saccharine (Sucaryl)
• environ 500 fois plus sucré que le saccharose en solution aqueuse;
• son goût sucré est encore détectable même à une dilution de 1:100 000;
• arrière-goût amer, métallique;
• le produit commercial Sucaryl est sous forme de sel de sodium dihydraté: 300 à 500 fois plus sucré que le saccharose.

Cyclamate de sodium
• environ 30 fois plus sucré que le saccharose.

$$\bigcirc\!-\!NHSO_3^-\ Na^+$$

Sucralose
• sucre chloré non nutritif pouvant servir à rehausser le goût sucré d'une gomme à mâcher.

— *Gomme sucrée!...sans sucre...* —

Voici, telle qu'écrite sur un paquet de gomme pour régimes réduits en glucides, la composition par bâtonnet d'une gomme à macher de marque connue:

__Ingrédients__	__par bâtonnet__
glucides	1,1 g
sucre	0 g
protéines	0 g
matières grasses	0,10 g
énergie	21,4 kJ
sorbitol	**0,65 g**
base de gomme	(non spécifié)
xylitol	**0,27 g**
glycérine	(non spécifié)
huile végétale hydrogénée	(non spécifié)
huile de coco modifiée	(non spécifié)
acide fumarique	(non spécifié)
carbonate de calcium	(non spécifié)
acide citrique	(non spécifié)
acide malique	(non spécifié)
huile végétale	(non spécifié)
mannitol	**0,004 g**
sucralose	**2,6 mg**
lécithine	(non spécifié)
monoglycérides	(non spécifié)
diméthylpolysiloxane	(non spécifié)
arômes naturels et artificiels	(non spécifié)
colorant	(non spécifié)

— *Preuve de la stéréochimie du D-(+)-glucose par Emil Fischer...* —

1. Fischer choisit arbitrairement de placer le OH à droite sur C5. Il a 50 % de chances que ce soit la bonne configuration.

C_2
C_3
C_4
C_5 —OH

Il a déterminé, par la suite, la configuration des OH sur C4, C3 et C2 par rapport à celle en C5.

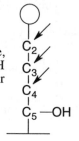

C_2
C_3
C_4
C_5 —OH

En 1954, Bijvoet a prouvé de façon absolue, par la méthode de cristallographie aux rayons X, que le choix de Fischer était le bon.

2. Fischer savait que le glucose et le mannose étaient des oses à chaîne carbonée normale (non ramifiée).

Preuve de la stéréochimie du D-(+)-glucose par Emil Fischer...(suite)

3. Il savait que le glucose et le mannose donnaient la même osazone. Donc ces deux oses possédaient la même configuration sur C3, C4 et C5.

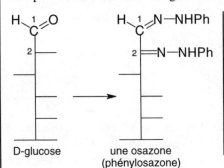

D-glucose → une osazone (phénylosazone)

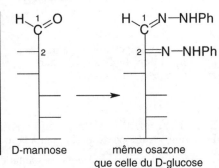

D-mannose → même osazone que celle du D-glucose

Les deux composés devaient être:1 et 2, 3 et 4, 5 et 6 ou 7 et 8.

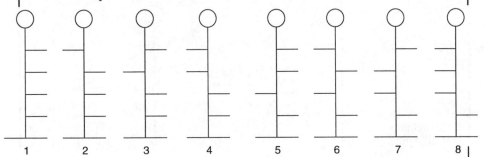

1   2   3   4   5   6   7   8

4. Le glucose et le mannose donnaient des diacides optiquement actifs, sous l'action de l'acide nitrique.

Ce résultat éliminait les paires 1,2 et 7,8 puisque, dans l'oxydation de ces paires, l'un des diacides serait optiquement inatif.

En effet, les structures 1 et 7 conduiraient à des diacides *méso* (optiquement inactifs).

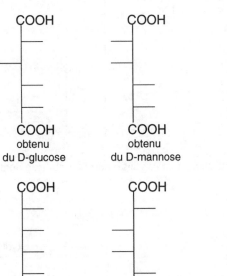

COOH ... COOH
obtenu du D-glucose ... obtenu du D-mannose

COOH ... COOH
(venant de 1) ... (venant de 7)

Preuve de la stéréochimie du D-(+)-glucose par Emil Fischer...(suite)

Donc, le glucose et le mannose devaient être soit 3 et 4, soit 5 et 6.

Mais Fischer ne pouvait toujours pas dire lequel était le D-glucose parmi ces quatre possibilités.

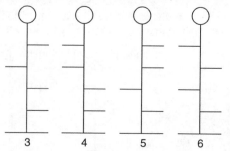

5. L'allongement, par la réaction Kiliani-Fischer, de la chaîne carbonée du D-arabinose (aldopentose) donnait à la fois du D-glucose et du D-mannose.

LeD-arabinose possédait donc la même configuration sur **ses** C2, C3 et C4 que sur les carbones C3, C4 et C5 du D-glucose **et** du D-mannose. Ces derniers étaient donc épimères au niveau de C2.

Le D-arabinose pouvait donc avoir la structure 9 ou la structure 10 :

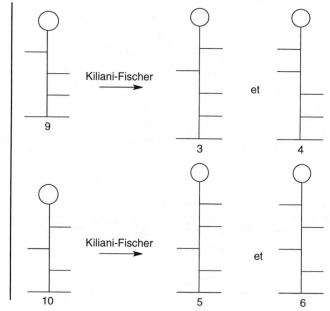

Cependant, l'oxydation du D-arabinose donnait un diacide *optiquement actif* !

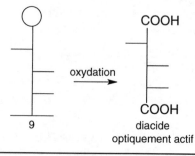

___ *Preuve de la stéréochimie du D-(+)-glucose par Emil Fischer...(suite)* ___

Donc le composé 10 était un aldopentose **différent** puisqu'il donnait un diacide *optiquement inactif* !

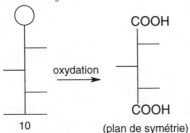

oxydation

10

(plan de symétrie)

> Le diacide dérivé de 10 étant *méso* (plan de symétrie), le D-arabinose devait donc correspondre à la structure 9, ce qui établissait définitivement la configuration sur C3, C4 et C5 du D-glucose et du D-mannose, sans toutefois permettre de les distinguer.

6. Par ailleurs, Fischer développa une méthode chimique lui permettant d'interchanger les deux extrémités d'un aldose. Voici ce que cela donnait lorsqu'elle était appliquée aux aldohexoses 3 et 4: quand C1 et C6 étaient interchangés, 3 donnait un aldohexose différent du composé de départ qu'il appela L-gulose.

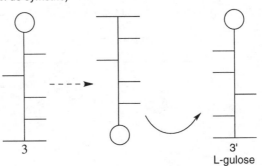

3

3'
L-gulose

rotation de la projection
de Fischer de 180° dans le plan

La même opération effectuée sur 4, redonnait 4 !

4

rotation de la projection
de Fischer de 180° dans le plan

Un dernier résultat permit à Fischer de choisir la structure 3 pour le D-glucose: l'oxydation de 3 **et** l'oxydation du L-gulose donnaient le même diacide optiquement actif. Cela lui permit d'établir la configuration sur C2.

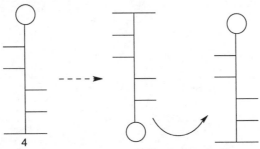

3

3'
L-gulose

Preuve de la stéréochimie du D-(+)-glucose par Emil Fischer...(suite)

La preuve était complétée: le D-glucose devait avoir la structure 3, le D-mannose devait avoir la structure 4 !

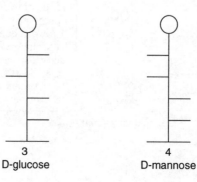

3
D-glucose

4
D-mannose

✳

EXERCICES 12

12.1 Généralités

1. Lesquels, parmi les composés suivants, sont des glucides?

   a) $C_{12}H_{22}O_{11}$ c) $C_{10}H_{20}O_7$

   b) $C_5H_8O_5$ d) $C_6H_{12}O_6$

2. Écrire la formule semi-développée du glycéraldéhyde.

3. Nommer quatre glucides naturels.

Classification et structure

12.2 à 12.4 Classification et structure

1. Donner un exemple:
   a) d'un cétohexose;
   b) d'un oside dont l'aglycone est un groupe méthyle;
   c) d'un hexose qui contient un hémiacétal;
   d) d'un β -pyranose;
   e) d'un disaccharide.

2. Qu'est-ce que la mutarotation?

3. Pourquoi la forme β du glucose est-elle plus abondante que la forme α ?

4. Qu'est-ce qu'un carbone anomère? Donner un exemple.

5. Représenter le plus précisément possible les composés suivants (forme chaise):
   a) α-L-allopyranose;
   b) β-D-altropyranose;
   c) α-D-galactopyranose.

6. Nommer précisément les composés suivants:

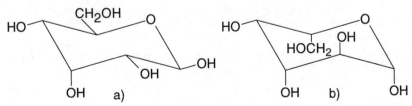

7. Répondre par vrai ou faux:
   a) le fructose est un cétose;
   b) le fructose ne donne pas de mutarotation;
   c) un furanose n'a pas de carbone anomère;
   d) un oside est hydrolysable;
   e) un disaccharide est un holoside;
   f) le glucose peut prendre la forme d'un furanose.

8. Parmi les structures suivantes, jumeler celles qui représentent le même composé et le nommer.

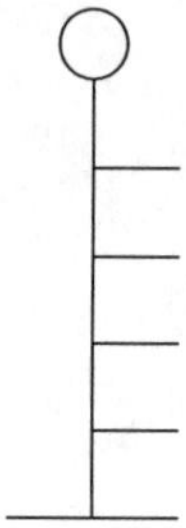

a

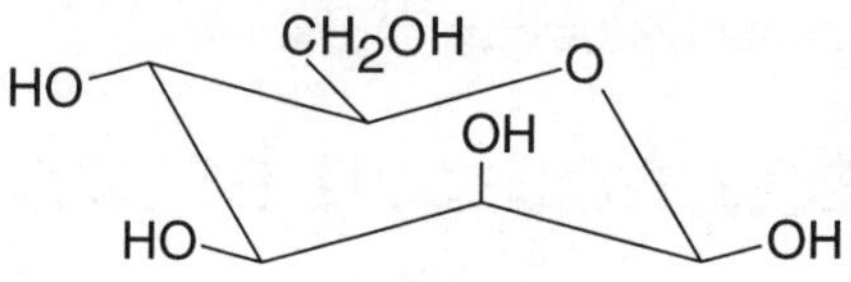

b

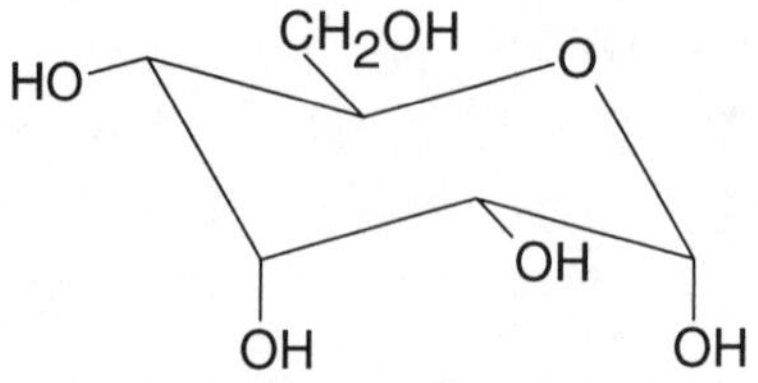

c

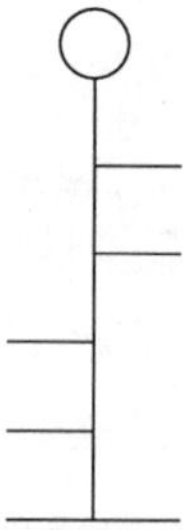

d

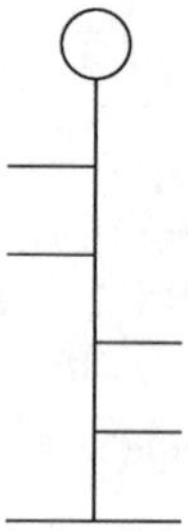

e

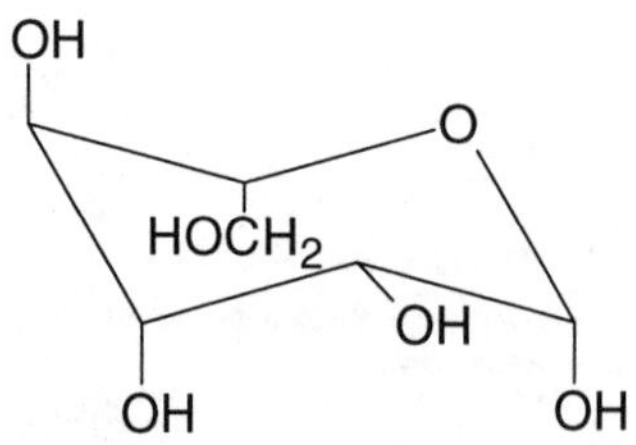

f

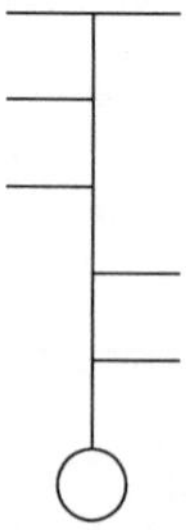

g

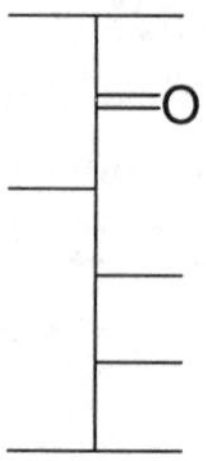

h

Les oses (monosaccharides)

12.5 Réactivité du carbonyle

1. Indiquer le produit majeur formé avec les réactifs suivants sur
   A (le benzaldéhyde),
   B (le D-galactose). (Utiliser des projections de Fischer).

   a) NaCN, Na_2CO_3, H_2O d) HNO_3

   b) NH_2OH e) $NaBH_4$

   c) la phénylhydrazine   f) $CuSO_4$

2. a) Donner une synthèse du D-xylose à partir du D-thréose.
   b) Dans cette synthèse, quel autre aldopentose pourrait-on obtenir?
   c) Peut-on préparer le D-ribose à partir du D-thréose? Pourquoi?

3. Donner une synthèse du L-xylose à partir du L-gulose.

4. Quel hexose pourrait servir à préparer le D-ribose?

5. Nommer un ose qui donne la même phénylosazone que le D-talose.

6. Qu'est-ce qu'un sucre réducteur?

7. a) Représenter l'acide *méso* -tartrique en projection de Fischer.
   b) Quel ose donnerait l'acide *méso* -tartrique par réaction avec l'acide nitrique?

8. Les composés suivants sont-ils *méso* ?

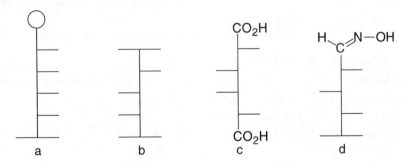

9. Compléter les réactions suivantes (utiliser les projections de Fischer):

   a) D-mannose $\xrightarrow{\text{NaBH}_4}$

   b) D-fructose + phénylhydrazine $\longrightarrow$

   c) D-glucose $\xrightarrow{\text{HNO}_3}$

12.6 Réactivité des fonctions alcool

1. Que donnerait le β -D-galactopyranose avec les réactifs suivants:
   a) éthanol en milieu acide;
   b) iodométhane et oxyde d'argent;
   c) anhydride acétique.

2. Nommer les composés suivants:

a)   b)

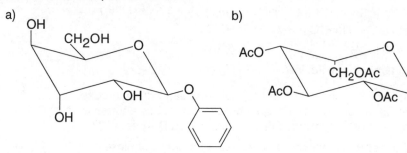

3. À propos des deux composés présentés à la question 2,
   a) localiser leur carbone anomère;
   b) sont-ils réducteurs?

Les osides

12.7 et 12.8 Les hétérosides et les holosides

1. a) Représenter l'équation chimique de l'hydrolyse, en milieu acide, du
      isopropyl- α -L-altropyranoside.
   b) Quel enzyme peut remplacer l'acide dans cette réaction?

2. Qu'est-ce qu'un holoside?

3. Quelle particularité doit avoir un disaccharide pour ne pas être réducteur?

4. En comparant les structures de l'amylose et de la cellulose,
   a) qu'est-ce qu'elles ont en commun?
   b) qu'est-ce qui les différencie?
   c) laquelle peut-être hydrolysée par l'émulsine?

5. Nommer les deux oses qui forment le saccharose.

6. Considérer la molécule suivante:

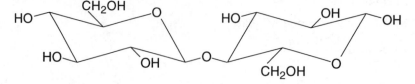

6. (suite)

   a) Localiser l'acétal, l'hémiacétal et les carbones anomères.
   b) Quel enzyme pourrait l'hydrolyser?
   c) Que donnerait-elle avec du méthanol en milieu acide anhydre?

7. Décrire (en numérotant les carbones) les liaisons qui unissent les unités de glucose dans l'amylopectine.

8. Nommer quatre dérivés synthétiques de la cellulose.

9. a) Qu'est-ce que du sucre inverti?
   b) Quelle est la propriété particulière de ce sucre?
   c) Le sucre inverti réagit-il avec une solution de Fehling?

10. Pourquoi le lactose ne peut-il pas provenir d'un polysaccharide comme dans le cas de la cellobiose?

Exercices complémentaires

---

1. Que donnerait le D-allose avec les réactifs suivants?

   a) $NaBH_4$;

   b) le phénol en milieu acide anhydre;

   c) l'hydroxylamine;

   d) la phénylhydrazine;

   e) $(CH_3)_2SO_4$ et $NaOH$.

2. Pour les produits obtenus en 1, indiquer ceux qui sont optiquement actifs et le nombre de stéréoisomères correspondant.

3. Un aldopentose peut donner un polyol optiquement inactif par réduction et la même phénylosazone que le D-arabinose. Quelle est la structure de cet aldopentose?

4. Nommer tous les D-aldohexoses qui donneraient un diacide optiquement actif par oxydation au moyen de l'acide nitrique.

5. Identifier les inconnues:

$$A \xrightarrow[\text{(émulsine)}]{H_2O} \quad B \quad + \quad C \xrightarrow[\substack{ZnCl_2 \\ \text{(réaction rapide)}}]{HCl} \quad D$$

B (un aldose qui donne la même phénylosazone que le D-glucose)

C (un alcool)

$$H_2SO_4 \Big| \text{conc.}$$

$$\text{acétone} + \text{formaldéhyde} \xleftarrow[\text{2) } H_2O, Zn]{\text{1) } O_3} \quad E \text{ (un alcène)}$$

6. Identifier les inconnues:

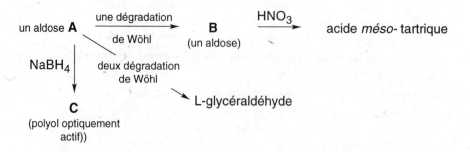

7. Identifier les inconnues:

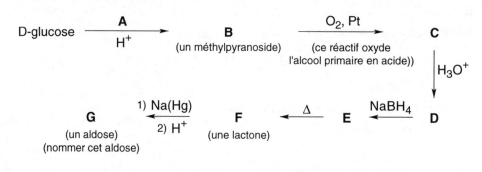

* * * ✳ * * *

LES AMINES 13

Sommaire

Mots / concepts clés

• amine, ammonium
• sel d'ammonium quaternaire
• basicité
• substitution nucléophile
• méthode de Gabriel
• dégradation de Hofmann
• amination réductive
• élimination de Hofmann
• sel de diazonium, diazotation
• réaction de Sandmeyer
• composé azoïque
• test de Hinsberg

Objectifs spécifiques

Vous devez être capable de ...

* reconnaître les différents types d'amines;
* nommer et donner la formule des amines et des sels d'ammonium selon la nomenclature de l'UICPA et selon les autres méthodes utilisées dans ce texte;
* comparer la structure des amines avec celle de l'ammoniac;
* comparer l'état physique des amines entre elles;
* commenter et comparer la basicité des amines;
* préparer des amines selon les méthodes mentionnées dans ce texte;
* transformer les amines par les réactions mentionnées dans le texte;
* transformer un sel de diazonium en d'autres fonctions;
* utiliser le test de Hinsberg pour préciser la catégorie d'amine;
* relier la synthèse des amines aux fonctions déjà étudiées;
* définir et expliquer les mots / concepts clés.

13.1 *Généralités*

Les amines, composés organiques azotés saturés, sont des dérivés de l'ammoniac. La substitution de 1, 2 ou 3 hydrogènes de l'ammoniac par des groupes alkyles conduit à la formation d'amines respectivement primaires, secondaires et tertiaires. L'amine tertiaire peut finalement conduire au cation ammonium quaternaire, analogue de l'ion ammonium, NH_4^+.

$$NH_3 \qquad R\!-\!NH_2 \qquad R\!-\!\underset{\underset{R}{|}}{N}H \qquad R\!-\!\underset{\underset{R}{|}}{N}\!-\!R \qquad R\!-\!\underset{\underset{R}{|}}{\overset{\overset{R}{|}}{N^+}}\!-\!R$$

| ammoniac | amine primaire | amine secondaire | amine tertiaire | cation ammonium quaternaire |

13.1.1 *Nomenclature des amines*

De toutes les nomenclatures, la nomenclature des amines est peut-être celle pour laquelle il y a le plus de versions. Commençons par la méthode systématique, celle de l'UICPA. Comme il est mentionné aux tableaux 2.5 et 2.6, les amines peuvent être identifiées par le suffixe *amine* lorsqu'il n'y a pas d'autre fonction prioritaire, ou par le préfixe *amino* s'il y a présence d'une fonction prioritaire à l'amine:

$$CH_3\!-\!CH_2\!-\!CH_2\!-\!NH_2 \qquad\qquad CH_3\!-\!\underset{\underset{}{}}{\overset{\overset{NH_2}{|}}{CH}}\!-\!CH_2\!-\!CO_2H$$

propan-1-amine   acide 3-aminobutanoïque
(l'acide carboxylique est prioritaire)

Pour les amines **secondaires** et **tertiaires**, les groupes substituants sur l'azote sont nommés comme préfixes précédés du symbole N ; en voici quelques exemples:

$$CH_3\!-\!\underset{\underset{NH-CH_3}{|}}{CH}\!-\!CH_3 \qquad \begin{array}{c} CH_3\!-\!CH_2\!-\!\underset{\underset{}{}}{CH}\!-\!CH_3 \\ CH_3\!-\!CH_2\!-\!N\!-\!CH_3 \end{array} \qquad CH_3\!-\!CH_2\!-\!N(CH_3)_2$$

N-méthylpropan-2-amine   *N*-éthyl-*N*-méthylbutan-2-amine   *N,N*-diméthyléthanamine

Chez les amines **aromatiques**, le nom *aniline* fait partie des noms acceptés par la nomenclature systématique.

aniline   4-chloroaniline   2-aminobenzaldéhyde
(l'aldéhyde est prioritaire)

Le nom *toluidine* (amine et méthyle sur le cycle benzénique) est aussi utilisé, mais seulement s'il n'est pas substitué.

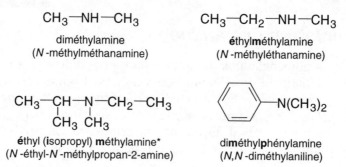

p -toluidine   *o* -toluidine   3-chloro-2-méthylaniline

Si la structure de l'amine est relativement simple, la méthode **alkylamine** est souvent utilisée. Elle consiste à placer les groupes **alkyles** en ordre alphabétique et à terminer par le mot **amine**.

$$CH_3-NH-CH_3$$

diméthylamine
(*N* -méthylméthanamine)

$$CH_3-CH_2-NH-CH_3$$

éthyl**m**éthylamine
(*N* -méthyléthanamine)

$$CH_3-\underset{\underset{CH_3}{|}}{CH}-\underset{\underset{CH_3}{|}}{N}-CH_2-CH_3$$

éthyl (**i**sopropyl) **m**éthylamine*
(*N* -éthyl-*N* -méthylpropan-2-amine)

$$-N(CH_3)_2$$

di**m**éthyl**p**hénylamine
(*N,N* -diméthylaniline)

---

① Nommer les substances suivantes:

a) $CH_3-CH_2-NH-CH_2-CH_2-CH_3$ c) [structure: aniline avec NH₂ et CO₂H]

b) $H_2N-CH_2-CH_2-CH_2-NH_2$ d) $(CH_3)_3N$

---

*S'il y a trois groupes alkyles différents sur l'azote, on place le nom du groupe du milieu entre parenthèses.

Les sels et les hydroxydes d'ammonium peuvent aussi être nommés par la méthode des *alkyles* en considérant leur similitude avec le cation ammonium, NH_4^+. En voici quelques exemples:

$$NH_4^+ \, Cl^-$$

chlorure d'ammonium

$$NH_4^+ \, OH^-$$

hydroxyde d'ammonium

$$CH_3-\overset{\overset{\displaystyle CH_3}{|}}{\underset{\underset{\displaystyle CH_3}{|}}{N}}{}^+\!\!-CH_3 \quad Cl^-$$

chlorure de
tétraméthylammonium

$$CH_3-CH_2-\overset{\overset{\displaystyle CH_3}{|}}{\underset{\underset{\displaystyle CH_3}{|}}{N}}{}^+\!\!-CH_2-CH_2-CH_3 \quad HO^-$$

hydroxyde
d'**é**thyl (di**m**éthyl) **p**ropylammonium

1. Nommer les composés **a** et **d** du problème 1 selon la méthode *alkylamine*.

2. Donner la formule semi-développée des composés suivants:
   a) triphénylamine b) cyclohexylamine c) chlorure d'éthyltriméthylammonium.

13.1.2 Structure et état physique des amines

Les amines ont une structure pyramidale imposée par l'hybridation sp^3 de l'azote, porteur d'un doublet libre, comme dans l'ammoniac.

ammoniac

méthanamine
(méthylamine)

L'importante électronégativité de l'azote (3,04), le doublet libre et la présence d'un ou de deux hydrogènes sur l'azote permettent aux amines primaires et secondaires de former des ponts hydrogène. Ces ponts hydrogène demeurent cependant plus faibles que ceux des alcools car l'azote est un peu moins électronégatif que l'oxygène. L'éthanol, par exemple bout à 78,5°C, alors que l'éthylamine devient gazeuse à 16,6°C. L'influence des ponts hydrogène demeure cependant très grande, si l'on compare avec l'éthane (Éb -88,6°C); cet hydrocarbure ne forme pas de ponts hydrogène. L'état physique des amines est donc influencé par les ponts hydrogène et leurs points d'ébullition sont assez élevés (voir tableau 13.1, page suivante).

Tableau 13.1 Quelques propriétés des amines.

Nom	Formule	F (°C)	Éb (°C)	Sol.*	K_b (25°C)
ammoniac	NH_3	-77,7	-33,3	89,9	$1,8 \times 10^{-5}$
méthylamine	$CH_3{-}NH_2$	-93,5	-6,3	s	$4,4 \times 10^{-4}$
éthylamine	$CH_3{-}CH_2{-}NH_2$	-81	16,6	s	$5,6 \times 10^{-4}$
propylamine	$CH_3{-}[CH_2]_2{-}NH_2$	-83	47,8	s	$4,7 \times 10^{-4}$
diméthylamine	$(CH_3)_2NH$	-93	7,4	s	$5,2 \times 10^{-4}$
triméthylamine	$(CH_3)_3N$	-117,2	2,9	41	$6,0 \times 10^{-5}$
diéthylamine	$(CH_3CH_2)_2NH$	-50	55,5	s	$9,6 \times 10^{-4}$
triéthylamine	$(CH_3CH_2)_3N$	-114,7	89,3	14	$5,7 \times 10^{-4}$
cyclohexylamine	$\langle\ \rangle{-}NH_2$	-17,7	134,5	s	$4,4 \times 10^{-4}$
aniline	$\langle\ \rangle{-}NH_2$	-6,3	184	3,5	$3,8 \times 10^{-10}$
pyridine	(cycle pyridine N)	-42	115,5	s	$1,7 \times 10^{-9}$
pipéridine	(cycle N{-}H)	-9	106	s	$1,6 \times 10^{-3}$
pyrrole	(cycle N{-}H)	—	130	ms	$4,0 \times 10^{-19}$
pyrrolidine	(cycle N{-}H)	—	88	s	$1,3 \times 10^{-3}$

*Solubilité dans l'eau en grammes par 100 mL à 25°C; s = soluble;
  ms = modérément soluble.

Seulement quatre amines du tableau 13.1 sont des gaz à la température ambiante, les autres sont liquides. En général, les amines primaires et secondaires sont les moins volatiles (elles forment des ponts hydrogène) et leur température d'ébullition augmente avec leur masse molaire.

Plusieurs amines sont très solubles dans l'eau, mais la faible polarité du groupe fixé sur l'azote contribue à diminuer rapidement cette solubilité. La basicité des amines est souvent le reflet de leur solubilité dans l'eau: l'aniline est peu basique parce que le doublet libre sur l'azote participe à la résonance dans le cycle et, de ce fait, est peu soluble dans l'eau, alors que la cyclohexylamine est une base plus forte très soluble dans l'eau.

13.1.3 Basicité des amines

Les amines, dérivant de l'ammoniac, sont des **bases** au sens de Lewis.

$$\overset{..}{N}H_3 \ + \ H-\overset{+}{O}H \ \rightleftharpoons \ NH_4^+ \ + \ HO^-$$
ammoniac

$$R-\overset{..}{N}H_2 \ + \ H-\overset{}{O}H \ \rightleftharpoons \ R-NH_3^+ \ + \ HO^-$$
amine

Dans l'eau, les amines forment des cations ammonium et font augmenter la concentration des ions HO^- de l'eau. La valeur de la constante d'équilibre Kb de ces réactions nous informe sur le caractère plus ou moins basique des amines (tableau 13.1).

Le tableau 13.1 montre que la basicité de plusieurs amines est supérieure à celle de l'ammoniac. L'effet inductif répulsif des chaînes carbonées est responsable de cette augmentation de la disponibilité des électrons libres de l'azote. Remarquer toutefois que, pour l'aniline et le pyrrole, la situation est bien différente. Ce sont des amines aromatiques, où le doublet de l'azote est intégré à la résonance dans le cycle.

Le caractère basique des amines leur permet donc de former facilement des sels en milieu acide, tout comme l'ammoniac.

$$NH_3 \ + \ HCl \ \longrightarrow \ NH_4^+ \ Cl^-$$
chlorure d'ammonium

$$R-NH_2 \ + \ HCl \ \longrightarrow \ R-NH_3^+ \ Cl^-$$
un sel de
chlorure d'alkylammonium

Ces sels sont plus solubles dans l'eau que les amines correspondantes, mais il est possible, voire facile, de récupérer l'amine libre par l'addition d'une base forte:

$$R-NH_3^+ \ Cl^- \ + \ NaOH \ \longrightarrow \ R-NH_2 \ + \ H_2O \ + \ NaCl$$
sel   amine

L'ensemble de ces deux dernières réactions, formation d'un sel puis action d'une base, est souvent utilisé pour isoler une amine d'un mélange par extraction liquide-liquide.

3 Commenter la basicité des composés suivants:

a) CH_3-NH_2
b) ⬡$-NH_2$
c) ⬠$N-H$
d) ⬡$-NH-CH_3$
e) $CH_3-\overset{\overset{\displaystyle O}{\|}}{C}-NH_2$

Synthèse des amines

Les amines peuvent être obtenues à partir de substances déjà azotées comme un dérivé nitro, un amide, etc., ou à partir d'un halogénure d'alkyle. Toutes les méthodes ont leur utilité et chacune possède ses avantages et ses inconvénients.

13.2 À partir d'un halogénure d'alkyle
(par substitution nucléophile)

Les halogénures d'alkyles sont des substrats tout désignés pour subir une substitution nucléophile; si le nucléophile est l'ammoniac ou une amine, le produit formé est une amine (méthode de **Hofmann**).

$$R\text{---}X \ + \ \ddot{N}H_3 \ \longrightarrow \ R\text{---}NH_3^+ \ + \ X^-$$

halogénure d'alkyle　　　　　　　　alkylammonium

L'ammoniac continue de réagir sur l'alkylammonium:

$$R\text{---}\overset{+}{\underset{H}{\overset{H}{N}}}\text{---}H \ + \ \ddot{N}H_3 \ \longrightarrow \ R\text{---}NH_2 \ + \ NH_4^+$$

alkylammonium　　　　　　　　amine primaire

La réaction globale s'exprime ainsi:

$$R\text{---}X \ + \ 2\,NH_3 \ \longrightarrow \ R\text{---}NH_2 \ + \ NH_4^+X^-$$

amine primaire

Toutefois, l'amine primaire formée, peut continuer à réagir (base plus forte que l'ammoniac) sur l'halogénure et prolonger la substitution. La réaction peut progresser ainsi jusqu'à la formation d'un sel d'ammonium quaternaire.

$$2\,R\text{---}\ddot{N}H_2 \ + \ R\text{---}X \ \longrightarrow \ R\text{---}\underset{R}{\overset{|}{N}}H \ + \ R\text{---}NH_3^+\,X^-$$

amine secondaire

sel d'ammonium quaternaire

Cette succession de substitutions nucléophiles limite l'intérêt de cette méthode, mais l'addition **d'ammoniac** en grand **excès** améliore raisonnablement le rendement en amine primaire.

Pour préparer sélectivement les amines primaires par substitution nucléophile, avec de bons rendements, la méthode de **Gabriel*** est utilisée. Cette méthode utilise le phtalimide comme source d'azote.

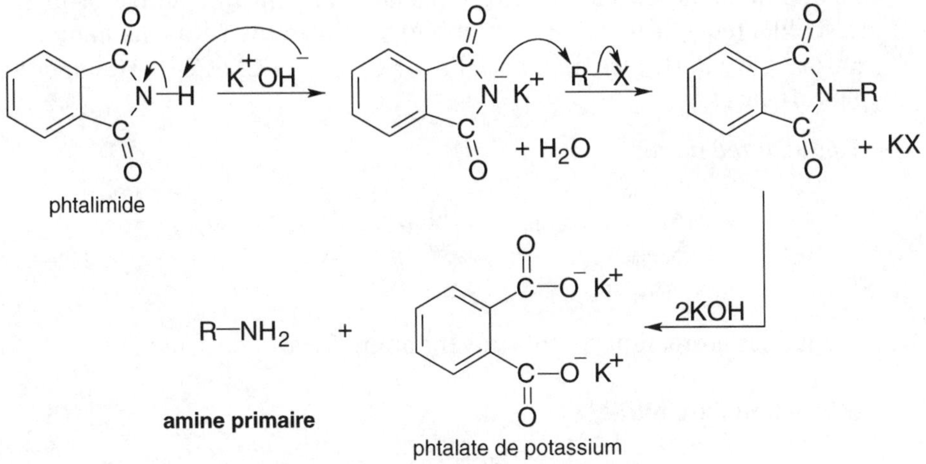

phtalimide $+ H_2O$ $+ KX$

R—NH$_2$ +

amine primaire

phtalate de potassium

2KOH

⟨4⟩ 1. Compléter et décrire le mécanisme des réactions suivantes:

a) CH$_3$—CH—CH$_3$ +   NH$_3$ ⟶
           |
           Br   (excès)

b) CH$_3$—CH$_2$—Br   +   CH$_3$—CH—NH$_2$ ⟶
                                  |
                                CH$_3$
                              (excès)

2. Trouver un cheminement pour obtenir:
   a) la N-méthylaniline à partir de l'aniline et du méthanol;
   b) sélectivement l'éthylamine à partir de l'éthylène.

13.3 À partir d'un composé azoté

Il est naturel de chercher le précurseur d'une amine dans une substance déjà azotée. La réduction de plusieurs fonctions azotées et la dégradation des amides sont donc les principales sources d'amines; les deux sections suivantes illustrent ces synthèses d'amines.

---

* Siegmund Gabriel (1851-1924), professeur à l'Université de Berlin.

13.3.1 Par réduction

La réduction d'une fonction azotée tel que nitro, nitrile, oxime ou amide, est une méthode efficace et très élégante d'obtenir une amine primaire. Les réducteurs utilisés sont nombreux et varient selon la nature du substrat; le $LiAlH_4$, les mélanges Fe + HCl, Sn + HCl et Zn + HCl sont les plus efficaces.

• **Réduction d'un nitro**

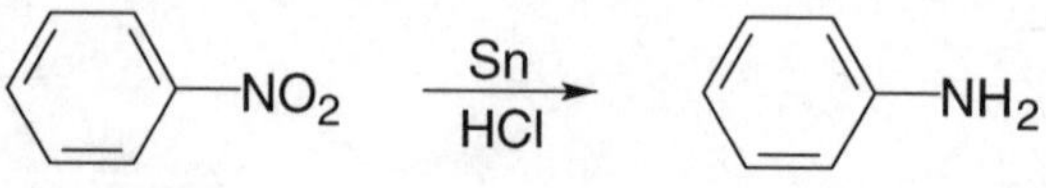

Les amines aromatiques sont souvent préparées de cette manière.

• **Réduction d'un nitrile**

• **Réduction d'un oxime**

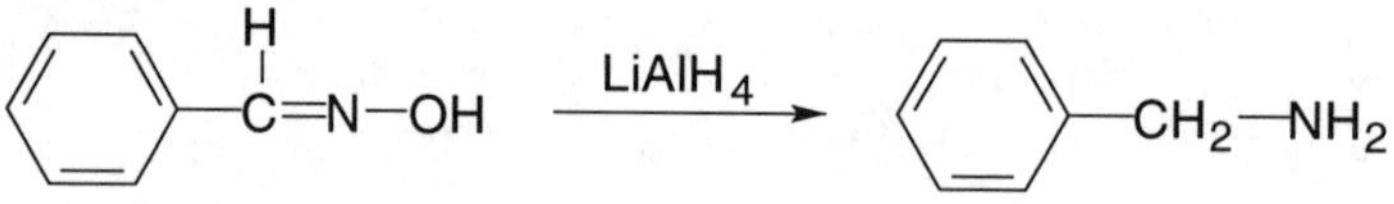

• **Réduction d'un amide**

Avec les amides substitués, il est possible d'obtenir des amines secondaires et tertiaires.

⑤ Trouver un cheminement pour effectuer les transformations suivantes:

a) benzène ⟶ aniline

b) alcool benzylique ⟶ benzylamine

c) acide acétique ⟶ éthylamine

d) acétone ⟶ isopropylamine

13.3.2 Par dégradation d'un amide (dégradation de Hofmann)

Par une réaction relativement complexe, les amides non substitués sont dégradés (perte d'un carbone) en présence de brome, dans une solution aqueuse d'hydroxyde de sodium. Voici un résumé de cette réaction complexe:

$$\underset{\substack{\text{amide} \\ \text{non substitué}}}{R-\overset{\overset{\displaystyle O}{\|}}{C}-NH_2} + Br_2 + 3\,NaOH \longrightarrow \underset{\substack{\text{amine} \\ \textbf{primaire}}}{R-NH_2} + NaHCO_3 + 2\,NaBr$$

Cette réaction ne produit que des amines primaires possédant un carbone de moins que l'amide de départ.

13.4 À partir d'un aldéhyde ou d'une cétone

Les **aldéhydes** et les **cétones** peuvent devenir des sources d'amines en réagissant avec l'ammoniac et l'hydrogène en présence d'un catalyseur comme le nickel. La réaction débute par l'attaque nucléophile de l'azote sur le carbonyle pour générer une imine*, laquelle est ensuite réduite par l'hydrogène. Il s'agit d'une **amination réductive**.

$$\underset{\substack{\\ R}}{R-C=O} + NH_3 \xrightarrow[Ni]{H_2} \underset{\substack{\\ R}}{R-CH-NH_2}$$

---

*Une imine: $\underset{\substack{\\ R}}{R-C=N-H}$

Si l'ammoniac est remplacé par une amine primaire ou une amine secondaire, il y aura formation respectivement d'une amine secondaire ou d'une amine tertiaire.

$$CH_3-\underset{\underset{H}{|}}{\overset{}{C}}=O \ + \ CH_3-CH_2-NH_2 \ \xrightarrow[Ni]{H_2} \ CH_3-\underset{\underset{H}{|}}{\overset{\overset{H}{|}}{C}}-NH-CH_2-CH_3$$

  aldéhyde   amine primaire   amine secondaire

Cette méthode de synthèse est efficace lorsqu'elle est réalisée en phase gazeuse.

6 Compléter les réactions suivantes:

a) benzaldéhyde + diméthylamine $\xrightarrow[Ni]{H_2}$

b) cyclohexanone + ammoniac $\xrightarrow[Ni]{H_2}$

Des molécules lumineuses...

Certains coléoptères comme la luciole et le lampyre (ver luisant) dégagent une certaine lumière appelée bioluminescence. Les responsables de cette émission de lumière sont des molécules aux structures variées comme la luciférine de la luciole ou le luminol, un produit facile à synthétiser en laboratoire. Le luminol émet aussi de la lumière bleutée fluorescente (chimiluminescence) lorsqu'il est oxydé en milieu basique par un mélange de peroxyde d'hydrogène et de ferricyanure de potassium.

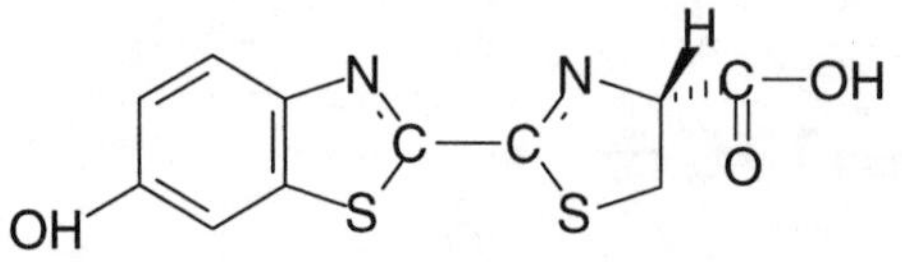

luciférine

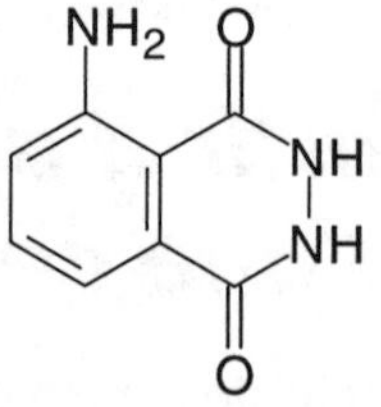

luminol
solide jaune
F 329-332°C

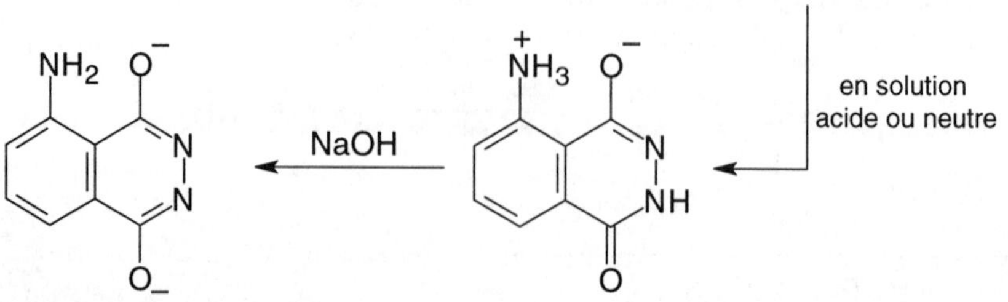

en solution
acide ou neutre

NaOH

Ce double ion énolate produit de la
chimiluminescence lorsqu'il est oxydé par H_2O_2 et $K_3Fe(CN)_6$.

Réactivité des amines

Les amines étant des bases, elles forment des sels d'ammonium et produisent des substitutions nucléophiles. La disponibilité du doublet d'électrons sur l'azote varie cependant avec chaque composé en fonction des effets inductifs et mésomères présents. La basicité a été examinée à la section 13.1.3 et nous poursuivons ici avec la substitution nucléophile et quelques autres réactions.

13.5 Substitution nucléophile

13.5.1 Sur un halogénure d'alkyle, R—X

Comme le fait l'ammoniac pour la synthèse des amines (méthode de Hofmann, section 13.2), les amines s'attaquent aussi aux halogénures d'alkyles pour produire des amines substituées.

$$R\text{—}\ddot{N}H_2 \quad + \quad R'\text{—}X \longrightarrow R\text{—}\overset{+}{N}H_2 \quad + \quad X^-$$

(en excès) $\delta^+ \quad \delta^-$ $|$
                                                     R'

Ce sel est transformé en amine secondaire par l'amine de départ.

$$R\overset{+}{N}H_3 \ X^- \quad + \quad R\text{—}NH\text{—}R' \longleftarrow$$

amine
secondaire

L'amine secondaire, ainsi obtenue, peut subir d'autres alkylations par de nouvelles substitutions sur R'—X. Le résultat final peut aller jusqu'à l'obtention d'un sel d'ammonium quaternaire. Ainsi,

$$R\text{—}\ddot{N}H\text{—}R' \quad + \quad 2 \ R'\text{—}X \longrightarrow \quad \longrightarrow \quad R\text{—}\overset{R'}{\underset{R'}{\overset{|}{\underset{|}{N}}}}\text{—}R' \ X^-$$

sel d'ammonium
quaternaire

L'utilisation d'un grand excès de l'amine de départ limite la réaction à une seule substitution, alors que l'utilisation d'un petit halogénure comme l'iodométhane, CH_3I, en excès, permet une **méthylation exhaustive** de l'amine primaire. Le sel d'ammonium triméthylé obtenu est très utile pour produire des alcènes par élimination (voir section 13.6).

$$CH_3-CH_2-\underset{\underset{NH_2}{|}}{CH}-CH_3 \xrightarrow[\text{en excès}]{CH_3I} CH_3-CH_2-\underset{\underset{\underset{CH_3}{|}}{CH_3-\overset{+}{N}-CH_3}}{CH}-CH_3 \quad I^-$$

butan-2-amine   iodure de *sec*-butyltriméthylammonium

13.5.2 Sur un dérivé d'acide carboxylique

Les amines sont d'excellents précurseurs pour la synthèse d'amides. La substitution nucléophile, surtout sur les chlorures d'acyles et les anhydrides, permet d'obtenir efficacement des amides:

$$2\,CH_3-CH_2-NH_2 \; + \; \text{(benzène)}-\overset{\overset{O}{\|}}{C}-Cl \longrightarrow \text{(benzène)}-\overset{\overset{O}{\|}}{C}-NH-CH_2-CH_3$$

chlorure de
benzoyle

N-éthylbenzamide

$$+ \quad CH_3-CH_2-NH_3^+ \; Cl^-$$

$$\text{(benzène)}-NH_2 \; + \; CH_3-\overset{\overset{O}{\|}}{C}-O-\overset{\overset{O}{\|}}{C}-CH_3 \longrightarrow \text{(benzène)}-NH-\overset{\overset{O}{\|}}{C}-CH_3$$

anhydride
acétique

N-phénylacétamide

$$+ \quad CH_3-CO_2H$$

Le mécanisme de substitution nucléophile s'applique à ces réactions (voir section 11.9).

13.6 Élimination de Hofmann

Certains alcènes, qui ne peuvent être préparés par une élimination habituelle sur un halogénure ou un alcool, sont obtenus à partir de sels d'ammonium quaternaires. Cette réaction a été présentée à la section 5.6.3; elle a comme particularité de fournir des alcènes qui ne respectent pas la règle de Saytzev. En voici un exemple:

$$CH_3-\overset{\beta}{CH_2}-\underset{\underset{\underset{CH_3}{|}}{CH_3-\overset{+}{N}-CH_3}}{\overset{\alpha}{CH}}-\overset{\beta}{CH_3} \quad I^- \xrightarrow[\substack{Ag_2O \\ \Delta}]{H_2O} CH_3-CH_2-CH=CH_2 \; + \; N(CH_3)_3$$

produit prédominant

(l'hydrogène éliminé provient
du carbone β le moins substitué)

$$+$$

$$CH_3-CH=CH-CH_3$$

produit mineur

⟨7⟩ Trouver un enchaînement de réactions pour passer

de [structure chimique: cyclohexane avec CH$_3$ et NH$_2$] à [structure chimique: cyclohexane avec =CH$_2$]

13.7 Formation et réactivité d'un sel de diazonium

Les amines **primaires** réagissent avec l'acide nitreux*, HNO$_2$, pour former des sels diazoniums; cette réaction est appelée **diazotation**. L'acide nitreux est formé à partir d'un mélange de nitrite de sodium, NaNO$_2$, et d'une solution d'acide chlorhydrique; l'amine de départ doit être préférablement de type aromatique. La réaction s'effectue à basse température, 0°C, parce que le diazonium formé est plutôt instable.

[schéma réactionnel] aniline —NH$_2$ $\xrightarrow[\text{2 HCl}]{\text{NaNO}_2}$ (à 0 °C) —$\overset{+}{N}$≡N Cl$^-$ + 2 H$_2$O + NaCl

aniline   chlorure de benzènediazonium

Avec les alkylamines, le diazonium est très instable même à 0°C; il se transforme rapidement en alcool.

L'intérêt d'un diazonium réside dans sa réactivité face à une grande variété de nucléophiles comme les ions halogénures, l'ion cyanure et l'eau. Certaines de ces réactions sont catalysées par des sels de cuivre(I); ce sont les réactions dites de **Sandmeyer**.** En voici quelques exemples (page suivante):

---

*Avec une amine secondaire, l'acide nitreux donne une nitrosamine, R—N—N=O, composé cancérigène, mais il ne réagit pas avec une amine tertiaire.   R'

**Traugott Sandmeyer (1854-1922). Le docteur Sandmeyer a travaillé pour la compagnie Geigy à Bâle en Suisse.

Toutes ces réactions libèrent de l'azote gazeux.

Le diazonium est un excellent précurseur du phénol; il permet de transformer l'aniline en phénol, via un halogénure (voir section 8.4).

Notons finalement que le caractère électrophile d'un diazonium lui permet de réaliser des réactions de **substitution électrophile** sur les composés aromatiques. Il se forme alors des composés **azoïques**. Ces substances, fortement colorées, servent de colorants ou de teintures pour les fibres textiles. La **substitution électrophile** est plus efficace sur des composés aromatiques porteurs de substituants donneurs d'électrons qui activent le cycle et orientent la substitution en *ortho* et en *para* .

composé **azoïque** appelé *butter yellow* *

---

*Le butter yellow était utilisé pour colorer la margarine jusqu'au jour où on lui a découvert des propriétés cancérigènes. Ce colorant azoïque est remplacé aujourd'hui par le β -carotène, produit naturel, un précurseur de la vitamine A (voir page 210).

13.8 Analyse qualitative des amines (test de Hinsberg)

Il est possible, par un test simple, de préciser si une amine inconnue est primaire, secondaire ou tertiaire. Le chlorure de benzènesulfonyle permet cette distinction. En effet, la caractère basique de l'amine associé à la possibilité de libérer un hydrogène sur l'azote, pour les amines primaires et secondaires, permettent une substitution nucléophile du chlore sur le chlorure de benzènesulfonyle (figure 13.1). Le sulfonamide formé est insoluble dans le milieu réactionnel. Dans la cas d'une amine primaire, le caractère acide du sulfonamide formé permet de le solubiliser par addition d'une base forte. Cette réaction précise la nature de l'amine primaire originale. L'amine tertiaire, pour sa part, ne forme pas de sulfonamide puisqu'il ne possède pas d'hydrogène sur l'azote.

Figure 13.1 Résumé des réactions impliquées dans le test de Hinsberg.

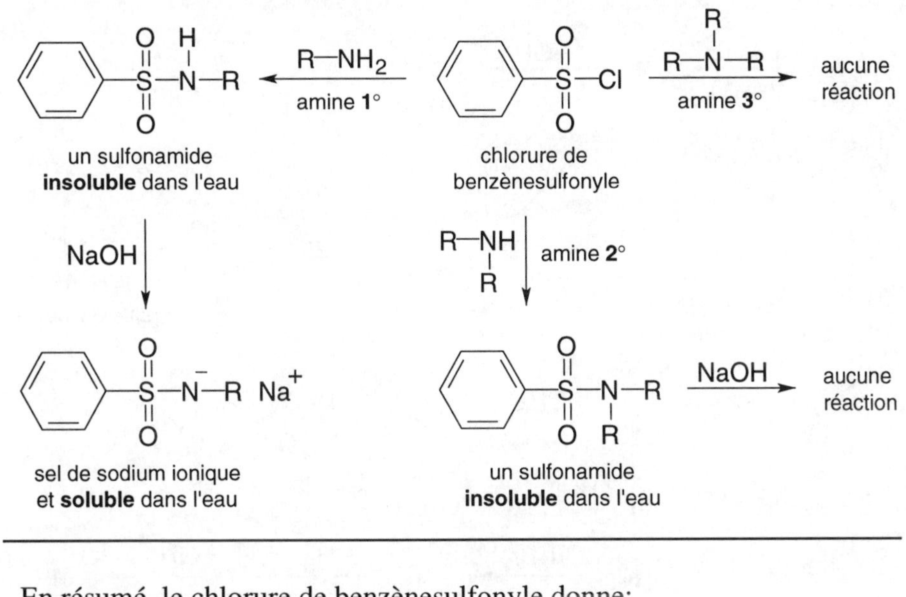

En résumé, le chlorure de benzènesulfonyle donne:

- un précipité avec une amine **primaire**; ce précipité se solubilise au contact d'une base forte;
- un précipité avec une amine **secondaire**; ce précipité persiste même au contact d'une base forte;
- aucune réaction avec une amine **tertiaire**.

1. Compléter les réactions suivantes:

   a) phénol + chlorure de benzènediazonium ⟶

   b) triméthylamine + nitrite de sodium et HCl ⟶

   c) diméthylamine + chlorure de benzènesulfonyle ⟶

2. Trouver un enchaînement de réactions pour effectuer les transformations suivantes:

   a) nitrobenzène ⟶ acide benzoïque

   b) aniline et éthanol ⟶ acétate de phényle

   c) p-nitrotoluène ⟶ toluène

   d) nitrobenzène ⟶ iodobenzène

3. Identifier les inconnues.

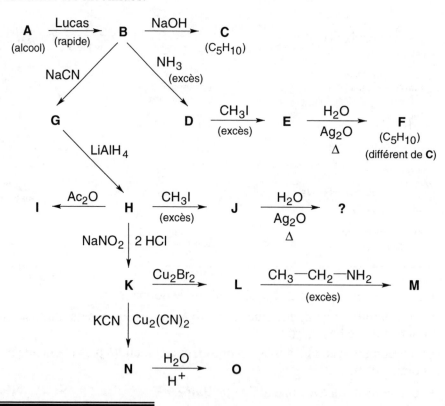

Tableau 13.2 Synthèses et transformations des amines.

Synthèses

A. À partir d'un halogénure d'alkyle

1. $R{-}X \xrightarrow[\text{en excès}]{NH_3 \text{ ou } R{-}NH_2}$

2. $R{-}X \xrightarrow[\text{2) KOH}]{\text{1) phtalimide}}$

B. À partir d'un composé azoté

a) Par réduction

1. $R{-}NO_2 \xrightarrow[HCl]{Sn}$

2. $R{-}C{\equiv}N \xrightarrow{LiAlH_4}$

3. $\overset{H}{\underset{}{R{-}C{=}N{-}OH}} \xrightarrow{LiAlH_4}$

4. $R{-}\overset{O}{\overset{\|}{C}}{-}NH_2 \xrightarrow{LiAlH_4}$

b) Par dégradation

$R{-}\overset{O}{\overset{\|}{C}}{-}NH_2 \xrightarrow[NaOH]{Br_2}$

C. À partir d'un aldéhyde ou d'une cétone

$R{-}\overset{O}{\overset{\|}{C}}{-}\underset{(R)}{H} \xrightarrow[H_2, Ni]{NH_3}$

A m i n e s

A m i n e s

Transformations

A. Basicité

$\xrightarrow{H^+}$ sel d'ammonium

B. Substitution nucléophile

1. $\xrightarrow{R{-}X}$ amine 2°, 3° ou sel quaternaire

2. $\xrightarrow{CH_3I}$ sel d'ammonium quaternaire

3. $\xrightarrow{R{-}\overset{O}{\overset{\|}{C}}{-}Cl}$ amide

4. $\xrightarrow{R{-}\overset{O}{\overset{\|}{C}}{-}O{-}\overset{O}{\overset{\|}{C}}{-}R}$ amide

C. Élimination

$R{-}\overset{+}{N}(CH_3)_3 \ I^- \xrightarrow[\substack{Ag_2O \\ \Delta}]{H_2O}$ alcène (règle de Hofmann)

D. Sels de diazonium

amine 1°

$\downarrow NaNO_2 \mid 2\ HCl$

$R{-}\overset{+}{N_2} \ Cl^-$

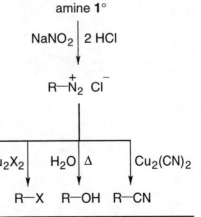

HBF₄	H₃PO₂	Cu₂X₂	H₂O Δ	Cu₂(CN)₂
R—F	R—H	R—X	R—OH	R—CN

EXERCICES 13

13.1 Généralités

1. Nommer les composés suivants (de deux façons différentes, si possible):

a) 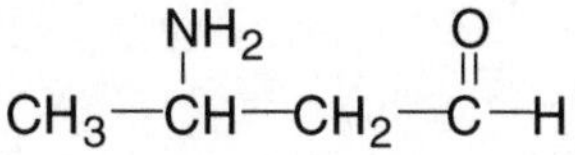
$$CH_3-\underset{\underset{NH_2}{|}}{CH}-CH_2-\underset{\underset{O}{\|}}{C}-H$$

b) ⟨C₆H₅⟩—NH—C(CH₃)₃

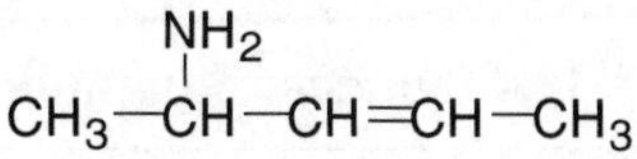

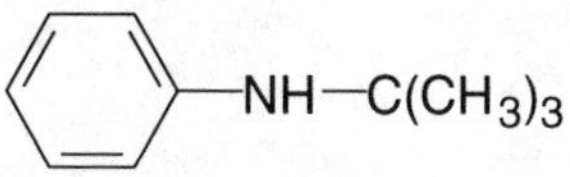

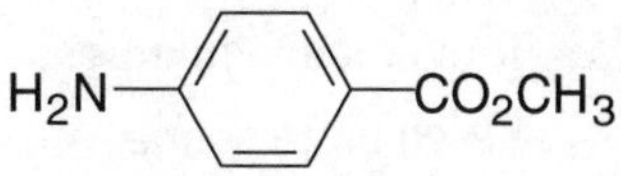

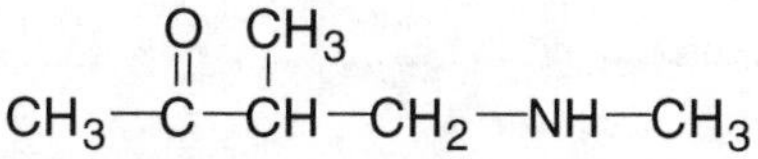

c)
$$CH_3-\underset{\underset{O}{\|}}{C}-\underset{\underset{CH_3}{|}}{CH}-CH_2-NH-CH_3$$

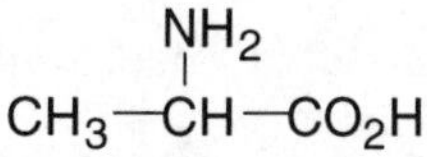

d) $(CH_3)_2N-CH_2-CH_3$

e)
$$CH_3-\underset{\underset{NH_2}{|}}{CH}-CH=CH-CH_3$$

f) H_2N-⟨C₆H₄⟩$-CO_2CH_3$

g)
$$CH_3-\underset{\underset{NH_2}{|}}{CH}-CO_2H$$

h) ⟨C₆H₄⟩—OH / NH₂

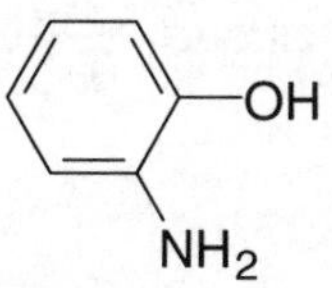

2. Donner la formule semi-développée des composés suivants:

a) *N*-méthylbutan-1-amine

b) *p*-toluidine

c) 2-aminoéthanol

d) chlorure de triméthylphénylammonium.

3. Quel est le composé le plus volatil, le cyclohexanol ou la cyclohexylamine? Justifier.

4. Comparer la basicité des amines suivantes:

a) aniline

b) cyclohexylamine

c) *N*-méthylaniline

d) cyclohexylméthylamine.

5. Trouver les inconnues:

$$CH_3-NH-CH_3 \ + \ HCl \ \longrightarrow \ A \ \xrightarrow{NaOH} \ B \ + \ C \ + \ D$$

6. Considérant que l'aniline est peu soluble dans l'eau, quelle transformation chimique pourrait la faire passer dans l'eau? Représenter cette manipulation par une équation chimique.

Synthèse des amines

13.2 à 13.4 Synthèse à partir de ...

1. Trouver les inconnues:

   a) 2-chloropropane + ammoniac (en excès) $\longrightarrow$ **A**

   b) acétone + hydroxylamine $\longrightarrow$ **B** $\xrightarrow{LiAlH_4}$ **C** $\xrightarrow{HCl}$ **D**

   c) *p*-nitrotoluène $\xrightarrow[HCl]{Sn}$ **E** $\xrightarrow[Pt]{H_2}$ **F**

   d) 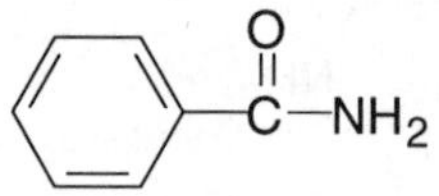 $\xrightarrow[\substack{NaOH \\ \Delta}]{Br_2}$ **G**

   e) benzonitrile $\xrightarrow{LiAlH_4}$ **H**

2. Trouver une synthèse de la propan-1-amine à partir:

   a) du 1-chloropropane
   b) du propanal
   c) de l'éthylène
   d) de l'acide propanoïque.

3. Donner les équations chimiques d'une synthèse de l'isopropylamine à partir du 2-chloropropane par la méthode de Gabriel.

4. Donner deux caractéristiques de la synthèse d'amines par dégradation de Hofmann.

Réactivité des amines

13.5 à 13.8 Substitution, élimination, sels de diazonium et analyse qualitative

1. Suggérer une méthode de transformation de l'aniline en:

   a) phénol

   b) acide benzoïque

   c) bromobenzène

   d) benzamide

   e) styrène (C_6H_5—CH=CH$_2$)

   f) fluorobenzène

2. Trouver les inconnues:

   a) aniline (en excès)   + CH_3—CH_2—Br $\longrightarrow$ **A**

   b) 2-méthylbutan-2-amine $\xrightarrow[\text{(en excès)}]{CH_3I}$ **B** $\xrightarrow[\substack{H_2O \\ \Delta}]{Ag_2O}$ **C** + **D**

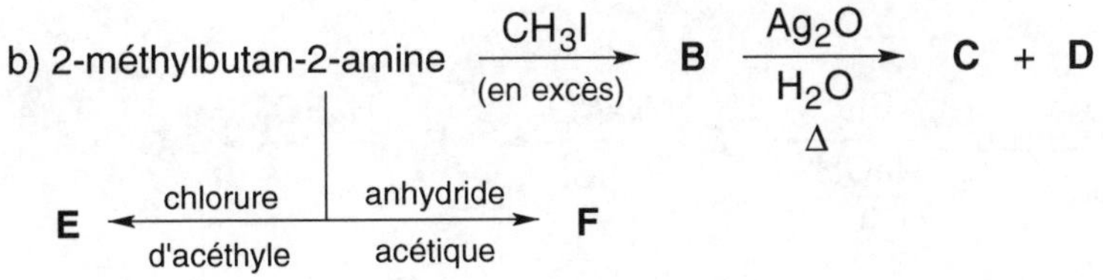

   E $\xleftarrow{\substack{\text{chlorure} \\ \text{d'acéthyle}}}$ | $\xrightarrow{\substack{\text{anhydride} \\ \text{acétique}}}$ **F**

   c) aniline $\xrightarrow[\text{HCl}]{NaNO_2}$ **G** $\xrightarrow[Cu_2Cl_2]{HCl}$ **H**

   chlorobenzène $\downarrow$

   I

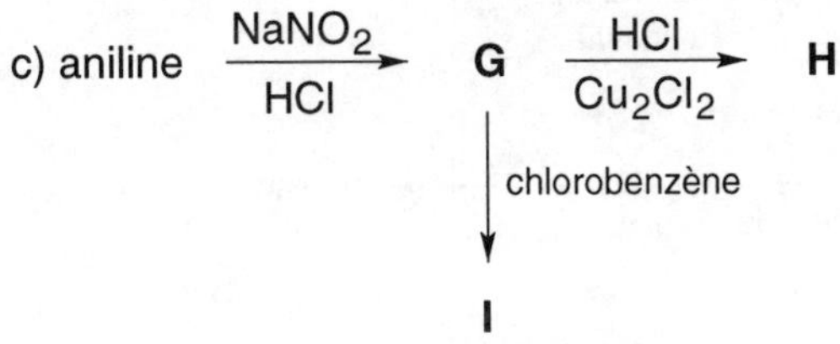

3. a) Donner la formule et le nom du réactif qui permet de distinguer les amines primaires, secondaires et tertiaires.

   b) À l'aide de ce réactif, illustrer, par une équation chimique, comment mettre en évidence le fait que l'éthylméthylamine est secondaire.

Exercices complémentaires

---

1. Trouver un enchaînement pour effectuer les transformations suivantes:

   a) éthanol $\longrightarrow$ éthylamine

   b) acide benzoïque $\longrightarrow$ aniline

   c) acide benzoïque $\longrightarrow$ benzylamine

   d) benzène $\longrightarrow$ aniline.

2. Nommer les composés suivants (de deux façons différentes, si possible):

a) $C_2H_5-NH-C_2H_5$

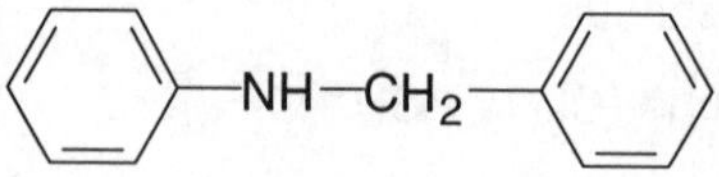

d) $CH_3-CH-CH_2-CH_2-OH$
   $\qquad\quad\ N(CH_3)_2$

b) ⬡$-\overset{+}{N}(CH_3)_3$ Cl^-

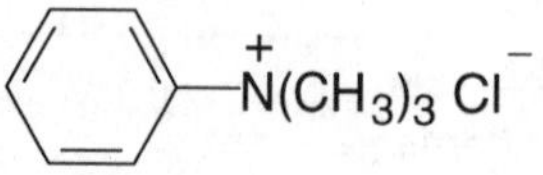

e) 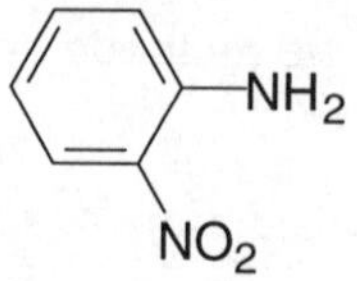 ⬡$-NH_2$ (ortho NO_2)

c) ⬡$-NH-CH_2-$⬡

3. Identifier les inconnues:

a) butan-2-one $\xrightarrow[H_2, Ni]{NH_3}$ **A** $\xrightarrow[\text{(en excès)}]{CH_3I}$ **B** $\xrightarrow[\substack{H_2O \\ \Delta}]{Ag_2O}$ **C** + **D**

b) benzamide $\xrightarrow[\substack{NaOH \\ \Delta}]{Br_2}$ **E** $\xrightarrow[HCl]{NaNO_2}$ **F** $\xrightarrow{H_3PO_2}$ **G**

c) butanenitrile $\xrightarrow{LiAlH_4}$ **H** $\xrightarrow[\text{d'acétyle}]{\text{chlorure}}$ **I**

d) 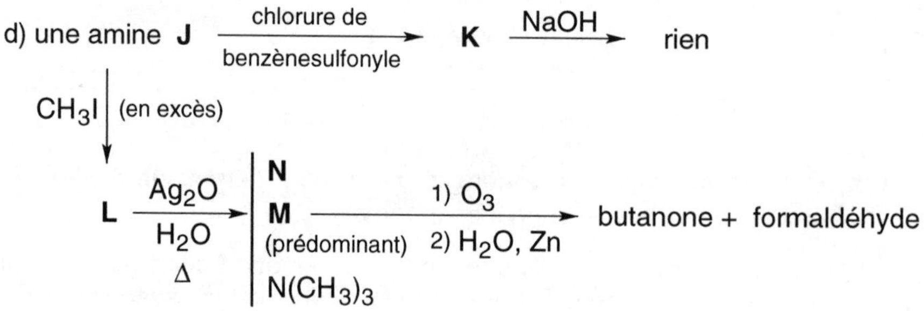 une amine **J** $\xrightarrow[\text{benzènesulfonyle}]{\text{chlorure de}}$ **K** $\xrightarrow{NaOH}$ rien

$CH_3I \Big\downarrow$ (en excès)

L $\xrightarrow[\substack{H_2O \\ \Delta}]{Ag_2O}$ $\Big\{\begin{array}{l} \textbf{N} \\ \textbf{M} \\ \text{(prédominant)} \\ N(CH_3)_3 \end{array}$ $\xrightarrow[\text{2) } H_2O, Zn]{\text{1) } O_3}$ butanone + formaldéhyde

4. Trouver un enchaînement de réactions pour effectuer les transformations suivantes:

a) propène $\longrightarrow$ isopropylamine

b) nitrobenzène $\longrightarrow$ bromobenzène

c) 1-bromopropane $\longrightarrow$ *N*-méthylpropan-1-amine

d) benzamide $\longrightarrow$ benzonitrile

e) *p*-toluidine $\longrightarrow$ acide *p*-phtalique, HO_2C-⬡$-CO_2H$.

———— ✳ ————

LES AMINOACIDES ET LES PROTÉINES

14

Sommaire

Mots / concepts clés

- aminoacide, protéine
- aminoacides essentiels
- aminoacides neutres, acides, et basiques
- zwitterion, ion dipolaire
- point isoélectrique
- précipitation sélective

- électrophorèse
- amphotère, tampons
- distillation fractionnée
- amide, peptide
- di-, tri-, tétra-, et polypeptide
- liaison peptidique
- monomère, polymère

Mots / concepts clés (suite)

- structure primaire, secondaire, et tertiaire
- blocage et déblocage des fonctions amine et acide carboxylique
- activation de la fonction acide
- anhydride phtalique, phtaloyle
- séquence des aminoacides
- chromatographie sur couche mince

- chromatographie par échange d'ions
- aminoacide N-terminal
- aminoacide C-terminal
- 2,4-dinitrofluorobenzène (DNFB)
- hydrazine
- carboxypeptidase
- trypsine, chymotripsine.

Objectifs spécifiques

Vous devez être capable de ...

- connaître les abréviations servant à désigner les aminoacides;
- identifier un aminoacide neutre, acide, basique;
- nommer les aminoacides essentiels;
- représenter un aminoacide en projection de Fischer;
- expliquer le point de fusion élevé des aminoacides;
- définir *zwitterion;*
- représenter un aminoacide sous forme anionique, cationique;
- définir point isoélectrique;
- décrire quelques méthodes de séparation des aminoacides;
- connaître les principales réactions de synthèse des aminoacides;
- décrire le comportement tampon des aminoacides et des protéines;
- décrire les principales réactions des aminoacides;
- définir *liaison peptidique;*
- identifier et localiser une liaison peptidique sur une protéine;
- relier la notion de séquence des aminoacides dans les protéines à la diversité biologique;
- définir peptide, di-, tri-, tétra-, et polypeptide;
- caractériser les structures primaire, secondaire, et tertiaire des protéines;
- expliquer ce qu'on entend par synthèse sélective;
- expliciter les méthodes d'activation de la fonction acide, de protection et de déblocage de la fonction amine;
- appliquer les méthodes de détermination de la séquence des aminoacides dans une protéine (aminoacide C- et N-terminal);
- relier, par des réactions chimiques, les aminoacides et les protéines aux autres fonctions déjà étudiées;
- définir et expliquer les mots / concepts clés.

Les aminoacides

14.1 Présentation et structure

Tout aminoacide est caractérisé par la présence simultanée, sur sa molécule, d'une fonction amine et d'une fonction acide carboxylique. Dans le cas des aminoacides impliqués dans les protéines, la fonction amine est toujours en position α de la fonction acide carboxylique.

Ce sont des **α-aminoacides** ayant tous la structure générale suivante:

$$G-\overset{\alpha}{\underset{\underset{NH_2}{|}}{CH}}-CO_2H$$

un α-aminoacide

L'aminoacide est, pour le corps humain, comme la brique d'un mur pour une construction, sauf qu'il y a plusieurs briques différentes et que l'ordre dans lequel elles sont placées produit des résultats différents. Voilà un des principaux champs d'étude de la biochimie. Cette science s'intéresse particulièrement aux propriétés des aminoacides et à la structure tridimensionnelle des protéines dont les éléments de base sont les aminoacides. Dans le contexte de ce cours, nous nous limitons à caractériser les aminoacides et à entrouvrir la porte sur cet intéressant et vaste domaine de la biochimie.

14.1.1 Nomenclature et classification

La nomenclature systématique des composés organiques est habituellement mise de côté pour nommer les aminoacides. Les biochimistes utilisent plutôt un nom courant et une abréviation pour chacun des aminoacides.

$$CH_3-\underset{\underset{NH_2}{|}}{CH}-CO_2H$$

acide 2-aminopropanoïque
(selon l'UICPA)
ou **alanine (Ala)**

L'utilisation d'abréviations simplifie grandement l'écriture de la structure des protéines. Le tableau 14.1 (pages suivantes) présente la structure des principaux aminoacides.

Tableau 14.1 Classification des principaux aminoacides.

A. Aminoacides **neutres** $\overset{\alpha}{G-CH-CO_2H}$ avec NH_2					
	G	**Nom**	**Abréviation**	**F (°C)**	**pl***
G est non polaire	—H	glycine	Gly	290	5,97
	—CH$_3$	alanine	Ala	297	6,00
	—CH(CH$_3$)$_2$	valine**	Val	292-295	5,96
	—CH$_2$CH(CH$_3$)$_2$	leucine**	Leu	337	5,98
	—CHCH$_2$CH$_3$ avec CH$_3$	isoleucine**	Ileu	284	6,02
	—CH$_2$—phényle	phénylalanine**	Phe	284	5,48
	—CH$_2$—indole	tryptophane**	Trp	282	5,89
	pyrrolidine—CO$_2$H (structure complète)	proline	Pro	222	6,30
G contient un OH	—CH$_2$OH	sérine	Ser	228	5,68
	—CHOH avec CH$_3$	thréonine**	Thr	253	5,60
	—CH$_2$—C$_6$H$_4$—OH	tyrosine	Tyr	344	5,66

 * Point isoélectrique: pH auquel les concentrations en anion et en cation d'un aminoacide sont les mêmes.

** Aminoacides *essentiels (9)* : ceux dont l'organisme humain ne peut faire la synthèse. Ils doivent provenir de l'alimentation.

Tableau 14.1 Classification des principaux aminoacides (suite).

A. Aminoacides **neutres** (suite) $\quad G-\overset{\alpha}{\underset{NH_2}{CH}}-CO_2H$				

	G	**Nom**	**Abréviation**	**F (°C)**	**pI***
G contient un amide	$-CH_2-\overset{O}{\overset{\|}{C}}-NH_2$	asparagine	Asn	236	5,41
	$-CH_2-CH_2-\overset{O}{\overset{\|}{C}}-NH_2$	glutamine	Gln	185	5,65
G contient du soufre	$-CH_2SH$	cystéine	Cys	178	5,07
	$-CH_2CH_2SCH_3$	méthionine**	Met	283	5,74

G contient une fonction basique	**B. Aminoacides basiques**				
	$-CH_2CH_2CH_2CH_2NH_2$	lysine**	Lys	224-225	9,74
	$-CH_2CH_2CH_2NH-\overset{NH}{\overset{\|\|}{C}}-NH_2$	arginine	Arg	238	10,76
	$-CH_2$ (imidazole)	histidine**	His	277	7,59

G contient une fonction acide	**C. Aminoacides acides**				
	$-CH_2-CO_2H$	acide aspartique	Asp	270	2,77
	$-CH_2CH_2-CO_2H$	acide glutamique	Glu	249	3,22

* Point isoélectrique: pH auquel les concentrations en anion et en cation d'un aminoacide sont les mêmes.

** Aminoacides *essentiels (9)* : ceux dont l'organisme humain ne peut faire la synthèse. Ils doivent provenir de l'alimentation.

Il existe donc une vingtaine d'aminoacides qui peuvent être obtenus par l'hydrolyse d'une immense variété de protéines. La classification des aminoacides les regroupe en trois catégories: **neutres**, **basiques** et **acides** (tableau 14.1). Cette classification, en fonction du caractère acidobasique, réfère à la nature du groupe **G**: relativement neutre (souvent alkyle) pour certains aminoacides, contenant une fonction amine (basique) pour d'autres et enfin, une fonction acide carboxylique pour la troisième catégorie d'aminoacides.

1 Les aminoacides suivants sont-ils neutres, acides ou basiques?

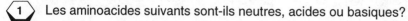

1. ⬡—CH_2—CH—CO_2H
                $|$
               NH_2

3. H_2N—$[CH_2]_4$—CH—CO_2H
                        $|$
                       NH_2

2. HO—CH—CH—CO_2H
         $|$ $|$
       CH_3 NH_2

4. HO_2C—CH_2—CH—CO_2H
                    $|$
                   NH_2

14.1.2 *Structure des aminoacides*

Sauf chez la glycine, le carbone α porteur de la fonction amine est asymétrique; tous les autres aminoacides manifestent donc de l'isomérie optique. La convention utilisée pour identifier les stéréoisomères des aminoacides, ressemble à celle des glucides: notation D et L également basée sur la configuration du glycéraldéhyde, en projection de Fischer.

H
 $\backslash$
  C=O

HO——H

CH_2OH

L-glycéraldéhyde

CO_2H

H_2N——H

G

un L-aminoacide
quelconque

CO_2H

H_2N——H

CH_3

L-alanine

Contrairement aux glucides, les aminoacides naturels possèdent, en général, la configuration L (fonction amine à gauche en projection de Fischer). Rappelons que l'identification D et L n'a aucune relation avec le pouvoir rotatoire dextrogyre ou lévogyre d'un composé. Bien que le problème de stéréochimie (formation et séparation des stéréoisomères) soit toujours présent lors de la synthèse et de la transformation des aminoacides, cette question ne sera pas abordée dans ce texte.

En plus d'être optiquement actifs, les aminoacides ont une autre particularité directement reliée à leur structure: leur point de fusion étonnamment élevé (tableau 14.1). Par exemple, pourquoi la glycine ne fond-elle qu'à 290°C alors que l'acide acétique devient liquide à 16°C? Pourquoi les aminoacides sont-ils tous solides à la température ambiante?

L'explication réside dans une particularité de leur structure telle que présentée au début de ce chapitre. On y remarque la présence rapprochée de deux fonctions acidobasiques: une fonction acide carboxylique et une fonction amine. Elles réagissent donc spontanément l'une avec l'autre et forment un sel interne, un ion dipolaire appelé **zwitterion**. La figure 14.1 illustre cette réaction *interne* .

Figure 14.1 Équilibres entre les diverses structures des aminoacides.

$$R-\underset{\underset{NH_2}{|}}{CH}-CO_2H \;\rightleftharpoons\; R-\underset{\underset{^+NH_3}{|}}{CH}-CO_2^-$$

structure covalente   structure neutre
ion dipolaire (**zwitterion**)

(forme de l'aminoacide à son pH du point isoélectrique)

H^+ / HO^- H^+ HO^-

$$R-\underset{\underset{NH_2}{|}}{CH}-CO_2^-$$

$$R-\underset{\underset{^+NH_3}{|}}{CH}-CO_2H$$

forme anionique   forme cationique

Les aminoacides ont une structure caméléon: elle varie selon l'environnement. En effet, le pH du milieu ou de la solution influence la structure que prend un aminoacide. Ainsi, pour que la structure ionique neutre du zwitterion domine, le pH de la solution doit être égal au pH correspondant au **point isoélectrique** de l'aminoacide étudié. Cette valeur de pH varie d'un aminoacide à l'autre, selon la nature du groupe fixé au carbone α (tableau 14.1). Si le pH de la solution est ajusté à une valeur inférieure à la valeur du pI, la forme cationique domine; si le pH de la solution est ajusté à une valeur supérieure à la valeur du pI, l'aminoacide prend la forme anionique.

2 Écrire la forme prédominante de:
a) la sérine à pH 3,0;
b) la lysine à pH 8,0.

Au point isoélectrique, les aminoacides sont à leur minimum de solubilité dans l'eau: il existe alors une multitude de charges positives et négatives qui s'attirent. Pour toute autre valeur de pH, les charges électriques sont identiques et les molécules se repoussent. Cette propriété peut être exploitée pour **séparer** un mélange d'aminoacides, par précipitation sélective. Par exemple, pour séparer un mélange de lysine et de glycine à pH 3,0, on procède comme suit:

1. on ajoute une solution basique à la solution contenant le mélange d'aminoacides, pour en augmenter le pH jusqu'à la valeur correspondant au pI de la glycine, c'est-à-dire 5,97: la glycine précipite;
2. on filtre pour récupérer la glycine;
3. on ajoute une solution basique au filtrat pour en augmenter le pH jusqu'à la valeur correspondant au pI de la lysine, c'est-à-dire 9,74: la lysine précipite;
4. on filtre pour récupérer la lysine.

 Supposons un mélange Ala et Asp à pH 7,0.
a) Quelle est la structure de ces deux aminoacides à cette valeur de pH?
b) Décrire un procédé pour séparer les deux aminoacides.

La variété des structures ioniques est également exploitée dans l'électrophorèse, autre technique de séparation des aminoacides. Elle consiste à provoquer le déplacement d'un aminoacide, sous forme ionique, à l'aide d'un champ électrique. La forme cationique est attirée par la cathode, tandis que la forme anionique se déplace vers l'anode. Le déplacement des aminoacides s'effectue en solution aqueuse sur une bande de papier imprégnée des aminoacides ou dans des gels.

Synthèse des aminoacides

Les principales méthodes d'obtention des aminoacides impliquent l'entrée d'une fonction amine en α d'un carbonyle déjà présent sur la molécule. Il y a plusieurs façons d'y arriver, mais elles impliquent toutes un problème de stéréochimie, car le carbone α d'un aminoacide est ou devient asymétrique au moment de la synthèse.

14.2 Par substitution nucléophile sur un acide α-halogéné

Comme pour la synthèse d'une amine simple (section 13.2), l'halogénure est un substrat de choix pour subir une substitution nucléophile.

$$R-\underset{\underset{Br}{|}}{CH}-CO_2H \xrightarrow{NH_3} R-\underset{\underset{NH_2}{|}}{CH}-CO_2H \; + \; HBr$$

acide carboxylique α-bromé

L'acide carboxylique α-bromé de départ peut être obtenu par réaction du brome, en présence de phosphore, sur un acide carboxylique (section 11.8, réaction de Hell-Volhard-Zelinsky). La méthode de Gabriel qui utilise le phtalimide (section 13.2) peut aussi donner de bons résultats.

Donner une synthèse de la valine à partir de l'acide 3-méthylbutanoïque.

14.3 Par addition sur un aldéhyde
(Réaction de Strecker*)

Un aldéhyde peut aussi servir de substrat dans la synthèse d'un aminoacide. C'est par addition de l'acide cyanhydrique en présence d'ammoniac qu'un aldéhyde peut devenir le précurseur d'un aminoacide. Il se forme alors un aminonitrile, hydrolysé facilement ensuite en aminoacide.

$$R-\overset{\overset{\displaystyle O}{\|}}{C}-H \xrightarrow[\text{NH}_3]{\text{HCN}} R-\underset{\underset{\displaystyle NH_2}{|}}{CH}-CN \xrightarrow{H_3O^+} R-\underset{\underset{\displaystyle NH_2}{|}}{CH}-CO_2H$$

aminoacide possédant
un carbone de plus
que l'aldéhyde de départ

 Donner une synthèse de l'alanine à partir de l'acétaldéhyde.

Réactivité des aminoacides

Puisque les aminoacides contiennent les deux fonctions amine et acide carboxylique, nous pourrions bien sûr reprendre toutes leurs réactions. Cependant, nous nous limiterons aux réactions les plus utiles et, en particulier, à celles qui conduisent aux protéines.

14.4 Caractère acidobasique

Les aminoacides ont un caractère amphotère à cause de la présence simultanée d'une base, la fonction amine, et d'un acide, la fonction acide carboxylique. Cette propriété rend les aminoacides très sensibles à des variations de pH, en formant un sel de forme anionique ou cationique (section 14.1.2). Les aminoacides peuvent donc jouer le rôle de tampons. Les protéines également exercent cette fonction (section 14.10) dans l'organisme vivant pour régulariser le pH sanguin (~pH 7,4) en neutralisant le surplus d'acide et de base.

---

* Strecker, Adolf (1822-1871), professeur à l'Université de Würzburg, Allemagne.

14.5 Formation d'un ester

Une des réactions classiques d'un acide carboxylique est l'estérification en présence d'un alcool. L'intérêt de cette transformation réside souvent dans le fait que l'ester formé est un liquide.

$$CH_3-CH-CO_2H \xrightarrow[H^+]{CH_3OH} CH_3-CH-CO_2CH_3$$
$$\quad\quad | \quad\quad\quad\quad\quad\quad\quad\quad\quad\quad |$$
$$\quad\quad NH_2 \quad\quad\quad\quad\quad\quad\quad\quad\quad NH_2$$

solide   liquide

En formant un ester, l'aminoacide perd sa possibilité de former un zwitterion et, par conséquent, sa structure devient plutôt covalente. L'état liquide de ces esters permet leur fractionnement par distillation ou par chromatographie.

14.6 Formation d'un amide

Cette réaction donne accès aux protéines. En effet, les protéines sont des polyamides obtenus par la condensation de plusieurs aminoacides. En voici un exemple:

Gly   Ala   Gly-Ala

Formule abrégée: ⤳ H—Gly—Ala—OH ⤶

Le H représente l'amine   Le OH représente l'acide
sur l'aminoacide le plus à gauche.   carboxylique de l'aminoacide
                                     le plus à droite.

Le produit obtenu, Gly-Ala, est un amide appelé *dipeptide*. Dans un peptide (chaîne de quelques aminoacides) ou une protéine (chaîne de plusieurs aminoacides), la **liaison peptidique, CO—NH,** sert de lien entre les aminoacides: c'est la fonction amide. Attention! H—Gly—Ala—OH est différent de H—Ala—Gly—OH. L'**ordre** de liaison des aminoacides est primordial dans la chimie des peptides et des protéines.

En biochimie, cet ordre de liaison est appelé *structure primaire*. Quatre dipeptides peuvent se former au cours de cette réaction: Gly-Ala, Ala-Gly, Gly-Gly et Ala-Ala.

Il existe des méthodes sélectives pour favoriser la formation **précise** d'un dipeptide. L'une de ces méthodes est présentée à la section 14.8.

 Donner la formule semi-développée des dipeptides Ala-Gly, Gly-Gly et Ala-Ala.

Les protéines

14.7 Présentation

Chimiquement, les protéines sont des polymères dont les monomères sont des aminoacides. Contrairement aux polymères (ou matières plastiques comme le polyéthylène), les protéines contiennent plusieurs maillons unitaires **différents** (les aminoacides), reliés dans des séquences qui en définissent les propriétés. Il existe une variété incroyable de protéines, comme l'hémoglobine, les enzymes et certaines hormones, qui jouent un rôle fondamental dans l'organisation structurale et métabolique du corps humain.

On retrouve des protéines dans
- les muscles, les tendons,
- la peau, les ongles, les artères,
- le sang, les anticorps, etc.

L'hydrolyse de ces protéines conduit à la vingtaine d'aminoacides mentionnés dans le tableau 14.1. On appelle arbitrairement **peptide** ou **polypeptide** le «polymère» d'aminoacides dont la masse molaire est inférieure à 10 000 g/mol et les autres sont appelés **protéines**.

Les protéines forment des structures primaires, secondaires, tertiaires et quaternaires.

• La **structure primaire** d'une protéine est définie par la suite ordonnée d'aminoacides qui la constituent. Chaque aminoacide est relié à son voisin par deux liens peptidiques, sauf le premier et le dernier.

Par convention, l'aminoacide qui débute une série d'aminoacides possède sa fonction amine libre. Le dernier possède sa fonction acide libre. Ainsi, dans la série Ala—Gly—Val—Lys, la fonction amine de l'alanine est libre (**N-terminal**); la fonction acide de la lysine est également libre (**C-terminal**): H_2N〰〰〰〰〰CO_2H.

• Une des **structures secondaires** les plus importantes est celle qui présente la formation en spirales. Grâce aux ponts hydrogène qui s'établissent entre les carbonyles et les hydrogènes des amides,

$$\overset{\delta^+}{C}=\overset{\delta^-}{O} \;----\; \overset{\delta^+}{H}-\overset{\delta^-}{N}$$

les longues molécules de protéines s'enroulent sur elles-mêmes, pour former souvent ce qu'on appelle **hélice** α. L'α-kératine, protéine du cheveu, des ongles ou de la corne, est de cette nature.

• Les **structures tertiaires** consistent en replis et boudins que les hélices peuvent faire. Les enzymes requièrent une telle structure tridimensionnelle pour sélectionner un substrat spécifique.

• On observe aussi des **structures quaternaires** chez les protéines globulaires où plusieurs protéines (monomères) peuvent s'associer pour former un ensemble (polymère) dont la cohésion est assurée par des interactions hydrophobes et électrostatiques (ex.: l'hémoglobine).

14.8 Synthèse sélective d'un peptide

Pour plusieurs raisons, il est important de développer des méthodes pour synthétiser des polypeptides ou des protéines dont la séquence en aminoacides est connue précisément. Par exemple, nous pourrions vouloir vérifier la structure d'un peptide en comparant les propriétés du matériel synthétisé avec celles du matériel naturel, ou encore, étudier ce que l'échange d'un aminoacide par un autre aurait comme effet sur les propriétés physiologiques d'un peptide. Nous pourrions désirer modifier les sites actifs des enzymes en altérant leur structure, de façon spécifique. La nécessité de pouvoir relier sélectivement les aminoacides est reconnue depuis longtemps et plusieurs méthodes pour le faire ont été mises au point. Nous présentons ici l'essentiel de la stratégie.

Les aminoacides, on le sait, sont bifonctionnels. Conséquemment, pour être sélectif dans la formation d'une liaison peptidique, il faut jouer de ruse et protéger temporairement la fonction que nous voulons inactive (c'est souvent la fonction amine). Par la suite, l'efficacité de la formation de l'amide est augmentée par l'activation de la fonction acide carboxylique transformée en chlorure d'acide. Ainsi, le jumelage des aminoacides peut être réalisé efficacement et sélectivement pour se terminer par le déblocage de la fonction protégée, l'amine. La **synthèse sélective** d'un **dipeptide** illustre bien cette méthode.

À partir de la glycine et de l'alanine, nous désirons synthétiser **sélectivement** le dipeptide **Gly-Ala** (et non Ala-Ala, Gly-Gly ou Ala-Gly):

$$H—Gly—Ala—OH \quad ou \quad NH_2—CH_2—\overset{\overset{\displaystyle O}{\|}}{C}—NH—\underset{\underset{\displaystyle CH_3}{|}}{CH}—CO_2H$$

*1. **Protection** de la fonction amine de la glycine:*

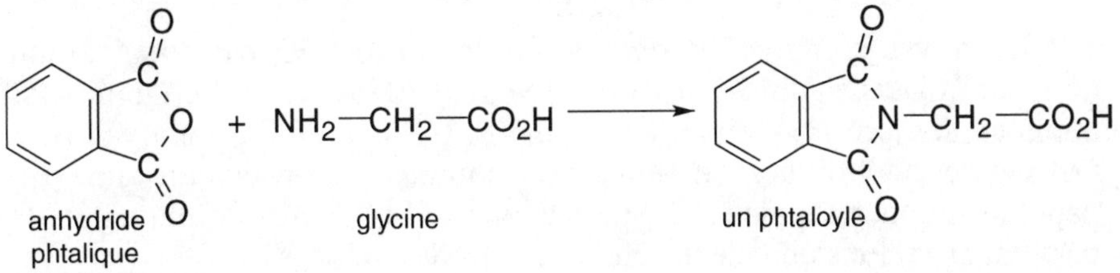

anhydride phtalique   glycine   un phtaloyle

*2. **Activation** de la fonction acide de la glycine:*

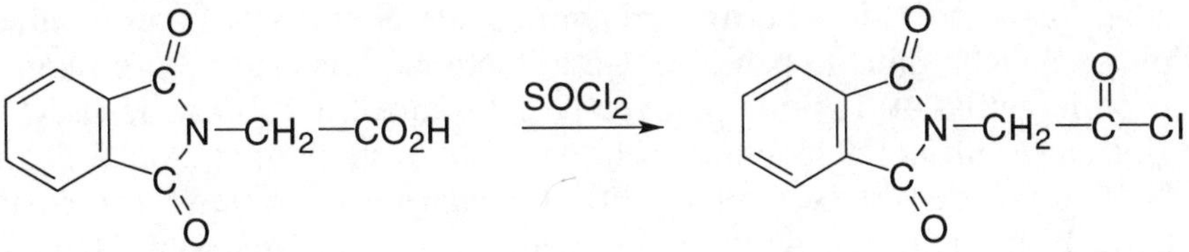

SOCl₂

*3. **Formation** de la liaison peptidique:*

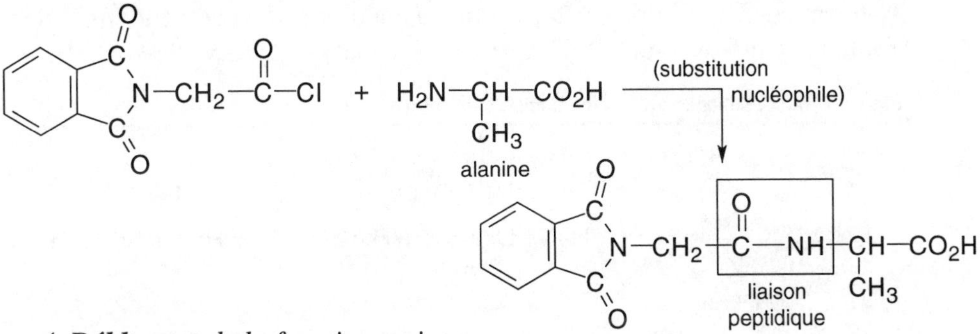

+ H₂N—CH—CO₂H   (substitution nucléophile)
         |
        CH₃
      alanine

liaison peptidique

*4. **Déblocage** de la fonction amine:*

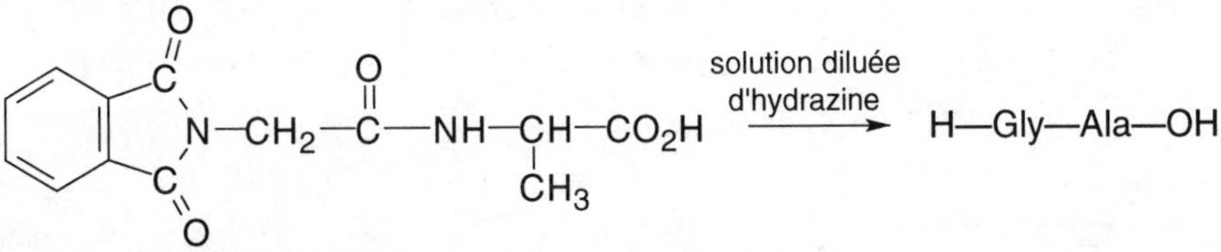

solution diluée d'hydrazine   H—Gly—Ala—OH

⟨7⟩ Décrire une synthèse sélective de Ala—Gly—Val, à partir des trois aminoacides séparés.

14.9 *Analyse qualitative d'un peptide*

Il existe plusieurs méthodes pour déterminer la nature et la séquence des aminoacides d'un peptide ou d'une protéine. Cependant, toutes ces méthodes ont leurs limites et exigent patience et persévérance de la part du chercheur. Dans ce texte, nous ne verrons que le principe général d'analyse, en précisant certaines étapes importantes.

1. L'hydrolyse complète du peptide ou de la protéine, par une solution aqueuse d'acide chlorhydrique, permet d'identifier chacun des aminoacides présents dans le polymère. Cette première analyse peut utiliser des techniques de séparation comme la chromatographie sur papier, sur couche mince (CCM, en anglais:TLC**), la chromatographie par échange d'ions ou l'électrophorèse dans des géloses.

2. Pour déterminer la séquence des aminoacides, les techniques se compliquent. Une méthode, celle de l'anglais Frederick Sanger*, permet assez facilement de déterminer l'aminoacide **N-terminal** (celui situé le plus à gauche dans le peptide). Cette méthode consiste à faire réagir le peptide global ou la protéine avec le 2,4-dinitrofluorobenzène (DNFB). Une substitution nucléophile du fluor sur le cycle permet alors à l'amine N-terminal de se fixer au DNFB. Le *complexe* obtenu est ensuite hydrolysé en milieu acide et les aminoacides libérés sont identifiés. L'aminoacide manquant, en rapport avec la première analyse, est celui qui a réagi avec le DNFB, donc celui situé à gauche, c'est-à-dire N-terminal. La figure 14.2 résume la méthode de détermination de l'aminoacide N-terminal.

Figure 14.2 Identification d'un aminoacide N-terminal.

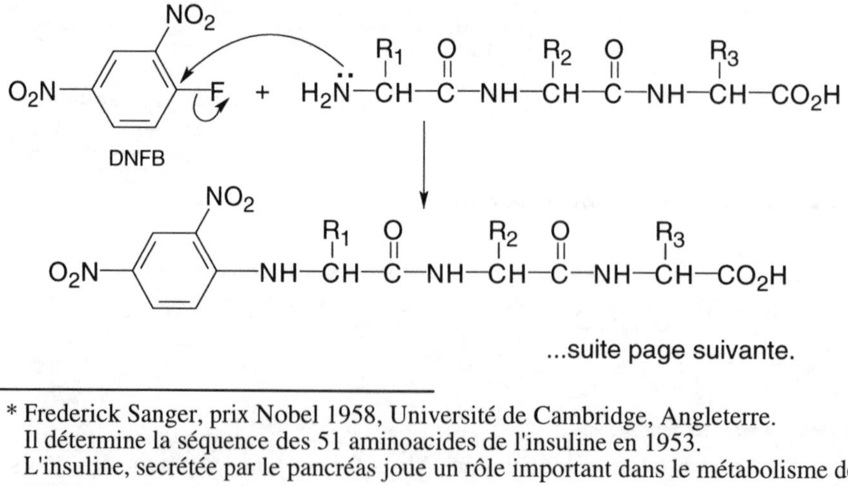

...suite page suivante.

---

* Frederick Sanger, prix Nobel 1958, Université de Cambridge, Angleterre.
  Il détermine la séquence des 51 aminoacides de l'insuline en 1953.
  L'insuline, secrétée par le pancréas joue un rôle important dans le métabolisme des sucres.
** TLC: thin layer chromatography.

Figure 14.2 Identification d'un aminoacide N-terminal (suite).

...et la réaction se poursuit:

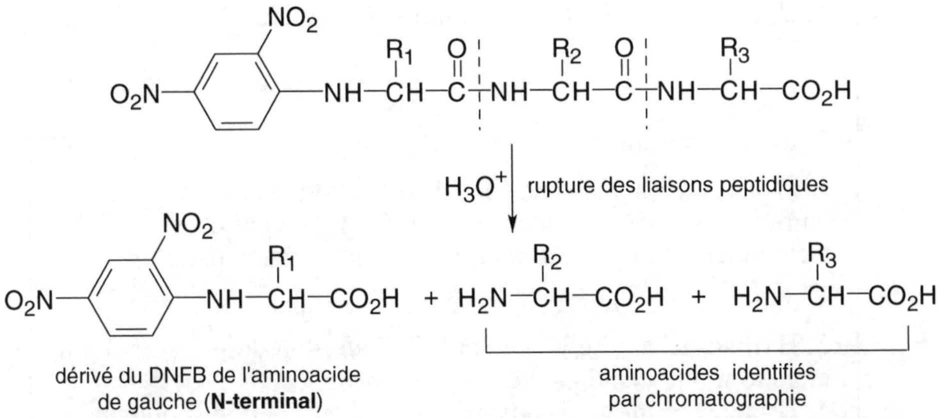

H_3O^+ | rupture des liaisons peptidiques

dérivé du DNFB de l'aminoacide
de gauche (**N-terminal**)

aminoacides identifiés
par chromatographie

L'aminoacide le plus à droite, **C-terminal**, peut être identifié grâce à la réaction de la protéine analysée avec l'hydrazine, $NH_2\!-\!NH_2$, gazeux à 100°C. Ce réactif n'attaque que les carbonyles des liaisons peptidiques et libère l'aminoacide C-terminal. La figure 14.3 résume la réaction avec l'hydrazine.

Figure 14.3 Identification d'un aminoacide C-terminal.

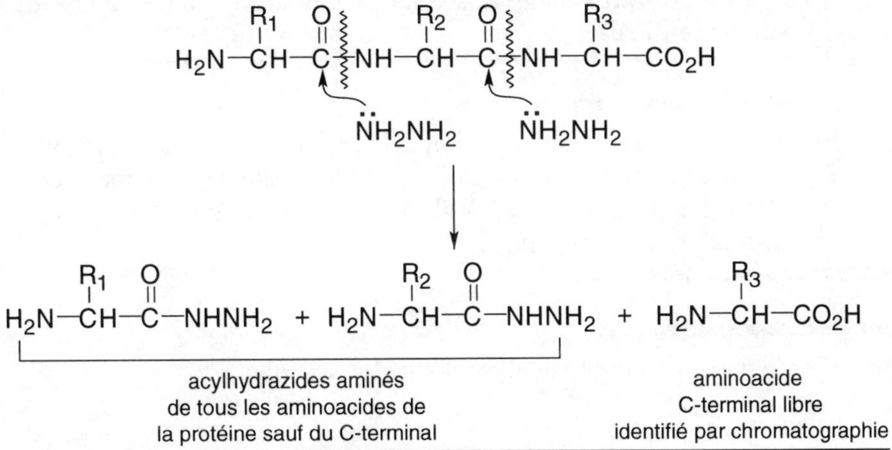

acylhydrazides aminés
de tous les aminoacides de
la protéine sauf du C-terminal

aminoacide
C-terminal libre
identifié par chromatographie

Le C-terminal peut aussi être identifié par une enzyme, la carboxypeptidase, qui libère sélectivement l'aminoacide possédant la fonction acide carboxylique libre, placé à droite. Enfin, on connaît plusieurs enzymes ou réactifs chimiques qui coupent spécifiquement certaines liaisons peptidiques; la trypsine et la chymotrypsine en sont deux exemples. Ces composés permettent, entre autres, d'obtenir des tri- ou dipeptides qui peuvent être identifiés plus facilement, en raison de leur taille plus faible. L'analyse se termine par l'assemblage de tous les fragments dans un ordre logique.

Figure 14.4 Analyse d'un peptide. Résumé des différentes étapes.

---

1. Hydrolyse totale d'un échantillon du peptide.

$$\text{peptide} \xrightarrow[\text{H}_2\text{O}]{\text{HCl}} \text{plusieurs aminoacides}$$

2. Identification.

a) des aminoacides contenus dans le peptide par chromatographie sur couche mince (CCM) ou par d'autres techniques. (cf. texte informatif sur la ninhydrine, p. 555.)

b) des aminoacides N-Terminal et C-terminal.

3. Hydrolyse <u>partielle</u> d'un autre échantillon du peptide: il y a alors formation de dipeptides et de tripeptides.

4. Hydrolyse totale des dipeptides et des tripeptides obtenus à l'étape précédente.

5. Identification des aminoacides contenus dans chacun de ces peptides(CCM).

6. Identification des aminoacides N-terminal et C-terminal de chacun des peptides.

7. Détermination de la séquence exacte des aminoacides de chacun des peptides.

8. Détermination de la séquence des aminoacides dans le peptide original.

---

8 L'hydrolyse totale d'un polypeptide donne les cinq aminoacides suivants: Val, Phe, Leu, Cys, Asp. Son hydrolyse partielle donne les dipeptides suivants: Val-Phe, Leu-Val, Asp-Val, Val-Cys, Leu-Asp et Cys-Leu. Trouver la structure du polypeptide.

---

9 Identifier le tripeptide dont l'analyse donne les résultats suivants:

a) tripeptide $\xrightarrow[\text{H}_2\text{O}]{\text{HCl}}$ Gly + Val + Asp

b) tripeptide $\xrightarrow[\text{2) H}_3\text{O}^+]{\text{1) DNFB}}$ A + Gly + Asp

c) tripeptide $\xrightarrow{\text{NH}_2\text{NH}_2}$ B + C + Gly

--- *Nouvelle méthode d'analyse*...* ---

Des chercheurs de Applied Biosystems sont en train de mettre au point une nouvelle méthode pour la détermination de l'aminoacide C-terminal. Pas encore prête à être commercialisée, cette méthode implique une chimie qui ressemble à celle développée par Edman en 1968, pour la détermination de l'aminoacide N-terminal. Dans cette dernière, l'aminoacide N-terminal est transformé en un dérivé du phénylisothiocyanate, le phénylthiocarbamyle. Une cyclisation interne de ce dernier, dans des conditions acides, conduit au clivage. Le dérivé clivé est ensuite converti en une phénylthiohydantoïne et analysé par HPLC (pour High Pressure Liquid Chromatography). Ainsi, un aminoacide fraîchement exposé est produit et le cycle recommence.

Les chercheurs de Applied Biosystems visent à développer une méthode semblable pour la détermination de l'aminoacide C-terminal. Cependant, un obstacle majeur est présent dans toutes les nouvelles méthodes décrites dans la littérature: l'étape du clivage. En effet, le clivage exige d'exposer la protéine ou le peptide à des conditions tellement rigoureuses que la protéine ou le peptide même risquent d'être coupés.

Une approche qui a beaucoup de popularité consiste à activer la fonction acide au moyen d'anhydride acétique, pour ensuite la transformer en un dérivé avec un anion thiocyanate, pour former un dérivé thiohydantoïne. Cependant, l'exposition répétée de l'échantillon de protéine à l'anhydride acétique et aux conditions rigoureuses requises pour le clivage du dérivé risque de détruire le squelette de la protéine. Or, la méthode des chercheurs de Applied Biosystems consiste à remplacer l'anhydride acétique par un réactif moins actif et de faire une S-alkylation sur le dérivé obtenu. L'étape d'alkylation a deux avantages: d'abord l'alkylation fait du dérivé un meilleur groupe amovible, ce qui facilite le clivage et, en plus, l'alkylation augmente la *détectabilité* (par les méthodes d'analyse) du dérivé. En effet, le réactif servant à l'alkylation absorbe fortement dans l'ultraviolet.

Cette nouvelle méthode a été utilisée sur plusieurs protéines différentes et on a établi des séquences d'aminoacides à partir de quantités aussi faibles que 1 à 2 nmol (0,000000001 à 0,000000002 mol)! Voici un aperçu schématisé de la méthode.

Alkylation: la thiohydantoïne, ou TH, est rapidement S-alkylée dans des conditions basiques. Cette réaction convertit la TH en une partie ressemblant à une imidazole, laquelle est un meilleur groupe amovible que la 2-thiohydantoïne elle-même.

Clivage/formation de la TH: le clivage de la TH alkylée, ou THA, du reste du peptide a lieu rapidement en présence de l'anion thiocyanate en milieu acide. En même temps, un nouveau peptidyl-TH est formé sur le peptide tronqué. Le peptide est alors prêt pour un autre cycle d'alkylation/clivage.

* Adapté de: Biosystems Reporter, Issue No. 18, January 1993, p.4.

14.10 *Les protéines comme tampons acidobasiques*

Les protéines possèdent habituellement plusieurs fonctions amines et acides carboxyliques distribuées çà et là, le long de leur chaîne d'aminoacides. Ces fonctions supplémentaires proviennent des aminoacides acides et basiques; elles ne sont pas impliquées dans les liaisons peptidiques.

Le dessin ci-dessus représente une protéine à son point isoélectrique: elle possède autant de charges positives (+) que de charges négatives (-). Elle est globalement neutre et elle est à sa solubilité minimum. Au-dessous et au-dessus du point isoélectrique, la protéine existe sous une forme chargée positivement (charge globale nette) et sous une forme chargée négativement (charge globale nette), respectivement.

En présence d'une base, la protéine isoélectrique peut neutraliser cette base:

$$^-OOC-[PROTÉINE]-\overset{+}{N}H_3 + HO^- \longrightarrow {}^-OOC-[PROTÉINE]-NH_2 + H_2O$$

En présence d'un acide, la protéine isoélectrique peut neutraliser cet acide:

$$H_3\overset{+}{N}-[PROTÉINE]-COO^- + H_3O^+ \longrightarrow H_3\overset{+}{N}-[PROTÉINE]-COOH + H_2O$$

Donc, des protéines peuvent servir de **tampons.** D'ailleurs, l'hémoglobine et certaines protéines du sang jouent ce rôle.

Supposons que nous ayons affaire à une seule sorte de protéines dans une solution aqueuse. Prenons, par exemple, la caséine du lait de vache. Son point isoélectrique est 4,7. Voyons ce qui arrive à cette protéine à diverses valeurs de pH:

• pH < 4,7: chaque molécule porte une charge nette (+); elles se repoussent les unes les autres;

• pH = 4,7: chaque molécule porte autant de charges (-) que de charges (+); ces molécules peuvent donc s'attirer les unes les autres, comme le font des ions de charges opposées dans un cristal; la protéine précipite;

• pH > 4,7: chaque molécule porte une charge nette (-); elles se repoussent les unes les autres.

La caséine est déjà une grosse molécule. Si plusieurs molécules de caséines s'agglomèrent, leur solubilité dans l'eau diminue et elles précipitent. C'est ce qui se passe lorsque du lait caille. Au pH 4,7, la caséine n'est que très légèrement soluble. Le pH normal du lait se situe entre 6,3 et 6,6. Lorsque le lait vieillit, un développement bactérien s'amorce et de l'acide lactique est produit. L'arrivée de cet acide fait descendre le pH du lait vers 4,7. Les molécules de caséine s'agglomèrent et précipitent. On obtient du lait caillé. Un processus analogue conduit au fromage et au yogourt.

Le collagène...

Le collagène, la protéine probablement la plus abondante du règne animal, est le principal constituant des cartilages et des os, des tendons et des ligaments, de la peau et des cornées. Chez l'homme, elle représente environ un tiers (33%) des protéines totales. La structure du collagène diffère selon le type de tissus où il se trouve. Le collagène semble avoir certains rapports avec le processus de vieillissement, les maladies rhumatismales et certains défauts congénitaux du squelette, des vaisseaux sanguins et d'autres tissus. C'est pourquoi le collagène est très important pour les chercheurs en médecine.

Dans le tissus osseux, les fibres de collagène forment une matrice dans laquelle cristallise l'hydroxyapatite, $Ca_3(PO_4)_3 \cdot Ca(OH)_2$. Il s'y trouve aussi des sels de l'acide citrique et de l'acide carbonique; tout l'espace qui reste est rempli d'une substance semi-liquide qui sert au transport des produits chimiques entre les os et le système circulatoire.

La ninhydrine...

Ce composé sert à l'identification des aminoacides. Il réagit avec les aminoacides pour donner un sous-produit dont la coloration est d'un bleu intense et qui absorbe la lumière de longueur d'onde 550 à 570 nm. Il sert principalement à localiser sur un chromatogramme (chromatographie sur papier) la position des différnets aminoacides obtenus de l'hydrolyse d'une protéine. La ninhydrine sert également de moyen d'analyse colorimétrique dans les méthodes automatisées d'analyse des protéines. La mesure de la quantité de dioxyde de carbone dégagé lors de cette réaction colorée peut également servir pour une évaluation quantitative des aminoacides. Voici l'équation chimique simplifiée de la réaction impliquée:

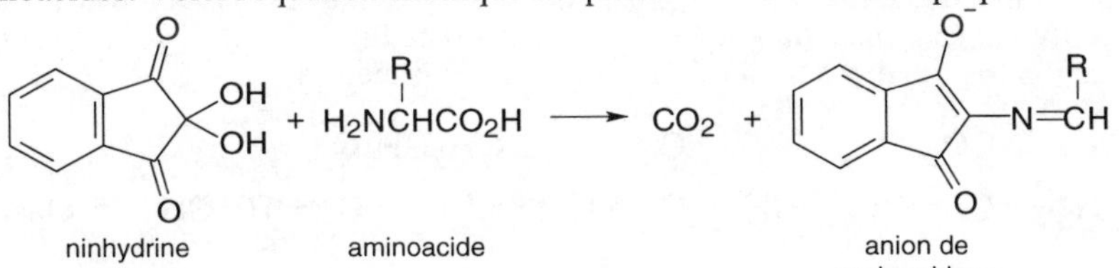

ninhydrine   aminoacide   anion de
                                                        couleur bleue

---
L'aspartame, un dipeptide...

L'Aspartame (Nutrasweet) est un édulcorant artificiel hypocalorique. Aux États-Unis, cette substance est acceptée comme édulcorant depuis 1981. C'est l'ester méthylique de l'aspartatylphénylalanine.

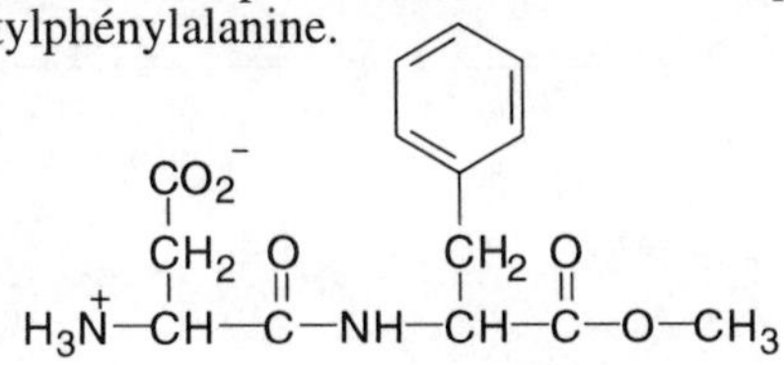

L'insuline...

L'insuline est une hormone secrétée par le pancréas. Elle sert à abaisser la concentration du glucose dans le sang. Le diabète est cette maladie où le pancréas ne produit pas suffisamment ou pas du tout d'insuline. La personne diabétique peut être traitée avec de l'insuline qu'elle s'injecte au moment opportun. La structure protéinique de l'insuline ne varie pas beaucoup selon qu'elle provient du porc, du cheval, du mouton, de la vache, de la baleine ou de l'homme. Chez tous ces mammifères, la molécule d'insuline comprend 51 aminoacides. Seuls 3 aminoacides diffèrent d'une espèce à l'autre. Ce fait peut être d'un précieux secours lorsque certains diabétiques développent une allergie à un type d'insuline: ils peuvent souvent être traités par de l'insuline provenant d'une autre espèce.

Le glucagon...allié de l'insuline...

L'insuline et le glucagon sont deux secrétions endocrines du pancréas qui sont libérées directement dans le système circulatoire sanguin pour la régulation du métabolisme des glucides et des lipides.

L'insuline augmente la consommation de glucose par les cellules musculaires et augmente le stockage de glycogène et de triglycérides. L'insuline permet donc de libérer le sang d'un excès de glucose. Lorsque le taux de glucose sanguin diminue, l'organisme se met à secréter de l'adrénaline ou épinéphrine (des glandes surrénales) et du glucagon, hormone pancréatique de type polypeptide qui dégrade le glycogène en glucose.

Lorsqu'elles atteignent le foie, ces hormones augmentent fortement l'activité de la phosphorylase, accélérant ainsi le rythme de conversion de glycogène en glucose. L'insuline et le glucagon travaillent donc normalement l'un contre l'autre pour maintenir la concentration des divers combustibles en circulation et prévenir tout écart par rapport aux valeurs normales.

Le glucagon est produit par les ilets de Langerhans du pancréas. Sa secrétion est stimulée par la baisse de la concentration du glucose dans le sang. À son tour, le glucagon stimule la dégradation du glycogène et la conversion de certains aminoacides en glucose par le foie.

Le glutathion, un tripeptide...

Le glutathion est un exemple de tripeptide. Il est présent dans les cellules vivantes. On le trouve en concentration élevée dans le cristallin de l'oeil. Il joue un rôle de protection des fonctions thiol (—SH) de certaines protéines.

$$H_3\overset{+}{N}-\underset{CH_2SH}{\underset{|}{CH}}-CH_2-CH_2-\overset{O}{\overset{||}{C}}-NH-\underset{CH_2SH}{\underset{|}{CH}}-\overset{O}{\overset{||}{C}}-NH-CH_2-CO_2H$$

γ-glutamylcystéinylglycine (ou glutathion)

γ-Glu-Cys-Gly

✳

EXERCICES 14

Les aminoacides

14.1 Présentation et structure

  1. a) Dans la structure d'un aminoacide, qu'est-ce qui nous informe s'il est acide, basique ou neutre?

    b) Donner un exemple d'un aminoacide acide.

  2. Nommer un aminoacide optiquement inactif.

  3. Qu'est-ce qu'un aminoacide essentiel?

  4. Pourquoi l'acide 4-aminobutanoïque ne peut-il pas faire partie des aminoacides du tableau 14.1?

  5. Qu'est-ce qu'un aminoacide «L»?

  6. Expliquer la différence de comportement d'un zwitterion et du chlorure de sodium dans l'eau.

  7. Écrire la valine sous forme de zwitterion.

  8. L'alanine est sous forme de zwitterion à pH 6,00. Décrire sa structure a) à pH 9,00, b) à pH 1,00.

  9. Quelle est la structure de l'acide aspartique à pH 7,00?

  10. Décrire un procédé (ainsi que l'équation chimique) pour isoler la leucine à l'état solide, à partir d'une solution de cet aminoacide de pH 2,00.

Synthèse des aminoacides

14.2 et 14.3 Synthèse par substitution et par addition

  1. Donner une synthèse de la glycine à partir
    a) du méthanol;
    b) de l'acide acétique.

Réactivité des aminoacides

14.4 à 14.6 Caractère acidobasique, formation d'esters et d'amides

  1. Donner la structure du tripeptide Ala—Gly—Val.

2. Donner la structure de tous les dipeptides qui pourraient résulter du chauffage de la glycine avec la valine.

3. a) Que donne la valine avec de l'éthanol en milieu acide anhydre?

   b) Pourquoi l'ester d'un aminoacide est-il plus volatil que l'aminoacide lui-même?

4. Donner un exemple d'une liaison peptidique.

Les protéines

14.7 à 14.10 Synthèse, analyse et réactivité

1. Écrire les équations chimiques d'une synthèse sélective du dipeptide Phe—Ser.

2. Quel acide utilise-t-on pour hydrolyser un peptide?

3. Quelle technique de séparation sert à identifier les aminoacides après hydrolyse d'un peptide?

4. Posons un dipeptide inconnu qui contient la sérine et l'alanine. Vous faites réagir le dipeptide avec le dinitrofluorobenzène, vous hydrolysez, puis, par chromatographie, vous notez la présence de la sérine. Quelle est la structure du dipeptide inconnu? Écrire aussi la structure du complexe obtenu après réaction avec le DNFB.

5. a) Écrire l'équation chimique de la réaction de l'hydrazine sur le tripeptide Ser—Gly—Val.

   b) Quel est le but de cette réaction?

6. Un peptide composé de Asp, Ile, Glu, Pro, Tyr donne, par hydrolyse partielle, les fragments suivants:

$$\text{peptide} \xrightarrow{\text{H}_3\text{O}^+} \text{Tyr—Asp, Glu—Ile, Asp—Pro, Pro—Glu.}$$

Déduire la structure du peptide.

Exercices complémentaires

1. Représenter la L-leucine en projection de Fischer.

2. Donner une synthèse de la phénylalanine à partir du 2-phényléthanol.

3. Montrer, par des équations chimiques, comment la sérine, à son point isoélectrique de 5,68, peut servir de tampon (supposer l'ajout d'un peu d'acide, puis d'un peu de base).

4. Si un tripeptide inconnu **X** produit les réactions suivantes,

$$\textbf{X} \xrightarrow{\text{H}_3\text{O}^+} \text{Ala} + \text{Phe} + \text{Ser}$$

$$\textbf{X} \xrightarrow{\text{DNFB}} \textbf{A} \xrightarrow{\text{H}_3\text{O}^+} \textbf{B} + \text{Ser} + \text{Ala}$$

$$\textbf{X} \xrightarrow{\text{hydrazine}} \textbf{C} + \textbf{D} + \text{Ser}$$

trouver la structure détaillée de **X, A, B, C** et **D**.

5. Tout au long de ce cours de chimie organique, plusieurs réactifs ont servi à l'analyse qualitative de diverses fonctions organiques: tests colorimétriques, formation de précipités, etc. Donner l'utilité et le résultat d'un test positif pour chacun des réactifs suivants:

a) $CuSO_4$

b) dinitrofluorobenzène

c) hydrazine

d) $ZnCl_2$, HCl

e) Na

f) I_2, NaOH

g) $AgNO_3$

———— ✻ ————

Les lipides

Sommaire

A.1 Introduction

A.1.1 Définitions

• **Lipides**: constituants organiques importants des tissus végétaux et animaux. Ce sont les principaux agents de stockage d'énergie chez les animaux. Ils servent d'isolants pour les organes vitaux, aidant à maintenir la température optimum de l'organisme et les protégeant des chocs mécaniques. Ils font partie intégrante des membranes cellulaires et sont associés au transport, à travers ces dernières. Avec les glucides et les protéines, les lipides constituent la troisième grande classe de composés essentiels aux organismes vivants. Ils constituent de 25 à 28 % de notre diète habituelle. Les lipides se présentent sous forme d'huiles, de graisses ou de cires, selon leur masse et leur structure moléculaires. Du point de vue chimique, la plupart des lipides sont des **esters** d'acides gras.

• **Acides gras:** acides carboxyliques à longue chaîne hydrocarbonée, saturée ou insaturée, dont le nombre de carbones, variant de 12 à 18, est toujours pair. (Voir tableau A-1 page suivante.)

Tableau A.1 Quelques acides gras.

	Nom	Formule semi-développée	Origine
saturés	laurique	$CH_3[CH_2]_{10}COOH$	huile de coco
	myristique	$CH_3[CH_2]_{12}COOH$	huile de coco
	palmitique	$CH_3[CH_2]_{14}COOH$	huiles et graisses courantes
	stéarique	$CH_3[CH_2]_{16}COOH$	huiles et graisses courantes
insaturés	oléique*	$CH_3[CH_2]_7CH{=}CH[CH_2]_7COOH$	huiles et graisses courantes
	linoléique*	$CH_3[CH_2]_4CH{=}CHCH_2CH{=}CH[CH_2]_7COOH$	huile de lin
	linolénique*	$CH_3CH_2CH{=}CHCH_2CH{=}CHCH_2CH{=}CH[CH_2]_7COOH$	

*La présence de liaisons doubles C=C sur ces molécules donne la possibilité d'isomérie *cis-trans*. Cependant, la plupart des acides gras naturels possèdent la configuration *cis*.

• **Glycérol**: trialcool à trois carbones, issu de l'hydrolyse d'un lipide simple. Dans les lipides simples, le glycérol est lié aux acides gras par une fonction ester. Sa formule:

$$HOCH_2{-}CHOH{-}CH_2OH$$

• **Hydrolyse**: réaction (généralement catalysée par un acide) où l'eau transforme un lipide en ses constituants d'origine.

• **Saponification**: réaction entre un lipide et une solution aqueuse basique. Elle transforme un lipide en sel d'acide gras (appelé savon) et en glycérol (ou autre alcool).

A.1.2 Classification

Les lipides sont classés selon les produits de leur hydrolyse et selon des ressemblances de structure moléculaire; ce qui conduit à trois catégories de lipides.

1. Les lipides simples:

• **glycérides**: les huiles et les graisses dont l'hydrolyse donne des acides gras et du glycérol; les huiles siccatives, dont l'hydrolyse donne des acides gras insaturés et du glycérol, font aussi partie de cette catégorie;

• **cérides**: esters dont l'hydrolyse donne des acides gras et des alcools à longue chaîne carbonée.

2. Les lipides complexes:

• **phospholipides**: leur hydrolyse donne des acides gras, du glycérol, de l'acide phosphorique et un alcool azoté;

• **sphingolipides**: leur hydrolyse donne des acides gras, de la sphingosine, de l'acide phosphorique (ou du glycérol) et un sucre.

A.2 Les lipides simples

A.2.1 Les glycérides

Appelés également triglycérides, ce sont des esters formés à partir de trois acides gras et du glycérol.

RCOOH

R'COOH   +

R"COOH

3 acides gras
différents ou
semblables

HOCH$_2$
|
HOCH
|
HOCH$_2$

glycérol

$\xrightarrow{\text{catalyseur}}$

CH$_2$—O—C—R
| ‖
| O
CH—O—C—R'
| ‖
| O
CH$_2$—O—C—R"

triglycéride mixte

+ 3 H$_2$O

Les lipides simples, à la température ambiante, se présentent sous forme d'huile ou de graisse, selon la structure des acides gras qui les composent (tableau A.1). Si le lipide est solide à 25 °C, c'est une graisse; s'il est liquide à cette température, c'est une huile. Ces différences sont causées par le nombre d'insaturations sur les chaînes carbonées des acides gras constituants. À la température ambiante, les lipides à fort pourcentage d'acides gras insaturés sont liquides; les lipides à fort pourcentage d'acides gras saturés sont solides (tableau A.2 page suivante).

Les huiles proviennent généralement des plantes, alors que les graisses proviennent surtout du règne animal. Il est généralement question d'huile végétale* et de graisse ou gras animal.
La composition en acides gras permet de distinguer les lipides simples les uns des autres. Leur description est souvent faite en fonction de leur composition en acide gras (tableau A.2).

---

* Ne pas confondre huiles (**lipides**) tirées des plantes sous forme d'esters et huiles (**hydrocarbures**) tirées de la distillation du pétrole brut. Ces dernières ne contiennent que du carbone et de l'hydrogène et ne portent aucune fonction. Le mot huile désigne une consistance physique plutôt qu'une structure chimique.

Tableau A.2 Composition en acides gras de quelques huiles et graisses.

Source de lipides	Composition moyenne (%)						Indice de saponification	Indice d'iode
	myristique	palmitique	stéarique	oléique	linoléique	linolénique		
beurre	7-10	24-26	10-13	30-40	4-5		210-230	26-28
lard	1-2	28-30	12-18	40-50	6-7		195-203	46-70
suif	3-6	24-32	20-25	37-43	2-3		190-200	30-48
olive	0-1	9-10	2-3	83-84	3-5		187-196	79-90
maïs	1-2	8-12	2-5	19-49	34-62		187-196	109-133
soya	1-2	6-10	2-5	20-30	50-60	5-11	189-195	127-138
coton	0-2	20-25	1-2	23-35	40-50		190-198	105-114
arachide		8-9	2-3	50-65	13-26		188-195	84-102
safran		6-7	2-3	12-14	75-80	0,15-0,50	188-194	140-156

Les huiles ont un pourcentage élevé d'acides gras à chaîne insaturée, tandis que les graisses ont un pourcentage élevé d'acides gras à chaîne saturée. Aucune formule simple ne peut représenter les huiles et les graisses naturelles puisqu'elles sont formées de mélanges complexes de molécules contenant plusieurs acides gras différents.

stéarate de glycéryle
(un triglycéride simple)
F 71 °C

lauropalmitooléate
de glycéryle
(un triglycéride mixte)

linoléate de glycéryle
(un triglycéride simple)
F 9 °C

Pour évaluer le degré d'insaturation d'un lipide, les chimistes ont développé une méthode d'analyse quantitative basée sur la réaction d'addition d'un halogène sur une liaison double.

alcène

Toute liaison double carbone-carbone (insaturation) est alors susceptible de fixer une molécule d'halogène, par addition. La quantité d'halogène fixée dépend donc du nombre d'insaturations présentes sur les chaînes d'acides gras, constituant le lipide étudié.

> On appelle **indice d'iode** le nombre de grammes d'iode moléculaire qui s'additionne à 100 g d'huile ou de graisse.

Cette valeur est influencée par le pourcentage d'acides gras insaturés présents et le degré d'insaturation sur chaque acide gras. En général, un indice d'iode élevé indique un degré d'insaturation élevé. Par exemple, les graisses naturelles, à prédominance d'acides gras saturés, ont un indice d'iode d'environ 10 à 50; les huiles, à prédominance d'acides gras insaturés, ont un indice d'iode allant de 120 à 150.

• État physique

Les huiles et les graisses pures sont incolores, inodores et insipides. La couleur, l'odeur et le goût caractéristiques des huiles et des graisses de consommation courante sont dus à la présence de substances étrangères qui y sont dissoutes et qui proviennent des plantes ou des animaux dont sont tirés les lipides. Leur masse volumique est inférieure à celle de l'eau (~ 0,8 g/mL). Les lipides conduisent mal l'électricité et la chaleur; ils sont donc de bons isolants pour les organismes vivants.

• Réactivité

a) La saponification

Les lipides peuvent être hydrolysés, en milieu basique, pour produire des sels d'acides gras (savons, en latin, *sapo*) et, dans le cas des lipides simples, du glycérol. Cette réaction est aussi utile pour caractériser les lipides quant à leur masse molaire; on a développé, en ce sens, ce qu'on appelle l'**indice de saponification.**

> **Indice de saponification:** nombre de mg d'hydroxyde de potassium requis pour saponifier 1,0 g d'huile ou de graisse. Cet indice donne une indication sur la masse molaire du lipide étudié. Plus ce nombre est faible, plus la masse molaire est élevée.

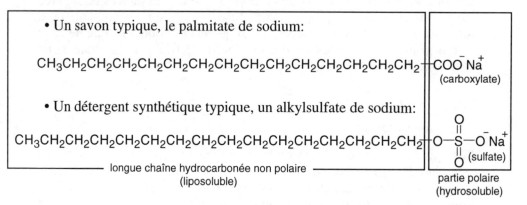

$$
\begin{array}{c}
CH_2-O-\overset{\overset{O}{||}}{C}-C_{17}H_{35} \\
| \\
CH-O-\overset{\overset{O}{||}}{C}-C_{17}H_{35} \quad + \; 3 \; KOH \; \longrightarrow \; 3 \; CH_3[CH_2]_{16}C\underset{O^- K^+}{\overset{O}{\diagup}} \quad + \quad \begin{array}{c} HOCH_2 \\ | \\ HOCH \\ | \\ HOCH_2 \end{array} \\
| \\
CH_2-O-\overset{\overset{O}{||}}{C}-C_{17}H_{35}
\end{array}
$$

| stéarate de glycéryle (un triglycéride simple) F 71 °C | stéarate de potassium (un savon) | glycérol |

Savons et détergents synthétiques

Les sels d'acides gras naturels ont constitué historiquement les premiers savons pour le nettoyage des vêtements ou de la vaisselle. Avec le développement de la chimie, l'homme a copié ce que fait la nature et a créé les détergents synthétiques, analogues aux savons, mais avec des caractéristiques différentes. Les deux types de composés sont constitués d'une extrémité polaire, soluble dans l'eau, et d'une importante partie non polaire, soluble dans les matières grasses ou huileuses végétales, animales ou de nature strictement hydrocarbonée. Ces composés peuvent être anioniques, cationiques ou neutres/polaires.

• Un savon typique, le palmitate de sodium:

$$CH_3CH_2CH_2CH_2CH_2CH_2CH_2CH_2CH_2CH_2CH_2CH_2CH_2CH_2CH_2{+}COO^- Na^+$$
(carboxylate)

• Un détergent synthétique typique, un alkylsulfate de sodium:

$$CH_3CH_2CH_2CH_2CH_2CH_2CH_2CH_2CH_2CH_2CH_2CH_2CH_2CH_2CH_2{+}O-\overset{\overset{O}{||}}{\underset{\underset{O}{||}}{S}}-O^- Na^+$$
(sulfate)

longue chaîne hydrocarbonée non polaire (liposoluble) — partie polaire (hydrosoluble)

Les savons et les détergents entraînent les matières grasses en formant des **micelles** ou gouttes microscopiques dans lesquelles l'huile ou le gras sont au centre et en contact direct avec la partie non polaire des savons ou détergents. La partie polaire négative d'un composé anionique, située en périphérie de ces mini-sphères, force ces micelles à se repousser les unes les autres et à être entraînées dans les eaux de rinçage. Le même mécanisme s'applique aux composés cationiques et neutres/polaires.

Mécanisme d'action d'un savon:

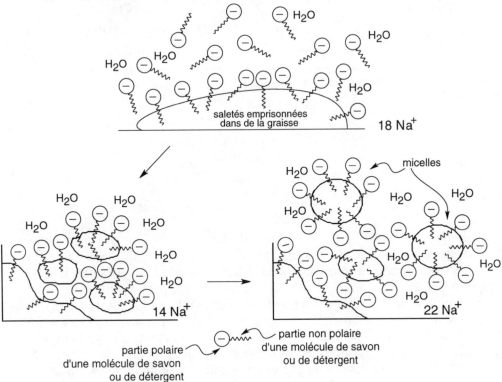

Synthèse d'un détergent:

Voici d'autres exemples de détergents synthétiques anioniques, cationiques et neutres/polaires:

$$CH_3[CH_2]_{11}O-\overset{\displaystyle O}{\underset{\displaystyle O}{\overset{\|}{\underset{\|}{S}}}}-O^-Na^+$$

dodécylsulfate de sodium
(anionique)

dodécylbenzènesulfonate
de sodium (anionique)

$$\left[\bigcirc \!\!-\! CH_2 \!-\! \overset{CH_3}{\underset{C_8H_{17}}{\overset{+}{N}}} \!\!-\! CH_3 \right] Cl^-$$

chlorure de benzyldiméthyloctylammonium
(cationique)

$$CH_3[CH_2]_{15} \!-\! \overset{CH_3}{\underset{CH_3}{\overset{+}{N}}} \!\!-\! CH_3, \; Cl^-$$

chlorure d'hexadécyltriméthylammonium
(cationique)

$$CH_3[CH_2]_{14}\overset{O}{\overset{\|}{C}} \!-\! OCH_2 \!-\! \overset{CH_2OH}{\underset{CH_2OH}{\overset{|}{C}}} \!\!-\! CH_2OH$$

palmitate de pentaérythrityle
(neutre/polaire)

L'apparition des détergents synthétiques a résolu l'un des problèmes reliés à l'utilisation des savons dans de l'eau dure, i.e. de l'eau contenant des ions divalents ou trivalents tels les ions calcium, magnésium, fer(III) et fer(II). En effet, les savons précipitent en présence de ces ions, annulant par le fait même leur action émulsifiante, tandis que les détergents synthétiques restent solubles, même en présence de ces ions.

Avec le temps, on s'est rendu compte que les détergents synthétiques, dérivés sulfatés ou phosphatés solubles, persistaient dans les rivières et devenaient une source de pollution organique, grande consommatrice d'oxygène dissous. Cette accumulation de détergents a causé, entre autres, un développement d'algues (eutrophication) sur les plans d'eau récepteurs d'eaux de lavages domestiques mais surtout industriels. Ces détergents généraient également beaucoup de mousse, gênante dans les usines de traitement des eaux usées, et étaient d'une certaine toxicité pour les poissons. Il a donc fallu trouver des moyens pour remédier à ces problèmes. Par exemple, on s'est aperçu que, lorsque les chaînes des parties non polaires étaient linéaires, les détergents étaient biodégradés plus facilement que lorsqu'elles étaient ramifiées ou aromatiques. L'industrie des détergents a donc été forcée par les gouvernements à produire des détergents ayant des parties non polaires linéaires, pour protéger l'environnement. Les nouveaux détergents synthétiques produits sont également moins toxiques pour les poissons.

b) L'hydrogénation

Les huiles, contenant un fort pourcentage d'insaturations, peuvent absorber de l'hydrogène moléculaire et devenir semi-solides ou même solides par saturation de leurs liaisons doubles.

L'hydrogénation totale ou partielle des huiles est facile à réaliser en présence d'un catalyseur comme le nickel.

$$CH_2-O-\overset{\overset{O}{\|}}{C}-[CH_2]_7-CH=CH-[CH_2]_7CH_3$$
$$CH-O-\overset{\overset{O}{\|}}{C}-[CH_2]_7-CH=CH-[CH_2]_7CH_3 \quad \xrightarrow[\Delta]{\frac{3H_2}{Ni}} \quad$$
$$CH_2-O-\overset{\overset{O}{\|}}{C}-[CH_2]_7-CH=CH-[CH_2]_7CH_3$$

$$CH_2-O-\overset{\overset{O}{\|}}{C}-[CH_2]_{16}CH_3$$
$$CH-O-\overset{\overset{O}{\|}}{C}-[CH_2]_{16}CH_3$$
$$CH_2-O-\overset{\overset{O}{\|}}{C}-[CH_2]_{16}CH_3$$

L'hydrogénation des huiles modifie à la hausse leur point de fusion, pour en faire des semi-solides, décrits comme matières grasses hydrogénées dans la liste des ingrédients de plusieurs produits alimentaires commerciaux. Ce procédé est utilisé dans la fabrication de la plupart des margarines, ce qui permet au produit de bien se tartiner à la température du réfrigérateur (~4 °C). Dans le cas du beurre, il ne se tartine pas à cette température, ce dernier étant constitué principalement de lipides saturés, dont le point de fusion est globalement plus élevé. L'hydrogénation de l'huile d'arachide produit un beurre d'arachide de texture onctueuse typique. Par contre, le beurre d'arachide obtenu par simple broyage d'arachides ne contient pas d'huile d'arachide hydrogénée. Ce processus d'hydrogénation est aussi appelé durcissement. Le degré d'insaturation est vérifié par la détermination de l'indice d'iode, telle que décrite au début de cette section.

c) L'oxydation et le rancissement

Les huiles siccatives forment un film dur et résistant lorsqu'elles sont exposées à l'air en couche mince. On les utilise donc dans les peintures car elles forment une pellicule résistante au contact de l'oxygène de l'air, suite à des réactions d'oxydation et de polymérisation. Ce sont des triglycérides à fort pourcentage d'acides gras **insaturés**. C'est à partir des liaisons doubles carbone-carbone que se forment des ponts entre les chaînes d'acides gras, ce qui cause le durcissement. L'huile la plus fréquemment employée en peinture est l'huile de lin, mais on utilise également les huiles de coton, de maïs et de soya.

À l'air libre, les huiles et les graisses peuvent s'hydrolyser ou s'oxyder, en présence d'oxygène ou de microorganismes qui possèdent des enzymes (lipases). Le beurre, par exemple, est particulièrement sensible: il peut devenir rance facilement, puisqu'il contient des lipides formés d'acides à courte chaîne tels les acides butanoïque et hexanoïque. L'odeur de ces acides, une fois libérés par l'oxydation ou l'hydrolyse, est plutôt difficile à supporter.

L'industrie alimentaire est particulièrement préoccupée par le problème du rancissement. Elle cherche constamment à développer de nouveaux antioxydants qu'elle ajoute à ses produits ou aux emballages de ces derniers. Ces composés sont ajoutés en quantités infimes (0,01-0,001 %). Ils ont une plus grand affinité pour l'oxygène que les lipides auxquels ils sont ajoutés. Ils réagissent donc plus rapidement avec l'oxygène absorbé que les lipides. Les vitamines E et C sont des antioxydants naturels abondamment utilisés dans l'alimentation et dans certains produits pharmaceutiques. On utilise également, surtout dans les enduits d'emballages, l'hydroxyanisole butylé (BHA) et l'hydroxytoluène butylé (BHT).

A.2.2 *Les cérides*

Les cires, formant le groupe des cérides, sont constituées d'acides gras liés par une fonction ester à des alcools à longue chaîne hydrocarbonée (généralement des monoalcools). La longue chaîne des alcools et des acides gras impliqués varie de 12 à 34 atomes de carbone. Les cires sont très répandues en nature et se retrouvent autant chez les plantes que chez les animaux. Parce qu'elles sont plus difficiles à hydrolyser que les triglycérides, elles servent comme enduit protecteur à la surface des feuilles et des tiges, chez les plantes, pour réduire la déshydratation et protéger contre l'attaque d'autres organismes. Par exemple, la cire carnauba, principalement constituée de cérotate de myricyle, $C_{25}H_{51}COOC_{30}H_{61}$, tiré des feuilles de certains palmiers du Brésil, est utilisée comme cire pour les planchers et les automobiles et comme enduit du papier carbone, pour ne mentionner que quelques utilisations.

Chez les animaux, les cires servent d'agent protecteur sur la surface des plumes, de la peau, de poils. Quelques exemples:
• **cire d'abeille**: $C_{15}H_{31}COOC_{30}H_{61}$, principalement constituée de palmitate de myricyle.
• **cire spermacéti**: $C_{15}H_{31}COOC_{16}H_{33}$, autrefois tirée des baleines, principalement constituée de palmitate de cétyle; utilisée autrefois dans les onguents, les cosmétiques et les chandelles. L'huile de baleine a beaucoup servi pour l'éclairage. Elle fut remplacée graduellement par le pétrole. La chasse aux baleines est maintenant restreinte pour la sauvegarde de ce patrimoine faunique.
• **lanoline**: un mélange d'esters d'acides gras liés aux stéroïdes lanostérol et agnostérol; tirée de la laine animale, elle est utilisée dans les crèmes et les onguents.

Lors du nettoyage des oiseaux pollués par un déversement accidentel de pétrole, on enlève la couche de cire protectrice de leurs plumes pour la remplacer par un substitut dont la constitution est le plus près possible du composé original. On se sert, entre autres, du 2-méthylhexanoate d'octadécyle.

A.3 *Les lipides complexes*

Les lipides complexes sont regroupés en deux grandes classes, selon leurs produits d'hydrolyse (tableau A.3 page suivante):

a) Les **phospholipides** dont l'hydrolyse donne des acides gras, du glycérol, de l'acide phosphorique et un alcool azoté.

Ces lipides sont des dérivés d'un ester monophosphaté du glycérol

$$CH_2OH$$
$$CHOH$$
$$H-C-O-P-OH$$

où deux des fonctions alcool sont liées à divers acides gras par des fonctions ester et dont le OH encadré est également impliqué dans une fonction ester avec différents composés azotés. Par exemple, dans les sous-classes lécithines, phosphatidyléthanolamines et phosphatidylsérines, les composés azotés sont respectivement la choline, l'éthanolamine et la sérine.

$$HOCH_2CH_2\overset{+}{N}(CH_3)_3$$
$$X^-$$

choline

$$HOCH_2CH_2NH_2$$

éthanolamine

$$HOCH_2CHNH_2$$
$$COOH$$

sérine

b) Les **sphingolipides** dont l'hydrolyse donne des acides gras, de la sphingosine, de l'acide phosphorique (ou du glycérol), et un sucre. La sphingosine, un aminoalcool insaturé à longue chaîne hydrocarbonée, remplace ici le glycérol.

$$CH_3[CH_2]_{12}CH=CH$$
$$CH-OH$$
$$H_2N-CH$$
$$CH_2OH$$

sphingosine

On retrouve les lipides complexes dans tous les organismes vivants. Les phospholipides sont particulièrement abondants dans le foie, le cerveau, la moëlle épinière et on en retrouve dans la membrane externe de toutes les cellules vivantes. Les lécithines se retrouvent en abondance dans le jaune d'oeuf et les fèves soya. Celles qui sont extraites des fèves soya servent d'agents émulsifiants dans les produits laitiers transformés et en confiserie. La sphingomyéline est le principal représentant des sphingolipides. On en retrouve dans les gaines de myéline des neurones (système nerveux).

Tableau A.3 Les lipides complexes.

Classe	Sous-classe	Structure générale	Produits de leur hydrolyse et provenance
Phospholipides (phosphoglycérides)	Lécithines	$CH_2-O-\overset{\overset{O}{\|\|}}{C}-R$ $CH-O-\overset{\overset{O}{\|\|}}{C}-R'$ $CH_2-O-\overset{\underset{O_-}{\|}}{P}-O-CH_2-CH_2-\overset{+}{N}(CH_3)_3$ (CH₃ ×3)	Divers acides gras, le glycérol, l'acide phosphorique et la choline: $HOCH_2CH_2\overset{+}{N}(CH_3)_3$ X^- Isolées des tissus nerveux et du foie.
	Phosphatidyl-éthanolamines	$CH_2-O-\overset{\overset{O}{\|\|}}{C}-R$ $CH-O-\overset{\overset{O}{\|\|}}{C}-R'$ $CH_2-O-\overset{\underset{O_-}{\|}}{P}-O-CH_2-CH_2-\overset{+}{N}H_3$	Divers acides gras, le glycérol, l'acide phosphorique et l'éthanolamine: $HOCH_2CH_2NH_2$ Isolées des tissus nerveux et du foie.
	Phosphatidylsérines	$CH_2-O-\overset{\overset{O}{\|\|}}{C}-R$ $CH-O-\overset{\overset{O}{\|\|}}{C}-R'$ $CH_2-O-\overset{\underset{O_-}{\|}}{P}-O-CH_2-\underset{COOH}{CH}-\overset{+}{N}H_3$	Divers acides gras, le glycérol, l'acide phosphorique et la sérine: $HOCH_2\underset{COOH}{CH}NH_2$ Isolées des tissus nerveux et du foie.
Sphingolipides	Sphingomyélines	$CH_3-[CH_2]_{12}-CH=CH$ $\overset{O}{}\overset{H}{}CH-OH$ $R-\overset{\|\|}{C}-\overset{\|}{N}-\overset{\|}{CH}$ $CH_2-O-\overset{\underset{O_-}{\|}}{\overset{\overset{O}{\|\|}}{P}}-OCH_2CH_2-\overset{+}{N}(CH_3)_3$	Sphingosine: $CH_3[CH_2]_{12}CH=CH$ $CH-OH$ H_2N-CH CH_2OH Un acide gras, de l'acide phosphorique et la choline. Isolées des tissus nerveux.
	Cérébrosides	$CH_3-[CH_2]_{12}-CH=CH$ $\overset{O}{}\overset{H}{}CH-OH$ $R-\overset{\|\|}{C}-\overset{\|}{N}-\overset{\|}{CH}$ CH_2-O- (galactose)	Sphingosine, acide gras, galactose. Isolées du cerveau.

A.4 *Les lipides et l'alimentation*

Les lipides ne sont pas d'une nécessité absolue du point de vue diététique. Un organisme peut survivre avec une diète sans lipide si on lui fournit des sucres et des protéines comme seules sources d'énergie métabolique. Certains lipides, cependant, sont nécessaires pour une croissance et un développement normaux. Ceux-ci contiennent des acides gras que l'organisme ne peut pas synthétiser. On retrouve, parmi ces acides gras essentiels, les acides linoléique, linolénique et arachidonique, contenant tous plus d'une liaison double carbone-carbone. Ces acides gras sont les précurseurs dans la biosynthèse des prostaglandines, famille de substances agissant comme des hormones puissantes dans le contrôle de plusieurs fonctions physiologiques. Les acides gras essentiels sont nécessaires pour maintenir la structure des membranes cellulaires, pour assurer le transport efficace des graisses et pour le métabolisme du cholestérol.

Le cholestérol estérifié et les autres lipides peuvent se déposer sur les parois des artères: c'est ce qu'on appelle l'athérosclérose. On a démontré une corrélation entre l'élévation de la quantité de lipides et de cholestérol dans le sang et l'incidence des maladies du coeur et de l'athérosclérose. Le cholestérol est le principal composé lié à ces états pathologiques, de sorte qu'on peut dire qu'un taux élevé de cholestérol sanguin peut être un facteur contribuant à l'apparition de maladies du coeur. La consommation de matières grasses a des liens directs avec le taux de cholestérol sanguin. De nombreuses études ont montré qu'une alimentation riche en matières grasses et en sucres peut entraîner une augmentation sensible du taux de cholestérol sanguin.

Du point de vue de l'alimentation, les matières grasses représentant de 25 à 30 % de la nourriture habituelle, il est instructif de relever ce qui est indiqué sur l'étiquette de certains produits. En effet, il y est souvent question d'acides gras polyinsaturés, monoinsaturés, saturés et même d'acides gras *trans* , tous issus des matières grasses rencontrées dans les aliments courants.

Voici quelques renseignements utiles:

• **acides polyinsaturés**: ce sont des acides gras porteurs de deux, trois ou quatre liaisons doubles C=C (insaturations; toutes de configuration *cis*) dont les principaux (acide linoléique, 18:2*; l'acide linolénique, 18:3; l'acide arachidonique, 20:4;) sont essentiels pour l'alimentation humaine et pour celle de plusieurs espèces animales. Il en faut cependant très peu

---

* (18:2): acide gras contenant 18 atomes de carbone et 2 liaisons doubles C=C. Les liaisons doubles sont habituellement localisées autour des carbones 9, 10 et 11 et ce pour tous les acides gras insaturés.

dans l'alimentation pour combler les besoins de l'organisme. Seuls certaines bactéries et certains végétaux sont capables de les synthétiser.

Ces acides gras sont présents dans diverses huiles végétales (voir tableau A.2). Ces acides jouent un rôle au niveau des membranes cellulaires et des organes de reproduction. Ils sont également reliés au métabolisme du cholestérol.

• **Acides monoinsaturés**: les deux principaux acides gras naturels de ce type sont l'acide palmitoléique (16:1) et l'acide oléique (18:1), tous deux de configuration *cis* au niveau de la liaison double. Ils sont non essentiels dans l'alimentation humaine.

• **Acides saturés**: ces acides gras ne contiennent aucune liaison double. L'acide palmitique (16C) et l'acide stéarique (18C) sont les plus abondants chez les mammifères et dans l'alimentation. Ils sont communs à toutes les graisses animales et végétales. Le taux de cholestérol sanguin peut être réduit en consommant des aliments contenant moins de graisses saturées et moins de cholestérol.

• **Acides gras *trans***: issus de l'hydrogénation partielle des huiles végétales (ex.: la margarine), ces acides insaturés constituent, à toutes fins pratiques, des additifs. On ne connaît pas complètement leurs effets réels à long terme sur la santé. Le seul fait que la configuration de la liaison double soit *trans*, au lieu de *cis*, amène ces acides à être métabolisés comme des acides gras saturés. Il est recommandé de limiter la consommation de ces acides.

— *Liste d'ingrédients typique d'un aliment hydrogéné* —

HUILE DE CANOLA 45%, HUILE DE TOURNESOL 25%, HUILES DE PALME ET DE PALMISTE MODIFIÉES 10%, PAS PLUS DE 10% D'EAU, SEL 1,8%, POUDRE DE LACTOSÉRUM 1,4%, LÉCITHINE VÉGÉTALE 0,2%, MONOGLYCÉRIDES VÉGÉTAUX 0,1%, SORBATE DE POTASSIUM, COLORANT VÉGÉTAL, ARÔME ARTIFICIEL, ACIDE CITRIQUE, VITAMINE A, VITAMINE D.

Information nutritionnelle: • Matières grasses, 8,0 g; polyinsaturés, 3,2 g; monoinsaturés, 3,2 g; saturés, 1,0 g.

La somme des acides gras polyinsaturés, monoinsaturés et saturés n'équivaut pas toujours au total des matières grasses, indiqué sur l'étiquette. C'est le cas des aliments contenant des matières grasses hydrogénées. À la suite de l'hydrogénation, les huiles végétales polyinsaturées deviennent saturées; des acides gras *trans* peuvent alors se former. Il est possible de calculer la teneur approximative d'un aliment en acides gras *trans*, en soustrayant du total des matières grasses indiqué sur l'étiquette, la somme des teneurs indiquées pour les acides gras polyinsaturés, monoinsaturés et saturés. Dans l'exemple ci-dessus (encadré), l'aliment contiendrait 0,6 g d'acides gras *trans*.

Les glucides et les lipides constituent les deux principales sources d'énergie de l'organisme animal. L'énergie emmagasinée dans les sucres est utilisable à court terme, tandis que celle des lipides constitue une réserve à long terme. L'énergie stockée dans les lipides est beaucoup plus importante que celle stockée dans les sucres sous forme de glycogène. En particulier, les triglycérides constituent la plus grande source d'énergie. En effet, l'oxydation de 1 gramme d'un lipide typique libère environ 38 kJ; l'oxydation d'une même masse de glucides ne libère que 17 kJ. Cette différence est expliquée par le fait qu'une molécule de lipide, à masse moléculaire égale, contient une plus grande proportion de carbone et d'hydrogène qu'une molécule de glucide. Par conséquent, les lipides, ayant une plus grande capacité à se combiner à l'oxygène, possèdent un contenu énergétique plus élevé que les sucres. En effet, la majeure partie d'une molécule de lipide est de même nature qu'un hydrocarbure tiré du pétrole (essence automobile, par exemple). En ce sens, les lipides sont semblables à un combustible très réduit (carbone et hydrogène) qui n'attend qu'à être oxydé pour libérer son énergie. Les sucres, ressemblant davantage à des alcools (déjà plus oxydés), ne sont donc pas aussi efficaces comme source d'énergie. Fait intérerssant à signaler, les ours polaires, en raison de leurs besoins énergétiques importants, mangent surtout la graisse des phoques qu'ils chassent, laissant de côté, la plupart du temps, la viande.

___

Les terpènes...

Les terpènes sont des substances naturelles généralement isolées à partir des huiles essentielles* des plantes et des fleurs. Leur structure correspond à diverses combinaisons d'unités d'isoprène (2-méthylbuta-1,3-diène). Ils possèdent donc au moins 10 carbones et croissent par multiples de 5. (Voir aussi page 210.)

isoprène
2-méthylbuta-1,3-diène
5 carbones
(l'unité de base)

menthol
10 carbones
(un terpène)
Principal constituant
de l'huile de menthe poivrée.

acide abiétique
20 carbones
(un diterpène)
Son sel de sodium ou de
potassium est parfois employé
dans les savons bon marché.

___

* Huiles essentielles: huiles de structure très différente de celle des huiles végétales et animales.

A.5 *Les stéroïdes*

Les stéroïdes, dont le cholestérol et la cortisone font partie, se retrouvent dans les tissus animaux et végétaux, dans les levures, les moisissures mais non dans les bactéries. Ils peuvent être libres ou combinés à des acides gras ou à des sucres. Les stéroïdes forment l'une des classes de composés organiques naturels les plus polyvalentes.

De plus, certains agissent en très faibles quantités et de petites modifications sur leur squelette peuvent avoir beaucoup d'effet dans le contrôle des phénomènes biologiques.

Ce qui caractérise le plus ces composés est leur squelette carboné commun: noyau phénanthrène saturé, fusionné à un cyclopentane. Ce squelette de base est appelé perhydrocyclopentanophénanthrène. Les cycles sont désignés par des lettres et les carbones numérotés de façon particulière.

perhydrocyclopentanophénanthrène

En général, les stéroïdes portent un groupe méthyle sur les carbones 10 et 13 et une chaîne carbonée sur le carbone 17. Puisque ce squelette constitue un système cyclique rigide, tout substituant doit se retrouver, soit sur la face supérieure, soit sur la face inférieure de la molécule, d'où la possibilité d'isomérie géométrique. De plus, plusieurs des carbones du squelette sont asymétriques, ce qui explique l'existence de nombreux isomères optiques. À cause de leur masse molaire élevée, les stéroïdes sont généralement solubles dans les mêmes solvants que les graisses (solvants non ou peu polaires). Ils se distinguent cependant des lipides du fait qu'ils ne peuvent pas être saponifiés.

Des exemples de stéroïdes: le cholestérol, les acides biliaires, les hormones adrénocorticoïdes et les hormones sexuelles.

cholestérol

(du grec *chole*, bile; *stereos*, solide; ol, pour la fonction alcool)

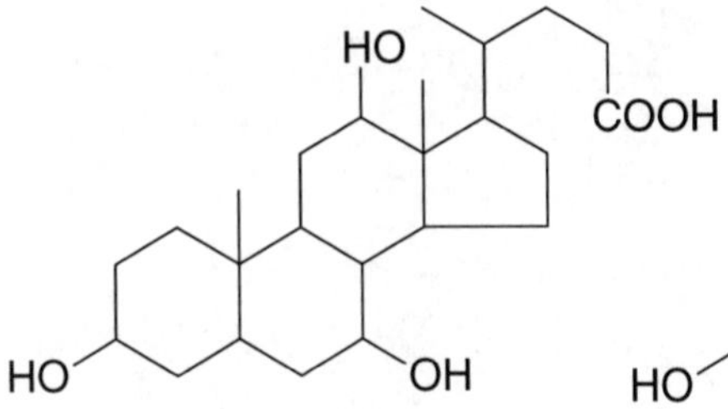

acide cholique

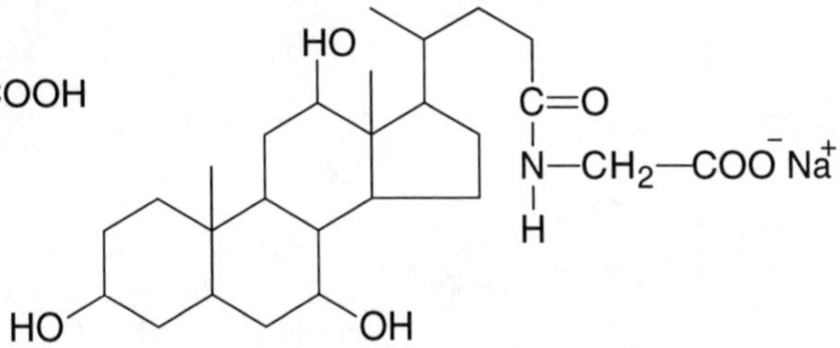

glycocholate de sodium
(sel biliaire)

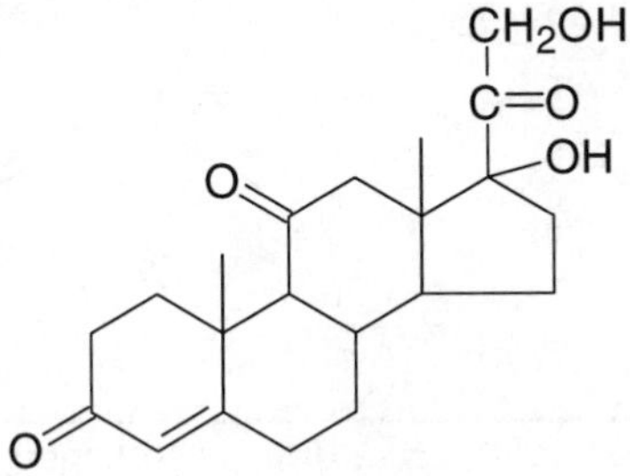

cortisone

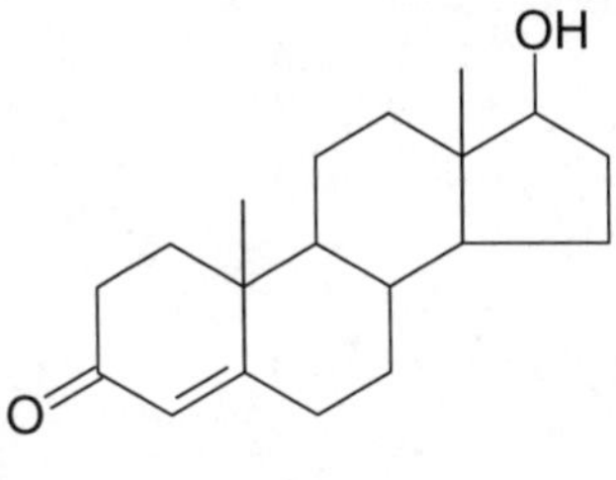

testostérone

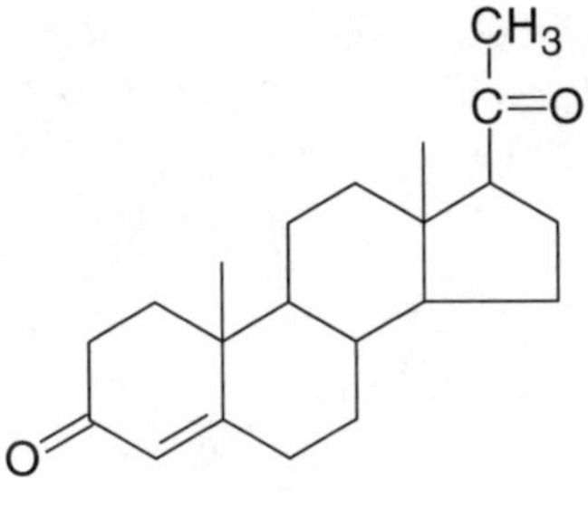

progestérone

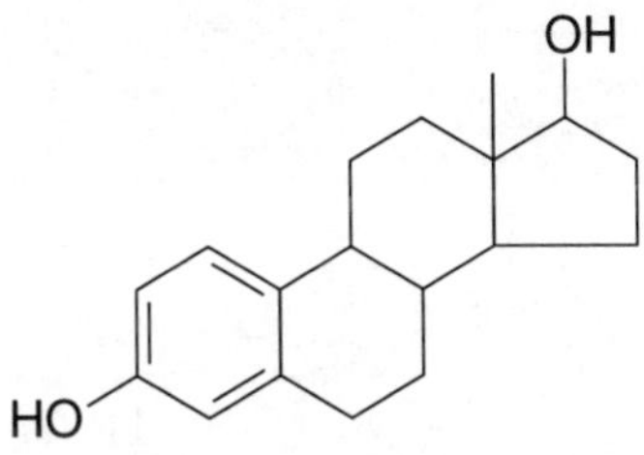

estradiol

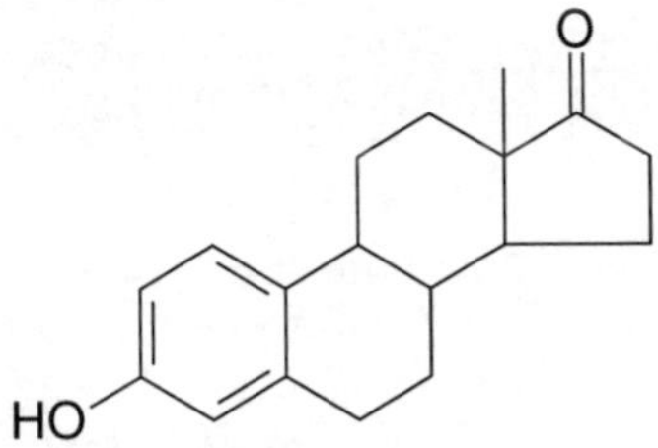

estrone

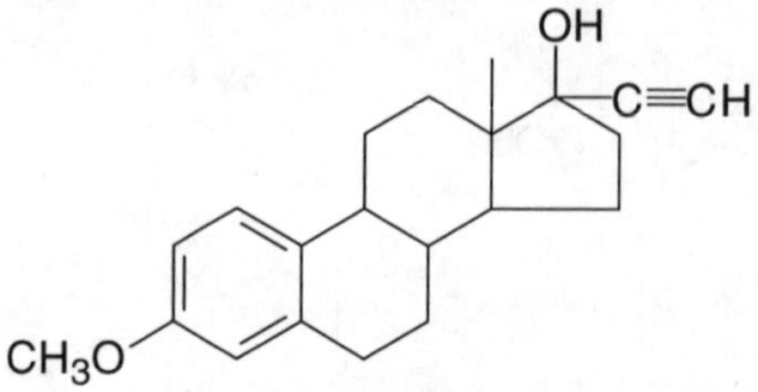

mestranol
(analogue synthétique des estrogènes)

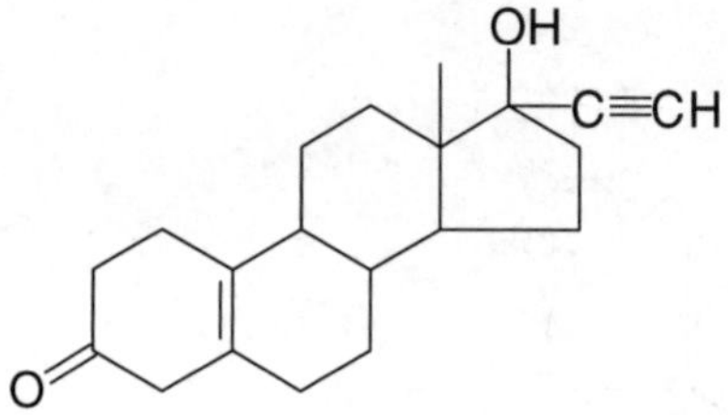

noréthynodrel

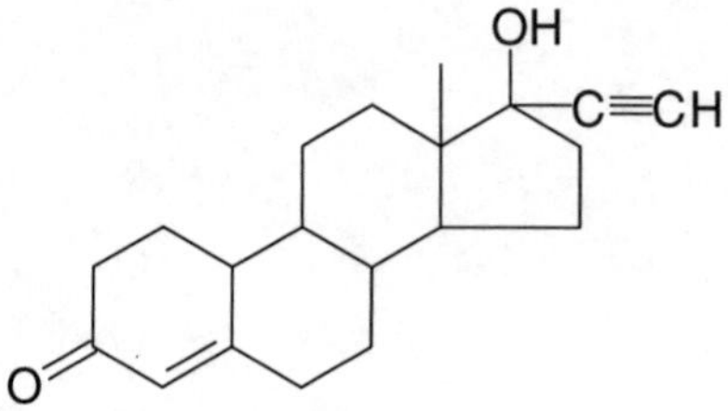

noréthynodrone

(analogues synthétiques de la progestérone)

———— ✳ ————

Complément **B**   Les hétérocycles

Sommaire

B.1 Présentation et nomenclature

La structure d'un hétérocycle comprend un cycle formé de carbones et d'un ou de plusieurs autres atomes comme l'azote, l'oxygène ou le soufre. Ce cycle peut être de dimensions diverses, mais le plus courant est formé de 5 ou 6 atomes. Les hétérocycles sont généralement classés selon la grandeur de leur cycle, mais leurs propriétés et leur réactivité demeurent essentielllement reliées à la fonction qu'ils portent: éther, amine ou thioéther. Leur état physique dépend d'ailleurs beaucoup plus de la fonction présente dans le cycle que de sa dimension. Le tableau B.1(page suivante) présente quelques exemples d'hétérocycles simples. Il en existe beaucoup d'autres plus complexes, polycycliques et même contenant plusieurs hétéroatomes (voir section B.4).

La **nomenclature** des substances cycliques est déjà complexe; celle des hétérocycles l'étant davantage, nous nous limitons dans ce texte, à la nomenclature de base.

a) Les noms courants utilisés dans le tableau B.1 servent de noms de base pour plusieurs composés hétérocycliques.

b) Si les composés sont substitués, la numérotation se fait en attribuant d'abord l'indice numéro 1 à l'hétéroatome. Ensuite, les autres règles habituelles de terminaison et de priorité s'appliquent.

Tableau B.1 État physique de quelques composés hétérocycliques.

Nom	Formule	Classe fonctionnelle	F (°C)	Éb (°C)	Solubilité dans l'eau
oxyde d'éthylène ou oxirane	CH_2—CH_2 O	éther	- 111	10,7	s*
furane	(structure) O	éther insaturé	- 85,6	31,4	i
pyrrole	(structure) N–H	amine secondaire insaturée	—	130	ls
thiophène	(structure) S	thioéther insaturé	- 38	84	i
tétrahydrofurane	(structure) O	éther saturé	- 108	67	s
pyrrolidine	(structure) N–H	amine secondaire saturée	—	88-9	s
pyridine	(structure) N	amine tertiaire aromatique	- 42	115,5	s
pipéridine	(structure) N–H	amine secondaire saturée	- 7	106	s
pyrane	(structure) O	éther insaturé	—	80	i
dioxane	(structure) O...O	éther saturé	11,8	101,1	s
purine	(structure) N N N N–H	polyamine insaturée	216	—	s

*s = soluble (au moins 0,10 mol/L), ls = légèrement soluble, i = insoluble.

Voici quelques exemples pour illustrer la nomenclature des hétérocycles:

2,3-diméthylthiophène   2,3,4,5-tétrabromopyrrole   2-nitrofurane

3-chloropyridine   2-aminopyridine

B.2 Cycles à 5 atomes: le pyrrole, le furane et le thiophène

En plus d'être des hétérocycles à 5 atomes, ces composés ont une caractéristique commune: il y a présence de liaisons doubles appartenant à un système conjugué. Ces composés sont **aromatiques** puisqu'ils sont cycliques, possèdent un système conjugué et (4n + 2) électrons π (incluant le doublet libre de l'hétéroatome). Cette particularité de structure permet à ces trois composés de participer à des réactions de **substitution électrophile** plus efficacement que le benzène. Pour expliquer cette plus grande facilité de réaction, examinons le phénomène de résonance dans un tel cycle.

Formes limites de résonance du pyrrole

hybride de résonance

L'hybride de résonance montre clairement que les carbones du cycle sont **activés** (présence de δ^-) face à l'attaque éventuelle d'un électrophile. La substitution électrophile sera donc plus efficace sur ces cycles que sur le benzène.

Peut-on supposer qu'un électrophile puisse se fixer indifféremment sur l'un ou l'autre des quatre carbones du cycle? C'est théoriquement possible, mais la substitution en position **2** est privilégiée à cause de la stabilité supérieure du carbocation formé. Voici le mécanisme de sa formation:

Substitution électrophile sur le pyrrole

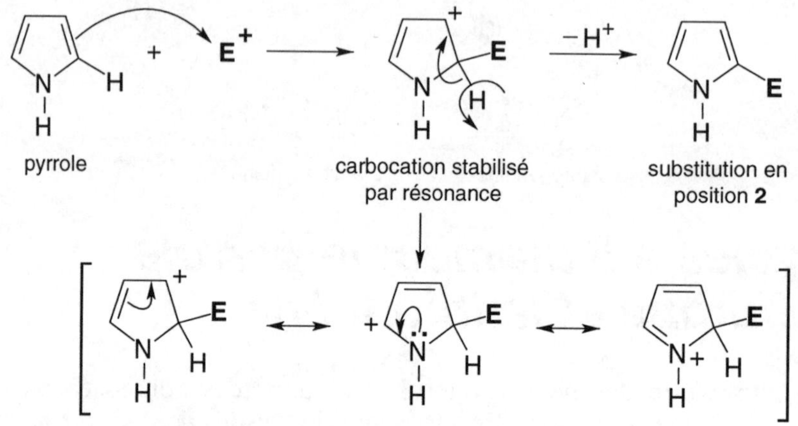

pyrrole   carbocation stabilisé   substitution en
                       par résonance   position 2

Deux exemples de substitution électrophile:

pyrrole   2-nitropyrrole

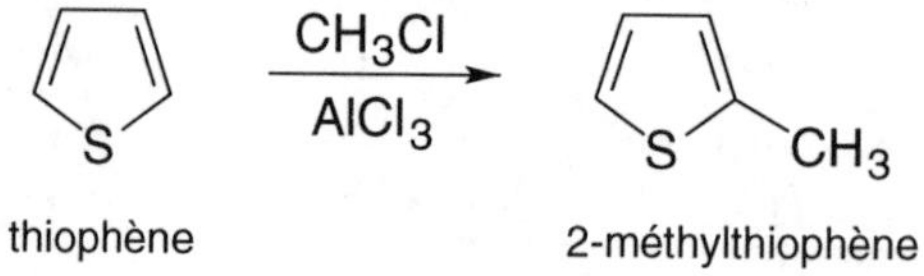

thiophène   2-méthylthiophène

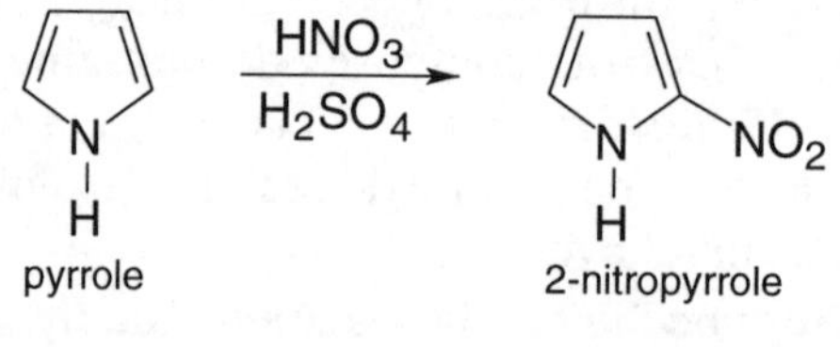

Les électrophiles utilisés pour ce genre de réaction sont les mêmes que pour la substitution électrophile sur le benzène (voir section 6.2.1). Toutefois, ces réactifs sont souvent remplacés par d'autres moins actifs à cause de la facilité de réaction sur ces hétérocycles. Bien entendu, le détail de la réactivité qui vient d'être présentée pour le pyrrole s'applique intégralement au furane et au thiophène.

En plus de subir facilement la substitution électrophile, le furane, le pyrrole et le thiophène (trois hétérocycles insaturés), peuvent être **réduits** efficacement par hydrogénation catalytique pour produire des hétérocycles saturés.

pyrrole → pyrrolidine

furane → tétrahydrofurane

Un excellent solvant pour les hauts polymères, spécialement le chlorure de polyvinyle.

Il en est de même pour le thiophène.

Le **pyrrole** mérite une attention spéciale à cause de la présence de l'azote qui en fait une base très faible. Il y a aussi la présence d'un hydrogène sur l'azote qui peut lui procurer un certain caractère acide. Qu'en est-il alors de la basicité et de l'acidité du pyrrole?

• Basicité

Même si le pyrrole est une amine secondaire, au même titre que la pyrrolidine, son caractère basique est **négligeable**:

pyrrole: $K_b = 4 \times 10^{-19}$,   pyrrolidine: $K_b = 1,3 \times 10^{-3}$.

La faible basicité du pyrrole s'explique par le fait que le doublet libre sur l'azote participe à la résonance dans le cycle; il n'est pas disponible pour réagir à l'extérieur du cycle.

• Acidité

Comparativement au phénol, le pyrrole possède, lui aussi, un hydrogène sur un élément très électronégatif. Cet hydrogène acquiert un caractère positif qui permet à une base forte, comme l'hydroxyde de sodium, de le décrocher facilement. Donc, le pyrrole est légèrement acide, la valeur de son K_a étant égale à environ 1×10^{-15}.

B.3 Cycle à 6 atomes, la pyridine

Facilement reconnaissable à son odeur désagréable, la pyridine est un liquide incolore soluble dans l'eau. Utilisée couramment en industrie comme intermédiaire dans plusieurs synthèses, la pyridine sert aussi de solvant pour certains sels minéraux anhydres.

Même si la pyridine est un composé aromatique, elle est aussi une amine et se comporte comme tel puisque le doublet libre de l'azote ne participe pas à la résonance dans le cycle.

Formes limites de résonance de la pyridine

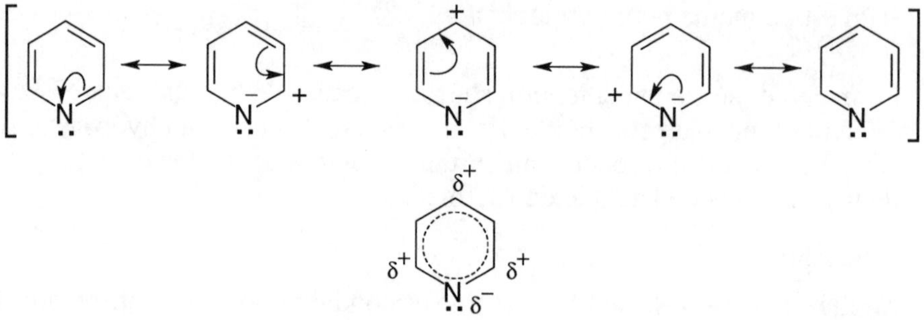

hybride de résonance

La pyridine est une base faible ($K_b = 1,7 \times 10^{-9}$) formant un sel en milieu acide.

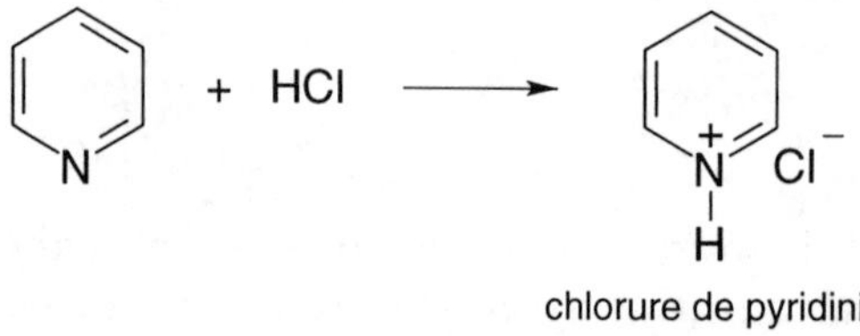

Elle demeure aromatique même en étant protonée.

chlorure de pyridinium

Contrairement aux hétérocycles à 5 atomes, la substitution électrophile sur les carbones du cycle est **défavorisée**. L'hybride de résonance montre clairement que la densité électronique autour des carbones 2, 4 et 6 est diminuée par la résonance. Cependant, dans des conditions rigoureuses (haute température et réaction prolongée), il est possible de substituer le cycle avec un électrophile qui se positionnera surtout **en 3**.

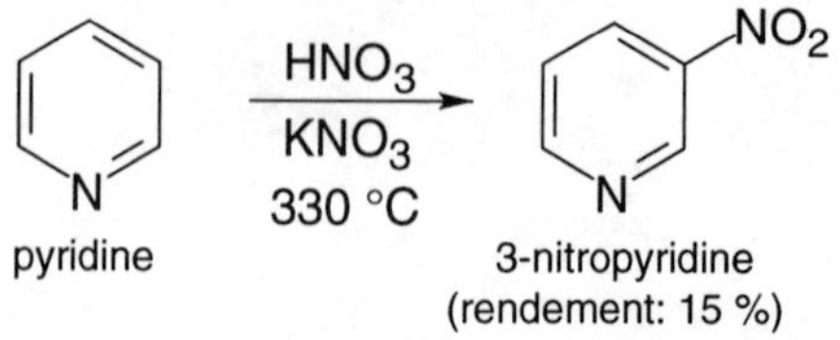

pyridine

3-nitropyridine
(rendement: 15 %)

L'appauvrissement en électrons des carbones 2, 4 et 6 permet à la pyridine de subir la substitution **nucléophile**, ce qui ne se fait pas sur le benzène. La réaction n'est pas facile, mais avec des nucléophiles très forts comme l'ion amidure de $NaNH_2$ ou encore le carbanion d'un organométallique, la substitution nucléophile s'effectue surtout en **position 2**.

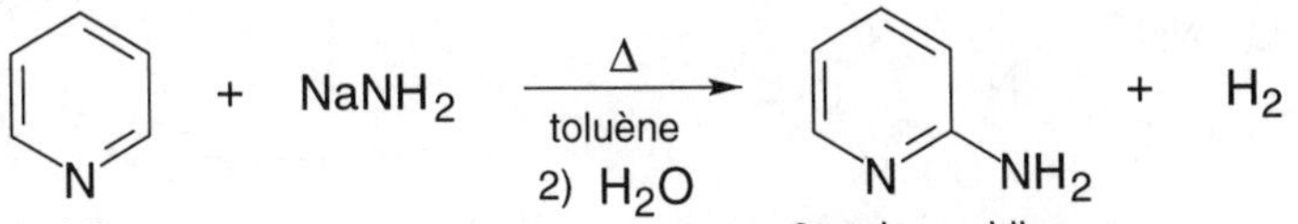

pyridine + $NaNH_2$ $\xrightarrow[\text{2) } H_2O]{\underset{\text{toluène}}{\Delta}}$ 2-aminopyridine + H_2
(rendement: 70 %)

B.4 *Hétérocycles importants*

Les cycles examinés ci-dessus ne sont que quelques exemples à la base d'une immense famille de composés aux mille et une facettes, tant du point de vue de la réactivité que de l'utilité. Cette dernière section présente quelques membres de cette famille nombreuse.

• **Les tranquillisants**

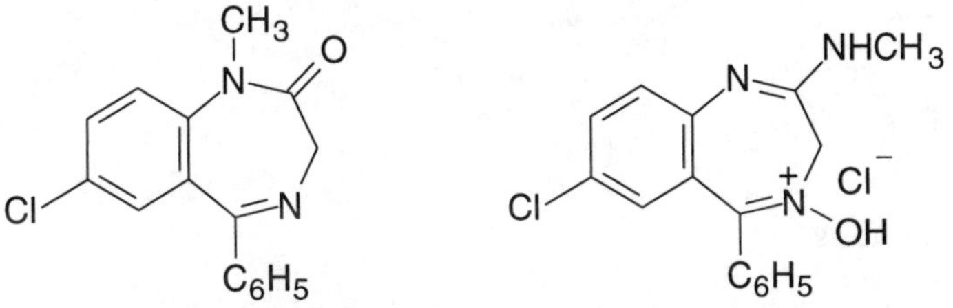

diazépam
(Valium)
F 125-126 °C

chlorure de diazépoxyde
(Librium)
F 213 °C

Ces deux médicaments, bien connus dans le domaine psychiatrique, atténuent l'anxiété et la tension nerveuse sans provoquer le sommeil.

• **Les pénicillines**

La pénicilline est une substance produite par la moisissure *Pencillium notatum* dont les propriétés antibiotiques furent découvertes par le médecin britannique Sir Alexander Fleming en 1929 (prix Nobel de médecine en 1945). Depuis cette époque, beaucoup de recherches ont conduit à la découverte d'une foule de substances dont la structure de base est un hétérocycle sulfuré et azoté et dont la fonction caractéristique est la β-lactame (amide cyclique).

β-lactame, amide cyclique présent dans toutes les pénicillines.

Structure de base des pénicillines.

acide 6-aminopénicillanique (6-APA)

À partir de l'acide 6-aminopénicillanique (6-APA), les chimistes ont réussi à fabriquer une grande variété d'antibiotiques très efficaces. En substituant **R** par divers groupes, on obtient différentes pénicillines:

R = ⬡—CH$_2$—   la pénicilline G

= ⬡—O—CH$_2$—   la pénicilline V

= ⬡—CH—   l'ampicilline
$\quad\quad\quad$ NH$_2$

• Les alcaloïdes

Les alcaloïdes sont des composés naturels basiques, souvent des amines cycliques d'origine végétale; en voici quelques exemples:

nicotine
Alcaloïde du tabac (2 à 8%).
Éb 247 °C*

caféine
Alcaloïde du café présent aussi dans le thé et ajouté dans les colas.
F 238 °C

*Température d'ébullition, mesurée sous une pression barométrique de 99,3 kPa.

Les alcaloïdes de l'opium, dont la morphine est le principal représentant, sont de puissants somnifères appelés narcotiques parce qu'ils engendrent la dépendance. La codéine et l'héroïne sont deux autres alcaloïdes de l'opium.

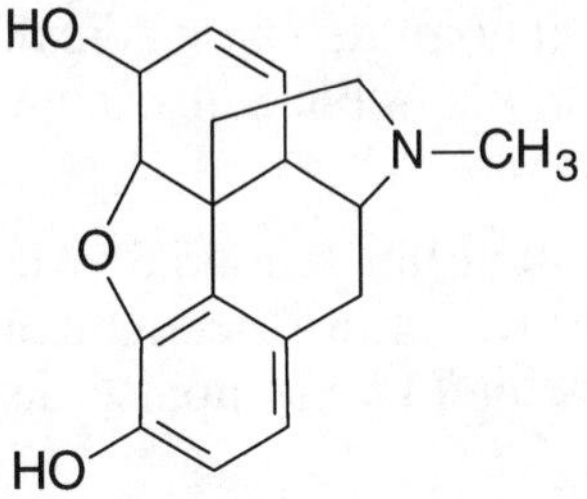

morphine
F 254 °C (se décompose)

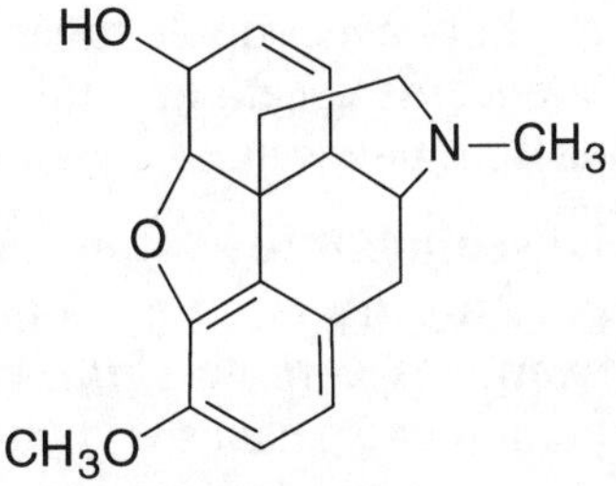

codéine
F 154-156 °C
(pour le monohydrate)

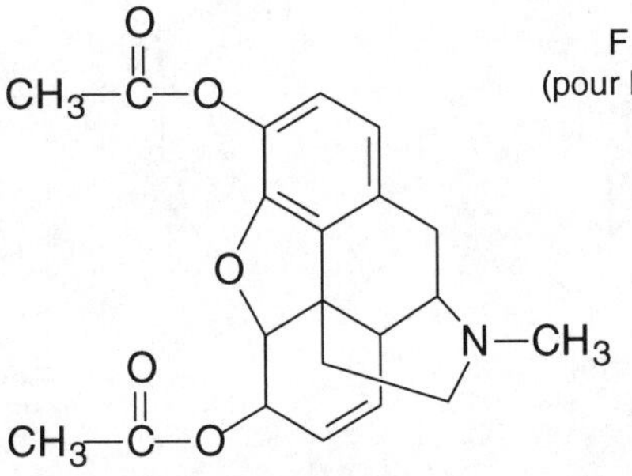

héroïne
F 173 °C

Les **barbituriques** sont aussi des somnifères puissants qui peuvent engendrer l'accoutumance. Leur structure de base est un hétérocycle doublement azoté, l'acide barbiturique. Ce dernier est obtenu par la condensation de l'urée avec l'acide malonique.

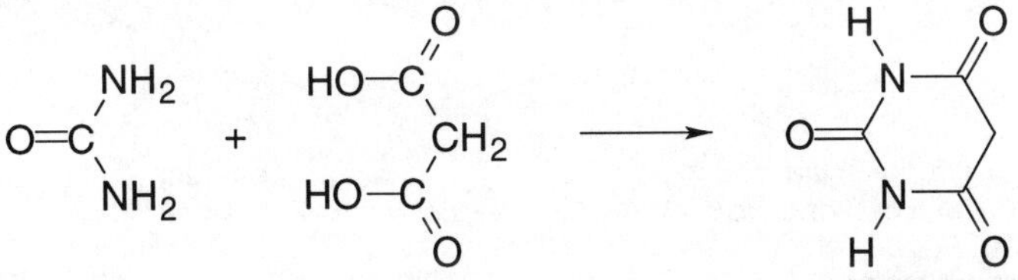

urée   acide malonique

acide barbiturique
F 248 °C

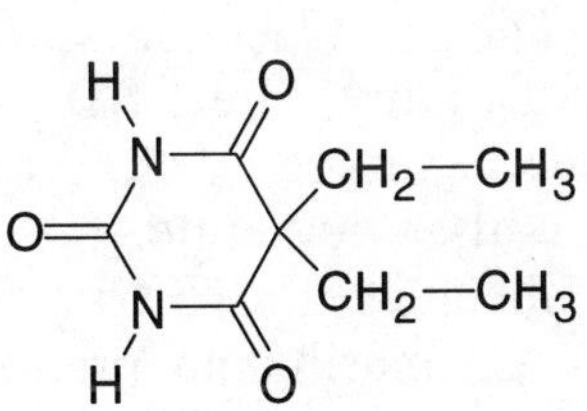

barbital
Véronal®

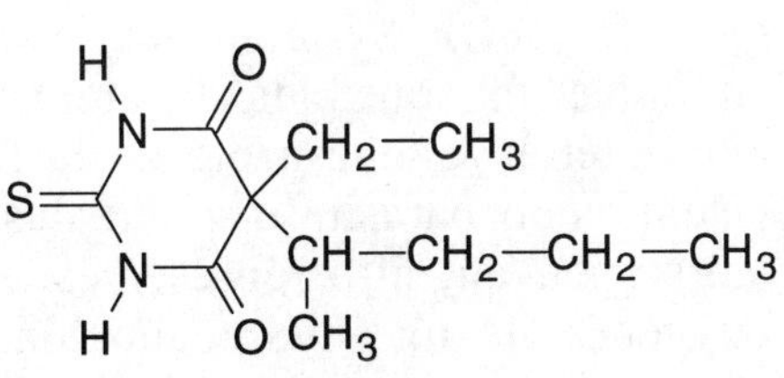

thiopental
Pentothal®

Les alcaloïdes du tropane, dont la cocaïne est peut être le plus connu, regroupent une foule de substances aux effets intenses, applicables à diverses fonctions physiologiques.

Poudre blanche, la «coke», du nom scientifique **cocaïne**, est une drogue qui fait beaucoup de ravages dans nos sociétés. Du point de vue médical, la cocaïne est un anesthésique, mais difficilement utilisable sans risque de dommages aux vaisseaux sanguins.

La **scopolamine** est un tranquillisant ayant comme effet secondaire de produire de la somnolence. **L'atropine**, alcaloïde extrait de plantes exotiques comme *Datura stramonium* ou *Atropa belladona,* apaise de nombreux spasmes et dilate la pupille.

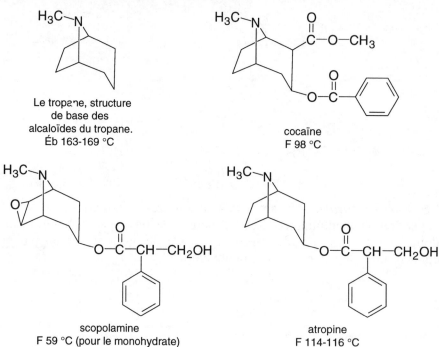

Le tropane, structure
de base des
alcaloïdes du tropane.
Éb 163-169 °C

cocaïne
F 98 °C

scopolamine
F 59 °C (pour le monohydrate)

atropine
F 114-116 °C

• Les hallucinogènes

LSD, marihuana, hashish, cannabis et bien d'autres, sont des substances qui affectent le système nerveux central. Du point de vue structure chimique, ils sont bien différents les uns des autres. Le **LSD** est un amide tétracyclique azoté de la famille des alcaloïdes de l'ergot, un champignon parasite des céréales, en particulier du seigle. Les trois autres peuvent être représentés par une substance active tricyclique oxygénée, le tétrahydrocannabinol, THC. La marihuana prend son origine de la plante *Cannabis sativa.* La concentration de THC dans la marihuana est de 1%. Dans le hashish, cette concentration passe à 5-10% et va même jusqu'à 20% dans certains cas.

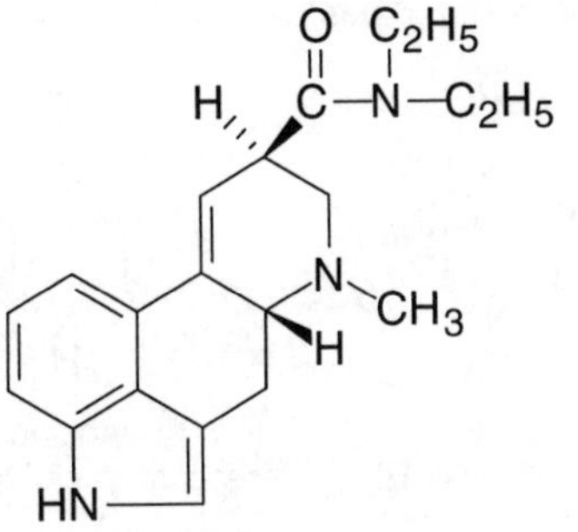

LSD
de l'allemand:
lysergsäure diethylamid
F 80-85 °C

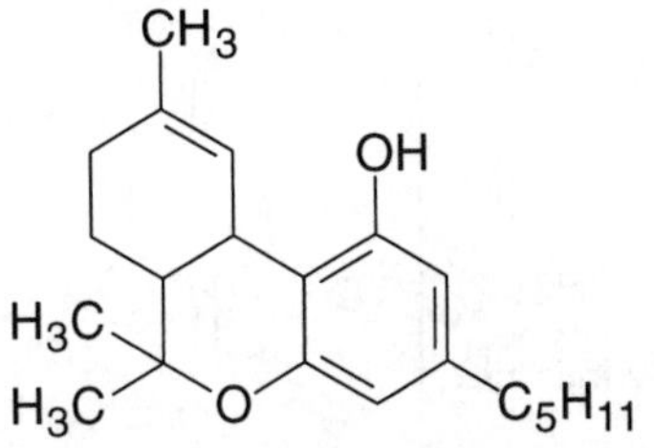

THC
tétrahydrocannabinol
Substance active des
drogues de la famille
de la marihuana.

Un dernier alcaloïde, la **strychnine**, un poison violent qui provoque la contracture des muscles, puis la paralysie et la mort. Il est utilisé contre les rongeurs.

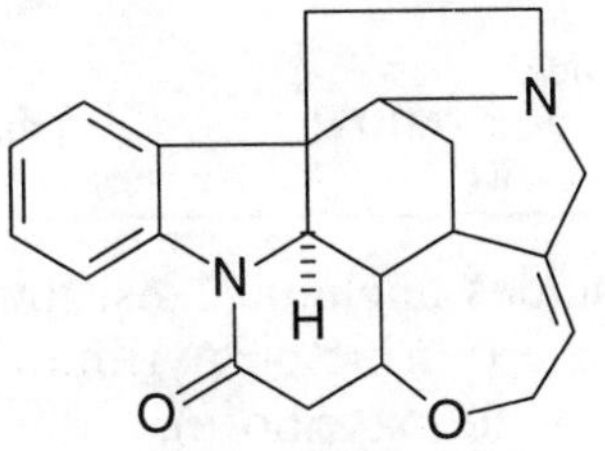

strychnine
F 268-290 °C

• Les acides nucléiques

Les acides nucléiques sont des macromolécules formées à partir de **bases** de la famille des purines et des pyrimidines, de **sucres** (D-ribose et 2-désoxy-D-ribose) et de l'**acide phosphorique**. Il y a deux grandes familles d'acides nucléiques dont les plus connus sont: l'acide désoxyribonucléique, **ADN**, un constituant de la matière génétique du noyau cellulaire, et l'acide ribonucléique, **ARN**, contenu principalement dans le cytoplasme et le nucléole.

• Sucres:

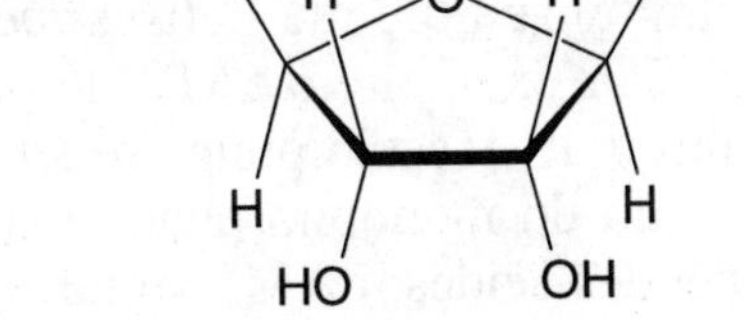

D-ribose

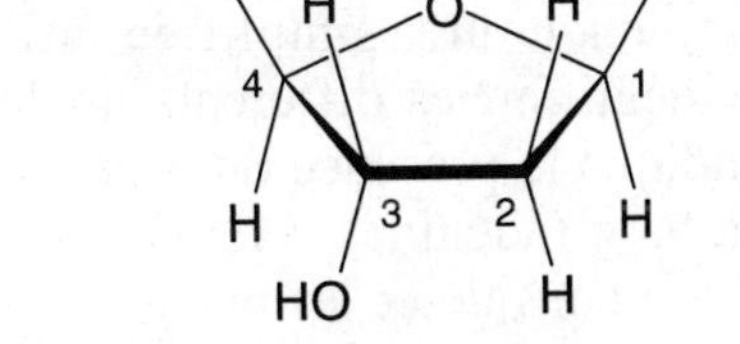

2-désoxy-D-ribose

• **Bases:**

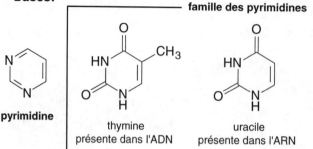

La structure de base des acides nucléiques est toujours constituée d'un **nucléoside** formé d'une base (purine ou pyrimidine) reliée au carbone anomère d'un sucre (ribose ou désoxyribose).

D-ribose

+

adénine

⟶

adénosine
(un nucléoside)

Le **nucléotide** résulte de l'estérification d'un nucléoside, par l'acide phosphorique, de l'un des hydroxyles (très souvent en C5') du sucre. Une nomenclature simplifiée utilisant un ensemble de lettres permet d'identifier les différents nucléotides. Par exemple: **dAMP**; le petit **d** indique la présence du 2-désoxy-D-ribose, le **A** est la première lettre de la base (adénine), **MP** signifie qu'il s'agit du monophosphate. On peut aussi considérer les nucléotides comme des acides: dAMP signifie alors l'acide désoxyadénylique.

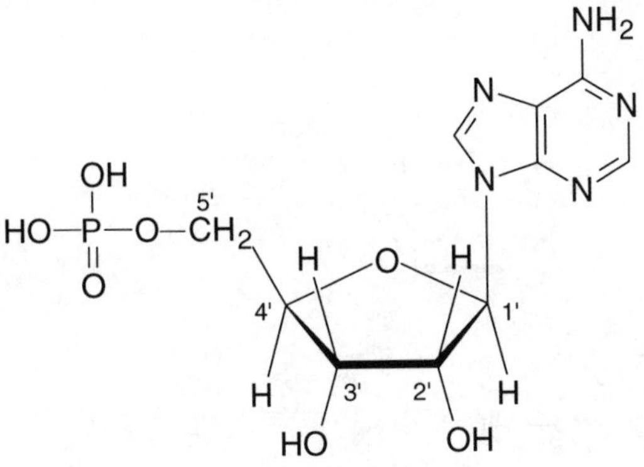

AMP
ou
acide adénylique
(un nucléotide)

Le diphosphate d'adénosine, **ADP**, et le triphosphate d'adénosine, **ATP**, sont des nucléotides importants: ils jouent un rôle majeur dans la conservation et l'utilisation de l'énergie qu'engendre le catabolisme cellulaire.

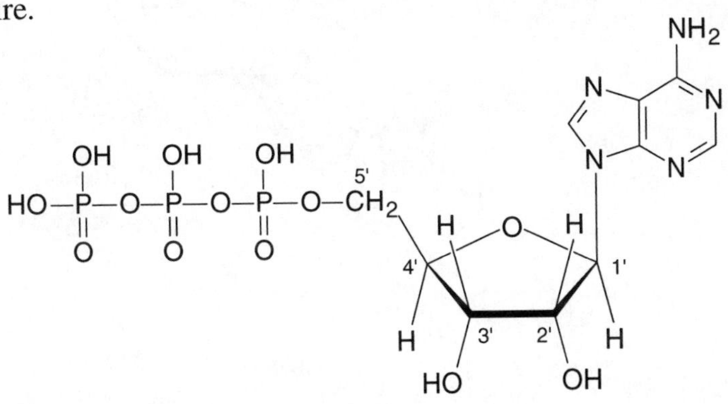

ATP
ou
triphosphate d'adénosine,
sous forme d'acide
(un nucléotide)

Les acides nucléiques sont formés de longues chaînes de nucléotides liés par des phosphates (jusqu'à 10^7 unités nucléotides par ADN). La structure suivante illustre une portion de chaîne d'**ADN.**

Une portion de la structure de
l'ADN

Il existe une très grande variété de composés hétérocycliques. Nous venons d'en donner quelques exemples qui ne représentent qu'une infime portion de cette grande famille. Beaucoup de recherches sont effectuées dans ce domaine. L'avenir des hétérocycles nous réserve certainement de nombreuses surprises, puisque l'on découvre encore de nouveaux alcaloïdes tant chez les plantes que chez les animaux.

———— ✳ ————

* Base = adénine, guanine, cytosine ou thymine.

Complément C Les macromolécules

Sommaire

C.1 Introduction

Les macromolécules sont des molécules géantes comptant des centaines de milliers d'atomes. Les molécules habituelles de la chimie organique contiennent de 50 à 75 atomes au maximum. C'est donc la **taille** qui caractérise les macromolécules. On les appelle aussi *polymères**, ce qui signifie *assemblage de plusieurs petites molécules*.

La nature utilise plusieurs types de macromolécules (laine, cellulose, collagène, caoutchouc, etc.). Ce sont les **polymères naturels**. Depuis 1853, l'homme a appris à en fabriquer également (polyéthylène, polystyrène, Teflon, etc.). On les appelle **polymères synthétiques** ou polymères de synthèse. Mais nous n'avons pas fait qu'imiter la nature. Nous avons inventé de toutes pièces des molécules qui n'existent pas dans la nature. Ces polymères de synthèse, à cause de leurs propriétés particulières et des usages que l'on peut en faire, ont donné lieu au développement d'un vaste domaine spécialisé de la chimie: la chimie des polymères synthétiques. (On utilise souvent, pour désigner les polymères synthétiques, les termes résines, plastiques. Ces mots seront définis plus loin.)

---

* Du grec, *poly* = plusieurs et *meros* = parties, donc qui est constitué de plusieurs parties. Ces parties, ou molécules de base, sont appelées **monomères**.

Dans la nature, les macromolécules exercent des fonctions bien précises dans le métabolisme des plantes et des animaux. Ces fonctions sont reliées intimement à leurs propriétés physiques et chimiques, lesquelles dépendent de la structure. À son tour le type de structure découle de la façon dont les organismes fabriquent ces macromolécules.

Il en est de même pour les polymères synthétiques. L'usage qu'on en fait dans notre mode de vie moderne dépend aussi de leur propriétés physicochimiques, lesquelles sont reliées à leur structure et, partant, à leur mode de fabrication.

Certes, comme les autres molécules plus petites, on peut aborder l'étude des polymères sous l'angle de leur structure *primaire*: nature des fonctions et des groupes substituants, leur position dans la molécule, leur arrangement spatial.

Mais la taille des polymères synthétiques nous impose de les aborder sous un autre angle, celui de leur structure *secondaire.* En effet, la taille énorme (à l'échelle moléculaire) de ces molécules permet une plus grande complexité de structure ce qui conduit à des effets que l'on ne retrouve pas chez les molécules de petite taille. Les macromolécules peuvent donc être toutes allongées et bien alignées les unes contre les autres, elles peuvent être pêle-mêle, elles peuvent s'enrouler les unes autour des autres du fait de leur longueur. Leur comportement, lorsqu'on les chauffe ou les refroidit, est particulier et, selon leur structure, différents types de forces intermoléculaires agissent. Tout cela peut dès lors expliquer que certains polymères peuvent être étirés et reprendre leur forme initiale lorsqu'on cesse de les étirer, d'autres peuvent être ramollis par la chaleur et être moulés ou modelés puis durcis par refroidissement et cela pouvant se faire de façon répétée. Enfin, certains polymères peuvent être ramollis mais durcissent pour conserver indéfiniment la forme qu'on leur a donné.

C.2 Classification

Les macromolécules, du fait de leurs structures et de leurs propriétés très diversifiées, peuvent être classifiées de diverses façons. On peut les classifier selon leur utilisation. Cette façon de les classifier apparaît au tableau C.1.

Tableau C.1 Classification des macromolécules selon l'utilisation.

Polymères (macromolécules)	naturels	• polysaccharides | • amidon • cellulose	• alimentation • énergie • habillement • abri
		• protéines | • structure • fonctionnement • régulation	
		• acides nucléiques | • support de l'hérédité	
	synthétiques	• élastomères | • pneus • élastiques	
		• fibres | • vêtements en nylon, toiles, voiles, recouvrements de meubles, tapis, etc.	
		• plastiques | • thermoplastiques | • jouets • bouteilles, etc.	
		• thermodurcissables | • recouvrement de comptoirs	

En ce qui concerne les polymères synthétiques, leurs usages sont étroitement reliés à leurs propriétés physiques, lesquelles dépendent de leur structure. Cette dernière dépend à son tour de la manière de les fabriquer, c'est-à-dire des réactions chimiques. La façon de les fabriquer ayant une telle importance sur le type de molécules obtenu et sur les propriétés physiques, qu'il devient éminemment justifiable de classer les polymères synthétiques selon les voies chimiques qui leur donnent naissance. Le tableau C.2 illustre le classement que nous allons privilégier dans ce texte.

Tableau C.2 Classification des polymères synthétiques selon la réaction d'origine.

polymérisation par addition	a) radicalaire b) anionique/cationique c) copolymère
polymérisation par condensation	a) polyesters b) nylons c) type phénol-formaldéhyde

C.3 Synthèse des polymères

La production de polymères doit être menée avec beaucoup de soin. En effet, la fabrication des multiples produits commerciaux à base de polymères exige que les polymères utilisés soient de qualité très uniforme. Il faut donc que leur production soient rigoureusement contrôlée. Pour cela on doit tenir compte de deux contraintes principales: a) les monomères doivent être très purs, condition essentielle pour obtenir un rendement élevé; b) à cause de leur masse moléculaire élevée, les polymères sont difficiles sinon impossibles à purifier par les méthodes habituelles (cristallisation, distillation, etc.). La moindre réaction secondaire peut stopper la réaction de polymérisation ou en affecter sérieusement le rendement.

C.3.1 Polymérisation par addition

Ce type de réaction consiste en l'addition de monomères simples, le plus souvent dérivés du groupe vinyle, $CH_2\!=\!CH\!-\!$, comme par exemples:

$$CH_2\!=\!CH_2$$
éthène
(éthylène)

$$CH_2\!=\!CH$$
$$\quad\ |$$
$$\quad CH_3$$
propène
(propylène)

$$CH_2\!=\!CH$$
$$\quad\ |$$
$$\quad Cl$$
chloroéthène
(chlorure de vinyle)

$$CH_2\!=\!CH$$
$$\qquad\ |$$
$$\quad CH\!=\!CH_2$$
buta-1,3-diène

styrène

$$CH_2\!=\!CH$$
$$\quad\ |$$
$$\quad CN$$
propènenitrile
(cyanure d'éthylène)

$$CH_2\!=\!C$$ ... 2-méthylbuta-1,3-diène
(isoprène)

$$CF_2\!=\!CF_2$$
tétrafluoroéthylène

méthacrylate de méthyle

acétate de vinyle

C.3.1.1 Polymérisation radicalaire

Phase 1: initiation

Comme son nom l'indique, ce type de réaction doit être amorcée par la formation d'un premier radical libre obtenu, la plupart du temps, d'un catalyseur. Il est souvent généré par la décomposition thermique d'un peroxyde ou d'un composé de type azo.

peroxyde de benzoyle
(catalyseur)

radical libre

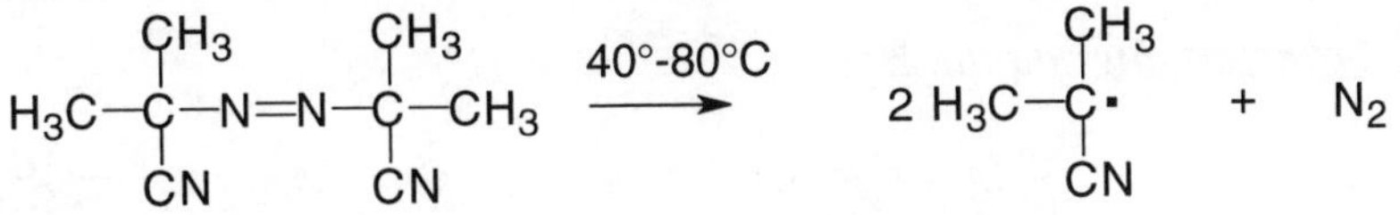

$$H_3C-\overset{\overset{\displaystyle CH_3}{|}}{\underset{\underset{\displaystyle CN}{|}}{C}}-N=N-\overset{\overset{\displaystyle CH_3}{|}}{\underset{\underset{\displaystyle CN}{|}}{C}}-CH_3 \xrightarrow{40°-80°C} 2\ H_3C-\overset{\overset{\displaystyle CH_3}{|}}{\underset{\underset{\displaystyle CN}{|}}{C}}\cdot \ +\ N_2$$

catalyseur de type azo

Phase 2: propagation

Il est intéressant de noter ici que, une fois amorcée, l'addition va aller dans le sens de toujours produire une chaîne radicalaire croissante la plus stable. Par exemple, dans la polymérisation du styrène (amorcée par un radical libre halogène), il y la possibilité de former deux radicaux libres différents: un radical primaire et un radical secondaire, plus stable que le premier.

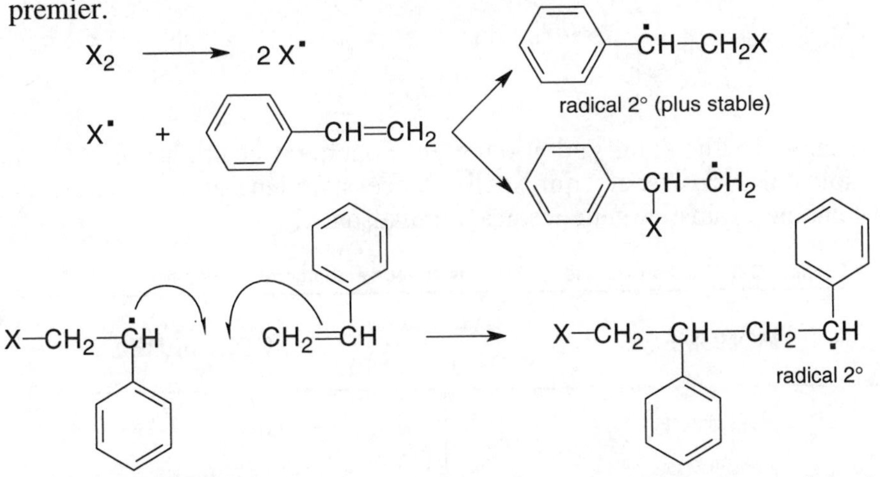

radical 2° (plus stable)

Les unités styrène s'aditionnent de façon à avoir le groupe phényle seulement sur des C en alternance, ce qui génère toujours un autre radical secondaire.

Phase 3: terminaison

Une façon de terminer la réaction est la formation d'une liaison C-C par la combinaison de deux chaînes radicalaires. Une autre est le transfert d'un atome H.

a) Formation d'une liaison C-C:

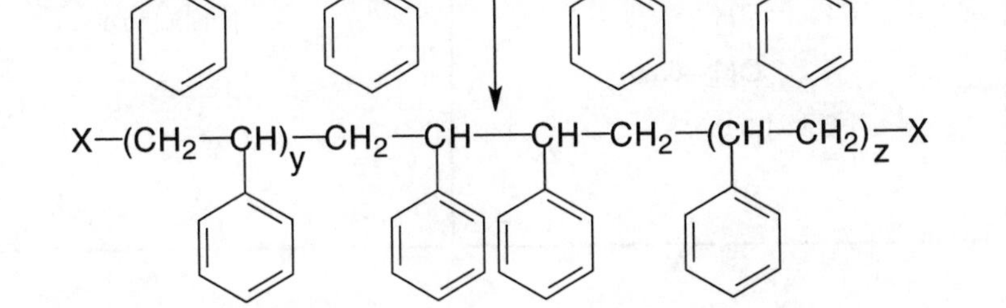

b) Transfert d'un atome H:

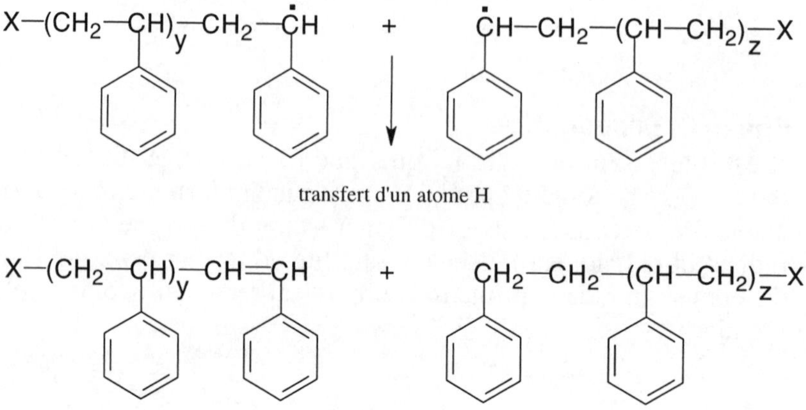

transfert d'un atome H

L'amorce radicalaire s'additionne au monomère et produit une chaîne radicalaire croissante qui se lie successivement aux molécules de monomère, ainsi de suite jusqu'à terminaison.

Tableau C.3 Relation entre les polymères et leurs monomères de départ.

MONOMÈRE	catalyseur: peroxyde ou autre $\longrightarrow$	POLYMÈRE
$CH_2{=}CH_2$ éthène (éthylène)		$-(CH_2{-}CH_2)_n{-}$ polyéthylène

$CH_2{=}CH$
     CH_3
 propène
 (propylène)
		$-(CH_2{-}CH)_n{-}$
		     CH_3
		 polypropylène

$CH_2{=}CH$
     Cl
 chloroéthène
 (chlorure de vinyle)
		$-(CH_2{-}CH)_n{-}$
		     Cl
		 chlorure de polyvinyle
		 (PVC)

$CH_2{=}CH$ $CH{=}CH_2$ buta-1,3-diène		polybutadiène

Tableau C.3 Relation entre les polymères et leurs monomères de départ (suite).

MONOMÈRE $\xrightarrow{\text{catalyseur:}}$	POLYMÈRE
catalyseur: peroxyde ou autre	

$$CH_2=\overset{\displaystyle CH_3}{\underset{\displaystyle CH=CH_2}{C}}$$

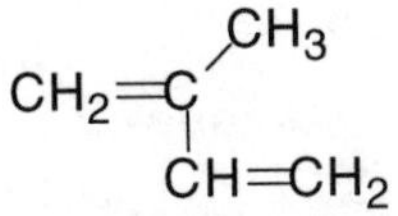

2-méthylbuta-1,3-diène
(isoprène)

polyisoprène

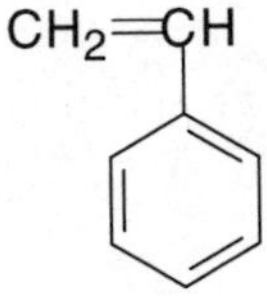

$$CH_2=CH$$
styrène

$$-(CH_2-CH)_n-$$
polystyrène

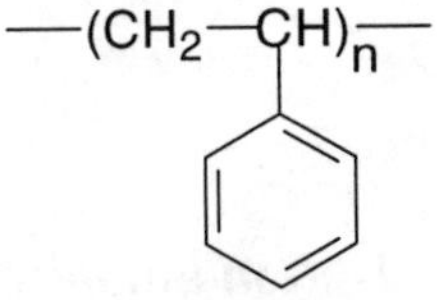

$$CF_2=CF_2$$
tétrafluoroéthylène

$$-(CF_2-CF_2)_n-$$
polytétrafluoroéthylène
(Téflon)

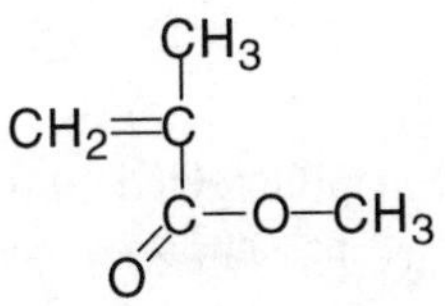

$$CH_2=\overset{\displaystyle CH_3}{\underset{\displaystyle \underset{O}{\overset{\| }{C}}-O-CH_3}{C}}$$
méthacrylate de méthyle

$$-(CH_2-\overset{\displaystyle CH_3}{\underset{\displaystyle \underset{O}{\overset{\| }{C}}-O-CH_3}{CH}})_n-$$
polyméthacrylate de méthyle
(Plexiglas)

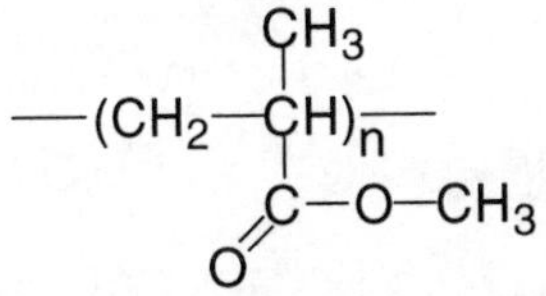

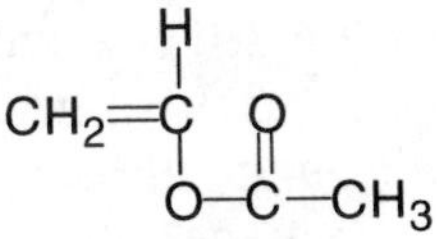

$$CH_2=\overset{\displaystyle H}{\underset{\displaystyle O-\overset{O}{\overset{\| }{C}}-CH_3}{C}}$$
acétate de vinyle

$$-(CH_2-CH)_n-\\ \underset{\displaystyle O-\overset{O}{\overset{\| }{C}}-CH_3}{}$$
polyacétate de vinyle

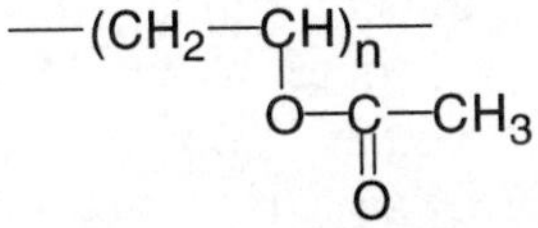

$$CH_2=\overset{\displaystyle CH}{\underset{\displaystyle CN}{}}$$
propènenitrile
(acrylonitrile)

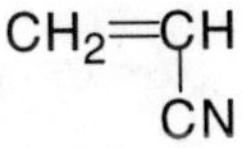

polyacrylonitrile

C.3.1.2 *Polymérisation cationique/anionique*

Lorsqu'une amorce basique s'additionne à la liaison double du monomère et que ce dernier porte un substituant qui stabilise l'anion formé, la polymérisation anionique peut s'enclencher.

Les amorces utilisées sont généralement des bases fortes:

$$Na^+ \ ^-NH_2 \qquad Na^+ \ ^-OH \qquad Na^+ \ ^-C_6H_5 \qquad Li^+ \ ^-CH_2CH_2CH_2CH_3$$

amidure de sodium   hydroxyde de sodium   phénylsodium   butyllithium

$$H_2N^- \quad CH_2 = C \overset{R}{\underset{H}{\big\langle}} \longrightarrow H_2N-CH_2-C \overset{R}{\underset{H}{\big\langle}}$$

a) polymérisation anionique

On retrouve ce type de réaction dans la polymérisation, par exemple, de l'acrylonitrile et du méthylméthacrylate (amidure de sodium/ammoniac liquide), du styrène et de l'isoprène (phénylsodium ou butyllithium) et de l'oxyde d'éthylène.

$$CH_2-CH_2 \ (O) \quad + \quad HO^- \xrightarrow{\text{peu d'eau*}} HOCH_2(CH_2OCH_2)_nCH_2OH$$

polyéthylèneglycol

Les polymères obtenus peuvent être de différentes longueurs et peuvent être liquides ou des solides cireux, comme le carbowax. Ils sont tous solubles dans l'eau. Ces polymères sont utilisés pour la conservation des pièces archéologiques: des pièces de bois saturées d'eau sont mises en contact répété avec de l'éthylèneglycol; l'eau est graduellement remplacée par le polymère. Ce procédé réduit ou annule les risques que la pièce se brise accidentellement par séchage ou qu'elle soit décomposée par des agents biologiques.

---

* Selon la quantité d'eau, la réaction peut se terminer par la formation d'éthylèneglycol ou de polymères de longueurs variées.

$$CH_2-CH_2 \ (O) \quad + \quad HO^- \xrightarrow{\text{excès d'eau}} \overset{OH \quad OH}{CH_2-CH_2}$$

éthylèneglycol
(ou polymères de longueurs variées)

b) polymérisation cationique

Comme son nom l'indique, ce type de polymérisation implique des carbocations comme intermédiaires de réaction. Peu utilisé pour la préparation de polymères utiles, ce procédé est surtout pratique pour la préparation de dimères et de trimères à partir d'alcènes.

C.3.1.3 *Copolymérisation*

Ce type de polymérisation a lieu lorsque l'on met en présence plusieurs monomères différents. Ces derniers se compétitionnent alors pour prolonger la chaîne croissante. On peut s'attendre à ce que les propriétés physiques des macromolécules obtenues soient très différentes de celles d'un *homopolymère* (molécule obtenue à partir d'un seul type de monomère). C'est de cette manière que sont fabriqués les copolymères butadiène/styrène, éthène/propène, chlorure de vinyle/acétate de vinyle et les caoutchoucs Viton qui sont tous très utilisés commercialement.

C.3.2 *Polymérisation par condensation*

Une réaction de condensation est celle où deux molécules réagissent en produisant une petite molécule (très souvent de l'eau). Comme les polymères désirés ne peuvent être obtenus qu'avec un rendement élevé, (à cause des difficultés de purification) les réactions utiles de condensation sont peu nombreuses, car peu de réactions possèdent cette caractéristique. Les polymères les plus importants commercialement issus de cette voie chimique de préparation sont les polyesters, les nylons et les résines.

C.3.2.1 *Les polyesters*

Le type de réaction le plus utile pour la fabrication de polyesters est la transestérification. C'est ainsi que sont obtenus le Dacron, le Lexan, le Mylar, le Terylene, le Fortrel, tous pouvant être produits sous forme de fils ou de fibres et tissés. Comme il n'y a pas de limite à la condensation, ce type de polymérisation peut servir à fabriquer de très longues molécules.

téréphtalate de diméthyle   + $HOCH_2CH_2OH$
                                     éthylèneglycol

~ 200°C
catalyseur

téréphtalate de polyéthylèneglycol
(Dacron)

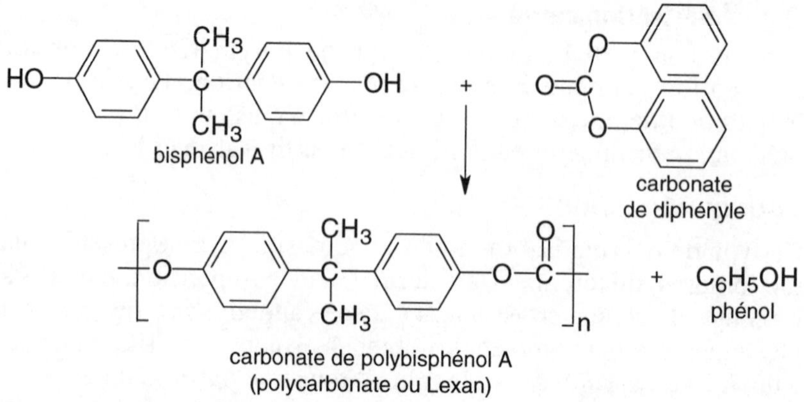

bisphénol A

\+

carbonate
de diphényle

carbonate de polybisphénol A
(polycarbonate ou Lexan)

\+ C_6H_5OH
phénol

C.3.2.2 Les nylons

Les nylons sont des polymères exceptionnellement forts et résistants à l'abrasion. Ils peuvent être moulés et ils peuvent être extrudés à chaud en fils puis tissés pour donner toute la gamme de produits que l'on connaît bien.

Chimiquement, les nylons (ou polyamides) sont fabriqués par condensation, très souvent par copolymérisation, entre des monomères bifonctionnels, les diamines et les diacides. Par exemple, le nylon-6,6 est obtenu en faisant réagir l'hexane-1,6-diamine et l'acide hexanedioïque.

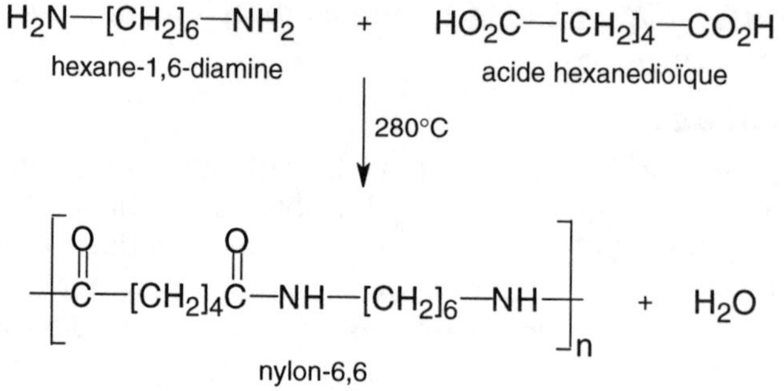

$$H_2N—[CH_2]_6—NH_2 \quad + \quad HO_2C—[CH_2]_4—CO_2H$$

hexane-1,6-diamine   acide hexanedioïque

$$\Big\downarrow 280°C$$

nylon-6,6

\+ H_2O

Quant au nylon-6, il est fabriqué par l'homopolymérisation du produit de la décomposition thermique de la ε-caprolactame.

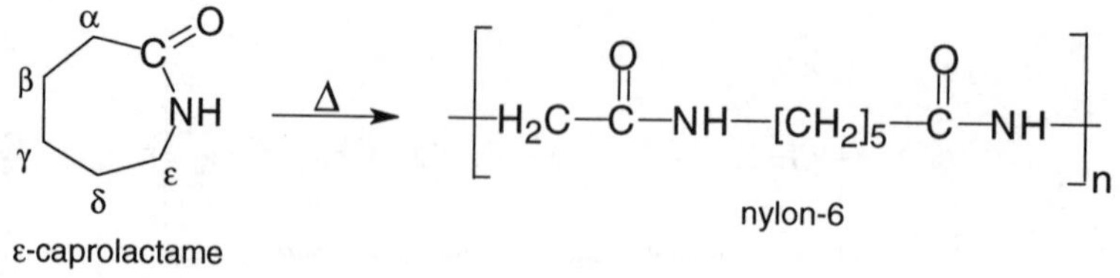

ε-caprolactame

nylon-6

C.3.2.3 *Les résines thermodurcissables*

Les résines thermodurcissables affichent une résistance exceptionnelle à la chaleur, à l'abrasion et au courant électrique. Voilà pourquoi on les retrouve dans les dessus de comptoirs de cuisines, de tables de restaurants, de recouvrement de meubles et d'armoires, d'isolants électriques. À propos d'isolant électrique, la **bakélite**, une des plus anciennes résines thermocurcissables (1909), sert encore de nos jours, entre autres, à cette fin. On en trouvait beaucoup dans les anciens appareils radio; facile à reconnaître, les pièces en bakélite sont soit noires, soit brunes.

La bakélite résulte de la condensation entre le phénol et le formaldéhyde sous catalyse basique.

L'addition peut se faire
en *ortho* ou en *para*. Ici, seul
le produit d'addition en para est montré.

alcool *p* -hydroxybenzylique   phénol   ce dimère phénolique
réagit à son tour....

Ces réactions se poursuivent sur toutes les positions *ortho* et *para* disponibles sur le phénol jusqu'à former ce polymère fortement réticulé* qu'est la bakélite, aussi appelée résine phénol-formaldéhyde. La figure suivante représente une faible partie de son immense réseau.

---

* Chaînes de polymère reliées entre elles pour former un réseau.

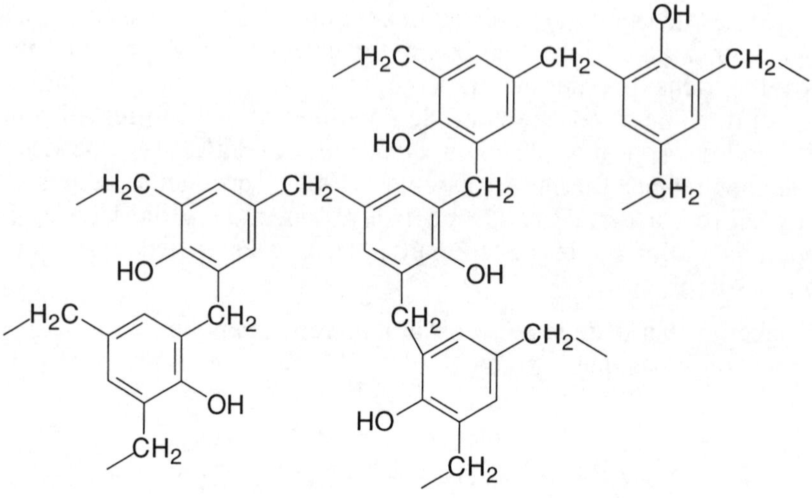

partie de bakélite

Une autre résine thermodurcissable, le **glyptal**, présente le même type de structure fortement réticulée. Cette caractéristique en fait un polymère extrêmement résistant à la chaleur. Il est obtenu par la réaction entre le glycérol et l'anhydride phtalique dans la proportion 2:3.

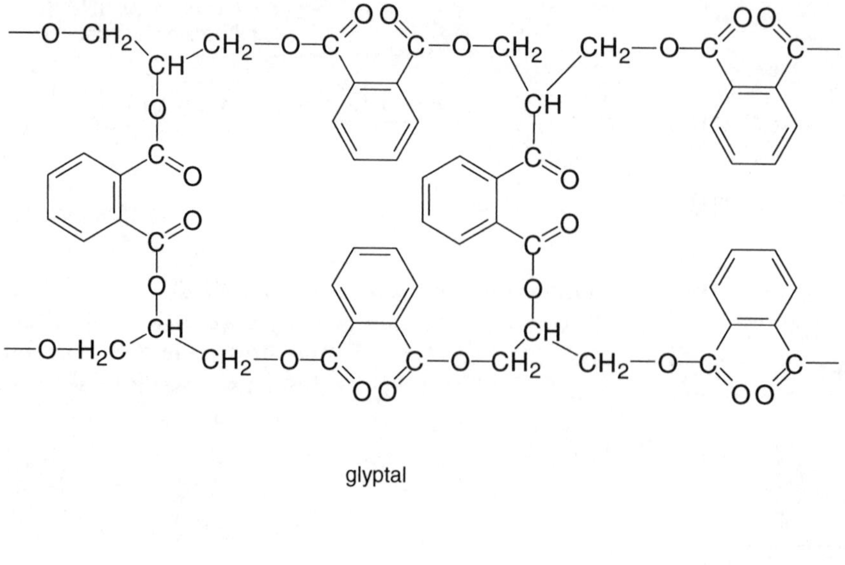

glyptal

C.4 *Structure et propriétés physiques*

C.4.1 *Propriétés physiques macroscopiques*

Les polymères, tous solides à la température ambiante, se distinguent passablement les uns des autres selon leurs propriétés physiques. On peut les aborder, entre autres, de trois façons différentes.

a) Propriétés physiques macroscopiques. On distingue les élastomères, les thermoplastiques, les thermodurcissables.

b) Structure cristalline. Au niveau microscopique, selon la façon dont les chaînes moléculaires sont disposées les unes par rapport aux autres, il existe des polymères amorphes, des polymères cristallins non orientés, des polymères cristallins orientés et ceux qui se situent entre les amorphes et les cristallins, les élastomères.

c) Structure moléculaire. Chez certains polymères linéaires, la stéréochimie des substituants le long de la chaîne carbonée est déterminante pour leurs propriétés physiques. Sous ce dernier aspect, on a créé trois catégories: atactiques, isotactiques, syndiotactiques.

C.4.1.1 *Les élastomères*

Les élastomères existent sous forme de longues chaînes linéaires avec très peu, sinon pas du tout, de pontages intermoléculaires.

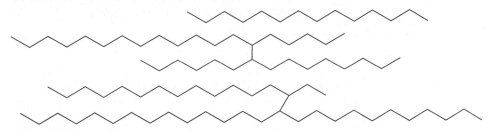

Ce type de polymère est généralement mou au toucher et peut être étiré facilement puisque les chaînes peuvent glisser les unes sur les autres. Selon le degré de pontage entre les chaînes, le polymère peut plus ou moins reprendre sa forme initiale. Un progrès important a été réalisé lorsque Goodyear a découvert en 1939 un procédé pour augmenter l'élasticité du caoutchouc, un élastomère naturel. Appelé vulcanisation, ce procédé consiste à chauffer le polymère naturel ou synthétique avec du soufre élémentaire (1 à 8 % en masse) en présence d'un catalyseur. Des pontages intermoléculaires -S-S- sont alors introduits entre les chaînes moléculaires. Ces pontages limitent le glissement des chaînes les unes sur les autres et constituent une sorte de réseau de référence auquel le polymère étiré retourne lorsqu'il est relâché.

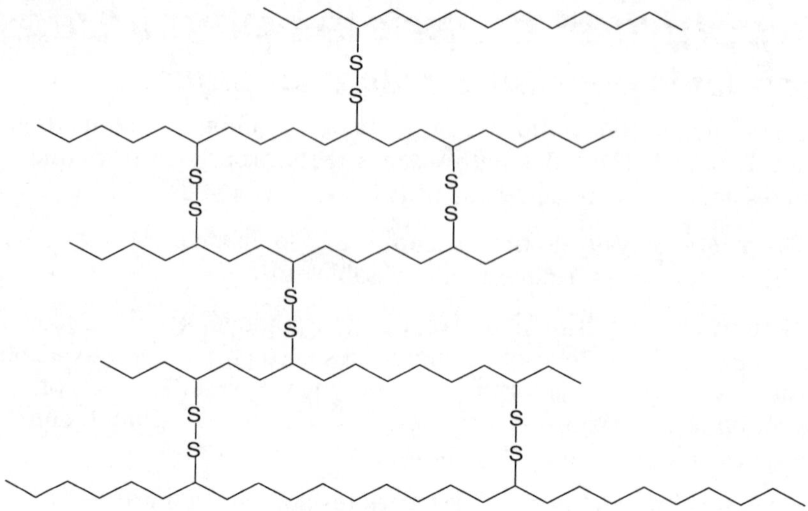

un élastomère ponté
ou vulcanisé

C.4.1.2 *Les thermoplastiques*

Les thermoplastiques se distinguent des élastomères par le degré un peu plus élevé des forces d'attraction intermoléculaires. Ils ont la propriété de se ramollir sous l'effet de la chaleur et de conserver la forme qu'on leur donne jusqu'au moment où on les chauffe de nouveau et cela peut être fait de façon répétée. Leur constitution chimique n'est pas altérée lors de ces opérations. Il sont recyclables grâce à cette propriété.

On retrouve dans cette catégorie:

- le polyéthylène:

    - haute densité: assez rigide, il peut servir à fabriquer jouets, articles de sport, bouteilles de détergent, appareils ménagers, etc.

    - basse densité: très souple, il peut servir dans la fabrication de films d'emballage, de bouteilles souples, d'isolant électrique pour câbles, etc.

- le polypropylène,

- le polystyrène,

- le polychlorure de vinyle (PVC),

- les nylons.

Parmi ces polymères, le polypropylène et les nylons peuvent être étirés sous formes de fibres pour être ensuite tissés et donner les textiles bien connus.

C.4.1.3 Les thermodurcissables

Les polymères de cette catégorie sont obtenus à partir de chaînes moléculaires de faibles masse moléculaire (substance liquide ou semi-liquide à ce stade) qui, lorsque chauffées dans un moule, développent un grand nombre de pontages intermoléculaires, créant ainsi un réseau tridimensionnel de liaisons interreliant les chaînes de polymères (polymère réticulé) et ce de façon irréversible.

Leur constitution chimique est donc modifiée lors de ces opérations. Cela les rend infusibles (résistance à la chaleur) et insolubles dans la plupart des solvants. Les résines urée-formaldéhyde, mélamine-formaldéhyde, les polyuréthanes, les alkydes, les résines époxy et les résines phénol-formaldéhyde sont de ce type. Ils servent à fabriquer des objets pouvant résister à des températures aussi élevées que 300°C. À cause de ces propriétés particulières, ces polymères ne sont pas recyclables.

Le PET (en anglais: **p**olyethylene **t**erephtalate) est un exemple intéressant de polyester aux usages multiples. On le retrouve sous différents noms commerciaux, selon ses propriétés, lesquelles sont déterminées par les conditions de fabrication: Fortrel, Dacron, Terylene, Teron, Mylar, Kodel, Vycron. Le styrène peut être utilisé comme agent de pontage entre les chaînes de polymères obtenues.

$$CH_3O_2C--CO_2CH_3 \quad + \quad HOCH_2CH_2OH$$

téréphtalate de diméthyle   éthylèneglycol

$$\downarrow \begin{array}{l} \sim 200°C \\ \text{catalyseur} \end{array}$$

$$\left[O-\overset{O}{\underset{}{C}}--\overset{O}{\underset{}{C}}-O-CH_2-CH_2 \right]_n \quad + \quad CH_3OH$$

téréphtalate de polyéthylèneglycol
ou polytéréphtalate d'éthylène (PET)
(Dacron)

C.4.2 Structure cristalline

C.4.2..1 Les polymères amorphes

Les polymères amorphes ne possèdent aucune zone cristalline (appelée *cristallite*). Les forces intermoléculaires sont faibles et offrent peu de résistance à l'étirement. Les chaînes glissent aisément les unes sur les autres.

C.4.2.2 Les polymères cristallins non orientés

Ces polymères sont essentiellement de nature cristalline mais les cristallites (zones cristallines) sont orientées au hasard. Leur température de fusion est assez nette et correspond grossièrement à la fusion des cristallites. Une fois fondu, ces polymères se comportent comme les amorphes et ils peuvent alors être moulés. Les points de fusion sont plus ou moins élevés selon la rigidité des chaînes moléculaires.

C.4.2.3 Les polymères cristallins orientés

Ces polymères ont leurs cristallites orientés dans le même sens. Par exemple, le nylon étiré sous forme de fils puis de fibres acquiert beaucoup de résistance à l'élongation.

Figure C.1 Le nylon étiré sous forme de fils.

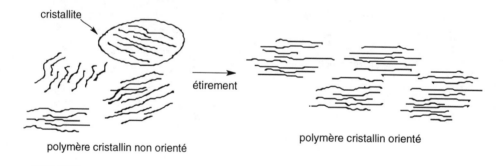

cristallite

étirement

polymère cristallin non orienté

polymère cristallin orienté

C.4.2.4 Les élastomères

Ces polymères se situent entre les polymères amorphes et les cristallins. Leur comportement élastique est dû aux faibles forces intermoléculaires et à leur structure passablement irrégulière semblable aux polymères amorphes. Un bon élastomère doit contenir quelques régions cristallines et des chaînes moléculaires plutôt flexibles.

C.4.3 Structure moléculaire fine

La structure moléculaire fine est la disposition des groupes substituants sur les chaînes de carbone du polymère. Il s'agit en fait de la stéréoisomérie de ces substituants.

C.4.3.1 Les chaînes atactiques

Un polymère est dit atactique lorsque ses substituants sont distribués au hasard, sans ordre précis, le long de la chaîne moléculaire. Par exemple, dans le polystyrène atactique, les groupes phényles sont distribués de façon aléatoire le long de la chaîne principale.

C.4.3.2 Les chaînes isotactiques

Dans du polystyrène isotactique, tous les groupes phényles sont du même côté de la chaîne carbonée. Cette différence de structure fait que ce type de polystyrène doit être moulé à des températures plus élevées et est moins soluble dans la plupart des solvants que ne l'est le polystyrène atactique.

C.4.3.3 Les chaînes syndiotactiques

Dans du polystyrène syndiotactique, les groupes phényle alternent régulièrement d'un côté et de l'autre de la chaîne carbonée.

Figure C.2 Le polystyrène.

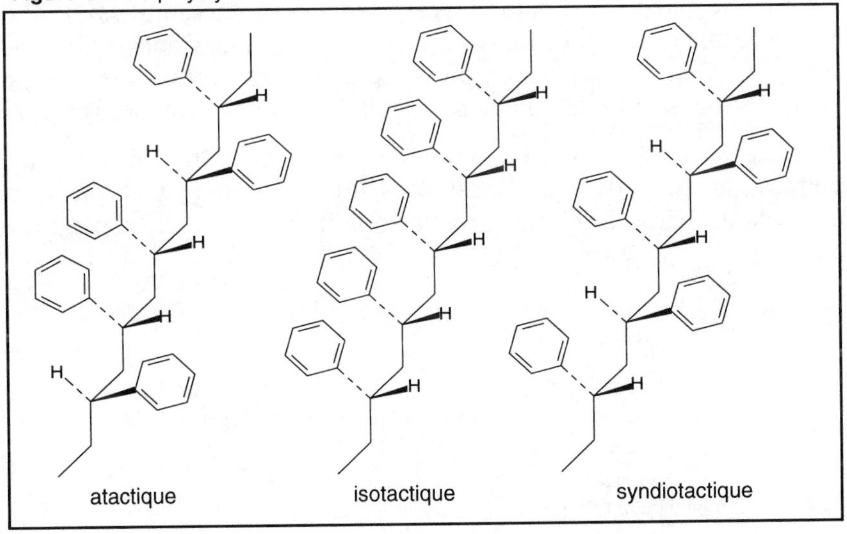

atactique   isotactique   syndiotactique

C.5 Quelques polymères naturels

C.5.1 Homopolymères

Les homopolymères sont constitués d'unités identiques reliées les unes aux autres de manière identique. On retrouve, entre autres, dans cette catégorie, le caoutchouc naturel (latex), l'amidon, la cellulose.

C.5.1.1 Le caoutchouc naturel

Le caoutchouc naturel est un homopolymère linéaire formé d'unités isoprène. À cause de la façon dont la plante (*hevea brasiliensis*) synthétise ce polymère, toutes les liaisons doubles ont la configuration *cis*.

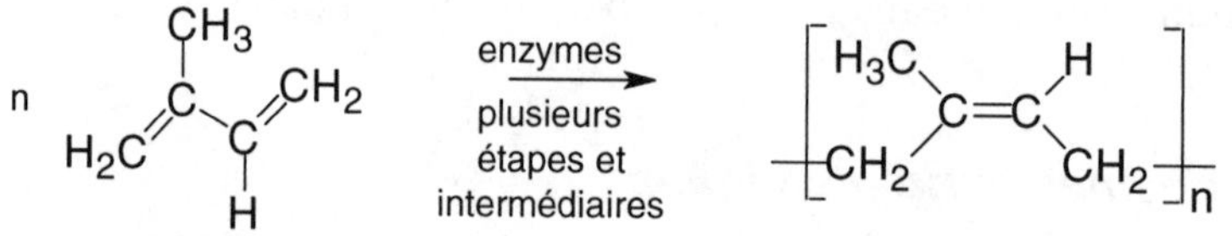

isoprène
(2-méthylbuta-1,3-diène)

caoutchouc naturel *cis*

Tel quel, le caoutchouc naturel n'est pas un élastomère utilisable. Il doit être vulcanisé. Ce procédé, découvert en 1839 par Charles Goodyear, consiste à chauffer le latex en présence de soufre. Il y a alors formation de ponts —S— entre les chaînes parallèles, ce qui lui confère l'élasticité.

Il existe également un autre polymère naturel synthétisé par d'autres plantes, le gutta-percha. Il est plus dur et moins élastique que le caoutchouc naturel. Toutes ses liaisons doubles ont la configuration *trans*.

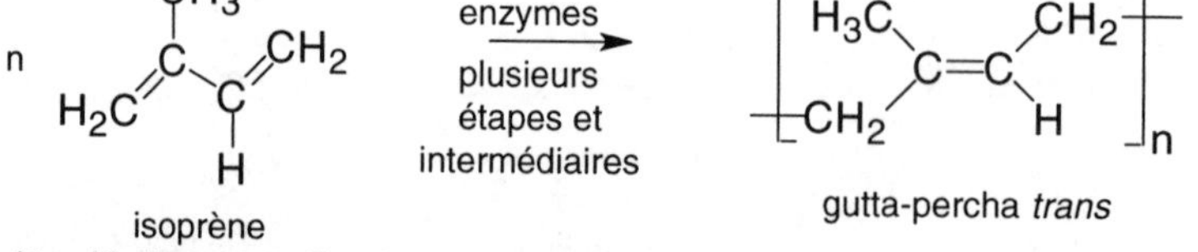

isoprène
(2-méthylbuta-1,3-diène)

gutta-percha *trans*

C.5.1.2 *L'amidon*

L'amidon constitue une source d'énergie importante pour les plantes. On en trouve de grandes quantités dans les pommes de terre, le maïs, le riz et les céréales. L'homme en mange régulièrement et y puise, lui aussi, une grande part de l'énergie qu'il utilise dans l'immédiat ou qu'il emmagasine sous forme de glycogène.

L'amidon est un polymère du D-glucose, de masse molaire élevée et variée. L'amidon est en réalité un mélange de deux polysaccharides: l'amylose (20%) et l'amylopectine (80%).

L'amylose, de masse molaire 10 000 à 50 000 g/mol (50 à 300 unités de glucose), est considéré comme la partie de l'amidon la plus soluble dans l'eau. Sa structure se limite à un enchaînement linéaire de D-glucopyranose par liaison glycosidique α-**(1-4)** (figure C.3).

Figure C.3 Structure générale de l'amylose.

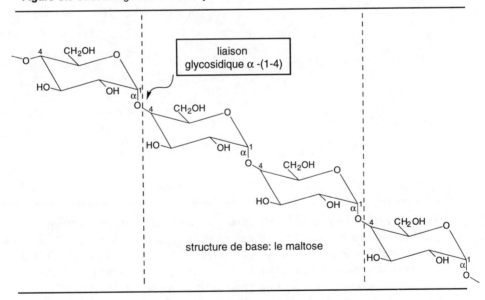

structure de base: le maltose

L'amylase est une enzyme très efficace pour catalyser l'hydrolyse des liens α-(1-4) de l'amylose.

L'amylopectine, de son côté, peut être considérée comme une agglomération de chaînes d'amyloses, réunies entre elles par l'oxygène du C1 en bout de chaîne (hémiacétal du cycle le plus à droite) et le C6 d'un cycle d'une chaîne voisine (figure C.4).

Figure C.4 Structure générale de l'amylopectine.

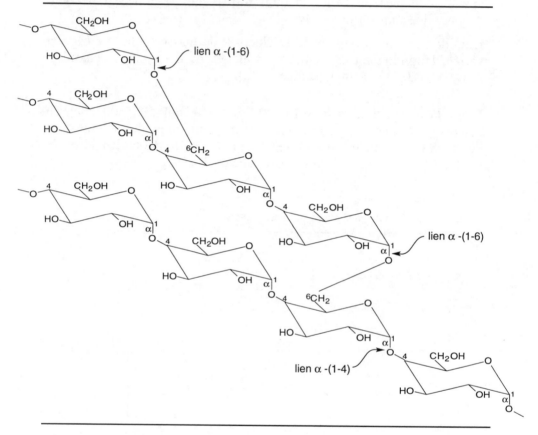

Cette impressionnante structure de l'amylopectine explique son insolubilité dans l'eau. De formes et de longueurs variées, ces chaînes d'amylose possèdent des masses molaires élevées, allant de 50 000 à 1 000 000 g/mol. L'amylopectine est, en quelque sorte, de l'amylose ramifiée, comme un arbre dont chaque branche serait l'amylose.

L'hydrolyse partielle de l'amidon produit des fragments de masse molaire plus faible, appelés **dextrines.** Plus digestibles que l'amidon, les dextrines sont utilisées dans les aliments pour enfants. Le lait malté est un mélange de dextrines, de maltose et de lait séché. Mouillées, les dextrines sont collantes; elles servent de colle sur les timbres et les enveloppes.

C.5.1.3 *La cellulose*

Avec la cellobiose comme structure de base, la cellulose se distingue de l'amidon par ses liens β au lieu de liens α. C'est aussi un polymère du D-glucose, mais il ne forme pas de liaisons latérales (ou branchements) comme dans l'amylopectine. La structure de la cellulose est la suivante:

Figure C.5 Structure générale de la cellulose.

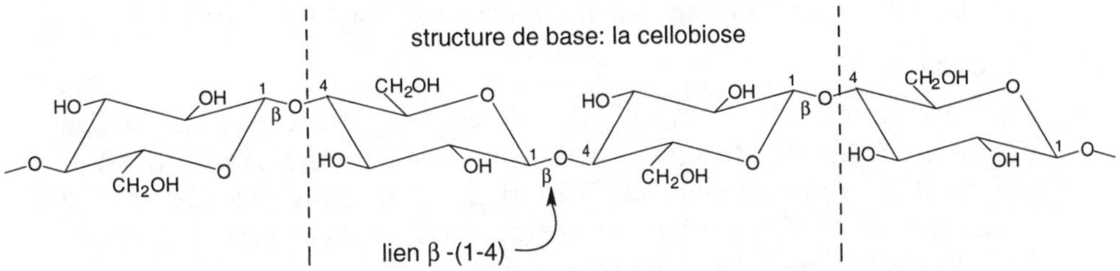

Les liens β empêchent la digestion de la cellulose chez l'homme. En effet, l'homme ne possède pas l'enzyme nécessaire à l'hydrolyse de la cellulose. Seuls certains unicellulaires, quelques moisissures et certains champignons possèdent une cellulase. Les ruminants et les termites qui hébergent ces unicellulaires dans leurs cavités stomacales deviennent alors aptes à digérer la cellulose. La cellulose constitue la structure de base des cellules des plantes et des arbres. Le bois, les feuilles, le coton, le lin, le chanvre et bien d'autres, sont constitués de fibres naturelles en cellulose. Le coton contient 98% de cellulose dont la masse molaire varie de $4,0 \times 10^5$ à $1,5 \times 10^6$ g/mol.

Pour l'industrie chimique, la cellulose constitue une source de matériel de base intéressant à transformer. Ainsi, une variété toujours grandissante de produits dérivés de la cellulose apparaissent sur le marché, à chaque année. En voici quelques exemples:

• **nitrate de cellulose** (ou nitrocellulose): produit explosif obtenu en traitant de la cellulose avec de l'acide nitrique. Le produit fortement nitré s'appelle *fulmicoton* .

• **acétate de cellulose**: à cause de ses nombreuses fonctions alcool, la cellulose peut former des esters (acétates) grâce à l'anhydride acétique. Les divers degrés d'estérification fournissent une variété de produits. Les acétates sont utilisés dans les vernis, comme plastiques (films photo) et fibres textiles (rayonne).

• **cellophane et rayonne viscose**: traitée en milieu basique par le disulfure de carbone, CS_2, la cellulose peut devenir un film transparent, appelé cellophane ou une fibre textile, connue sous le nom de rayonne viscose.

C.5.2 *Copolymères*

Les copolymères synthétiques sont préparés à partir d'un mélange de monomères différents. Chacun s'additionne avec les autres pour s'ajouter à l'extrémité active de la chaîne. Évidemment, lorsqu'il s'agit de copolymères naturels, il va de soi que la Nature a procédé de façon analogue. Les conditions de réaction et les monomères sont cependant différents: les monomères sont souvent des aminoacides et les réactions ont lieu à basse température, catalysées par des enzymes.

C.5.2.1 *La soie*

La soie contient un copolymère appelé fibroïne. C'est une macromolécule de structure cristalline orientée. La fibroïne est un polypeptide relativement simple. Il est constitué de glycine, de L-alanine, de L-sérine et de L-tyrosine. Chaque chaîne est liée par des liaisons hydrogène à deux chaînes voisines.

C.5.2.2 *La laine*

Comme l'insuline, la laine est un polypeptide qui contient une quantité importante de cystine. La présence de cet aminoacide crée des ponts disulfure —S—S— entre les chaînes peptidiques. Ces ponts jouent un rôle important dans les propriétés mécaniques des fibres de la laine; par exemple, la flexibilité de la laine peut être augmentée par la réduction des ponts disulfure. De constitution analogue, les cheveux peuvent être

frisés par le bris et la reformation des ponts disulfure dans une autre
position par traitement au moyen d'un oxydant doux.

$$RCH_2\text{—}S\text{—}S\text{—}CH_2R \quad + \quad 2\ HSCH_2CO_2^-\ NH_4^+$$

portion protéinique de laine   thioglycolate d'ammonium
ou de cheveu

$$\overset{+}{N}H_4\ ^-O_2CCH_2\text{—}S\text{—}S\text{—}CH_2CO_2^-\ \overset{+}{N}H_4 \quad + \quad HSCH_2R \quad + \quad RCH_2SH$$

oxydant
doux

reformation des ponts disulfure
dans une autre position

C.5.2.3 *Le collagène*

Le collagène est la protéine probablement la plus abondante du règne
animal. Il est le principal constituant des cartilages et des os, des
tendons et des ligaments, de la peau et des cornées. Chez l'homme, cette
protéine représente environ un tiers (33%) des protéines totales. La
structure du collagène diffère selon le type de tissus où il se trouve. Le
collagène semble avoir certains rapports avec le processus de
vieillissement, les maladies rhumatismales et certains défauts
congénitaux du squelette, des vaisseaux sanguins et d'autres tissus. C'est
pourquoi le collagène est très important pour les chercheurs en
médecine.

Dans le tissus osseux, les fibres de collagène forment une matrice dans
laquelle cristallise l'hydroxyapatite, $Ca_3(PO_4)_3.Ca(OH)_2$.

Il s'y trouve aussi des sels de l'acide citrique et de l'acide carbonique;
tout l'espace qui reste est rempli d'une substance semi-liquide qui sert au
transport des produits chimiques entre les os et le système circulatoire.

Le collagène est la principale protéine de la peau et du tissus conjonctif.
Il est surtout constitué de glycine, de proline et d'hydroxyproline. Ses
molécules sont très longues et minces, chacune étant formée de trois
chaînes polypeptidiques; elles sont parallèles, toutes dirigées dans le
même sens, mais décalées les unes par rapport aux autres. La fabrication
de cuir implique la transformation du collagène des peaux: des liaisons
pontales se forment entre les fibrilles parallèles (au moyen de sels de
chrome).

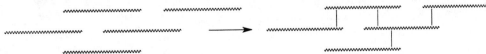

C.5.2.4 L'ADN

Les acides nucléiques sont formés de longues chaînes de nucléotides liés par des phosphates (jusqu'à 10 unités nucléotides par ADN). La structure suivante illustre une portion de chaîne d'**ADN.**

Une portion de la structure de
l'ADN

* Base = adénine, guanine, cytosine ou thymine.

————— ✳ —————

INDEX

D

Table internationale des masses atomiques

Nom	Symbole	Numéro atomique	Masse atomique	Nom	Symbole	Numéro atomique	Masse atomique
Actinium	Ac	89	227,028	Mendelevium	Md	101	258
Aluminium	Al	13	26,982	Mercure	Hg	80	200,59
Américium	Am	95	243	Molybdène	Mo	42	95,94
Antimoine	Sb	51	121,757	Néodyme	Nd	60	144,24
Argent	Ag	47	107,868	Néon	Ne	10	20,180
Argon	Ar	18	39,948	Neptunium	Np	93	237,048
Arsenic	As	33	74,922	Nickel	Ni	28	58,693
Astate	At	85	210	Niobium	Nb	41	92,906
Azote	N	7	14,007	Nobélium	No	102	259
Baryum	Ba	56	137,327	Or	Au	79	196,967
Berkélium	Bk	97	247	Osmium	Os	76	190,2
Béryllium	Be	4	9,012	Oxygène	O	8	15,999
Bismuth	Bi	83	208,980	Palladium	Pd	46	106,42
Bore	B	5	10,811	Phosphore	P	15	30,974
Brome	Br	35	79,904	Platine	Pt	78	195,08
Cadmium	Cd	48	112,411	Plomb	Pb	82	207,2
Calcium	Ca	20	40,078	Plutonium	Pu	94	244
Californium	Cf	98	251	Polonium	Po	84	209
Carbone	C	6	12,011	Potassium	K	19	39,098
Cérium	Ce	58	140,15	Praséodyme	Pr	59	140,907
Césium	Cs	55	132,905	Prométhium	Pm	61	145
Chlore	Cl	17	35,453	Protactinium	Pa	91	231,036
Chrome	Cr	24	51,996	Radium	Ra	88	226,025
Cobalt	Co	27	58,933	Radon	Rn	86	222
Cuivre	Cu	29	63,546	Rhénium	Re	75	186,207
Curium	Cm	96	247	Rhodium	Rh	45	102,906
Dysprosium	Dy	66	162,50	Rubidium	Rb	37	85,468
Einsteinium	Es	99	252	Ruthénium	Ru	44	101,07
Erbium	Er	68	167,26	Rutherfordium	Rf	104	261
Étain	Sn	50	118,710	Samarium	Sm	62	150,36
Europium	Eu	63	151,965	Scandium	Sc	21	44,956
Fer	Fe	26	55,847	Sélénium	Se	34	78,96
Fermium	Fm	100	257	Silicium	Si	14	28,086
Fluor	F	9	18,998	Sodium	Na	11	22,990
Francium	Fr	87	223	Soufre	S	16	32,066
Gadolinium	Gd	64	157,25	Strontium	Sr	38	87,62
Gallium	Ga	31	69,723	Tantale	Ta	73	180,948
Germanium	Ge	32	72,61	Technétium	Tc	43	98
Hafnium	Hf	72	178,49	Tellure	Te	52	127,60
Hahnium	Ha	105	262	Terbium	Tb	65	158,925
Hélium	He	2	4,002	Thallium	Tl	81	204,383
Holmium	Ho	67	164,930	Thorium	Th	90	232,038
Hydrogène	H	1	1,008	Thullium	Tm	69	168,934
Indium	In	49	114,82	Titane	Ti	22	47,88
Iode	I	53	126,904	Tungstène	W	74	183,85
Iridium	Ir	77	192,22	Uranium	U	92	238,029
Krypton	Kr	36	83,80	Vanadium	V	23	50,942
Lanthane	La	57	138,906	Xénon	Xe	54	131,29
Lawrencium	Lr	103	260	Ytterbium	Yb	70	173,04
Lithium	Li	3	6,941	Yttrium	Y	39	88,906
Lutécium	Lu	71	174,967	Zinc	Zn	30	65,39
Magnésium	Mg	12	24,305	Zirconium	Zr	40	91,224
Manganèse	Mn	25	54,938				

Tableau périodique des éléments

1																		18
1 **H** 1.008	2											13	14	15	16	17		2 **He** 4.00
3 **Li** 6.94	4 **Be** 9.01											5 **B** 10.81	6 **C** 12.011	7 **N** 14.01	8 **O** 16.00	9 **F** 19.00		10 **Ne** 20.18
11 **Na** 22.99	12 **Mg** 24.31	3	4	5	6	7	8	9	10	11	12	13 **Al** 26.98	14 **Si** 28.09	15 **P** 30.97	16 **S** 32.07	17 **Cl** 35.45		18 **Ar** 39.95
19 **K** 39.10	20 **Ca** 40.08	21 **Sc** 44.96	22 **Ti** 47.88	23 **V** 50.94	24 **Cr** 52.00	25 **Mn** 54.94	26 **Fe** 55.85	27 **Co** 58.93	28 **Ni** 58.69	29 **Cu** 63.55	30 **Zn** 65.39	31 **Ga** 69.72	32 **Ge** 72.61	33 **As** 74.92	34 **Se** 78.96	35 **Br** 79.90		36 **Kr** 83.80
37 **Rb** 85.47	38 **Sr** 87.62	39 **Y** 88.91	40 **Zr** 91.22	41 **Nb** 92.91	42 **Mo** 95.94	43 **Tc** (98)	44 **Ru** 101.07	45 **Rh** 102.91	46 **Pd** 106.42	47 **Ag** 107.87	48 **Cd** 112.41	49 **In** 114.82	50 **Sn** 118.71	51 **Sb** 121.76	52 **Te** 127.60	53 **I** 126.90		54 **Xe** 131.29
55 **Cs** 132.91	56 **Ba** 137.33	57 **La*** 138.91	72 **Hf** 178.49	73 **Ta** 180.95	74 **W** 183.85	75 **Re** 186.21	76 **Os** 190.2	77 **Ir** 192.22	78 **Pt** 195.08	79 **Au** 196.97	80 **Hg** 200.59	81 **Tl** 204.38	82 **Pb** 207.2	83 **Bi** 208.98	84 **Po** (209)	85 **At** (210)		86 **Rn** (222)
87 **Fr** (223)	88 **Ra** 226.03	89 **Ac◆** 227.03	104 **Rf** (261)	105 **Ha** (262)	106 **§** (263)	107 **§** (262)	108 **§** (265)	109 **§** (267)										

Numéro atomique → 6
Symbole → **C**
Masse atomique → 12.011

Lanthanides *

58 **Ce** 140.12	59 **Pr** 140.91	60 **Nd** 144.24	61 **Pm** (145)	62 **Sm** 150.36	63 **Eu** 151.97	64 **Gd** 157.25	65 **Tb** 158.93	66 **Dy** 162.50	67 **Ho** 164.93	68 **Er** 167.26	69 **Tm** 168.93	70 **Yb** 173.04	71 **Lu** 174.97

Actinides ◆

90 **Th** 232.04	91 **Pa** 231.04	92 **U** 238.03	93 **Np** 237.05	94 **Pu** (244)	95 **Am** (243)	96 **Cm** (247)	97 **Bk** (247)	98 **Cf** (251)	99 **Es** (252)	100 **Fm** (257)	101 **Md** (258)	102 **No** (259)	103 **Lr** (260)

AGMV
MARQUIS
Québec, Canada
1999